ŁOWCA CIENI

D1589067

DONATO CARRISI

ŁOWCA CIENI

Z włoskiego przełożył
JAN JACKOWICZ

Tytuł oryginału:
IL CACCIATORE DEL BUIO

Copyright © Donato Carrisi, 2014
Wydanie oryginalne © Longanesi & C., Milano 2014, 2014
Polish edition copyright © Wydawnictwo Albatros Sp. z o.o. 2017
Polish translation copyright © Jan Jackowicz 2017

Redakcja: Agnieszka Łodzińska
Zdjęcie na okładce: © Sigi Kolbe/Moment/Getty Images
Skład: Laguna

ISBN 978-83-7985-967-2
Książka dostępna także jako e-book

Dystrybutor
Firma Księgarska Olesiejuk sp. z o.o. sp. j.
Poznańska 91, 05-850 Ożarów Mazowiecki
tel. (22) 721 30 00, faks (22) 721 30 01
www.olesiejuk.pl

Wydawca
WYDAWNICTWO ALBATROS SP. Z O.O.
(dawniej Wydawnictwo Albatros Andrzej Kuryłowicz s.c.)
Hlonda 2A/25, 02-972 Warszawa
www.wydawnictwoalbatros.com
Facebook.com/WydawnictwoAlbatros | Instagram.com/wydawnictwoalbatros

2017. Wydanie I
Druk: Abedik S.A., Poznań

Książkę wydrukowano na papierze Ecco Book Cream 70 g/m², vol. 2.0
z oferty Antalis Poland

Rozkazywał bowiem duchowi nieczystemu,
by wyszedł z tego człowieka. Bo już wiele razy
porywał go, a choć wiązano go łańcuchami
i trzymano w pętach, on rwał więzy, a zły duch
pędził go na miejsca pustynne. A Jezus zapytał go:
„Jak ci na imię?". On odpowiedział: „Legion",
bo wiele złych duchów weszło w niego.

Ewangelia wg świętego Łukasza, 8, 29–30

Jesteśmy bogom, czym są muchy dzieciom,
I dla zabawy swej nas zabijają.

Szekspir, *Król Lear*, tłum. Leon Ulrich

PROLOG

Łowca cieni

Przychodzimy na świat i umieramy, zapominając.

To samo przydarzyło się jemu. Urodził się po raz drugi, ale przedtem musiał umrzeć. Ceną za to było wymazanie z pamięci, kim był wcześniej.

Ja nie istnieję, powtarzał sobie bezustannie, ponieważ była to jedyna znana mu prawda.

Pocisk, który przebił mu skroń, zabrał ze sobą przeszłość, a wraz z nią jego tożsamość. Nie naruszył natomiast ogólnej pamięci i ośrodków mowy, toteż – rzecz dziwna – mówił różnymi językami.

Ten wyjątkowy talent do języków był jedyną pewną rzeczą.

Gdy leżał w łóżku w Pradze, czekając, aż odkryje, kim jest, pewnej nocy obudził się i obok łóżka zobaczył miło wyglądającego człowieka, który miał czarne włosy uczesane z przedziałkiem z boku i twarz małego chłopczyka. Uśmiechnął się do niego, wymawiając tylko jedno zdanie:

– Wiem, kim jesteś.

Te słowa powinny były uwolnić go od niepewności, ale stały się tylko wstępem do nowej zagadki, ponieważ w tym momencie ubrany na czarno mężczyzna pokazał mu dwie zapieczętowane koperty.

Wyjaśnił, że w jednej znajduje się czek na okaziciela na dwadzieścia tysięcy euro i paszport z wymyślonym nazwiskiem, w którym brakuje tylko zdjęcia.

W drugiej znajdowała się prawda.

Mężczyzna dał mu tyle czasu na podjęcie decyzji, ile będzie potrzebował, ponieważ nie zawsze dobrze jest wiedzieć wszystko o nas samych. A on tymczasem dostał drugą możliwość.

– Dobrze to przemyśl – poradził mu nieznajomy. – Ilu ludzi pragnęłoby się znaleźć w twojej sytuacji? Ilu chciałoby, żeby amnezja przekreśliła na zawsze wszystkie dawne błędy, potknięcia czy cierpienia, żeby mogli zacząć na nowo, w dowolnie wybranym miejscu? Jeśli wybierzesz tę drogę, odrzuć drugą kopertę, nawet jej nie otwierając. Wierz mi, tak będzie lepiej.

Aby ułatwić podjęcie decyzji, wyjawił mu, że tam, w świecie poza tymi ścianami, nikt go nie szuka ani na niego nie czeka. Ponieważ nie ma nikogo, z kim byłby związany uczuciowo.

A potem mężczyzna odszedł, zabierając ze sobą swoje tajemnice.

Natomiast on pozostał, żeby przez resztę nocy, a także następne dni przyglądać się dwóm kopertom. Coś mu mówiło, że w gruncie rzeczy nieznajomy już wie, co on wybierze.

Problem polegał na tym, że on sam tego nie wiedział.

Myśl, że zawartość tamtej drugiej koperty mogłaby mu się nie spodobać, była zawarta już w samej dziwnej propozycji. Nie wiem, kim jestem, powtarzał sobie, ale prędko zdał sobie sprawę, że dobrze zna przynajmniej jedną część siebie: tę, która nie mogłaby przeżyć reszty życia, mając tę wątpliwość.

Dlatego w wieczór poprzedzający wypisanie ze szpitala pozbył się koperty z czekiem i paszportem z fałszywą tożsamością – żeby uniknąć dalszego zastanawiania się nad sprawą. Potem otworzył tę, która miała mu wszystko wyjawić.

W kopercie był bilet kolejowy do Rzymu, trochę pieniędzy i adres pewnego kościoła.

Pod wezwaniem Świętego Ludwika Króla Francji.

Dotarcie na miejsce zajęło mu cały dzień. Usiadł w jednej z ławek w głębi środkowej nawy tego arcydzieła sztuki sakralnej – doskonałej syntezy odrodzenia i baroku – i pozostał tam przez wiele godzin. Turyści tłumnie zapełniający to miejsce religijnego kultu, zainteresowani wyłącznie sztuką, nie zwracali uwagi na *jego obecność. Także i on odkrył ze zdumieniem, że otacza go tyle piękna. Był pewny, że prędko nie zapomni nieznanych cudowności, które chłonęła jego dziewicza pamięć, odkrywając je w otaczających go dziełach.*

Jednakże nie wiedział jeszcze, ile to ma wspólnego z nim samym.

Gdy późnym wieczorem grupki turystów ponaglonych nadchodzącą burzą zaczęły opuszczać kościół, ukrył się w jednym z konfesjonałów. Nie wiedział, dokąd mógłby się udać.

Zamknięto drzwi, pogaszono światła, wnętrze oświetlały tylko świece wotywne. Na dworze zaczął padać deszcz. Pomruki dochodzące z chmur wywoływały drżenie powietrza we wnętrzu świątyni.

I wtedy w kościele echem odbiły się słowa:

– Chodź tu, Marcusie, popatrz tylko.

Tak miał na imię. To, że ktoś wymówił je głośno, nie wywarło na nim spodziewanego wrażenia. Był to dźwięk taki sam jak inne, nic znajomego.

Marcus opuścił schronienie i zaczął szukać człowieka, którego widział tylko raz, w Pradze. Zobaczył go za jedną z kolumn, stojącego naprzeciwko znajdującej się tam bocznej kaplicy. Był odwrócony plecami i nie poruszał się.

– Kim jestem?

Mężczyzna nie odpowiedział. Nadal spoglądał przed siebie: na ścianach małej kaplicy wisiały trzy wielkie obrazy.

– Caravaggio namalował te obrazy między rokiem tysiąc pięćset dziewięćdziesiątym dziewiątym i tysiąc sześćset drugim. Powołanie świętego Mateusza, Święty Mateusz i anioł *oraz* Męczeństwo świętego Mateusza. *Moim ulubionym jest właśnie ten ostatni – rzekł, wskazując obraz po prawej stronie. Potem odwrócił się do Marcusa. – Według tradycji chrześcijańskiej święty Mateusz, apostoł i ewangelista, został zamordowany.*

Widoczny na obrazie święty zwrócony był twarzą do ziemi, podczas gdy jego zabójca unosił nad nim miecz, gotów ugodzić go śmiertelnie. Wokół nich widać było uciekających ludzi, przerażonych tym, co się miało wydarzyć, i otwierających drogę złu,

11

jakie niebawem miało się dokonać. Mateusz zaś, zamiast poddać się swemu przeznaczeniu, wyciągał ramiona w oczekiwaniu ciosu, który miał mu zadać męczeńską śmierć, a wraz z nią naznaczyć go stygmatami wiecznej świętości.

– Caravaggio był rozpustnikiem, kręcił się w najbardziej rozwiązłych i zepsutych kręgach Rzymu i często, tworząc swoje dzieła, czerpał natchnienie z tego, co widział na ulicach. W tym przypadku z przemocy. Dlatego postaraj się wyobrazić sobie, że w tej scenie nie ma nic świętego ani zbawiennego, i spróbuj przedstawić ją sobie z udziałem zwykłych ludzi... I co teraz widzisz?

Marcus zastanawiał się przez chwilę.

– Morderstwo.

Mężczyzna kiwnął powoli głową, a potem powiedział:

– Ktoś strzelił do ciebie w pokoju hotelowym w Pradze.

Z zewnątrz doszły wyraźniejsze odgłosy deszczu, wzmocnione echem błądzącym po kościele. Marcus pomyślał, że mężczyzna pokazał mu ten obraz w dokładnie określonym celu. Żeby go zachęcić do zadania sobie pytania, kim mógłby być w tej scenie. Ofiarą czy katem?

– Inni widzą na tym obrazie zbawienie, ale ja jestem w stanie dostrzec tylko zło – odezwał się Marcus. – Dlaczego?

Okna rozświetliła błyskawica, ukazując uśmiechniętą twarz mężczyzny.

– Nazywam się Clemente. Jesteśmy duchownymi.

Słowa te wstrząsnęły Marcusem do głębi.

– Pewna część twojej świadomości potrafi rozpoznawać znaki zła. Anomalie.

Nie był w stanie uwierzyć, że ma tego rodzaju talent.

Clemente położył mu dłoń na ramieniu.

– Jest pewne miejsce, w którym kraina światła spotyka się ze światem ciemności. To tam wszystko się dzieje, w tej strefie cieni, gdzie rzeczy są rozmyte, zagmatwane, niepewne. Ty byłeś strażnikiem pilnującym tej granicy. Ponieważ co jakiś czas coś się przez nią przedostaje. Twoim zadaniem było odegnać to z powrotem.

Odczekał chwilę, aby jego słowa rozpłynęły się w odgłosach burzy.

– Dawno temu złożyłeś przysięgę: nikt nie będzie mógł się dowiedzieć o twoim istnieniu. Nigdy. Będziesz mógł powiedzieć, kim jesteś, tylko w czasie, jaki oddziela błyskawicę od grzmotu.

W czasie, jaki oddziela błyskawicę od grzmotu...

– Kim jestem? – Marcus starał się to pojąć ze wszystkich sił.

– Ostatnim przedstawicielem pewnego świątobliwego zakonu. Penitencjariuszem. Zapomniałeś o świecie, ale świat zapomniał również o was. Za to w dawniejszych czasach ludzie nazywali was łowcami cieni.

Watykan jest najmniejszym na świecie niezależnym państwem.

Zaledwie pół kilometra kwadratowego w samym centrum Rzymu. Rozciąga się na tyłach Bazyliki Świętego Piotra. Jego granice chronione są pasem potężnych murów.

Dawniej całe Wieczne Miasto należało do papieża. Ale od czasu, gdy w roku 1870 Rzym włączono do nowo powstałego królestwa Włoch, papież wycofał się do tej małej enklawy, gdzie mógł nadal sprawować władzę.

Jako niezależne państwo Watykan posiada terytorium, ludność i organy rządowe. Jego obywatele dzielą się na duchownych i świeckich w zależności od tego, czy złożyli śluby zakonne, czy też nie. Niektórzy mieszkają w obrębie murów, inni poza nimi, na obszarze Włoch, i codziennie spieszą, żeby dotrzeć do swojego miejsca pracy lub któregoś z wielu urzędów albo kongregacji, przechodząc przez jedną z pięciu „bram", którymi można się dostać do środka.

W granicach murów istnieją infrastruktury i zakłady usługowe. Jest tu supermarket, urząd pocztowy, mały szpital, apteka, sąd, który wydaje wyroki na podstawie prawa kanonicznego, oraz niewielka elektrownia. A także lądowisko dla śmigłowców, a nawet mały dworzec kolejowy, ale do wyłącznego użytku papieża.

Oficjalnym językiem jest łacina.

Oprócz Bazyliki, rezydencji papieskiej i budynków rządowych, na obszarze małego państwa znajdują się bardzo obszerne ogrody i muzea watykańskie, odwiedzane codziennie przez tysiące turystów, którzy przybywają z całego świata i kończą swój obchód, podziwiając z zadartymi głowami cudowne sklepienie Kaplicy Sykstyńskiej z freskami Michała Anioła przedstawiającymi Sąd Ostateczny.

To właśnie tu wszczęto alarm.

Około szesnastej, dwie godziny przed planowym zamknięciem muzeów, strażnicy zaczęli grzecznie wypraszać gości, nie udzielając żadnych wyjaśnień. W tym samym momencie na pozostałym terenie małego państwa świecki personel został poproszony o udanie się do swoich mieszkań, poza murami lub w ich obrębie. Tym zamieszkałym wewnątrz zakazano wychodzenia z mieszkań aż do wydania nowych dyspozycji. Polecenie odnosiło się również do duchownych, którzy zostali poproszeni o powrót do prywatnych rezydencji lub o schronienie się w którymś z wewnętrznych klasztorów.

Szwajcarscy gwardziści, oddział najemnych żołnierzy papieskich, którego członkowie od 1506 roku są rekrutowani wyłącznie w katolickich kantonach Szwajcarii, otrzymali rozkaz zamknięcia wszystkich wejść do miasta, począwszy od głównego, czyli bramy Świętej Anny. Bezpośrednie linie telefoniczne zostały odcięte, nakazano też wyłączenie telefonów komórkowych.

O godzinie osiemnastej tego chłodnego zimowego dnia otoczone murami miasto zostało całkowicie odizolowane od reszty świata. Nikt nie mógł wejść, wyjść ani komunikować się ze światem zewnętrznym.

Nikt, oprócz dwóch mężczyzn, którzy szli w mroku przez dziedziniec Świętego Damazego i przez Loggie Rafaela.

◆ ◆ ◆

Elektrownia przerwała dostarczanie prądu do całego obszaru przestronnych ogrodów. Kroki mężczyzn rozbrzmiewały w kompletnej ciszy.

– Musimy się pospieszyć, mamy tylko trzydzieści minut – powiedział Clemente.

Marcus miał świadomość, że odizolowanie nie może trwać długo, gdyż istniała groźba, że ktoś na zewnątrz mógłby powziąć zbytnie podejrzenia. Zgodnie z tym, co mu powiedział przyjaciel, została już przygotowana wersja dla mediów: oficjalnym powodem tej swoistej kwarantanny miała być próba generalna nowego planu ewakuacji na wypadek zagrożenia.

Prawdziwy powód musiał jednak pozostać absolutną tajemnicą.

Księża zapalili latarki, wchodząc w głąb ogrodów, które zajmują dwadzieścia trzy hektary, połowę całego obszaru Państwa Watykańskiego, i dzielą się na ogród włoski, angielski oraz francuski, a podziwiać w nich można okazy flory pochodzące ze wszystkich zakątków świata. Ogrody watykańskie były dumą wszystkich papieży. Wielu z nich spacerowało, medytowało i modliło się wśród rosnących tu roślin.

Marcus i Clemente szli alejkami wzdłuż żywopłotów z bukszpanu, troskliwie przycinanych przez ogrodników, jakby były rzeźbami z marmuru. Przechodzili pod wysokimi palmami i cedrami libańskimi przy akompaniamencie szmerów dochodzących z setki fontann ozdabiających park. Zagłębili się w założonym na życzenie Jana XXIII rosarium, w którym wiosną kwitną róże noszące imię tego świątobliwego papieża.

Znajdujące się po drugiej stronie wysokich murów ulice Rzymu wypełniał chaotyczny ruch pojazdów. Ale tu panowała absolutna cisza i spokój.

Mimo wszystko nie można nazwać tego spokojem, pomyślał Marcus. A przynajmniej nie w tym momencie. Został on zniszczony przez to, co wydarzyło się tego popołudnia, kiedy dokonano odkrycia.

W miejscu, do którego kierowali się dwaj penitencjariusze,

przyroda nie została udomowiona jak w pozostałej części parku. We wnętrzu tych zielonych płuc miasta znajdowała się strefa, w której drzewa i inne rośliny mogły rosnąć swobodnie. Dwuhektarowy zagajnik.

Jedyne zabiegi, jakim poddawano go od czasu do czasu, polegały na usuwaniu suchych gałęzi. Tym właśnie zajmował się ogrodnik, który podniósł alarm.

Marcus i Clemente wdrapali się na małą górkę. Dotarłszy na szczyt, skierowali światło latarek w stronę niewielkiej leżącej za nią dolinki, w której watykańska żandarmeria wyznaczyła mały obszar, otaczając go żółtą taśmą. Funkcjonariusze przeprowadzili już czynności śledcze i zebrali wszelkie ślady, po czym otrzymali polecenie opuszczenia tego miejsca.

Żebyśmy mogli przyjść my, skonstatował Marcus. A potem podszedł do granicy wyznaczonej taśmą i oświetlił latarką obiekt widniejący za nią.

Ludzki tułów.

Był nagi. Przywiódł mu natychmiast na myśl Tors Belwederski – gigantyczny, okaleczony pomnik Herkulesa przechowywany właśnie w muzeach watykańskich – z którego czerpał natchnienie Michał Anioł. Ale w szczątkach nieszczęsnej kobiety, która padła ofiarą tak zwierzęcego potraktowania, nie było niczego poetyckiego.

Ktoś równiutko odciął jej głowę, nogi i ręce. Leżały kilka metrów dalej, przemieszane z ciemnymi podartymi ubraniami.

– Wiemy, kto to jest?

– Jedna z zakonnic – odparł Clemente. – Po drugiej stronie tego zagajnika jest mały klasztor klauzurowy – dodał, wskazując przed siebie. – Jej tożsamość jest tajemnicą, to jedna z norm zakonu, do którego należała. Ale nie sądzę, żeby w tym momencie robiło to jakąś różnicę.

Marcus pochylił się, żeby lepiej się przyjrzeć. Biała skóra, małe piersi i krocze odsłonięte z całą bezwstydnością. Bardzo krótkie, jasne włosy, wcześniej ukryte pod welonem, teraz widoczne na odciętej głowie. Niebieskie oczy uniesione do nieba, jakby w błagalnej prośbie. Penitencjariusz skierował na nią pytające spojrzenie. Kim jesteś? Istnieje bowiem przeznaczenie jeszcze gorsze niż śmierć: umrzeć bez imienia. Kto ci to zrobił?

– Czasami zakonnice spacerują po tym lasku – ciągnął Clemente. – Tu prawie nigdy nikt nie przychodzi, więc mogą się modlić bez przeszkód.

Ofiara wybrała klauzurę, rozmyślał Marcus. Złożyła śluby, żeby razem z innymi siostrami odizolować się od ludzi. Nigdy już nikt nie miał ujrzeć jej twarzy. A za to stała się narzędziem obscenicznego obnażenia czyjejś niegodziwości.

– Trudno pojąć wybór dokonany przez te zakonnice, wiele osób uważa, że mogłyby czynić dobro między ludźmi, zamiast zamykać się w klasztornych murach – zauważył Clemente, jakby czytał w jego myślach. – Ale moja babcia mawiała zawsze: „Nie masz pojęcia, ile razy te siostrzyczki uratowały świat swoimi modlitwami".

Marcus nie wiedział, czy w to uwierzyć. Miał świadomość, że w obliczu takiej śmierci jak ta świat nie może uznać, że został uratowany.

– Przez wiele wieków nie wydarzyło się tu nic podobnego – dodał jego przyjaciel. – Nie byliśmy na to przygotowani. Żandarmeria przeprowadzi wewnętrzne śledztwo, ale nie ma środków, żeby udźwignąć tego rodzaju sprawę. Dlatego nie wezwano lekarza sądowego ani techników policyjnych. Nie będzie sekcji zwłok, odcisków palców ani badań DNA.

Marcus odwrócił się i rzucił mu ostre spojrzenie.

– W takim razie dlaczego nie zwrócić się o pomoc do włoskich władz?

Zgodnie z traktatami łączącymi oba państwa, Watykan może w razie konieczności poprosić włoską policję o pomoc. Ale tę pomoc wykorzystywano tylko do kontrolowania licznych pielgrzymów, którzy napływali do Bazyliki, lub do zapobiegania drobnym przestępstwom, jakie zdarzały się na placu przed nią. Włoska policja nie miała prawa działać poza granicą wyznaczoną przez podstawę schodów prowadzących do drzwi Bazyliki Świętego Piotra. Chyba że specjalnie by ją o to poproszono.

– Nie zwrócą się, to już postanowione – zapewnił go Clemente.

– Jak mam prowadzić śledztwo w obrębie Watykanu, żeby nikt tego nie zauważył lub, co gorsza, nie odkrył, kim jestem?

– Nie będziesz go prowadził tutaj. Kimkolwiek był sprawca, wszedł tu z zewnątrz.

Marcus nie mógł się w tym połapać.

– Skąd o tym wiesz?

– Znamy jego twarz.

Odpowiedź zaskoczyła Marcusa.

– Ciało znajduje się tu co najmniej od ośmiu, dziewięciu godzin – ciągnął Clemente. – We wczesnych godzinach porannych kamery ochrony zarejestrowały podejrzanego mężczyznę, który kręcił się w okolicy ogrodów. Był ubrany jak posługacz, ale okazuje się, że skradziono ubranie robocze.

– Dlaczego właśnie on?

– Sam popatrz.

Clemente podał Marcusowi wydruk ujęcia kamery. Przedstawiał mężczyznę w stroju ogrodnika z twarzą częściowo ukrytą pod daszkiem czapki. Biały, w nieokreślonym wieku, ale z pewnością po pięćdziesiątce. Miał przewieszoną przez ramię szarą torbę, na której widać było ciemniejszą plamę.

– Żandarmi są przekonani, że miał w niej mały toporek lub podobny przedmiot. Musiał go użyć niedawno, a plama, którą widzisz, to prawdopodobnie krew.

– Dlaczego właśnie toporek?

– Ponieważ to jedyne narzędzie, jakie mógł tu znaleźć. Wykluczone, żeby udało mu się wnieść coś takiego z zewnątrz, przejść przez bramki kontrolne, stanowiska strażników i wykrywacze metali.

– A jednak zabrał je z miejsca zbrodni, na wypadek gdyby żandarmi zwrócili się do włoskiej policji?

– Przy wyjściu sprawy wyglądają dużo prościej, bo nie ma kontroli. Poza tym, żeby wyjść, nie zwracając na siebie uwagi, wystarczy wmieszać się w tłum pielgrzymów albo turystów.

– Narzędzie ogrodnicze...

– Ciągle sprawdzają, czy czegoś nie brakuje.

Marcus przyjrzał się znowu szczątkom młodej zakonnicy. Bezwiednie ścisnął medalik, który nosił na szyi. Przedstawiał Michała Archanioła – opiekuna penitencjariuszy – dzierżącego w dłoni ognisty miecz.

– Musimy iść – rzucił Clemente. – Nasz czas się skończył.

W tym momencie od zagajnika dobiegły ich ciche dźwięki. Zbliżały się do nich. Marcus spojrzał w tamtym kierunku i zobaczył gromadę cieni wyłaniających się z mroku. Niektóre niosły świece. W migoczącym świetle płomyków rozpoznał grupę postaci z nakrytymi głowami i twarzami ukrytymi za ciemnymi welonami.

– To siostry zakonne – odezwał się Clemente. – Przyszły ją zabrać.

Za życia tylko one mogły znać wygląd ofiary. Po jej śmierci były jedynymi, które mogły zająć się szczątkami. Tak mówiła reguła.

Mężczyźni usunęli się, żeby zrobić im miejsce. Dzięki temu zakonnice otoczyły w milczeniu nieszczęsne ciało. Każda wiedziała już, co ma robić. Kilka z nich rozpostarło białe prześcieradła, inne zebrały z ziemi odcięte członki.

Dopiero wtedy Marcus zidentyfikował ten dźwięk. Jednolity szmer głosów dochodzący spod welonów okrywających ich twarze. Litania. Modliły się po łacinie.

Clemente chwycił przyjaciela za rękę, żeby go odciągnąć. Marcus już miał ruszyć za nim, ale w tym momencie obok niego przeszła jedna z sióstr. Wyraźnie usłyszał wypowiadane słowa.

– *Hic est diabolus.*

Tu przebywa diabeł.

CZĘŚĆ PIERWSZA

Chłopiec z soli

1

U stóp Clemente rozciągał się chłodny, nocny Rzym.

Nikt by nie powiedział, że ubrany na czarno mężczyzna oparty o kamienną balustradę tarasu na wzgórzu Pincio to duchowny. Przed nim rozciągały się budowle i kopuły, nad którymi górowała Bazylika Świętego Piotra. Dostojna panorama, niezmieniona od wieków, mrowiąca się ludźmi zajętymi swymi drobnymi, codziennymi sprawami.

Clemente kontemplował widok miasta, nie zwracając uwagi na odgłos zbliżających się za jego plecami kroków.

– A więc jak brzmi odpowiedź? – zapytał, zanim jeszcze Marcus stanął obok niego. Byli sami.

– Nic.

Ani trochę niezaskoczony tym ksiądz kiwnął głową, a potem odwrócił się, żeby spojrzeć na swego kolegę penitencjariusza. Marcus miał zniechęconą minę, a jego twarz pokrywał kilkudniowy zarost.

– Dziś mija już rok.

Clemente milczał przez chwilę, patrząc mu uważnie w oczy. Wiedział, co Marcus miał na myśli: dziś mijała pierwsza rocznica odnalezienia w ogrodach watykańskich pociętego ciała zakonnicy. Mimo upływu dwunastu miesięcy śledztwo penitencjariusza nie dało żadnego rezultatu.

Żadnego tropu, żadnej wskazówki, nawet jednego podejrzanego. Nic.

– Zamierzasz się poddać? – zapytał.

– Czy mógłbym tak postąpić? – ostro odparł pytaniem na pytanie Marcus. Ta historia wystawiła go na ciężką próbę. Polowanie na człowieka z ujęcia kamery ochrony, białego, trochę po pięćdziesiątce, nie przyniosło rezultatu. – Nikt go nie zna, nikt go nigdy nie widział. A najbardziej denerwuje mnie to, że mamy jego twarz. – Zamilkł na chwilę i wbił wzrok w przyjaciela. – Musimy jeszcze raz skontrolować świeckich, którzy są zatrudnieni w Watykanie. A jeśli to nic nie da, będziemy musieli przejść do duchownych.

– Skoro żaden z nich nie przypomina człowieka ze zdjęcia, po co tracić czas?

– Kto może nas zapewnić, że morderca nie dostał wsparcia od kogoś wewnątrz Watykanu? Kogoś, kto zapewnił mu osłonę? – Marcus nie dawał za wygraną. – Odpowiedzi znajdują się w granicach watykańskich murów i to tam powinienem prowadzić śledztwo.

– Wiesz przecież, że jest pewna przeszkoda. Nie można tego robić z powodu utajnienia sprawy.

Marcus wiedział, że sprawa poufności to tylko wymówka. Po prostu bano się, że wtykając nos w watykańskie sprawy, mógłby przypadkiem odkryć coś, co nie miało związku z tą historią.

– Zależy mi tylko na schwytaniu mordercy – powiedział, stając naprzeciwko przyjaciela. – Musisz przekonać prałatów, żeby usunęli tę przeszkodę.

Clemente machnął ręką, natychmiast odrzucając tę możliwość, jakby uznał pomysł za zwykłą głupotę.

– Nie wiem nawet, kto miałby wystarczającą władzę, by to zrobić.

W dole, przez piazza del Popolo, przechodziły gromadki turystów udających się na nocną wycieczkę po mieście. Czy mogli wiedzieć, że właśnie tu rosło dawniej drzewo orzechowe, pod którym został pochowany Neron, „potwór", który według plotki wymyślonej przez jego wrogów, w roku 64 kazał

24

podpalić Rzym. Mieszkańcy miasta sądzili, że to miejsce bywa nawiedzane przez demony. Z tego powodu około roku tysięcznego papież Paschalis II kazał spalić to drzewo razem z ekshumowanymi prochami cesarza. Potem wzniesiono tu kościół Santa Maria del Popolo, w którym wciąż jeszcze na głównym ołtarzu przechowuje się płaskorzeźby przedstawiające papieża zamierzającego ściąć drzewo Nerona.

Taki jest Rzym, przebiegło przez myśl Marcusowi. Miejsce, w którym każda objawiona prawda kryje w sobie kolejny sekret. I zarazem miasto owiane legendą. W związku z tym nikt nie może naprawdę wiedzieć, co kryje się za tym czy owym. A wszystko po to, żeby zbytnio nie niepokoić dusz mieszkańców. Drobnych, nic nieznaczących istot, nieświadomych wojny, jaka bezustannie i potajemnie toczyła się i toczy wokół nich.

– Będziemy musieli wziąć pod uwagę możliwość, że nigdy go nie schwytamy – powiedział Clemente.

Marcus nie godził się jednak z tego rodzaju kapitulacją.

– Kimkolwiek on jest, wiedział, jak się poruszać w obrębie murów. Musiał znać punkty i procedury kontrolne, żeby obejść środki bezpieczeństwa.

To, co zrobił siostrze zakonnej, było brutalne, iście zwierzęce. Ale sposób, w jaki uknuł zbrodnię, krył w sobie pewną logikę, pewien plan.

– Zrozumiałem jedną rzecz – zapewnił stanowczym tonem Marcus. – Wybór miejsca, wybór ofiary, sposób popełnienia zabójstwa... to jest pewne przesłanie.

– Do kogo?

Hic est diabolus, pomyślał Marcus. Do Watykanu zakradł się diabeł.

– Ktoś chce dać do zrozumienia, że w Watykanie dzieje się coś straszliwego. To jest dowód, nie rozumiesz? To jest test... On przewidział to, co się miało zdarzyć: że wobec trudności w dotarciu do odpowiedzi śledztwo spełznie na niczym. I że władze Watykanu będą wolały wydać się raczej na pastwę wątpliwości, niż dokopywać się dna, ryzykując wyjawienie nie wiadomo czego. Może nawet jakiejś innej pogrzebanej prawdy.

– Rzucasz poważne oskarżenie, wiesz o tym, prawda?

– Ale czy ty nie rozumiesz, że właśnie tego chce morderca? – ciągnął niewzruszenie Marcus.

– Skąd masz taką pewność?

– Do tej pory powinien już zabić znowu. Skoro tego nie zrobił, to tylko z jednego powodu: wystarcza mu świadomość, że podejrzenie zapuściło już korzenie i że okrutne zabójstwo biednej zakonnicy uznano za rzecz drobną, ponieważ istnieją straszliwe tajemnice, które bardziej zasługują na to, żeby ich strzec.

Clemente, jak zwykle, był bardziej ugodowy.

– Nie masz na to dowodów. To tylko teoria, owoc twoich przemyśleń.

Marcus jednak nie rezygnował.

– Proszę cię, musisz dać mi okazję, żebym mógł z nimi porozmawiać, być może zdołałbym ich przekonać. – Miał na myśli kościelnych hierarchów, od których przyjaciel otrzymywał instrukcje i polecenia.

Od czasu, gdy trzy lata wcześniej zabrał go ze szpitalnego łóżka w Pradze, pozbawionego pamięci i pełnego obaw, Clemente nigdy go nie okłamał. Często czekał na odpowiedni moment, żeby mu wyjawić jakieś rzeczy, ale zawsze mówił prawdę.

Dlatego Marcus miał do niego zaufanie.

W końcu, można by powiedzieć, że Clemente stanowił teraz jego rodzinę. W ciągu tych trzech lat, jeśli nie liczyć rzadkich wyjątków, był jedyną osobą, za pośrednictwem której Marcus kontaktował się z ludźmi.

– Nikt nie może dowiedzieć się o tobie i o tym, co robisz – powtarzał mu stale. – Chodzi o to, żeby przeżyło to, co reprezentujemy, i żeby los nie obszedł się źle z zadaniem, jakie nam powierzono.

Jego mentor mówił mu zawsze, że przedstawiciele wysokich kręgów hierarchii kościelnej wiedzą tylko to, że istnieje.

Jedynie Clemente znał jego twarz.

Kiedy Marcus zapytał o powody tak wielkiej tajemniczości, przyjaciel odpowiedział:

– W ten sposób możesz ich uchronić także przed nimi samymi. Nie rozumiesz? Gdyby miały zawieść wszystkie inne środki, gdyby bariery okazały się nieskuteczne, zostałby jeszcze ktoś, kto by czuwał. Ty jesteś ich ostatnią linią obrony.

Tak więc Marcus bezustannie zadawał sobie pytanie: jeśli sam reprezentuje najniższy szczebel tej drabiny – jako człowiek do poufnych zadań, wierny sługa powołany do tego, żeby wkładać ręce w mroczną materię, a nawet brudzić się nią – a Clemente jest tylko pośrednikiem, to kto zajmuje miejsce na szczycie?

W ciągu tych trzech lat poświęcił się do końca, starając się wyglądać na niewolniczo wiernego w oczach kogoś, kto – był tego pewien – obserwuje z góry jego poczynania. Miał nadzieję, że to otworzy mu drogę do wyższej wiedzy, do napotkania w końcu kogoś, kto by wytłumaczył, w jakim celu wyznaczono mu tak niewdzięczny obowiązek. I dlaczego właśnie on został wybrany, żeby go wypełniać. Utraciwszy pamięć, nie był w stanie powiedzieć, czy Marcus, który istniał przed Pragą, odgrywał w tym wszystkim jakąś rolę.

Niestety, niczego więcej się nie dowiedział.

Clemente przekazywał mu polecenia i zadania, które zdawały się odpowiadać tylko ostrożnej i czasami niemożliwej do odcyfrowania mądrości Kościoła. Ale tak czy owak, za każdym zleceniem widać było cień jakiejś osoby.

Gdy starał się dowiedzieć czegoś więcej, Clemente, żeby przyhamować zapędy Marcusa, zawsze zamykał kwestię, używając słów wymawianych cierpliwym tonem i z dobrotliwym wyrazem twarzy. Posłużył się nimi również teraz, na tym tarasie, w obliczu aury roztaczanej przez tajemnicze miasto.

– Nie jest nam dane pytać, nie jest nam dane wiedzieć. Musimy tylko być posłuszni.

2

Trzy lata wcześniej lekarze powiedzieli mu, że urodził się po raz drugi.

To twierdzenie było fałszywe.

Umarł i koniec. A przeznaczeniem zmarłych jest zniknąć na zawsze albo pozostać więźniami poprzedniego życia, w charakterze zjaw.

Tak właśnie się czuł. *Ja nie istnieję.*

Smutny jest los zjawy. Obserwuje szare egzystencje żyjących, ich cierpienia i utrapienia w wiecznej gonitwie za umykającym czasem, ich złość z powodu drobiazgów. Przygląda się im, miotającym się wśród kłopotów, których los nie szczędzi im każdego dnia. I zazdrości im.

Zjawa zniechęcona, mówił sobie. Oto, czym jestem. Ponieważ żyjący zawsze będą mieli nade mną przewagę. Albowiem dysponują ciągle pewnym wyjściem: mogą jeszcze umrzeć.

Szedł wąskimi uliczkami starej dzielnicy, ludzie mijali go, zupełnie go nie zauważając. Zwalniał w środku strumienia pieszych. Zazwyczaj wystarczało mu otrzeć się o nich. Ten minimalny kontakt był jedyną rzeczą, jaka pozwalała mu jeszcze czuć się częścią rodzaju ludzkiego. Ale gdyby w tym momencie umarł na ulicy, podnieśliby jego ciało z bruku, trafiłoby do jakiejś kostnicy i ponieważ nikt by się po nie nie zgłosił, pochowano by go w bezimiennym grobie.

Była to cena za jego posłannictwo. Danina milczenia i wyrzeczenia się wszystkiego. Czasami jednak trudno było się z tym pogodzić.

Zatybrze od zawsze było sercem Rzymu. Dalekie od szlachetnej okazałości pałaców w centrum, ma jednak swój szczególny urok.

Jego architektura przywodzi na myśl różne epoki: średniowieczne budynki stoją tu obok domów z osiemnastego wieku, a wszystko spaja historia. Sampietrini – małe kostki z leucytytu, które od czasów papieża Sykstusa V służyły do brukowania ulic Rzymu – są niczym całun z czarnego aksamitu rozciągnięty wzdłuż wąskich i krętych uliczek, na którym kroki idących wydają nieporównane z niczym odgłosy. Pobrzmiewają w nich dawne czasy. W rezultacie każdy, komu zdarza się chodzić po tych miejscach, odnosi wrażenie, że został rzucony w przeszłość.

Marcus zwolnił kroku, zbliżając się do rogu via della Renella. Przed nim płynęła spokojnie rzeka ludzi przelewająca się co noc przez dzielnicę przy dźwiękach muzyki i rozmów w lokalach, które przyciągają na Zatybrze młodych turystów z połowy świata. Mimo że stanowili tak różnorodną gromadę, w oczach Marcusa ludzie ci byli zawsze jednakowi.

Minął małą grupkę amerykańskich dwudziestolatek ubranych w zbyt krótkie szorty i sandały, być może zwiedzione opinią, że w Rzymie panuje nieustające lato. Miały nogi posiniałe z zimna i przyspieszały kroku, owijając się mocniej bluzami z logo amerykańskich uczelni i rozglądając za barem, w którym mogłyby znaleźć schronienie i kieliszek czegoś mocniejszego, żeby się rozgrzać.

Z trattorii wyszła para zakochanych około czterdziestki. Przystanęli w drzwiach. Ona się śmiała, on ją obejmował. Kobieta cofnęła się lekko, opierając się na ramieniu partnera. On przyjął zaproszenie i pocałował ją. W ich stronę skierował się obnośny hinduski sprzedawca róż i zapalniczek i przystanął w oczekiwaniu, aż zakończy się ta wymiana czułości. Miał nadzieję, że zechcą przypieczętować randkę kwiatkiem lub po prostu będą mieli ochotę zapalić.

W pobliżu kręcili się trzej chłopcy z rękami w kieszeniach, rozglądając się na wszystkie strony. Marcus był pewien, że szukają kogoś, kto by im sprzedał działkę. Jeszcze tego nie wiedzieli, ale z drugiego końca ulicy zbliżał się gość z północno-zachodniej Afryki, który miał wkrótce zaspokoić ich oczekiwania.

Dzięki temu, że umiał pozostawać niezauważony, Marcus spoglądał na ludzi i ich słabości z uprzywilejowanego punktu widzenia. Ale to mogło być udziałem każdego uważnego obserwatora. Jego talent – a może przekleństwo – polegał na czymś całkiem innym.

On widział to, czego nie widzieli inni. Dostrzegał zło.

Potrafił je dojrzeć w szczegółach, w pojawiających się anomaliach, drobnych rysach naruszających normalność. W infradźwięku ukrytym w chaosie.

Przydarzało mu się to bezustannie. Nawet kiedy nie chciał korzystać z tej zdolności, ona działała.

Najpierw zobaczył dziewczynkę. Szła, ocierając się o ściany, niczym poruszająca się ciemna plamka na tle odrapanego tynku pobliskich budynków. Trochę przygarbiona, trzymała ręce schowane w kieszeniach krótkiej opiętej kurteczki. Patrzyła w dół. Twarz zakrywał jej kosmyk ufarbowanych na ciemny róż włosów. Wojskowe buty sprawiały, że wydawała się wyższa, niż była w rzeczywistości.

Marcus zauważył też mężczyznę, który szedł przed nią, tylko dzięki temu, że ten zwolnił kroku i obejrzał się, żeby ją skontrolować. Trzymał ją na smyczy swoim spojrzeniem. Był z pewnością po pięćdziesiątce. Jasny płaszcz z kaszmiru i brązowe buty, błyszczące i drogie.

Ktoś niedoświadczony mógłby pomyśleć, że to ojciec i córka. On, biznesmen albo wzięty profesjonalista, poszedł zabrać z jakiegoś lokalu buntowniczą małolatę, żeby ją zaprowadzić do domu. Ale sprawa nie była taka prosta.

Doszedłszy do jednej z bram, mężczyzna zaczekał, aż dziewczynka tam wejdzie, ale potem zrobił coś, co nie pasowało do takiego scenariusza: zanim sam przekroczył próg, rozejrzał się na wszystkie strony, żeby się upewnić, że nikt ich nie obserwuje.

Anomalia.

Zło, które defilowało przed nim codziennie. Marcus miał świadomość, że nie ma na nie sposobu. Nikt nie byłby w stanie naprawić wszystkich niedoskonałości świata. I chociaż sprawa mu się nie podobała, przerobił nową lekcję.

Żeby przeżyć na przekór złu, czasami trzeba go nie dostrzegać.

Od obserwowania zamykającej się bramy oderwał go kobiecy głos.

– Dziękuję za podwiezienie – powiedziała blondynka, która wysiadła właśnie z auta i odwróciła się do przyjaciółki siedzącej za kierownicą.

Marcus cofnął się do kąta, żeby się lepiej ukryć, i kobieta przeszła przed nim ze wzrokiem utkwionym w ekran komórki, którą trzymała w dłoni. W drugiej niosła dużą torbę.

Przychodził tu często tylko po to, żeby na nią popatrzeć.

Spotkali się zaledwie cztery razy, gdy ona prawie trzy lata temu przyjechała z Mediolanu do Rzymu, żeby się dowiedzieć, w jaki sposób zginął jej mąż. Marcus dobrze pamiętał każde słowo, które ze sobą wymienili, i wszystkie szczegóły rysów jej twarzy.

Sandra Vega była jedyną kobietą, z którą się komunikował przez cały ten czas. Była jedyną obcą osobą, której wyjawił, kim jest.

Oczywiście pamiętał słowa Clemente. W poprzednim życiu złożył przysięgę, że nikt nie powinien się dowiedzieć o jego istnieniu. Był niewidzialny dla wszystkich. Penitencjariusz mógł przedstawić się innym, podając swoją prawdziwą tożsamość, tylko *w czasie, jaki oddziela błyskawicę od grzmotu*. W kruchej przerwie, która może trwać krótką chwilę albo małą wieczność, czego tak naprawdę nikt nie wie. W tym drobnym przedziale czasu wszystko jest możliwe, kiedy powietrze naładowane jest cudowną energią i trwożliwym oczekiwaniem – wtedy odbiera się tę informację. W tej ulotnej i niepewnej chwili zjawy znowu przyjmują ludzkie oblicza. I ukazują się żywym.

To właśnie przydarzyło się jemu w trakcie potężnej burzy, na progu zakrystii. Sandra zapytała go, kim jest, a on odpowiedział, że księdzem. Było to ryzykowne. Nie wiedział dokładnie, dlaczego podjął to ryzyko. Lub może wiedział, ale dopiero teraz mógł się przyznać.

Żywił wobec niej dziwne uczucie. Czuł z tą kobietą jakieś pokrewieństwo. Poza tym szanował ją, ponieważ zdołała zostawić za sobą ból po stracie. I wybrała to miasto, żeby zacząć od nowa. Przeniosła się do nowego biura i wynajęła małe mieszkanie na Zatybrzu. Miała nowych przyjaciół, inne sprawy. Zaczęła się znowu uśmiechać.

Marcusa zawsze dziwiły zmiany. Być może dlatego, że dla niego były niemożliwe.

Znał ścieżki, po jakich poruszała się Sandra, jej rozkład dnia, drobne przyzwyczajenia. Wiedział, gdzie robi zakupy, gdzie lubi kupować ubrania i w której pizzerii jada w niedzielę po wyjściu z kina. Czasami, tak jak tego wieczoru, wracała do domu później. Ale nie wydawała się wyczerpana, tylko zmęczona intensywnym przeżywaniem codziennych wydarzeń. To lekkie zmęczenie mogła zniwelować gorącym prysznicem. I kilkoma godzinami snu. Koszty paru chwil szczęścia.

Co jakiś czas, podczas wieczorów, gdy czekał na nią w ukryciu pod jej domem, rozmyślał, co by się stało, gdyby zrobił krok naprzód i wyszedł z cienia, żeby stanąć przed nią. Ciekawe, czyby go rozpoznała.

Nigdy jednak tego nie zrobił.

Czy myślała jeszcze o nim? Czy też zostawiła go za sobą razem z cierpieniem? Bolała go ta myśl. Jak również ta, że gdyby zdobył się na odwagę i do niej podszedł, nie zdałoby się to na nic, ponieważ nie mogło mieć żadnego dalszego ciągu.

Mimo to nie był w stanie zaprzestać rozglądania się za nią.

Zobaczył, że wchodzi do budynku, a potem ujrzał ją znowu

przez okna na klatce schodowej, gdy pokonywała te parę stopni, żeby dotrzeć do swojego mieszkania. Zatrzymała się przed drzwiami, szukając w torbie kluczy. Ale drzwi się otworzyły i ukazał się w nich mężczyzna. Sandra uśmiechnęła się do niego, a on się pochylił, żeby ją pocałować.

Marcus chciałby odwrócić wzrok, jednak nie zrobił tego. Zobaczył, że wchodzą do mieszkania i zamykają za sobą drzwi. A wraz z nimi odcinają się od przeszłości, zjaw takich jak on i całego zła świata.

◆ ◆ ◆

Elektroniczne dźwięki. Mężczyzna leżał nagi, wyciągnięty na wznak w półcieniu na małżeńskim łóżku. Czekając, grał w jakąś grę w komórce. Na chwilę oderwał się od niej i uniósł głowę, żeby spojrzeć nad wystającym brzuchem.

– Hej tam, pospiesz się – ponaglił dziewczynkę o włosach ufarbowanych na kolor fuksji, która właśnie w łazience wstrzykiwała sobie w ramię działkę heroiny. Potem wrócił do gry.

Nagle na twarz opadło mu coś miłego i miękkiego, jednak wrażenie, jakie obudził w nim dotyk kaszmiru, trwało tylko chwilę, potem od razu zabrakło mu powietrza.

Ktoś przyciskał mu mocno do twarzy jego własny płaszcz.

Instynktownie zaczął wymachiwać rękami i nogami, szukając czegoś, czego mógłby się uchwycić: tonął, ale nie było wody. Chwycił przedramiona nieznajomego, który go trzymał, i spróbował rozluźnić jego chwyt, ale, kimkolwiek tamten był, miał więcej siły. Chciał krzyczeć, ale z jego ust wydostały się tylko skrzeczenia, lamenty i bulgotania. Potem usłyszał szept koło ucha:

– Wierzysz w duchy?

Nie był w stanie odpowiedzieć. A nawet gdyby mógł, nie potrafiłby udzielić odpowiedzi.

– Jakiego rodzaju potworem jesteś? Wilkołakiem czy może wampirem?

Rzężenie. Barwne kropeczki, które tańczyły mu przed oczami, zamieniły się w świetliste błyski.

– Powinienem może poczęstować cię srebrnym pociskiem albo wbić ci jesionowy kołek w serce? Wiesz, dlaczego właśnie jesionowy, a nie z innego drewna? Ponieważ krzyż Chrystusa był z jesionu.

Mężczyźnie pozostała już tylko siła rozpaczy, jedyny środek obrony, ponieważ duszenie już odnosiło skutek. Przyszło mu do głowy to, co dwa lata wcześniej wyjaśniał mu instruktor nurkowania podczas wyprawy z żoną i dziećmi na Malediwy. Przypomniały mu się wszystkie jego rady dotyczące objawów niedotlenienia, mimo że teraz były całkowicie bezużyteczne. Nurkowali, żeby popatrzeć na rafę koralową; chłopcom się to podobało. To były piękne wakacje.

– Chcę, żebyś urodził się na nowo. Ale najpierw musisz umrzeć – oświadczył nieznajomy.

Mężczyznę przerażała myśl, że się topi w samym sobie. Nie teraz, nie w tej chwili, powiedział sobie w duchu. Nie jestem jeszcze gotowy. Tymczasem zaczynał już tracić siły. Jego ręce rozluźniły chwyt na przedramionach napastnika i zaczął machać nimi bezładnie.

– Wiem, co to znaczy umrzeć. Niedługo wszystko się skończy, zobaczysz.

Mężczyzna opuścił ręce wzdłuż boków, jego oddech stał się równie lekki, co nadaremny. Chcę zatelefonować, pomyślał. Pożegnać się.

– Tracisz zmysły. Kiedy obudzisz się na nowo, jeżeli w ogóle się obudzisz, wrócisz do swojej rodziny, do przyjaciół i do wszystkich, którzy choć trochę cię lubią na tym obrzydliwym świecie. I staniesz się inny. Oni nigdy się o tym nie dowiedzą, ale ty będziesz pamiętał. A jeśli będziesz miał szczęście, zapomnisz o tej nocy, o tej dziewczynce i wszystkich innych takich jak ona. Ale nie zapomnisz o mnie. Ja też będę cię pamiętał. Dlatego posłuchaj uważnie… Ratuję ci życie – powiedział nieznajomy, a potem dodał: – Staraj się na to zasłużyć.

Mężczyzna już się nie poruszał.

– Umarł?

Przyglądała mu się dziewczynka stojąca w nogach łóżka. Była naga i kołysała się. Na jej ramionach widać było sińce po zbyt wielu zastrzykach.

– Nie – powiedział Marcus, uwalniając głowę mężczyzny spod kaszmirowego płaszcza.

– Kim jesteś? – Oszołomiona narkotykiem, rzucała na boki spojrzenia, jakby chciała podpalić to miejsce.

Marcus zobaczył leżący na szafce nocnej portfel. Sięgnął po niego i wyjął wszystkie pieniądze. Podniósł się, żeby podejść do dziewczynki, która instynktownie cofnęła się, ryzykując utratę równowagi. Chwycił ją za ramię i włożył jej do ręki banknoty.

– Zmykaj stąd – rzucił rozkazująco.

Dziewczynka zastanawiała się przez chwilę nad sensem słów Marcusa, błądząc wzrokiem po jego twarzy. Potem schyliła się po swoje ubranie i zaczęła je wkładać, kierując się do drzwi. Otworzyła je, ale przed wyjściem odwróciła się, jakby o czymś zapomniała.

Wskazała ręką na buzię.

Marcus instynktownie uniósł dłoń do swojej twarzy i poczuł lepką substancję na opuszkach palców.

Krew leciała mu z nosa, zawsze gdy postanawiał nie stosować zasady, zgodnie z którą czasami trzeba ignorować zło, żeby je przeżyć.

– Dziękuję – powiedział, tak jakby to ona go uratowała, a nie odwrotnie.

– Nie ma za co.

3

Było to ich piąte spotkanie.

Umawiali się już od prawie trzech tygodni, a poznali w sali gimnastycznej. Chodzili do niej w tych samych godzinach. Ona wyczuwała, że on robi to celowo, żeby mogli się spotykać, i to jej schlebiało.

– Cześć, jestem Giorgio.

– Diana.

Miał dwadzieścia trzy lata, o trzy więcej niż ona. Studiował na uniwersytecie i był przed dyplomem. Ekonomia. Diana szalała na punkcie jego kręconych włosów i zielonych oczu. I ten uśmiech ukazujący idealny zgryz, prawie, ponieważ lewy górny kieł trochę mu wystawał. Buntowniczy szczegół, który bardzo jej się podobał. Wszak zbytnia doskonałość też może zmęczyć.

Diana wiedziała, że jest ładna. Nie była wysoka, ale miała świetną figurę, kasztanowe oczy i prześliczne czarne włosy. Rzuciła naukę po liceum i pracowała jako ekspedientka w sklepie z kosmetykami. Nie zarabiała za wiele, ale lubiła doradzać klientkom. Poza tym ujęła ją właścicielka sklepu. Jednak tym, czego naprawdę pragnęła, było poznać fajnego chłopaka i wyjść za mąż. Nie wydawało się jej, że żąda od życia zbyt wiele. A Giorgio mógł być „tym właściwym".

Pocałowali się już na pierwszej randce, a potem doszło do innych niezbyt śmiałych pieszczot. Przyjemnie było pozostawać w takim niezdecydowaniu, dzięki niemu wszystko wydawało się piękniejsze.

Tego ranka dostała SMS-a.

Podjadę o dziewiątej. Kocham cię.

Wiadomość dodała jej niespodziewanej energii. Diana wiele razy zadawała sobie pytanie, na czym polega szczęście. Teraz wiedziała, że jest to coś tajemniczego, czego nie można wyjaśnić innym. Tak jakby ktoś stworzył to właśnie dla ciebie. Jest nim wyłączność.

Szczęście Diany przejawiało się we wszystkich jej uśmiechach i wszystkich zdaniach wypowiadanych przez cały dzień, niczym coś w rodzaju zaraźliwej wesołości. Czy klientki lub jej koleżanki ze sklepu to zauważyły? Była pewna, że tak. Smakowała oczekiwanie, czując, że serce od czasu do czasu wysyła jej sygnał jakby na przypomnienie, że randka jest coraz bliżej.

O dziewiątej, gdy szła po schodach, żeby spotkać się z Giorgiem, który czekał na dole, szczęście, już pozbawione oczekiwania, przyjęło inną formę. Diana poczuła wdzięczność za cały ten dzień. I gdyby nie tajemna obietnica, jaką kryła przyszłość, pragnęłaby, żeby nigdy się nie skończył.

Przypomniała sobie ostatni SMS Giorgia. Odpowiedziała tylko krótkim *Tak* i uśmiechniętą buzią. Nie zrewanżowała się *Kocham cię*, ponieważ liczyła na to, że zrobi to osobiście tego wieczoru.

Tak, on był „tym właściwym", któremu mogła powiedzieć coś takiego.

♦ ♦ ♦

Zawiózł ją nad morze, do Ostii, na kolację w małej restauracji, o której mówił jej na pierwszym spotkaniu. Wydawało się, że od tamtego wieczoru minęła wieczność. Wtedy gadali bez przerwy, jakby się obawiali, że choćby chwilowe milczenie mogło-by unicestwić wrażenie kiełkowania pomiędzy nimi czegoś głębszego. Pili białe musujące wino. Alkohol sprawił, że Diana zaczęła wysyłać swojemu chłopakowi niedwuznaczne sygnały.

Około jedenastej wsiedli do samochodu, żeby wrócić do Rzymu.

Było jej zimno w lekkiej spódniczce, dlatego Giorgio pod-kręcił ogrzewanie do maksimum. Ale ona i tak pochyliła się w stronę chłopaka, żeby się oprzeć o jego ramię, podczas gdy on trzymał ręce na kierownicy. Spoglądała na niego, unosząc oczy, ale oboje milczeli.

W radiu leciała płyta grupy Sigur Rus.

Zsunęła buty, które jeden po drugim cicho opadły na pod-łogę. Była już jego dziewczyną, mogła sobie pozwolić na to, żeby poczuć się swobodniej.

Nie odrywając oczu od drogi, Giorgio wyciągnął rękę, żeby pogłaskać ją po nodze. Przywarła jeszcze mocniej do jego ra-mienia, niemal mrucząc jak kotka. Potem poczuła, że Giorgia dłoń jedzie w górę po rajstopach pod spódniczką. Nie zaprote-stowała, a kiedy poczuła, że jego palce kierują się do jej najtaj-niejszego zakątka, lekko rozsunęła nogi. Nawet przez rajstopy i majteczki mógł wyczuć, jak bardzo go pragnie.

Zamknęła oczy i w tym momencie wyczuła, że auto zwal-nia, a potem zjeżdża z głównej drogi i zagłębia się w uliczki prowadzące w stronę dużego piniowego zagajnika.

Spodziewała się, że do tego dojdzie.

Przejechali wolno kilkaset metrów aleją wysadzaną bardzo wysokimi piniami. Nagromadzone na jezdni igły trzeszczały pod kołami. Potem Giorgio skręcił w lewo i zagłębili się mię-dzy drzewa.

Mimo że jechali powoli, samochód podskakiwał na grun-towej drodze. Żeby uniknąć ostrych wstrząsów, Diana wypro-stowała się na siedzeniu.

◆ ◆ ◆

Po chwili Giorgio zatrzymał samochód i zgasił silnik. Umilkła również muzyka. Dochodziło tylko ciche tykanie stygnącego silnika, ale przede wszystkim szum wiatru w gałęziach drzew. Wcześniej nie było go słychać, a teraz wydało się im, że odkryli tajemnicze odgłosy.

Odsunął siedzenie trochę do tyłu, a potem wziął ją w objęcia i pocałował. Diana poczuła między wargami jego pieszczotliwie przesuwający się język. Zrewanżowała mu się tym samym. Potem zabrał się do odpinania małych guziczków jej długiego swetra. Uniósł koszulkę, szukając biustonosza. Znieruchomiał na moment, obmacując materiał zakrywający zapinkę. W końcu wsunął pod nią palce, podważył i uwolnił jej pierś, obejmując ją natychmiast dłonią.

Jakie to dziwne być odkrywaną przez kogoś po raz pierwszy, pomyślała Diana. Poddawać mu się, a zarazem wyobrażać sobie, co on odczuwa w tym momencie. Wyczuwać jego podniecenie, jego zaskoczenie.

Wyciągnęła ręce, żeby odpiąć pasek i guziki u jego spodni, podczas gdy on zsuwał jej spódnicę razem z rajstopami. Wszystko to bez odrywania od siebie choćby na chwilę ust, tak jakby bez tych pocałunków groziło im, że się uduszą.

Diana przelotnie spojrzała na zegar na tablicy rozdzielczej, mając nadzieję, że nie jest zbyt późno. Przez chwilę obawiała się, że matka lada moment zadzwoni na jej komórkę i wyrwie ją z tego zaczarowania.

Ich ruchy przyspieszyły, a pieszczoty stały się niecierpliwe. Szybko pozbyli się ubrań; przyglądali się sobie przez krótkie chwile, gdy otwierali oczy między pocałunkami. Ale nie musieli na siebie patrzeć, poznawali się nawzajem innymi zmysłami.

Potem on położył dłoń na jej policzku i Diana uświadomiła sobie, że ta chwila nadeszła. Odsunęła się od niego, pewna, że Giorgio zada sobie pytanie, dlaczego to zrobiła, a być może pomyśli nawet, że zmieniła zamiar. Już miała mu powiedzieć to „kocham cię", z którym wstrzymywała się przez cały dzień.

Ale zamiast poświęcić jej całą swoją uwagę, Giorgio odwrócił się powoli w kierunku przedniej szyby. Ten gest zranił jej dumę, tak jakby nagle poczuła się niewarta jego zainteresowania. Chciała poprosić go o wyjaśnienie, ale się powstrzymała. W oczach Giorgia pojawiło się zdumienie. Wtedy ona odwróciła się także.

Przed maską samochodu ktoś stał. I przyglądał się im.

4

Ze snu wyrwał ją dźwięk telefonu.

Otrzymała polecenie, żeby jak najprędzej udać się do zagajnika pod Ostią. Tylko tyle.

Kiedy pospiesznie i cicho wciągała mundur, starając się nie obudzić Maxa, Sandra próbowała oczyścić umysł. Tego rodzaju telefony zdarzały się rzadko. Ale kiedy już się zdarzały, czuła się tak, jakby dostała z jednej strony zastrzyk adrenaliny, a z drugiej uderzenie strachu w żołądek.

Dlatego bezpieczniej było przygotować się na najgorsze.

Ile miejsc zbrodni odwiedziła ze swoim aparatem fotograficznym? Ile trupów czekało tam na nią, żeby się nimi zajęła? Okaleczonych, upokorzonych lub zwyczajnie leżących bez ruchu w absurdalnej pozie. Sandra Vega miała niewdzięczne zadanie utrwalenia ich ostatniego wyglądu.

Komu tym razem zrobi pamiątkowe zdjęcie pośmiertne?

Niełatwo było trafić na miejsce. Nie rozstawiono jeszcze kordonu policji, który utrzymywałby na odległość każdego, kto nie miał prawa tam przebywać. Żadnego migającego koguta, żadnego nagromadzenia środków i koniecznego sprzętu. Zwykle kiedy się zjawiała, większość oddziału miała dopiero nadjechać, żeby stworzyć odpowiednią oprawę. Dla mediów, dla władz lub po to, żeby ludzie czuli się bardziej bezpieczni.

I rzeczywiście, teraz obecny był tylko policyjny patrol przy wjeździe na drogę prowadzącą do zagajnika. Trochę dalej furgonetka i kilka samochodów. Jeszcze bez fanfar dla nowych ofiar. Jednak czas nagromadzenia sił został tylko przesunięty.

Ale armia zmierzająca na pole bitwy była już pokonana.

Wszystkie osoby konieczne do wszczęcia śledztwa już się tu znajdowały, skupione w nielicznej gromadce. Przed dołączeniem do nich Sandra wyjęła z bagażnika torbę ze sprzętem i wciągnęła biały kombinezon z kapturem, żeby nie zanieczyścić miejsca zbrodni. Nie wiedziała jeszcze, czego może się spodziewać.

Naprzeciwko niej wyszedł komisarz Crespi. Przedstawił sytuację jednym zwięzłym zdaniem:

– To ci się nie spodoba.

Następnie oboje zagłębili się między drzewa.

Zanim technicy mogą przystąpić do poszukiwania dowodów i śladów, zanim koledzy policjanci zaczynają zadawać sobie pytanie, co tu się zdarzyło i dlaczego, aby oficjalnie podjąć rytuał śledztwa, główna rola przypada właśnie jej.

Wszyscy już na nią czekali. Sandra poczuła się jak ktoś, kto spóźnił się na przyjęcie. Rozmawiali ściszonymi głosami, przyglądając się jej ukradkiem, kiedy przechodziła przed nimi. Mieli nadzieję, że załatwi swoje sprawy prędko, żeby mogli zabrać się do pracy. Dwóch policjantów przesłuchiwało biegacza, który w trakcie treningu odkrył ten horror i wezwał ich tutaj. Przycupnął na suchym pniu, trzymając się rękami za głowę.

Sandra kroczyła za Crespim. Nierealny spokój lasu zakłócało trzeszczenie igieł pinii pod ich butami, a jeszcze bardziej stłumione popiskiwanie sygnału komórki. Sandra ledwie zwróciła na to uwagę, koncentrując się na miejscu zbrodni, które już zaczynała dostrzegać.

Koledzy ograniczyli się do otoczenia go biało-czerwoną taśmą. W środku zaznaczonego obszaru stało auto ze wszystkimi drzwiami szeroko otwartymi. Zgodnie z procedurą jedynym, który teraz mógł przekroczyć tę granicę, był lekarz sądowy.

– Astolfi dopiero co potwierdził zgon obojga – oświadczył komisarz Crespi.

Sandra zobaczyła tego drobnego człoweczka o wyglądzie urzędnika. Wykonawszy swoje zadanie, wyszedł poza taśmę i teraz podnosił machinalnie do ust papierosa, z którego popiół zbierał w drugiej dłoni. Ale nadal przyglądał się samochodowi, jakby zahipnotyzowany nie wiadomo jaką myślą.

Gdy Sandra i Crespi znaleźli się obok niego, odezwał się, nie odrywając wzroku od miejsca zbrodni:

– Do wypisania orzeczenia potrzebuję co najmniej dwóch zdjęć każdej rany.

Dopiero w tym momencie Sandra zrozumiała, co przykuwa uwagę lekarza sądowego.

Przyciszony sygnał komórki.

Zrozumiała też, dlaczego nikt nie skasował tych odgłosów. Dochodziły z samochodu.

– To komórka dziewczyny – powiedział Crespi, choć go o nic nie pytała. – Jest w torebce, na tylnym siedzeniu.

Ktoś był zaniepokojony, dlaczego tej nocy nie wróciła do domu. I teraz próbował nawiązać z nią kontakt.

Kto wie, od jakiego czasu to się ciągnęło. A policjanci nie mogli zrobić absolutnie nic. Przedstawienie musiało respektować ciąg wydarzeń, było jeszcze za wcześnie na scenę finałową. A Sandra będzie musiała dokonać procedury robienia zdjęć przy tym przejmującym akompaniamencie.

– Oczy otwarte czy zamknięte? – spytała.

Pytanie miało sens tylko dla odwiedzających miejsca zbrodni. Czasami mordercy, nawet najbardziej brutalni, zamykają ofiarom powieki. Nie jest to odruch litości, ale wstydu.

– Otwarte – odparł lekarz sądowy.

Ten morderca wolał jednak, żeby go obserwowano.

Komórka nadal wydawała dźwięczne sygnały, obojętna na wszystko.

Zadaniem Sandry było utrwalenie widoku, zanim czas i poszukiwanie odpowiedzi mogłyby go zmienić. Aparat fotograficzny był parawanem między nią a horrorem, między nią a cierpieniem. Ale z powodu tego sygnału istniało niebezpieczeństwo, że przenikające ją emocje przedostaną się przez barierę bezpieczeństwa i wyrządzą jej krzywdę.

Zamknęła się w rutynowych nakazach swojego zawodu, w regułach przyswojonych wiele lat temu, w czasie szkolenia. Gdyby postąpiła według schematu dokumentowania fotograficznego, wszystko prędko by się skończyło i być może mogłaby wrócić do domu i położyć się z powrotem do łóżka obok Maxa, chłonąć ciepło jego ciała i udawać, że ten chłodny zimowy dzień nigdy się nie zaczął.

Od ujęć ogólnych do szczegółów. Uniosła lustrzankę i zaczęła pstrykać.

Błyski flesza załamywały się niczym nagłe bryzgi fal na twarzy dziewczyny, a potem rozpływały się w zimnym i bezsensownym świetle brzasku. Sandra ustawiła się przed pokrywą silnika, ale po zrobieniu około dziesięciu zdjęć samochodu opuściła aparat fotograficzny.

Dziewczyna wpatrywała się w nią przez przednią szybę.

Podczas szkolenia Sandra wpoiła sobie pewną niepisaną zasadę i wraz ze swymi kolegami po fachu stosowała ją skrupulatnie.

Jeżeli zwłoki mają otwarte oczy, należy się starać, żeby ich spojrzenie nigdy nie kierowało się w stronę obiektywu.

Chodziło o uniknięcie bezlitosnego efektu „fotograficznej obsługi nieżywej modelki". Dziewczynę pozostawię na koniec, postanowiła. Zaczęła więc od drugiego ciała.

Znajdowało się kilka metrów od auta. Leżało brzuchem do ziemi, z twarzą ukrytą w szpilkach pinii i ramionami wyciągniętymi do przodu. Było nagie.

– Mężczyzna, przybliżony wiek od dwudziestu do dwudziestu pięciu lat – powiedziała Sandra do mikrofonu na wysięgniku umocowanym na głowie, połączonego z magnetofonem wsuniętym do kieszeni skafandra. – Rana z broni palnej z tyłu głowy.

Włosy wokół otworu wlotowego nosiły wyraźne ślady nadpalenia, znak, że morderca strzelał z bardzo bliska.

Sandra rozejrzała się przez obiektyw lustrzanki za śladami stóp chłopaka. Znalazła ich kilka w wilgotnej ziemi. Zagłębienia od pięt nie były głębsze niż te pod palcami stóp. Nie rzucił się do ucieczki, zwyczajnie szedł.

Nie zdołał mu uciec, pomyślała Sandra.

– Morderca kazał chłopcu wysiąść z samochodu i ustawił się za jego plecami. Potem strzelił.

To była egzekucja.

Odnalazła następne ślady. Tym razem pochodziły od butów.

– Ślady obuwia. Pokrywają kolisty obszar.

Należały do mordercy. Ruszyła wzdłuż śladów odciśniętych w ziemi, trzymając przed sobą aparat fotograficzny nadal skrupulatnie zbierający obrazy, które później miały zostać zapisane w pamięci cyfrowej. Dotarła w pobliże jednego z drzew. U jego podstawy widać było mały czworobok wolny od piniowych szpilek. Podała namiary do magnetofonu.

– Trzy metry na południowy wschód: powierzchnia ziemi została poruszona. Jakby oczyszczona.

To w tym miejscu wszystko się zaczęło, pomyślała. Tu się zaczaił. Uniosła obiektyw, próbując odtworzyć to, co widział przed sobą morderca. Z tego miejsca można było wygodnie obserwować przez las auto dwojga młodych, nie będąc widzianym.

Cieszyłeś się tym widokiem, prawda? A może cię zdenerwował? Jak długo tu stałeś, żeby się im przyglądać?

Podjęła robienie zdjęć od tego miejsca i przemieszczała się do tyłu wzdłuż fikcyjnej linii skierowanej w stronę samochodu, odtwarzając drogę zabójcy. Znalazłszy się ponownie przed maską auta, Sandra poczuła znowu na sobie spojrzenie dziewczyny siedzącej na fotelu. Sprawiała wrażenie, jakby właśnie jej szukała wzrokiem.

Sandra po raz drugi ją zignorowała, skupiając się na aucie. Ruszyła w kierunku tylnego siedzenia. Leżały na nim rozrzucone bezładnie ubrania obu ofiar. Poczuła ucisk w sercu. Przed oczami stanęło jej dwoje zakochanych, którzy szykowali się na randkę. Pomyślała o emocjach doświadczanych przed szafą z ubraniami, związanych z zastanawianiem się, co włożyć, żeby podnieść swoją atrakcyjność w oczach tego drugiego. Przyjemność czysto altruistyczna.

Czy oboje byli już nadzy, gdy ten potwór ich zaskoczył, czy może to on ich zmusił, żeby się rozebrali? Przyglądał się im, kiedy się kochali, czy też podjął akcję, żeby im przerwać? Odrzuciła te myśli. Udzielanie odpowiedzi na takie pytania nie należało do niej, toteż starała się skupić na nowo.

Między ubraniami leżała czarna torebka, z której dochodziło popiskiwanie komórki. Na szczęście zamilkła na chwilę, dając wszystkim trochę oddechu, ale prędko odezwała się znowu. Sandra przyspieszyła swoje czynności. Te dźwięki napełniały ją bólem. Nie chciała przebywać zbyt blisko ich źródła.

Szeroko otwarte drzwi po prawej stronie auta ukazywały nagie ciało dziewczyny. Sandra przycupnęła obok niej.

– Kobieta, przybliżony wiek dwadzieścia lat. Zwłoki są bez ubrania.

Ramiona wyciągnięte wzdłuż boków, unieruchomiona na swoim miejscu liną wspinaczkową, która wiązała ją do siedzenia pochylonego pod kątem około stu dwudziestu stopni. Kawałek liny okręcony był wokół zagłówka i ją dusił.

Pomiędzy krzyżującymi się splotami liny sterczał duży nóż myśliwski. Rękojeść wystawała z mostka dziewczyny. Został wbity z tak wielką siłą, że nie można go było wyciągnąć, pomyślała Sandra, i to zmusiło mordercę, żeby go tu zostawić.

Lustrzanka uwieczniła strugę zaschniętej krwi, która ściekła po brzuchu ofiary, zaplamiła siedzenie i utworzyła w końcu małą kałużę na dywaniku, między bosymi stopami i parą butów na wysokim obcasie. Eleganckich szpilek, poprawiła się w myśli Sandra. I ukazał się jej jasno obraz romantycznego wieczoru.

W końcu zebrała się na odwagę i przeszła do robienia zdjęć twarzy z bliskiej odległości.

Dziewczyna miała głowę przechyloną lekko w lewo, czarne włosy rozczochrane. Sandra bezwiednie poczuła chęć przywrócenia jej do porządku, jak siostra. Zauważyła, że dziewczyna jest bardzo ładna, o delikatnych rysach, jakie potrafi rzeźbić tylko młodość. W miejscach, w których nie starły go łzy, można było jeszcze dostrzec resztki makijażu. Wydawał się wykonany troskliwie, żeby uszlachetnić i podkreślić rysy, tak jakby dziewczyna była obeznana z tym zajęciem.

Może była kosmetyczką lub pracowała w sklepie z kosmetykami, pomyślała Sandra.

Usta dziewczyny były jednak w nienaturalny sposób wygięte do dołu. Wargi pokrywała błyszcząca szminka.

Sandra doznała dziwnego wrażenia, że coś jej tu nie pasuje, ale w tym momencie nie zdołała ustalić co.

Wsunęła się do wnętrza samochodu, żeby mieć lepszy widok twarzy. Zgodnie z zasadą stosowaną przez fotografów kryminalnych, szukała takich kątów, które pozwoliłyby uniknąć bezpośredniego spojrzenia dziewczyny. Poza tym nie była już w stanie znieść wpatrywania się w jej źrenice, a przede wszystkim nie chciała, żeby one wpatrywały się w nią.

Komórka odezwała się znowu.

Wbrew przyswojonym zasadom Sandra instynktownie zamknęła oczy, pozwalając, żeby lustrzanka sama wykonała ostatnie ujęcia. Popiskiwania komórki zmusiły ją do poszybowania myślą do tych, którzy byli obecni w tym miejscu, choć nie fizycznie. Do matki i ojca dziewczyny, oczekujących odpowiedzi, która mogłaby uwolnić ich od dręczącej niepewności. Do rodziców chłopca, którzy być może jeszcze się nie zorientowali, że tej nocy ich syn nie wrócił do domu. Do sprawcy tych cierpień, który daleko stąd, nie wiadomo gdzie, cieszył

się tajemną przyjemnością morderców – sadystycznym łasko-
taniem w okolicach serca – i rozkoszował się myślą, że jest niewidoczny.

Lustrzanka dokończyła swoje zadanie i Sandra Vega wycofała się z wąskiej kawerny trącącej moczem i zbyt młodą krwią.

◆ ◆ ◆

– Kto?

Było to pytanie, które bezustannie nurtowało obecnych.
Kto mógł być sprawcą? Kto tego chciał?

Kiedy potworowi brakuje twarzy, może się nim okazać każdy. Ludzie spoglądają na siebie podejrzliwie, zadając sobie pytanie, co kryje się za pozorami, świadomi tego, że są obserwo-
wani z tą samą nieufnością w spojrzeniach innych.

Gdy człowiek splami się straszliwą zbrodnią, podejrzenia
dotykają nie tylko jego, ale całego rodzaju ludzkiego.

Z tego właśnie powodu również policjanci unikali tego
ranka krzyżowania spojrzeń. Tylko ujęcie winnego mogło ich
uwolnić od przekleństwa podejrzliwości.

Wobec niespełnienia tego warunku pozostawało ustalenie
tożsamości ofiar.

Dziewczyna nie miała jeszcze nazwiska. Sandra uznała, że
tak jest lepiej. Nie chciała go poznać. Natomiast dzięki tablicy rejestracyjnej samochodu zdołano dotrzeć do personaliów
chłopaka.

– Nazywa się Giorgio Montefiori – powiedział lekarzowi
sądowemu Crespi.

Astolfi odnotował to na jednym z formularzy ze swojej kar-
tonowej teczki. Aby je zapisać, oparł się o furgonetkę z kostnicy, która dopiero co przyjechała na miejsce zbrodni, żeby
zabrać zwłoki.

– Chcę niezwłocznie zrobić sekcję – powiedział patolog.

Sandra sądziła, że jego pośpiech wynika z chęci zaznacze-
nia udziału w śledztwie, ale musiała zmienić zdanie, kiedy
usłyszała uzasadnienie:

– Muszę się dziś jeszcze zająć wypadkiem samochodowym, a ponadto napisać opinię dla sądu – oświadczył lekarz bez cienia współczucia.

Biurokraci, pomyślała Sandra. Nie godziła się z tym, żeby tych dwoje młodych martwych ludzi spotkało się z mniejszą dozą litości, niż na to zasługiwali.

Tymczasem miejsce zbrodni brał już w posiadanie oddział techników, rozpoczynając zbieranie śladów i dowodów. I właśnie w chwili, gdy można było w końcu wyjąć komórkę dziewczyny, ta znowu zamilkła.

Sandra przestała przysłuchiwać się rozmowie lekarza sądowego z komisarzem i odwróciła się w stronę jednego z techników, który wyjął właśnie komórkę z torebki w aucie i kierował się w stronę biało-czerwonej taśmy, żeby wręczyć aparat jednej z policjantek.

To ona będzie musiała odebrać, jeśli ktoś zadzwoni znowu. Nie zazdrościła jej.

– Wyrobisz się do południa?

Pogrążona w rozmyślaniach Sandra nie zrozumiała pytania Crespiego.

– Słucham?

– Pytałem, czy możesz dostarczyć materiał jeszcze dziś przed południem – powtórzył komisarz, wskazując lustrzankę leżącą w bagażniku.

– Och, tak, jasne – pospieszyła z odpowiedzią.

– Możesz to zrobić teraz?

Chciała stąd uciec i zająć się tym zaraz po dotarciu na komendę. Ale wobec nalegań zwierzchnika nie mogła się wycofać.

– Dobrze.

Sięgnęła po przenośny komputer, żeby podłączyć do niego aparat fotograficzny i zapisać w nim obrazy utrwalone na karcie pamięci. Potem mogłaby je wysłać mailem i w końcu wyjść z tego koszmaru.

Należała do pierwszych osób, które dotarły na miejsce zbrodni, ale była też jedną z pierwszych szykujących się do jego opuszczenia. Jej praca się kończyła. W odróżnieniu od kolegów mogła zapomnieć o wszystkim.

Gdy przyłączała aparat do komputera, inny policjant podał Crespiemu portfel zamordowanej dziewczyny. Komisarz otworzył go, żeby zobaczyć, czy jest w nim jakiś dokument. Sandra rozpoznała ją ze zdjęcia na dowodzie tożsamości.

– Diana Delgaudio – przeczytał ledwie słyszalnym głosem Crespi. – Dwadzieścia jeden lat... a niech to diabli!

Krótkie milczenie podkreśliło to odkrycie.

Przyglądając się nadal dokumentowi, komisarz przeżegnał się. Był człowiekiem religijnym. Sandra mało go znała, nie był kimś, kto demonstruje swoje przekonania. W policji szanowano go bardziej z powodu długich lat służby niż w uznaniu rzeczywistych zasług. Ale być może był właściwym człowiekiem do rozwiązania takiej zbrodni jak ta. Osobą zdolną do poradzenia sobie z horrorem bez szukania możliwości wyciągnięcia osobistych korzyści poprzez kontakty z prasą.

Lepiej było, żeby dwojgiem nieżyjących młodych ludzi zajął się współczujący glina.

Crespi odwrócił się do policjanta, który przyniósł mu portfel, żeby mu go oddać. Wziął głęboki oddech.

– Dobrze, jedziemy zawiadomić rodziców.

Oddalili się, zostawiając Sandrę przy pracy. Tymczasem zrobione przez nią zdjęcia zaczynały pojawiać się na ekranie komputera, w miarę jak były przenoszone z jednej pamięci do drugiej. Przyglądając się im, błyskawicznie przebiegła w myśli poranną pracę. Zdjęć było prawie czterysta. Ukazywały się jedno po drugim, niczym ujęcia niemego filmu.

Oderwał ją od tego sygnał komórki, którego wszyscy się spodziewali. Odwróciła się w stronę koleżanki, która sprawdzała na wyświetlaczu dane dzwoniącego. Przeciągnęła dłonią po czole i w końcu odpowiedziała:

– Dzień dobry, pani Delgaudio, mówi policja.

Sandra nie wiedziała, co mówi matka po drugiej stronie linii, ale mogła sobie wyobrazić, co poczuła, słysząc obcy głos i słowo „policja". To, co aż dotąd było tylko złym przeczuciem, zaczynało zamieniać się w bolesną prawdę.

– Policyjny patrol jedzie już do pani i wszystko wyjaśni – próbowała uspokoić matkę ofiary policjantka.

Sandra nie była w stanie tego słuchać. Skupiła się znowu na obrazach, które pokazywały się kolejno na ekranie komputera; miała nadzieję, że zainstalowany program prędko poradzi sobie z ich ładowaniem. Postanowiła, że nie będzie miała dzieci, ponieważ jej największe obawy wiązały się z tym, że skończą na fotografiach takich jak te, które przesuwały się teraz przed jej oczami. Twarz Diany. Nieobecny wyraz twarzy. Rozczochrane czarne włosy. Makijaż rozmazany przez łzy. I usta wykrzywione w czymś w rodzaju smutnego uśmiechu. Spojrzenie, które kontemplowało nicość.

Program komputera niemal zakończył operację kopiowania, gdy na chwilę ukazał się widok twarzy na pierwszym planie, odmienny od innych.

Sandra odruchowo nacisnęła klawisz i zatrzymała przegrywanie. Z mocno bijącym sercem przewinęła do tyłu ostatnie zdjęcia, żeby sprawdzić, czy coś jej się nie przywidziało. Wszystko wokół niej zniknęło, jakby zostało wchłonięte przez czarną dziurę. Był tylko ten obraz na ekranie. Jak mogła tego nie zauważyć?

Twarz dziewczyny na zdjęciu była ciągle nieruchoma.

Sandra odwróciła się gwałtownie w kierunku miejsca otoczonego biało-czerwoną taśmą. A potem puściła się biegiem.

Diana Delgaudio zwróciła oczy w stronę obiektywu.

5

– Można wiedzieć, jak mogło dojść do czegoś takiego?

Wrzaski komendanta głównego policji odbijały się echem od pokrytego freskami sklepienia sali odpraw, rozchodząc się po całym drugim piętrze starego pałacu przy via San Vitale, siedziby rzymskiej policji.

Koszty mieli ponieść ci, którzy tego ranka znajdowali się na miejscu zbrodni.

Diana Delgaudio przeżyła. Ale ponieważ nie udzielono jej na czas pomocy, obecnie dziewczyna walczyła ze śmiercią na sali operacyjnej.

Głównym adresatem inwektyw szefa policji był lekarz sądowy. Doktor Astolfi siedział zgarbiony na krześle, przeszywany spojrzeniami kolegów. Interweniował jako pierwszy i wystawił dwa świadectwa zgonu, toteż on właśnie miał ponieść konsekwencje tego zaniedbania.

Według jego wersji tętno dziewczyny było niewyczuwalne. Nocna temperatura, na jaką wystawione było nagie ciało, oraz poniesione przez nią ciężkie obrażenia nie dopuszczały myśli, żeby mogła przeżyć.

– W tych warunkach wystarczała obiektywna analiza, żeby dojść do wniosku, że nic nie da się zrobić – bronił się Astolfi.

– A mimo to ona przeżyła – odparł komendant, coraz bardziej wściekły.

Chodziło o „szczęśliwy zbieg okoliczności". W centrum wszystkiego znajdował się nóż wbity w mostek. Zaklinował się między żebrami i morderca nawet nie próbował go wyciągać, musiał go tam zostawić. Ale to zapobiegło również utracie przez ofiarę zbyt dużej ilości krwi. Poza tym ostrze nie uszkodziło żadnej z głównych tętnic. Także absolutne unieruchomienie, wymuszone przywiązaniem ciała liną wspinaczkową, przyczyniło się do uratowania życia dziewczyny. Okoliczności te pomogły wyhamować krwawienie wewnętrzne, zapobiegając śmiertelnemu wykrwawieniu.

– A więc wychłodzenie okazało się dla niej korzystne – skonkludował lekarz sądowy. – Pozwoliło zachować czynności życiowe.

Sandra nie potrafiła dojrzeć żadnego „szczęścia" w tej sekwencji zdarzeń. W każdym razie stan kliniczny Diany Delgaudio był bardzo poważny. Nawet gdyby powiódł się rozpaczliwy zabieg chirurgiczny, jakiemu była poddawana właśnie w tym momencie, nikt nie mógł przewidzieć, co czeka ją w przyszłości.

– Dopiero co zawiadomiliśmy rodziców, że ich córka nie żyje – powiedział komendant, dając obecnym do zrozumienia, jak bardzo ten błąd mógł zaszkodzić opinii rzymskiej policji.

Sandra się rozejrzała. Być może niektórzy koledzy uważali, że rodzice dziewczyny otrzymali przynajmniej w darze nadzieję. Z pewnością tak myślał komisarz Crespi. Ale on był bardziej praktykującym katolikiem niż policjantem. W oczach wierzącego Bóg działa według nieprzeniknionych planów, a w każdej rzeczy, nawet najbardziej bolesnej, zawsze kryje się jakieś przesłanie, wystawienie na próbę albo nauka. Lecz ona w to nie wierzyła. Przeciwnie, była przekonana, że niebawem przeznaczenie zapuka do drzwi tych rodziców niczym posłaniec, który przez pomyłkę doręczył paczkę z prezentem i wraca, żeby ją zabrać.

Sandra czuła się podniesiona na duchu faktem, że to Astolfi został wskazany przez wszystkich jako osoba odpowiedzialna za nieudaną interwencję.

Jednakże ona też czuła się winna tego, co się stało.

Gdyby pod koniec sporządzania dokumentacji fotograficznej, podczas robienia ostatnich zdjęć, nie zamknęła oczu, wcześniej dostrzegłaby poruszenie oczu Diany. Milczące i rozpaczliwe wezwanie o pomoc.

Jej uwagę odciągnęła komórka dziewczyny, ale nie mogła się tym tłumaczyć. Dręczyła ją myśl, jak mogłyby potoczyć się sprawy, gdyby zauważyła tę zmianę wiele godzin później, może dopiero po powrocie do domu albo w policyjnym laboratorium.

Ona również mogła się stać tej nocy wspólniczką mordercy. Uratowałam ją? Naprawdę to zrobiłam? W istocie Diana uratowała się sama. A Sandra niesłusznie przypisałaby sobie tę zasługę. I musiałaby milczeć, żeby ratować twarz policji. Z tego powodu nie była w stanie całkowicie potępić lekarza sądowego.

Tymczasem komendant pohamował wybuch gniewu.

– Dobrze, możecie odejść.

Wszyscy podnieśli się ze swoich miejsc, ale jako pierwszy salę opuścił Astolfi.

– Pani nie, agentko Vega.

Sandra obejrzała się, żeby spojrzeć na zwierzchnika z niemym pytaniem, dlaczego polecił jej pozostać. Ale on natychmiast odwrócił się do Crespiego.

– Pan też niech zostanie, komisarzu.

Zauważyła, że na progu drzwi, którymi wychodzili koledzy, czeka już inna grupa gotowa zająć miejsca na sali.

Byli to agenci Centralnego Biura Śledczego, specjalnego oddziału zajmującego się przestępczością zorganizowaną, tajnymi operacjami, polowaniem na zbiegów, seryjnymi zabójstwami i zabójstwami ze szczególnym okrucieństwem.

Wśród zajmujących miejsca agentów Sandra rozpoznała Mora, pełniącego funkcję zastępcy komendanta.

Mimo że był młodym policjantem, cieszył się już sławą doświadczonego weterana. Zapracował na nią, chwytając mafijnego bossa poszukiwanego od trzydziestu lat. Polował na niego z wielką wytrwałością, rezygnując z życia prywatnego i rujnując własne małżeństwo, tak że w końcu nieuchwytny gość nawet obdarzył go komplementem, gdy ten zakładał mu kajdanki.

Bardzo go szanowano. Wszyscy pragnęli znaleźć się w grupie Mora. W elicie elity policji. Ale zastępca komendanta prawie zawsze pracował z tymi samymi agentami, których było mniej więcej piętnastu. Ludźmi zaufanymi, z którymi dzielił wysiłek i poświęcenia. Byli przyzwyczajeni do wychodzenia z domu rano, nie wiedząc, kiedy i czy w ogóle zobaczą jeszcze swoich bliskich. Moro wybierał kawalerów, mawiał nawet, że nie lubi udzielać wyjaśnień wdowom i sierotom. Oni sami stanowili rodzinę. Zawsze przebywali razem, również po pracy. Ich siłą była jedność.

Sandra porównywała ich z mnichami zen. Związani byli przysięgą, która sięgała dalej, niżby na to wskazywały ich mundury.

♦ ♦ ♦

– On to powtórzy.

Moro wygłosił te słowa zwrócony plecami do sali, podchodząc do wyłącznika, żeby pogasić światła. Oświadczenie spadło na obecnych wraz z kompletną ciemnością. Zapadła cisza, która przyprawiła Sandrę o dreszcz. Przez moment czuła się zagubiona w mroku. Ale po chwili świat wokół niej pojawił się znowu dzięki mieniącej się smudze światła z projektora.

Na ekranie wyświetliło się jedno ze zdjęć z miejsca zbrodni, które ona sama zrobiła tego ranka.

Samochód z otwartymi drzwiami, dziewczyna z nożem wbitym w mostek.

Żaden z przejętych grozą obecnych nie odrywał od niego spojrzenia. Ci ludzie z jednej strony byli przygotowani na wszystko, ale z drugiej, z upływem czasu współczucie i odraza zaczęły ustępować miejsca innym emocjom. Temu, co fotograf policyjna nazywała „poczuciem dystansu", które nie wynikało z obojętności, ale z rutyny.

– To dopiero początek – ciągnął Moro. – Trzeba będzie dnia, miesiąca, dziesięciu lat, ale możecie być pewni, że on zrobi to znowu. Dlatego musimy zatrzymać go wcześniej. Nie mamy wyboru. – Zrobił kilka kroków w stronę środka ekranu. Światło z projektora padało teraz również na niego, ale jego twarz pozostała niewidoczna: wyglądało to tak, jakby się doskonale roztopił w tym horrorze. – Przesiewamy przez sito życiorysy tych dwojga młodych ludzi, żeby sprawdzić, czy ktoś mógł żywić do nich lub do ich rodzin żal albo nienawiść. Mogli to być byli narzeczeni, którzy doznali zawodu, kochankowie, krewni zgłaszający jakieś pretensje, rozzłoszczeni znajomi, którzy pożyczyli im albo od nich pieniądze. Ustalamy, czy oni sami nie mieli jakichś związków z przestępczością lub czy nie doszło do pomylenia ich z kimś innym... Choć nie mamy jeszcze co do tego pewności, jestem przekonany, że z miejsca możemy odrzucić te hipotezy. – Zastępca komendanta wskazał ręką ekran. – Ale teraz nie będę wam mówił o śledztwie, dowodach, poszlakach ani o *modus operandi*. Na razie odsuwamy na bok wszelkie działania policyjne, zapomnijcie o procedurach. Przypatrzcie się im dobrze. – Zamilkł i za pomocą pilota zaczął prezentować kolejne zdjęcia. – W tym wszystkim jest metoda, nie wydaje się wam? To nie jest ktoś, kto improwizuje. On to przemyślał. Chociaż być może wyda się wam to dziwne, w jego poczynaniach nie ma nienawiści. Jest precyzyjny i skrupulatny. Wbijcie sobie do głowy, że to, co robi, to jego praca, i wykonuje ją cholernie dobrze.

Podejście Mora do sprawy uderzyło Sandrę. Zastępca komendanta odrzucił tradycyjne metody śledztwa, ponieważ chciał, żeby jego ludzie zareagowali w sposób emocjonalny.

– Proszę, żebyście dobrze zapamiętali te zdjęcia, bo jeśli

będziemy poszukiwać racjonalnego wyjaśnienia, nigdy nie schwytamy sprawcy. Musimy za to doświadczyć tego, czego on doświadcza. Z początku to nie będzie się wam podobać, ale wierzcie mi, to jedyny sposób.

Ukazały się zbliżenia martwego chłopaka. Rana na karku, krew, blada i ostentacyjna nagość: wydawało się, że on to tylko odgrywa. Niektórym gliniarzom zdarzało się uśmiechać podczas oglądania tego rodzaju scen. Sandra wiele razy widziała takie reakcje, jednak nie wynikały one z braku szacunku czy z cynizmu. Była to forma obrony. Ich umysły odrzucały rzeczywistość, tak jak się odrzuca coś absurdalnego, próbując to ośmieszyć. Moro starał się odsunąć to wszystko na bok. Potrzebował ich złości.

Rzucał na ekran kolejne ujęcia.

– Nie pozwólcie się zwieść chaosowi tej masakry: to tylko pozory, on nie pozostawia niczego przypadkowi. Obmyślił wszystko, zaprojektował i teraz to wykonuje. Nie jest szaleńcem. Przeciwnie, możliwe, że normalnie uczestniczy w życiu społecznym.

Jego słowa mogły się wydać komuś niewtajemniczonemu zupełnie nie na miejscu; mówił tak, jakby podziwiał sprawcę. Ale Moro po prostu unikał błędu popełnianego przez wielu policjantów: niedocenienia przeciwnika.

Wyszedł ze smugi światła padającego z projektora, żeby spojrzeć na obecnych.

– To nie jest zabójstwo na tle seksualnym, ponieważ sprawca wybrał parę, która się kochała, ale nie posunął się do wykorzystania ofiar. Lekarze zapewnili nas, że dziewczyna nie została zgwałcona, a pierwsze wyniki sekcji zwłok wykluczyły to również w odniesieniu do chłopca. Dlatego gdy nasz człowiek bierze się do zabijania, nie poddaje się instynktowi ani niecierpliwości, żeby osiągnąć orgazm. Nie onanizuje się nad zwłokami. Uderza, znika, a przede wszystkim obserwuje. A od tej chwili będzie obserwował nas, policję. Wyszedł już na otwartą przestrzeń, wie, że nie może sobie pozwolić na popełnianie błędów.

Ale nie tylko on jest poddany egzaminowi, lecz także i my. W końcu wygra nie ten, kto się okaże lepszy, ale ten, kto będzie umiał lepiej wykorzystać błędy tego drugiego. A on ma nad nami przewagę... – Zastępca komendanta uniósł rękę, żeby pokazać słuchaczom zegarek. – Czas. Musimy pokonać tego gnojka na czas. Ale to nie oznacza, że mamy się spieszyć, pośpiech jest najgorszym doradcą. Natomiast musimy być nieprzewidywalni, tak samo jak on. Tylko w ten sposób uda się nam go złapać. Ponieważ, bądźcie pewni, on ma już w głowie coś następnego. – Zatrzymał demonstrowanie zdjęć na ostatnim.

Na ujęciu z bliska Diany Delgaudio.

Sandra wyobrażała sobie rozpacz tej dziewczyny, która, unieruchomiona i półprzytomna, starała się pokazać, że jeszcze żyje. Jednak patrząc teraz na jej nieruchomą twarz, przypomniała sobie również wrażenie, jakie odniosła podczas robienia tego zdjęcia. Makijaż rozmyty przez łzy, ale ciągle wystarczająco nienaruszony. Cienie na powiekach, puder, szminka.

Tak, było w tym coś nienormalnego.

– Przypatrzcie się jej dobrze – podjął Moro, przerywając jej zamyślenie. – Robi to, co robi, ponieważ sprawia mu to przyjemność. Jeśli Diana Delgaudio za sprawą jakiegoś cudu przeżyje, zyskamy w jej osobie świadka, który będzie mógł go rozpoznać.

Nikt nie zareagował na to oświadczenie nawet ruchem głowy. Chodziło o nikłą nadzieję, o nic więcej.

Nieoczekiwanie Moro zwrócił się do Sandry:

– Agentko Vega.

– Słucham.

– Wykonała pani dziś rano świetną robotę.

Komplement wprawił ją w konsternację.

– Chcielibyśmy, agentko Vega, żeby pani przyłączyła się do nas.

Obawiała się tego zaproszenia. Każdy z jej kolegów poczułby się mile połechtany propozycją zajęcia miejsca w oddziale Mora. Ale nie ona.

– Nie wiem, czy podołam zadaniu, panie komendancie.

Stojący w półcieniu zastępca komendanta posłał jej ostre spojrzenie.

– Nie czas na skromność.

– To nie jest skromność. Chodzi o to, że nigdy nie zajmowałam się tego rodzaju przestępstwami.

Sandra dojrzała kątem oka, że komisarz Crespi kręci głową z dezaprobatą.

Moro wskazał drzwi.

– A więc ujmijmy to tak: to nie nasza grupa specjalna potrzebuje pani, ale dwoje młodych ludzi, którzy kręcą się gdzieś tam, nie wiedząc, że niebawem przyjdzie kolej na nich. Bo to się potoczy w taki sposób. Wiem to ja i pani również to wie, agentko Vega. A tą dyskusją zmarnowaliśmy już i tak za dużo czasu, jaki im pozostał.

Powiedział to stanowczym tonem. Sandra nie znalazła sił, żeby mu się przeciwstawić, a zresztą Moro już na nią nie patrzył, przechodził do następnej sprawy.

– Nasi ludzie kończą jeszcze zbieranie śladów w lasku pod Ostią, żebyśmy mogli później przeanalizować dowody, odtworzyć przebieg zdarzeń i *modus operandi* zabójcy. A tymczasem chcę, żebyście się skupili na tym, co czujecie w brzuchu, w kościach, w waszych najbardziej skrytych zakątkach. Idźcie do domu i prześpijcie się z tą sprawą. Od jutra zaczniemy badać dowody. Ale jutro nie chcę u was widzieć ani śladu emocji – dodał stanowczo. – Musicie okazać jasność umysłu i rzeczowość. Odprawa skończona.

Ruszył pierwszy do drzwi, potem podnieśli się także inni, żeby opuścić salę. Sandra została jednak na krześle, nadal wpatrując się w zdjęcie Diany na ekranie. Podczas gdy wszyscy przechodzili przed nią, ona nie była w stanie oderwać oczu od tego obrazu. Chciała, żeby ktoś wyłączył projektor, wydawało się jej, że eksponowanie tego ostatniego zdjęcia jest niepotrzebne i świadczy o braku szacunku.

Moro nakazał im przeprowadzenie czegoś w rodzaju emocjonalnego treningu, ale chciał, żeby następnego dnia wykazali się „jasnością umysłu i rzeczowością". Ale Diana Delgaudio już teraz przestała być dwudziestoletnią dziewczyną, która ma swoje sny, marzenia i plany. Utraciła tożsamość. Stała się materiałem śledztwa, kimś nieokreślonym, na kim dokonano zbrodni, i od tej chwili może się szczycić niewyraźnym tytułem „ofiary". A ta przemiana odbyła się właśnie tu, na oczach wszystkich, w trakcie odprawy.

Przyzwyczajenie, przypomniała sobie Sandra. Przeciwciało, które umożliwia policjantom przeżycie w kontakcie ze złem. Tak więc, podczas gdy wszyscy inni wychodzili, nie spoglądając na zdjęcie Diany, ona poczuła się w obowiązku poświęcić jej uwagę, przynajmniej do czasu, gdy zostanie sama w sali odpraw. Ale im uważniej przyglądała się temu ujęciu z bliska, tym wyraźniej kiełkowała w niej refleksja, że ma przed sobą coś błędnego.

Jakiś szczegół nie na swoim miejscu.

W masce uszkodzonego makijażu, który pokrywał twarz dziewczyny, było coś, co się nie zgadzało. W końcu Sandra to zidentyfikowała.

Chodziło o szminkę.

6

– Uczcie się fotografować pustkę.

Tak właśnie powiedział nauczyciel fotografii dokumentalnej w akademii. W tamtym okresie Sandra miała niewiele ponad dwadzieścia lat i zarówno jej, jak i jej kolegom te słowa wydały się absurdalne. Uznała, że jest to tylko frazes godny policjanta, który udziela lekcji życia lub sprzedaje jako absolutne dogmaty powiedzonka w rodzaju „ucz się od przeciwnika" albo „jeden za wszystkich, wszyscy za jednego". Według niej, tak pewnej siebie, tak bezczelnej, podobne zwroty mogły służyć jedynie praniu mózgów stosowanemu wobec młodych rekrutów, żeby nie mówić im prawdy. Czyli tego, że rodzaj ludzki budzi wstręt, a oni, uprawiając ten zawód, bardzo prędko poczują obrzydzenie, bo do niego należą.

– Waszym największym sprzymierzeńcem jest obojętność, ponieważ nie liczy się to, co macie przed obiektywem, ale to, czego tam nie ma – dodał nauczyciel, a chwilę potem powtórzył: – Uczcie się fotografować pustkę.

Potem kazał im wchodzić pojedynczo do specjalnego pomieszczenia, w którym prowadził ćwiczenia praktyczne. Było to coś w rodzaju inscenizacji: umeblowany pokój dzienny w zwykłym mieszkaniu. Ale przedtem oświadczył, że tam wydarzyła się zbrodnia. Ich zadaniem było odkryć jaka.

Nie było krwi, zwłok ani broni. Tylko umeblowanie jak wiele innych.

Żeby osiągnąć cel, musieli nauczyć się nie zwracać uwagi na plamy z mleka, które miały informować, że w tym mieszkaniu mieszka dziecko. A także na zapach odświeżacza do wnętrz, wybranego z pewnością przez troskliwą kobietę. Na jeden z foteli rzucono wypełnioną w połowie krzyżówkę – nie wiadomo, czy ktoś zamierzał ją kiedykolwiek dokończyć. Na stoliku leżały czasopisma podróżnicze, położone tam przez kogoś, kto wyobrażał sobie, że ma przed sobą szczęśliwą przyszłość, ale nie wiedział, że niebawem przydarzy mu się coś niedobrego.

Szczegóły gwałtownie przerwanej egzystencji. Ale płynąca z nich nauka była jasna: współczucie mąci myśli. A żeby sfotografować pustkę, trzeba było stworzyć ją przedtem w sobie samym.

I Sandrze się to udało, ku jej zdziwieniu. Utożsamiła się z potencjalną ofiarą, a nie z tym, co sama odczuwała. Wykorzystywała jej punkt widzenia, a nie własny. Wyobrażając sobie, że ofiara leży wyciągnięta na wznak, sama położyła się w tej pozycji. I dzięki temu pod krzesłem odkryła wskazówkę.

FAB

Scena ta odtwarzała rzeczywistą historię, w której umierająca kobieta znalazła dość siły, żeby napisać własną krwią pierwsze trzy litery imienia mordercy.

Fabrizio. Jej mąż.

I w ten sposób wydała swego małżonka.

Sandra odkryła następnie, że przez dwadzieścia pięć lat ta kobieta znajdowała się w rejestrze osób zaginionych, podczas gdy jej mąż opłakiwał ją publicznie i wygłaszał apele w telewizji. A prawda ukryta pod krzesłem wyszła na jaw dopiero wtedy, gdy postanowił sprzedać to umeblowane mieszkanie. Odkrycia dokonał jego nowy mieszkaniec.

Myśl, że można wymierzyć sprawiedliwość także po śmierci, pocieszyła ją. Morderca nigdy nie może czuć się bezpieczny. Mimo rozwiązania zagadki zwłoki kobiety nie zostały nigdy odnalezione.

Nauczyć się fotografować pustkę, powtórzyła sobie teraz Sandra, siedząc w cichym wnętrzu swojego samochodu. W gruncie rzeczy tego właśnie żądał zastępca komendanta Moro: zanurzyć się głęboko we własnych emocjach, ale potem, po otrząśnięciu się z nich, odzyskać konieczny chłód.

Sandra nie wróciła do domu, żeby się zastanawiać nad tym, co czuje; miała przed sobą jutrzejszą odprawę, od której oficjalnie zaczynało się polowanie na zabójcę. Przed przednią szybą auta znajdował się jaskrawo oświetlony zagajnik pod Ostią. Dudnienie dieslowskich generatorów prądu i intensywny blask halogenowych lamp przypominały jej wiejskie potańcówki. Ale to nie było lato i nie można się było spodziewać, że zabrzmi muzyka. Panowała paskudna zima i w lasku rozbrzmiewały tylko głosy policjantów w białych kombinezonach, którzy kręcili się po miejscu zbrodni niczym w jakimś tańcu duchów.

Zbieranie śladów trwało cały dzień, a Sandra wróciła tu pod koniec dyżuru, żeby przyglądać się z boku pracy kolegów. Nikt jej nie zapytał, po co przyjechała ani dlaczego czeka, aż wszyscy odjadą.

A miała powód.

Przeczucie dotyczące szminki na ustach Diany.

Dziewczyna pracowała w sklepie z kosmetykami. Sandra nie pomyliła się, gdy przyglądając się makijażowi na jej twarzy, postawiła hipotezę, że Diana jest profesjonalistką w tej dziedzinie. Fakt, że domyśliła się tej strony jej życia, ostatecznie zlikwidował dzielący je dystans, co nie było dobre dla śledztwa. Nigdy nie należy angażować się zbytnio. To niebezpieczne.

Poczuła to na własnej skórze trzy lata wcześniej, kiedy zmarł jej mąż, a ona została zmuszona do prowadzenia samotnie śledztwa dotyczącego wydarzenia, które zakwalifikowano pospiesznie jako „wypadek" i umorzono postępowanie. Trzeba było wielkiej przenikliwości, żeby gniew i rozżalenie nie zmąciły jej myśli. A w każdym razie istniało zagrożenie, że tak się stanie. Ale wtedy była sama i mogła sobie pozwolić na takie ryzyko.

Teraz miała Maxa.

Nadawał się doskonale do życia, jakie wybrała. Przeniesienie się do Rzymu, zamieszkanie na Zatybrzu, otoczenie się innymi twarzami, innymi kolegami. Właściwe miejsce i czas na to, żeby tworzyć nowe wspomnienia. Max był idealnym towarzyszem, żeby je z nią dzielić.

Uczył w liceum historii i żył wśród książek. Spędzał godziny na czytaniu, zamknięty w swoim pokoju. Sandra była pewna, że gdyby nie ona, zapomniałby nawet o jedzeniu czy pójściu do toalety. Przebywał w swoim świecie, całkowicie różnym od świata policjantki. Jedynym koszmarem, na jaki się narażał, było odpytywanie nieprzygotowanych do lekcji uczniów.

Ktoś, kto poświęca się słowom, nie może zostać wciągnięty w okropności świata.

Max wpadał w podniecenie, kiedy Sandra prosiła go, żeby powiedział jej coś o historii. Oczy zaczynały mu błyszczeć i opowiadał z przejęciem, żywo gestykulując. Urodził się w Nottingham, ale od dwudziestu lat mieszkał we Włoszech.

– Na świecie jest tylko jedno miejsce dla nauczyciela historii – zapewniał. – I jest nim Rzym.

Sandra w żadnym razie nie chciałaby go rozczarować, opowiadając, ile zła koncentruje się w tym mieście. Dlatego nigdy nie mówiła mu o swojej pracy. A tym razem postanowiła go wręcz okłamać. Wybrała numer telefonu i czekała, aż usłyszy jego głos.

– Słuchaj, Vega, powinnaś być już dawno w domu – powiedział żartobliwym tonem. Zwracał się do niej po nazwisku, jak inni policjanci.

– Jest duża sprawa i zwołali dodatkową odprawę – odparła, recytując przygotowaną wymówkę.

– Dobrze, w takim razie zjemy kolację trochę później.

– Nie sądzę, żebym zdążyła na kolację. Prawdopodobnie jeszcze długo będę poza domem.

– Ach, tak – mruknął Max, usłyszawszy tę wiadomość. Nie złościł się, był tylko zdezorientowany. Po raz pierwszy zdarzało się, że musiała pracować tak długo po godzinach.

Sandra zamknęła oczy, czuła do siebie wstręt. Wiedziała, że musi wypełnić czymś tę krótką ciszę, zanim podważy wiarygodność swojej historyjki.

– Nie masz pojęcia, jakie to nudne. W sekcji technicznej wybuchła epidemia grypy albo jakiegoś innego świństwa.

– Jesteś dobrze ubrana? Oglądałem prognozy, w nocy będzie zimno.

Fakt, że martwił się o nią, sprawił, że poczuła się jeszcze gorzej.

– Jasne.

– Chcesz, żebym na ciebie zaczekał z pójściem do łóżka?

– To niepotrzebne – rzuciła szybko. – Mówię poważnie, kładź się spać. Być może uda mi się prędko stąd wyrwać.

– Zgoda, ale obudź mnie, jak wrócisz.

Rozłączyła się. Poczucie winy nie skłoniło jej do zmiany zamiarów. Wbiła sobie do głowy, że rano źle wykonała swoje zadanie, ponieważ, podobnie jak lekarz sądowy, zbyt prędko opuściła miejsce zbrodni. Odkrycie, które podniosło jej reputację w oczach kolegów i zastępcy komendanta, było jedynie owocem zbiegu okoliczności. Gdyby trzymała się co do litery protokołu dokumentacji fotograficznej, zabezpieczyłaby dowody, a nie siebie. Zamiast używać aparatu fotograficznego do badania miejsca zbrodni, posłużyła się nim jak zasłoną.

Musiała temu zaradzić. Jedynym sposobem na to było powtórzenie procedury, żeby mieć pewność, że nie pominęła czegoś innego.

Tymczasem pracujący w lasku koledzy i technicy z laboratorium kryminalistycznego zaczynali się zwijać. Wkrótce powinna zostać sama. Miała do wykonania pewną misję. Sfotografowanie pustki.

◆ ◆ ◆

Auto dwojga młodych zostało zabrane, odjechały też pojazdy policyjne, które zabezpieczały teren. Zapomnieli zabrać biało-czerwoną taśmę. Kołysała się na wietrze razem z gałęziami pinii, ale teraz otaczała puste miejsce.

Sandra spojrzała na zegarek: minęła północ. Zaparkowała trzysta metrów dalej i teraz zadała sobie pytanie, czy to wystarczająco daleko. Nie chciała, żeby ktokolwiek zwrócił uwagę na jej auto.

Światło księżyca przesłaniała cienka warstwa chmur. Nie mogła użyć latarki, ponieważ istniało ryzyko, że ktoś ją dostrzeże, a ponadto jej światło zmieniłoby widok miejsca. Postanowiła spojrzeć przez obiektyw lustrzanki, używając podczerwieni, żeby orientować się w otoczeniu, a tymczasem starała się przyzwyczaić wzrok do bladej księżycowej poświaty.

Wysiadła z samochodu i ruszyła w kierunku miejsca zbrodni. Gdy szła przez zagajnik, krążyła jej po głowie myśl, że być może to, co robi, jest głupie. Wystawiała się na zagrożenie. Nikt nie wiedział, że tu jest, a ona nie mogła znać zamiarów mordercy. A gdyby przypadkiem wrócił, żeby sprawdzić, jak wyglądają sprawy? Lub żeby przeżyć na nowo wrażenia z poprzedniej nocy w swoistym, nostalgicznym przywołaniu tego koszmaru? Niektórzy zabójcy tak postępują.

Sandra zdawała sobie sprawę, że w gruncie rzeczy ta pesymistyczna wizja jest czymś w rodzaju rytuału na odegnanie nieszczęścia. Przygotowujemy się na najgorsze z nadzieją, że rzeczywistość okaże się inna. Ale właśnie w tym momencie promień księżyca zdołał uwolnić się zza zasłony chmur i padł na ziemię.

W tej samej chwili zauważyła sto metrów przed sobą między drzewami ciemny cień.

Zaalarmowana zwolniła kroku, ale nie zdołała natychmiast się zatrzymać. Jej ciałem zawładnął strach i zrobiła jeszcze jeden krok po piniowych igłach, czemu towarzyszyło ich trzeszczenie. Tymczasem tajemnicza postać przesuwała się w kierunku miejsca zbrodni, rozglądając się. Sandra skamieniała. A potem zobaczyła, że nieznajomy robi coś nieoczekiwanego.

Znak krzyża.

Przez chwilę czuła się spokojniejsza, widząc, że ma przed sobą człowieka wierzącego. Ale już sekundę później ujrzała w myśli ponownie to, co zobaczyła, w zwolnionym tempie.

Nieznajomy przeżegnał się na opak – od prawej do lewej, i od dołu do góry.

– Na ziemię.

Wypowiedziane szeptem polecenie zabrzmiało w mroku kilka metrów od niej. Sandra drgnęła, jakby nagle przebudziła się, przechodząc od jednego koszmaru do następnego. Już miała krzyknąć, ale człowiek, który się odezwał, podszedł bliżej: miał bliznę na skroni i nakazał jej ruchem ręki, żeby przykucnęła obok niego za drzewem. Sandra go znała, ale zdała sobie z tego sprawę dopiero po chwili.

Marcus. Penitencjariusz, którego spotkała trzy lata wcześniej.

Dał jej znowu znak, żeby przykucnęła, po czym podszedł i wziął ją za rękę, pociągając łagodnie w dół. Posłuchała, a potem wlepiła w niego wzrok, ciągle nie mogąc uwierzyć własnym oczom. Ale on spoglądał przed siebie.

Nieznajomy, którego zauważyła wcześniej, ukłęknął i zaczął obmacywać dłonią ziemię, jakby czegoś szukał.

– Co on wyprawia? – spytała cicho, wciąż czując przyspieszone bicie serca.

Penitencjariusz nie odpowiedział.

– Musimy coś zrobić – szepnęła. Nie było to ani pytanie, ani stanowcze stwierdzenie, bo w tym momencie nie była pewna niczego.

– Masz przy sobie broń?

– Nie – odparła.

Marcus pokręcił głową, jakby chciał powiedzieć, że nie mogą pozwolić sobie na żadne ryzyko.

– Dasz mu spokojnie odejść? – spytała z niedowierzaniem.

Tymczasem nieznajomy wstał. Przez jakiś czas stał bez ruchu, a potem ruszył w ciemność, oddalając się od nich.

Sandra zerwała się z miejsca.

– Zaczekaj – próbował zatrzymać ją Marcus.

– Tablica rejestracyjna – rzuciła, mając na myśli auto, którym tamten prawdopodobnie tu przyjechał.

Nieznajomy przyspieszał kroku, nie zdając sobie sprawy, że jest śledzony. Sandra usiłowała utrzymać się za nim w stałej odległości, ale skrzypienie tych przeklętych igieł mogło ją zdradzić, więc musiała zwolnić.

I właśnie dzięki temu dostrzegła coś znajomego. Być może chodziło o sposób poruszania się tego człowieka, o jego sylwetkę. Wrażenie było ulotne i trwało tylko chwilę.

Mężczyzna nagle zniknął za wzniesieniem i kiedy Sandra zastanawiała się, co się z nim stało, usłyszała odgłos zamykania drzwi samochodu, a potem uruchamiania silnika.

Puściła się biegiem, najszybciej, jak mogła. Potknęła się o jakąś gałąź, ale zdołała zachować równowagę. Poczuła ból w kostce, mimo to zmusiła się do szybkiego marszu, nie chcąc go zgubić. Przed oczami stanął jej widok dwojga zamordowanych młodych ludzi. Jeśli rzeczywiście był to morderca, nie mogła pozwolić, żeby uciekł. Nie, nie dopuści do tego.

Gdy jednak dotarła na skraj zagajnika, zobaczyła odjeżdżający samochód ze zgaszonymi światłami. W bladym świetle księżyca nie można było odczytać numeru rejestracyjnego.

– Cholera – rzuciła ze złością i odwróciła się.

Marcus stał nieruchomo kilka kroków za nią.

– Kto to był? – spytała.

– Nie wiem.

Wolałaby usłyszeć inną odpowiedź. Uderzyła ją jego chłodna reakcja. Najwyraźniej nie żałował tego, że stracił okazję, żeby dać zabójcy twarz i nazwisko. A może był tylko bardziej pragmatyczny niż ona.

– Przyszedłeś tu z jego powodu, prawda? Ty także na niego polujesz.

– Tak. – Nie chciał powiedzieć, że zjawił się w tym miejscu dla niej. Że często krył się pod jej domem lub czekał, aż skończy pracę, żeby odprowadzić ją w sekrecie do domu. Że lubił przyglądać się jej z daleka. A gdy tego wieczoru nie wróciła do swego mieszkania po skończonym dyżurze, postanowił śledzić ją od wyjścia z komendy.

Sandra była zbyt poruszona tym, co się przed chwilą wydarzyło, żeby się domyślić, że ją okłamał.

– Mieliśmy go tak blisko.

Marcus wpatrywał się w nią, stojąc bez ruchu. Potem odwrócił się nagle.

– Idziemy – powiedział.

– Dokąd?

– Kiedy ukłęknął, być może ukrył coś w ziemi.

7

Posługując się światłem smartfona Sandry, zaczęli szukać miejsca, gdzie widzieli nieznajomego.

– Jest – rzucił Marcus.

Oboje pochylili się nad małym kopczykiem dopiero co poruszonej ziemi.

Penitencjariusz wyjął z kieszeni kurtki lateksową rękawiczkę, włożył ją i zabrał się do usuwania ziemi, powoli i uważnie. Sandra przyglądała się temu niecierpliwie, oświetlając miejsce telefonem. Niedługo potem Marcus znieruchomiał.

– I co? Dlaczego przestałeś szukać? – spytała.

– Tu nic nie ma.

– Ale powiedziałeś, że…

– Wiem – przerwał jej spokojnie. – Niczego nie rozumiem: ziemia została poruszona, sama to widziałaś…

Podnieśli się i przez chwilę stali bez słowa. Marcus obawiał się, że Sandra może zapytać go znowu, po co tu przyszedł.

– Co wiesz o tej sprawie? – spytał, żeby temu zapobiec.

Przez chwilę zastanawiała się, co odpowiedzieć.

– Nie musisz mi tego mówić. Ale być może mogę ci pomóc.

– Jak? – zapytała podejrzliwie.

– Wymieniając się z tobą informacjami.

Zaczęła rozważać tę propozycję. Widziała penitencjariusza w akcji trzy lata wcześniej, wiedziała, że jest w tym dobry i widzi sprawy w inny sposób niż pierwszy lepszy policjant. Nie był w stanie „fotografować pustki" jak ona, ale potrafił dostrzec niewidoczne ślady, jakie zło pozostawia na różnych rzeczach. Postanowiła mu zaufać i zaczęła opowiadać o dwojgu młodych ludzi i niewiarygodnym epilogu tego poranka, kiedy okazało się, że Diana Delgaudio przeżyła mimo poważnych ran i chłodu zimowej nocy.

– Mogę zobaczyć te zdjęcia? – zapytał Marcus, a widząc wahanie Sandry, dodał: – Jeżeli chcesz zrozumieć, co się wydarzyło tej nocy i co tu robił ten typ, musisz pokazać mi zdjęcia miejsca zbrodni.

♦ ♦ ♦

Niedługo potem Sandra wróciła ze swojego samochodu z dwiema latarkami i tabletem. Marcus wyciągnął po niego rękę. Ale Sandra chciała postawić sprawy jasno.

– Łamię przepisy regulaminu, a także prawo.

Dopiero wtedy podała mu tablet i latarkę.

Przyjrzał się pierwszym zdjęciom. Było na nich drzewo, za którym ukrył się zabójca.

– To z tego miejsca ich śledził – powiedziała.

– Pokaż mi je.

Podprowadziła go do drzewa. Na ziemi widać było jeszcze kawałek ziemi oczyszczonej z piniowych igieł. Sandra nie miała pojęcia, co może wyniknąć z włączenia do sprawy Marcusa, który stosował zupełnie inne metody niż policyjni profilerzy.

Spojrzał najpierw w dół, potem uniósł wzrok i zaczął obserwować to, co miał przed sobą.

– Dobrze, zaczynamy.

Przeżegnał się, ale nie na opak, tak jak to zrobił nieznajomy. Sandra zauważyła, że jego twarz się zmienia w sposób niemal niedostrzegalny. Zmarszczki wokół oczu wygładziły się, oddech stał się głębszy. Koncentrował się, ale w sposób niezwykły; do głosu dochodziło coś w jego wnętrzu.

– Ile czasu tu stoję? – zadał sobie pytanie, zaczynając utożsamiać się z mordercą. – Dziesięć, piętnaście minut? Uważnie się im przyglądam i na razie cieszę się chwilą przed przystąpieniem do działania.

Wiem, co czułeś, powiedział sobie w duchu. Wzmożone wydzielanie adrenaliny i to poruszenie gdzieś w głębi brzucha. Podniecenie połączone z niepokojem. Jak wtedy, gdy będąc dzieckiem, bawiłeś się w chowanego. To swędzenie na karku, dreszcz wywołujący gęsią skórkę.

Sandra zaczynała pojmować, co dzieje się na jej oczach: nikt nie mógł wejść w psychikę mordercy, ale penitencjariusz był w stanie przywołać na nowo zło, jakie nosił w sobie zabójca. Postanowiła pomóc mu w tej symulacji i zwróciła się do niego tak, jakby naprawdę był mordercą.

– Śledziłeś ich aż do tego miejsca? – spytała. – Może nawet znałeś tę dziewczynę, podobała ci się i łaziłeś za nią.

– Nie. Czekałem tu na nich. Nie znam ich. Nie wybieram ofiar, tylko miejsce polowania. Sprawdzałem je, a teraz się przygotowuję.

Zagajnik pod Ostią był, zwłaszcza latem, schronieniem dla zakochanych. Zimą tylko nieliczni decydowali się na przygodę w tym miejscu. Kto wie, od ilu dni morderca przemierzał ten lasek, czekając na okazję. W końcu jego cierpliwość została nagrodzona.

– Dlaczego oczyściłeś tu ziemię?

Marcus spuścił wzrok.

– Mam przy sobie torbę, być może plecak... nie chcę, żeby się pobrudził piniowymi igłami. Zależy mi na tym, ponieważ to w nim przechowuję przybory do makijażu, moje wyrafinowane zabawki. Jestem bowiem podobny do maga.

Wybiera właściwy moment i powoli zbliża się do ofiar. Liczy na efekt zaskoczenia, to także jeden z elementów magii.

Marcus oderwał się od drzewa i zaczął przesuwać się w stronę centralnego punktu miejsca zbrodni. Sandra szła tuż za nim, oszołomiona tą rekonstrukcją zdarzenia.

– Dotarłem niezauważony do samochodu. – Marcus odtworzył kolejne zdjęcia, tym razem nagich ofiar.

– Byli już bez ubrań czy to ty zmusiłeś ich, żeby się rozebrali? Doszło już do zbliżenia czy byli dopiero w fazie wstępnej?

– Wybieram pary, ponieważ nie potrafię nawiązać stosunków z ludźmi. Nie mogę stworzyć relacji uczuciowych czy seksualnych. Jest we mnie coś, co odpycha innych. Kieruje mną zawiść. Tak, zazdroszczę im... Dlatego lubię się im przyglądać. A potem zabijam, żeby ich ukarać za to, że są szczęśliwi.

Powiedział to z obojętnością, która zmroziła Sandrę. Nagle zaczęła się bać pozbawionych wyrazu oczu penitencjariusza. Nie było w nich złości, tylko wyraźna obojętność. Marcus nie identyfikował się tak po prostu z zabójcą.

On się nim stawał.

Poczuła się zagubiona.

– Jestem niedojrzały seksualnie – ciągnął. – Mam od dwudziestu pięciu do czterdziestu pięciu lat. – Zazwyczaj w tym przedziale wieku wybucha frustracja nagromadzona przez niezaspokojony popęd seksualny. – Nie gwałcę moich ofiar.

Rzeczywiście, nie doszło do gwałtu, przypomniała sobie Sandra.

Penitencjariusz przyjrzał się zdjęciu samochodu i zatrzymał wzrok na masce.

– Wyłoniłem się z nicości i wycelowałem w nich z pistoletu, żeby nie uruchomili samochodu i nie uciekli. Jakie mam przy sobie przedmioty?

– Pistolet, nóż myśliwski i linę wspinaczkową – podsunęła mu go Sandra.

– Wręczyłem linę chłopakowi i przekonałem go, żeby przywiązał swoją partnerkę do fotela.

– Chcesz powiedzieć, że go zmusiłeś.

– To nie była groźba. Ja nigdy nie podnoszę głosu, mówię wszystko łagodnym tonem: jestem uwodzicielem. – Nie musiał oddać nawet jednego strzału ostrzegawczego, choćby po

73

to, by pokazać, że nie żartuje. Wystarczyło dać chłopakowi do zrozumienia, że może się uratować. Że jeśli będzie posłuszny i zachowa się właściwie, zostanie za to nagrodzony. – Oczywiście zrobił to, co mu kazałem. Przyglądałem się, jak ją krępuje, żeby się upewnić, że zrobi to dobrze.

On ma rację, pomyślała Sandra. Ludzie często ignorują siłę perswazji, jaka tkwi w broni palnej. Nie wiadomo dlaczego, wszyscy uważają, że mogą dać sobie radę w tego rodzaju położeniu.

Przewijając zdjęcia, Marcus dotarł do dziewczyny z nożem wbitym w mostek.

– Zasztyletowałeś ją. Wbiłeś jej nóż, ale ona miała szczęście – podpowiedziała Sandra, natychmiast żałując, że użyła tego słowa. – Krwawienie ustało tylko dlatego, że zostawiłeś tę broń na miejscu. Gdybyś wyciągnął nóż, żeby go zabrać ze sobą, prawdopodobnie by nie przeżyła.

Marcus pokręcił głową.

– To nie ja ją dźgnąłem. Dlatego zostawiłem nóż w jej piersi. Dla was, żebyście wiedzieli.

Nie wierzyła własnym uszom.

– Zaproponowałem mu wymianę: jego życie w zamian za jej życie.

Sandra była wstrząśnięta.

– Skąd to wiesz?

– Zobaczysz, na rękojeści noża znajdziecie odciski palców chłopaka, nie moje.

Chciał upokorzyć ich za uczucie, jakim darzyli się nawzajem, pomyślała.

– Wystawił na próbę jego miłość – ciągnął Marcus.

– Ale jeśli cię posłuchał, dlaczego potem zabiłeś również jego? Krótko mówiąc, kazałeś mu wysiąść z auta i strzeliłeś mu w głowę z bliskiej odległości. To była egzekucja.

– Ponieważ moje obietnice to kłamstwa, dokładnie takie same jak miłość, którą wyznają sobie te pary. A jeżeli pokażę, że jeden człowiek jest zdolny zabić drugiego z czystego egoizmu, to zostanę uwolniony od wszelkiej winy.

Wiatr przybrał na sile, zakołysał drzewami jak dreszcz, który przeszedł przez las i rozpłynął się w ciemności. Ale Sandrze wydało się, że źródłem tego pozbawionego życia porywu wiatru jest Marcus.

Penitencjariusz zauważył jej zakłopotanie i nie bacząc na to, do jakiego miejsca dotarł w tym momencie, cofnął się nagle do punktu wyjścia. Zawstydził się, widząc strach w oczach kobiety. Nie chciał, żeby tak na niego patrzyła. Zobaczył, że odruchowo robi drobny krok do tyłu, jakby chciała się znaleźć w bezpiecznej odległości.

Sandra spojrzała z zakłopotaniem w bok. Po tym, co zobaczyła, nie potrafiła jednak ukryć skrępowania. Żeby wyjść z impasu, wyjęła tablet z rąk Marcusa.

– Chcę ci coś pokazać.

Przewinęła zdjęcia do miejsca, w którym znajdowało się zbliżenie Diany Delgaudio.

– Dziewczyna pracowała w drogerii – powiedziała. – Makijaż, jaki ma na twarzy, tam gdzie łzy go nie starły, jest nałożony bardzo starannie. Również szminka.

Marcus przyjrzał się fotografii. Był jeszcze poruszony i być może dlatego nie pojął od razu sensu jej słów.

Spróbowała wyjaśnić, co ma na myśli:

– Kiedy robiłam to zdjęcie, odniosłam dziwne wrażenie. W tym obrazie był jakiś fałsz, ale dopiero później zrozumiałam, co to jest. Przed chwilą powiedziałeś, że morderca ma naturę podglądacza: czeka, aż zacznie się stosunek seksualny, i dopiero wtedy wychodzi z ukrycia. Ale jeśli Diana i jej chłopak rozpoczęli grę wstępną, to dlaczego ona wciąż ma szminkę na ustach?

Marcus pojął wreszcie, w czym rzecz.

– On pomalował jej usta, już po wszystkim – powiedział.

Sandra kiwnęła głową.

– Myślę też, że zrobił jej zdjęcie. A nawet jestem tego pewna.

75

Był skłonny w to uwierzyć. Nie wiedział jeszcze, jak ulokować to w *modus operandi* mordercy, ale prawdopodobnie było to elementem jego rytuału.

– Zło jest anomalią, którą wszyscy mają przed oczami, ale nikt nie potrafi jej dostrzec. – Mówił jakby do siebie.

– Co masz na myśli?

– W tym właśnie kryją się wszystkie odpowiedzi i to tu musisz ich szukać. – Wyglądało to jak na obrazie z *Męczeństwem świętego Mateusza* w kościele Świętego Ludwika Króla Francji, trzeba było tylko umieć patrzeć. – Morderca ciągle tu jest, chociaż go nie widzimy. Musimy zapolować na niego w tym miejscu, nie gdzie indziej.

– Mówisz o człowieku, którego niedawno tu widzieliśmy. Nie uważasz, że to on jest zabójcą?

– Jaki sens miałby jego powrót tutaj po kilku godzinach? – odparł Marcus. – Morderca pozbywa się chorobliwego, niszczącego ładunku poprzez zadawanie śmierci i upokarzanie ofiar. Jego instynkty zostają zaspokojone. To jest uwodziciel, pamiętasz? On rozgląda się już za następną zdobyczą.

Sandra była przekonana, że to nie wszystko, że Marcus ukrył przed nią kluczową informację. Przedstawił racjonalną motywację, ale jego zakłopotanie mówiło jej, że jest coś jeszcze.

– Więc dlatego się przeżegnał... w taki sposób?

Ten znak krzyża na opak uderzył także Marcusa.

– W takim razie kto to był, twoim zdaniem? – nie ustępowała.

– Szukaj anomalii, agentko Vega, nie zatrzymuj się na detalach. Po co on tu przyszedł?

Sandra wróciła myślą do tego, co niedawno widzieli.

– Ukląkł na ziemi, wykopał dołek. Ale w środku nic nie było...

– Owszem. Niczego tu nie zakopał. Wydobył to z ziemi.

– To jest lekcja druga w ramach twojego szkolenia – oświadczył Clemente.

Znalazł mu mieszkanie na poddaszu przy via dei Serpenti. Nie było zbyt duże. Umeblowanie składało się tylko z lampki i stojącego przy ścianie składanego łóżka. Ale z małego okna można było się cieszyć wyjątkowym widokiem na dachy Rzymu.

Marcus uniósł rękę do plastra, który ciągle zakrywał ranę na jego skroni. Stało się to czymś w rodzaju nerwowego tiku, czymś, co robił niemal bezwiednie. Po utracie pamięci czasami wydawało mu się, że to wszystko jest wynikiem jakiegoś snu albo tworem jego wyobraźni. Wyglądało to tak, jakby ten gest służył mu do sprawdzenia, czy istnieje naprawdę.

– Dobrze, jestem gotowy.

– Będę twoim jedynym instruktorem. Nie będziesz miał innych kontaktów, nie będziesz wiedział, kto naprawdę wydaje ci polecenia i kto jest mocodawcą twoich misji. W dodatku będziesz musiał ograniczyć do minimum kontakty z innymi osobami. Wiele lat temu ślubowałeś samotność. Będziesz jednak odbywał swoją klauzurę nie w murach klasztoru, ale w świecie, który cię otacza.

Marcus próbował się zastanowić, czy w tych warunkach może naprawdę przetrwać, ale wewnętrzny głos mówił mu, że nie potrzebuje innych, że już się przyzwyczaił do samotności.

– Istnieje kilka kategorii przestępstw, które przyciągają uwagę Kościoła – ciągnął jego przyjaciel. – Różnią się między sobą,

poniewaz każde z nich jest naznaczone pewną anomalią. W ciągu
wieków ta anomalia bywała różnie definiowana: jako zło absolut-
ne, grzech śmiertelny czy diabeł. Ale to są tylko niedoskonałe próby
nazwania czegoś niewytłumaczalnego, tajemniczej skłonności na-
tury ludzkiej do czynienia zła. Kościół od zawsze szuka zbrod-
ni zawierających tę cechę, analizuje je i klasyfikuje. W tym celu
posługuje się specjalną grupą księży zwanych penitencjariuszami,
łowcami cieni.

– Czy ja robiłem to wcześniej?

– Masz za zadanie znajdować zło w imieniu i na rachunek
Kościoła. Twoje przygotowanie nie będzie się różniło od przygoto-
wania kryminologa czy policyjnego profilera, ale ponadto będziesz
umiał dostrzegać szczegóły, których inni nie zauważają. Są rzeczy,
których ludzie nie chcą przyjmować do wiadomości ani oglądać.

Mimo to Marcus wciąż jeszcze nie mógł pojąć w pełni sensu
swojej misji.

– Dlaczego ja?

– Zło jest regułą, Marcusie, a dobro wyjątkiem.

Chociaż Clemente nie odpowiedział na jego pytanie, to zda-
nie uderzyło Marcusa bardziej niż jakiekolwiek inne stwierdzenie.
Jego sens wydał mu się jasny. On był tylko narzędziem. W od-
różnieniu od innych miał świadomość, że zło jest stałą składową
ludzkiej egzystencji. W życiu penitencjariusza nie było miejsca na
coś takiego jak miłość do kobiety, przyjaciele, rodzina. Odczuwa-
nie radości wprowadzało go tylko w roztargnienie, musiał się więc
pogodzić z tym, że obejdzie się bez niej.

– Jak się dowiem, że jestem już gotowy?

– Sam to zrozumiesz. Ale żeby poznać zło, najpierw musisz
się nauczyć działać na rzecz dobra. – W tym momencie Clemente
podał mu pewien adres, a potem wręczył metalowy przedmiot.

Klucz.

◆ ◆ ◆

Marcus udał się we wskazane miejsce, nie wiedząc, czego się
spodziewać.

Była to mała piętrowa willa na przedmieściu. Dotarłszy tam, zauważył grupkę osób stojących przed domem. Na drzwiach wejściowych widać było krzyż z fioletowego aksamitu, nieomylny znak obecności zmarłego.

Wszedł, mijając przyjaciół i krewnych mieszkającej tu rodziny, tak że nikt nie zwrócił na niego uwagi. Rozmawiali przyciszonymi głosami, nikt nie płakał, ale panował nastrój autentycznego przygnębienia.

Nieszczęściem, jakie spadło na ten dom, była śmierć dziewczyny. Marcus z miejsca rozpoznał jej rodziców: tylko oni siedzieli, otoczeni przez inne stojące w pokoju osoby. Ich twarze wyrażały bardziej zagubienie niż szczery ból.

Uchwycił na moment spojrzenie jej ojca. Mocno zbudowany mężczyzna około pięćdziesiątki, z tych, co to gołymi rękami mogliby złamać podkowę. Teraz jednak na twarzy miał wyraz bezradności i klęski.

Trumna była otwarta, a obecni składali hołd pamięci zmarłej. Marcus zajął miejsce w żałobnej procesji. Na widok dziewczyny zrozumiał, że śmierć zaczęła brać ją w swe objęcia jeszcze za życia. Chwyciwszy strzępy cichej rozmowy, odkrył, że chorowała na siebie samą.

Jej egzystencję zniszczyły narkotyki.

Marcus nie rozumiał, jak w tych okolicznościach mógłby uczynić coś dobrego. Wydawało się, że wszystko jest już stracone, nie do naprawienia. Wyjął więc z kieszeni klucz powierzony mu przez Clemente i zaczął mu się przyglądać.

Co on mógł otwierać?

Postanowił sumiennie wykonać jedyną rzecz, jaka mu pozostała: przymierzyć go do wszystkich drzwi. Starając się nie zwracać na siebie uwagi, zaczął więc krążyć po domu w poszukiwaniu tych właściwych. Ale zabrakło mu szczęścia.

Już miał zrezygnować, gdy przypomniał sobie o drzwiach na tyłach domu, jedynych bez zamka. Otworzył je lekkim pchnięciem i zobaczył za nimi prowadzące w dół schody. Zszedł po nich do sutereny i zanurzył się w półmroku.

Znalazł tam stare meble i warsztat z narzędziami. Kiedy się rozejrzał, dostrzegł drewnianą kabinę sauny.

Podszedł do iluminatora w drzwiach. Spróbował zajrzeć do środka, ale szkło było grube i panował zbyt duży mrok. Postanowił wypróbować klucz i ku jego wielkiemu zaskoczeniu zamek zaczął się przekręcać.

Otworzył drzwi i natychmiast uderzył go smród. Rzygowiny, pot, ekskrementy. Cofnął się instynktownie. Ale potem zebrał się na odwagę i wszedł do środka.

Na podłodze tej ciasnej nory ktoś leżał. Miał ubranie w strzępach, potargane włosy i długą brodę. Musiał być wielokrotnie bity, i to mocno. Można się było tego domyślić po opuchliźnie całkowicie przesłaniającej oko, po wyschniętej krwi, która pokrywała nos i kąciki ust, oraz po licznych sińcach. Na poczerniałej od brudu skórze rąk widać było fragmenty wytatuowanych krzyży i czaszek. Na szyi widniała swastyka.

Stan mężczyzny pozwolił Marcusowi domyślić się, że jest tu zamknięty od dawna.

Leżący człowiek odwrócił się w jego stronę i zasłonił sobie ręką zdrowe oko, gdyż raziło go nawet to słabe światło. W jego wzroku malował się prawdziwy strach.

Po kilku sekundach zdał sobie sprawę, że Marcus jest kimś nowym w przeżywanym przez niego koszmarze. Być może dlatego znalazł w tym momencie dość odwagi, żeby się odezwać.

– To nie była moja wina... Te dzieciaki przychodzą do mnie gotowe zrobić wszystko, żeby zdobyć towar... Ona sama chciała wyjść na ulicę, potrzebowała pieniędzy... Spełniłem tylko to, o co prosiła, nie mam nic wspólnego...

Przejęcie, z jakim rozpoczął to przemówienie, stopniowo gasło, a wraz z nim nadzieja. Mężczyzna wyciągnął się znowu, pogodzony ze swoim losem. Niczym zły pies na łańcuchu, który poszczekuje, ale potem wraca do budy, ponieważ wie, że tak czy owak nigdy nie zostanie uwolniony.

– Dziewczyna nie żyje – powiedział Marcus.

Mężczyzna spuścił wzrok.

Marcus przyglądał mu się nadal, zadając sobie pytanie, w jakim celu Clemente poddał go tego rodzaju próbie. Ale najważniejsze pytanie brzmiało jednak inaczej.

Co powinien teraz zrobić?

Miał przed sobą złego człowieka. Symbole wytatuowane na jego ciele mówiły jasno, po której jest stronie. Zasługiwał na karę, ale nie taką. Gdyby został uwolniony, prawdopodobnie nadal zadawałby cierpienia innym. I byłaby to także wina jego, Marcusa. Ale gdyby go tu zostawił, stałby się wspólnikiem okrutnego czynu.

Gdzie w tych okolicznościach jest zło, a gdzie dobro? Co powinien zrobić? Uwolnić więźnia czy zamknąć drzwi i odejść?

Zło jest regułą. Dobro jest wyjątkiem. Ale w tym momencie Marcus nie potrafił odróżnić jednego od drugiego.

8

Kontaktowali się przez pocztę głosową.

Za każdym razem, gdy jeden z nich miał coś do powiedzenia drugiemu, dzwonił i zostawiał wiadomość. Numer zmieniał się co jakiś czas, ale nie było stałego terminu. Mogli posługiwać się numerem przez kilka miesięcy albo Clemente już po kilku dniach podawał nowy. Marcus wiedział, że powodują nim względy bezpieczeństwa, ale nigdy nie pytał, od kogo zależy ta czy inna decyzja. Ta banalna kwestia wskazywała jednak na istnienie jakiegoś tajemniczego świata, którego szczegółów przyjaciel nie chciał mu zdradzić. I Marcus z trudem znosił to, że został od niego odcięty. Odnosił wrażenie, że przyjaciel nie traktuje go fair. Z tego powodu ostatnio stosunki między nimi były tak napięte.

Po nocy spędzonej z Sandrą w zagajniku pod Ostią wybrał numer poczty głosowej, żeby poprosić o spotkanie. Ale ku jego wielkiemu zdziwieniu Clemente go wyprzedził.

Spotkanie zostało wyznaczone na ósmą w bazylice pod wezwaniem Świętego Apolinarego.

Przeszedł przez piazza Navona, który o tej porze zaczynał się wypełniać straganami malarzy wystawiających obrazy z najładniejszymi widokami Rzymu. W barowych ogródkach ustawiano stoliki, a ponieważ była zima, otaczały je duże gazowe grzejniki.

Bazylika Świętego Apolinarego stoi na pobliskim placyku o tej samej nazwie. Nie jest okazała ani wyjątkowo piękna, ale jej prosta architektura dobrze pasuje do otaczających ją budynków. Należy do kompleksu budowlanego, który dawniej był siedzibą Collegium Germanicum. Od kilku lat mieści się tu Papieski Uniwersytet Świętego Krzyża.

Swą wyjątkowość mała bazylika zawdzięcza jednak dwóm rzeczom, jednej starszej, drugiej znacznie młodszej. Obie dotyczą obecności tajemniczych obiektów.

Pierwsza odnosi się do piętnastowiecznego wyobrażenia Madonny. Gdy w roku 1494 żołnierze francuskiego króla Karola VIII rozbili obóz przed kościołem, wierni pokryli tynkiem świątobliwe przedstawienie Dziewicy, żeby oszczędzić jej widoku podłych żołnierskich uczynków. Zasłonięty w ten sposób, pozostawał zapomniany aż do 1647 roku, kiedy wskutek trzęsienia ziemi odpadła ukrywająca go warstwa.

Druga historia, pochodząca już z czasów najnowszych, odnosi się do dziwnego pochówku w tym kościele Enrica De Pedisa zwanego „Renatinem", członka krwawej bandy della Magliana, przestępczej organizacji szalejącej w Rzymie od połowy lat siedemdziesiątych dwudziestego wieku. Do jej sprawek zalicza się najbardziej mroczne afery, w które często zamieszany był również Watykan. Niektórzy uważają, że zlikwidowana w wyniku procesów i zabójstw banda działa nadal w ukryciu.

Marcus zawsze zadawał sobie pytanie, dlaczego najbardziej okrutnemu z jej członków przypadł w udziale zaszczyt zastrzeżony w przeszłości tylko dla świętych i wielkich dobroczyńców Kościoła, nie licząc papieży, kardynałów i biskupów. Pamiętał skandal, jaki wybuchł, gdy ktoś wyjawił światu tę dwuznaczną obecność szczątków bandyty, tak głośny, że władze kościelne poczuły się w końcu zmuszone do ich przeniesienia. Ale nastąpiło to dopiero po długich naleganiach, które spotkały się z silną i niezrozumiałą opozycją Kurii.

Niektóre kręgi opiniotwórcze utrzymywały ponadto, że razem z osławionym kryminalistą złożono również szczątki dziewczynki, która zniknęła wiele lat wcześniej w miejscu oddalonym zaledwie o parę kroków od bazyliki Świętego Apolinarego i rozpłynęła się w nicości. Emanuela Orlandi była córką pracownika Watykanu i stawiano hipotezy, że została porwana, żeby szantażować papieża. Ale ekshumacja prochów de Pedisa wykazała, że pogłoska ta miała na celu podsunięcie kolejnego mylnego tropu, jakich nie brakowało w tej historii.

Rozmyślając o tym wszystkim, Marcus zadał sobie pytanie, dlaczego Clemente wybrał na spotkanie właśnie to miejsce. Nie podobał mu się sposób, w jaki starli się ostatnio, ani to, że przyjaciel odrzucił jego prośbę o widzenie ze zwierzchnikami w sprawie zakonnicy pociętej na kawałki rok temu w ogrodach watykańskich.

Nie jest nam dane pytać, nie jest nam dane wiedzieć. Musimy tylko być posłuszni.

Miał nadzieję, że wezwanie Clemente da im okazję do pogodzenia się i że przyjaciel być może zmienił zdanie. Dlatego, znalazłszy się na placyku Świętego Apolinarego, Marcus przyspieszył kroku.

◆ ◆ ◆

Wejście do bazyliki było puste. Kroki Marcusa na marmurowej posadzce niosły się główną nawą, po bokach której widniały wyrzeźbione imiona kardynałów i biskupów.

Clemente siedział już w jednej z pierwszych ławek, trzymając na kolanach czarną skórzaną teczkę. Odwrócił się, spojrzał na niego i dał mu spokojnie znak ręką, żeby usiadł obok.

– Wyobrażam sobie, że jeszcze się na mnie gniewasz – powiedział.

– Kazałeś mi tu przyjść, bo na górze postanowili przychylić się do mojej prośby?

– Nie – odparł krótko.

Marcus był zawiedziony, ale nie chciał dać tego po sobie poznać.

– W takim razie co się dzieje?

– Wczoraj w nocy wydarzyło się coś strasznego w lasku pod Ostią. Zginął chłopak, a dziewczyna być może nie przeżyje.

– Czytałem o tym w gazecie – skłamał Marcus. Wiedział już wszystko dzięki Sandrze, ale nie mógł wyjawić, że śledził z ukrycia pewną kobietę, ponieważ być może coś do niej czuł. Nie wiedział jednak, co to uczucie może oznaczać.

Clemente spojrzał na niego ostro, jakby wyczuł kłamstwo.

– Musisz się tym zająć.

To żądanie zaskoczyło Marcusa. Przecież policja rzuciła już do badania tej sprawy swoje najlepsze zasoby i najlepszych ludzi; Centralne Biuro Śledcze miało wszelkie środki, żeby zatrzymać mordercę.

– Dlaczego?

Clemente nigdy nie był skory do podawania powodów, które mogły się kryć za którymś z ich śledztw. Zwykle mówił tylko mgliście o motywach zainteresowania Kościoła tym, żeby zbrodnia została wyjaśniona. Dlatego Marcus nigdy nie wiedział, co naprawdę kryje się za jego misjami. Ale tym razem przyjaciel udzielił mu wyjaśnienia.

– Nad Rzymem wisi poważne zagrożenie. To, co wydarzyło się zeszłej nocy, do głębi wstrząsnęło ludźmi. – Nieoczekiwanie Clemente powiedział to zaniepokojonym głosem. – Nie chodzi o zabójstwo samo w sobie, ale o to, co się w nim kryje: w tym zdarzeniu jest mnóstwo elementów symbolicznych.

Marcus pomyślał o wczorajszej inscenizacji, w której utożsamił się z zabójcą: chłopak przymuszony do zabicia dziewczyny, żeby ratować własne życie; potem egzekucja strzałem w tył głowy oddanym z zimną krwią. Morderca wiedział, że po tym wszystkim zjawi się policja, przeanalizuje tę scenę i postawi sobie pytania, które pozostaną bez odpowiedzi. To przedstawienie było tylko dla niej.

I jeszcze seks. Mimo że zabójca nie wykorzystał ofiar, seksualny wymiar jego zachowań był oczywisty. Zbrodnie tego rodzaju są bardziej niepokojące, ponieważ budzą chorobliwe zainteresowanie opinii publicznej. Chociaż wiele osób temu zaprzecza, doświadczają niebezpiecznego zafascynowania, które potem maskują potępieniem. Było w tym jednak również coś innego.

Seks to niebezpieczny temat.

Na przykład, za każdym razem, gdy ogłaszano statystyki dotyczące gwałtów, w najbliższym czasie dochodziło do wyraźnego zwiększenia ich liczby. Zamiast skłaniać do potępienia takich czynów, statystyka, zwłaszcza gdy była wysoka, prowokowała do rywalizacji. Wyglądało to tak, jakby również potencjalni gwałciciele, którzy do tej chwili potrafili kontrolować własne popędy, nagle poczuli się upoważnieni, żeby przejść do działania, zachęceni przez anonimową i liczną, solidarną z nimi grupę.

Zbrodnia nie jest tak ciężka, jeśli sprawca dzieli winę z innymi, przypomniał sobie Marcus. Z tego powodu policje połowy świata zaprzestały już rozpowszechniania danych o przestępstwach na tle seksualnym. Ale penitencjariusz był przekonany, że to jeszcze nie wszystko.

– Skąd to nagłe zainteresowanie morderstwem w zagajniku pod Ostią?

– Widzisz ten konfesjonał? – Clemente wskazał mu drugą kaplicę po lewej stronie. – Nigdy nie siada w nim żaden ksiądz. A mimo to co jakiś czas ktoś do niego podchodzi, żeby się wyspowiadać.

Marcus zaciekawił się, co się za tym kryje.

– W przeszłości przestępcy używali go, żeby przekazywać wiadomości siłom porządkowym. W konfesjonale zamontowano magnetofon, który włącza się za każdym razem, gdy ktoś uklęknie. Wymyśliliśmy tę sztuczkę, żeby ten, kto tego potrzebuje, mógł rozmawiać z policją, nie narażając się na kłopoty. Zdarzało się, że wiadomości te zawierały cenne informacje, a w zamian policjanci przymykali oko na pewne sprawki. Chociaż to może cię zdziwić, dzięki nam obie walczące ze sobą strony się komunikowały.

Ludzie nie muszą o tym wiedzieć, ale nasze pośrednictwo ocaliło życie wielu osobom.

Dzięki temu paktowi aż do niedawna przechowywano tu szczątki takiego przestępcy jak de Pedis. Teraz Marcus rozumiał już motywy pochowania go w tym miejscu: Święty Apolinary był czymś w rodzaju wolnego portu, miejscem bezpiecznym.

– Mówiłeś o przeszłości, więc to się już nie zdarza?

– Obecnie istnieją skuteczniejsze środki i sposoby komunikacji – odparł Clemente. – A pośrednictwo Kościoła nie jest już konieczne, może nawet patrzy się na nie podejrzliwie.

Marcus zaczynał rozumieć.

– Mimo to magnetofon pozostał na swoim miejscu...

– Pomyśleliśmy, żeby pozostawić to cenne narzędzie kontaktu. Założyliśmy, że któregoś dnia może znowu okazać się użyteczne. – Clemente otworzył czarną skórzaną teczkę, którą przyniósł ze sobą, i wyjął z niej stary magnetofon kasetowy. Wsunął do niego kasetę. – Pięć dni temu, a więc zanim ta młoda para została napadnięta pod Ostią, ktoś ukłęknął w tym konfesjonale i wypowiedział te słowa...

Nacisnął klawisz PLAY. Nawę wypełnił szum rozchodzący się z echem. Jakość nagrania była bardzo kiepska. Ale niebawem z tego niewidzialnego szarego potoku wyłonił się głos.

...dawno temu... Zdarzyło się to nocą... I wszyscy pobiegli tam, gdzie był wbity jego nóż...

Był to niemal daleki szept. Ani męski, ani kobiecy. Brzmiał tak, jakby dochodził z zaświatów, z innego wymiaru. Przypominał głos umarłego, który starał się naśladować żywych, ponieważ być może zapomniał, że nie żyje. Co jakiś czas zamierał w odgłosach szumów tła, aby chwilę potem przybliżyć fragmenty zdań.

...przyszedł jego czas... dzieci umarły... fałszywi głosiciele fałszywej miłości... a on był dla nich bezlitosny... chłopca z soli... jeżeli nie zostanie powstrzymany, sam się nie zatrzyma.

Głos nie powiedział nic więcej. Clemente wyłączył odtwarzanie.

◆ ◆ ◆

Marcus zrozumiał natychmiast, że to nagranie nie jest przypadkowe.

– Mówi o sobie w trzeciej osobie, ale to on. – Na taśmie nagrany był głos zabójcy spod Ostii. Jego słowa można było zinterpretować tylko w jeden sposób.

I wszyscy pobiegli tam, gdzie był wbity jego nóż...

Podczas gdy Clemente przyglądał mu się w milczeniu, Marcus zaczął analizować nagranie.

– *...dawno temu* – powtórzył. – Brakuje początku zdania: dawno temu, ale co? I dlaczego mówi w czasie przeszłym o tym, co ma się wydarzyć w przyszłości?

Oprócz proklamacji i gróźb, które należą do repertuaru morderców lubiących popisywać się swoimi czynami, było też kilka fragmentów, które przyciągnęły jego uwagę.

– *...dzieci umarły* – powiedział przyciszonym głosem.

Wybór słowa „dzieci" był przemyślany. Oznaczał, że celem mordercy byli też rodzice dwojga młodych spod Ostii. Zaatakował krew z ich krwi i nieuchronnie zamordował również ich. Jego nienawiść rozeszła się niczym wstrząsy wywołane trzęsieniem ziemi. Epicentrum stanowiło dwoje młodych ludzi, ale od nich rozeszła się złowroga fala sejsmiczna, która nadal raniła wszystkie osoby z ich otoczenia – krewnych, przyjaciół, znajomych – i dosięgała wszystkie matki i wszystkich ojców, którzy nie byli związani z dwojgiem młodych ofiar, ale w tych godzinach uczestniczyli z niepokojem i bólem w tym, co wydarzyło się w zagajniku, ponieważ myśleli, że mogło się to przydarzyć ich dzieciom.

– *...fałszywi głosiciele fałszywej miłości* – kontynuował analizę, mając na myśli próbę, jakiej zabójca poddał Giorgia Montefioriego, budząc w nim nadzieję, że może wybrać między własną śmiercią i śmiercią Diany. Giorgio wolał żyć i zgodził się zasztyletować dziewczynę, która miała do niego zaufanie i myślała, że ją kocha. – Musimy dostarczyć tę taśmę ludziom prowadzącym śledztwo – dodał z przekonaniem Marcus. – Jest rzeczą oczywistą, że morderca chce zostać zatrzymany, inaczej nie zapowiedziałby tego, co zamierza zrobić. A jeśli konfesjonał był w przeszłości używany do kontaktów z policją, w takim razie wiadomość jest adresowana do niej.

– Nie – odparł bez namysłu Clemente. – Będziesz musiał działać sam.

– Dlaczego?

– Tak postanowiono.

Jeszcze raz tajemnicza „góra" wyznaczała reguły na podstawie nic nieznaczących i najwyraźniej niezrozumiałych argumentów.

– Co oznacza ten „chłopiec z soli"?

– To jedyna wskazówka, jaką masz w ręce.

9

Wróciwszy tej nocy do domu, obudziła Maxa pocałunkiem, a potem się kochali.

Czuła się dziwnie. Te miłosne zmagania powinny uwolnić ją od czegoś, usunąć złe samopoczucie, które się w niej zagnieździło. Związany z nimi wysiłek oczyścił jej duszę, ale nie sprawił, że zapomniała o penitencjariuszu.

Ponieważ podczas stosunku z Maxem myślała właśnie o nim.

Marcus przedstawiał sobą cały ból, jaki zostawiła za sobą. Ponowne spotkanie z nim musiało przywołać dawne rany, niczym bagno, które z czasem oddaje wszystko, co połknęło. I rzeczywiście, w głowie Sandry pojawiły się znowu dawne wnętrza, w których mieszkała, meble pełne wspomnień, ubrania, których się pozbyła. I jakaś dziwna tęsknota. Ale, ku jej wielkiemu zdziwieniu, nie za zmarłym mężem.

Człowiekiem, który wywołał to wszystko, był Marcus.

Gdy obudziła się koło siódmej, postanowiła poleżeć dłużej, żeby zastanowić się nad tymi myślami. Max był już na nogach, ale ona podniosła się z łóżka dopiero wtedy, gdy wyszedł do pracy. Nie chciała narazić się na jego pytania, obawiała się, że coś wyczuł i że mógłby poprosić ją o wyjaśnienia.

Weszła pod prysznic, ale najpierw włączyła radio, żeby posłuchać wiadomości.

Strumień ciepłej wody spływał po jej karku, podczas gdy poddawała się tej pieszczocie z zamkniętymi oczami. Spiker przedstawiał właśnie skrót politycznych wydarzeń dnia.

Sandra nie słuchała. Próbowała przeżyć na nowo to, co się wydarzyło ostatniej nocy. Widok penitencjariusza przy pracy przyprawił ją o coś w rodzaju szoku. Sposób, w jaki przebył labirynt zakamarków umysłu mordercy, wywołał w niej wrażenie, że stoi w obliczu prawdziwego potwora.

Była pełna podziwu, ale zarazem zdjęta grozą.

Szukaj anomalii, agentko Vega, nie zatrzymuj się na detalach, tak powiedział. *Zło jest anomalią, którą wszyscy mają przed oczami, ale nikt nie potrafi jej dostrzec.*

A co ona widziała tej nocy? Człowieka, który przemykał niczym cień przez zagajnik w świetle księżyca. I pochylał się, żeby wygrzebać dziurę.

Niczego tu nie zakopał. Wydobył to z ziemi, zapewnił ją Marcus.

Wydobył, ale co?

Nieznajomy zrobił znak krzyża – od prawej do lewej i od dołu ku górze.

Co to mogło oznaczać?

W tym momencie spiker przeszedł do kroniki kryminalnej. Sandra przykręciła wodę, żeby lepiej słyszeć, i pozostała w kabinie prysznicowej, opierając się ręką o ścianę pokrytą kafelkami.

Główną wiadomość stanowiła napaść na dwoje młodych ludzi. Komentarze były niepokojące, radzono parom, żeby unikały przebywania w miejscach odizolowanych. Policja zamierzała powiększyć liczbę patroli i środków, żeby zapewnić mieszkańcom bezpieczeństwo. W celu zniechęcenia mordercy władze postanowiły wysyłać nocne patrole do dzielnic peryferyjnych oraz do okolic wiejskich i położonych w głębi kraju. Ale Sandra zdawała sobie sprawę, że to tylko propaganda: tak wielkiego terenu nie da się całkowicie kontrolować.

Zakończywszy wyjaśnienia dotyczące reakcji sił porządku publicznego, spiker odczytał notkę o stanie zdrowia ofiary, która przeżyła.

Diana Delgaudio przetrzymała trudny zabieg chirurgiczny. Obecnie była w stanie śpiączki, ale lekarze nie podali rokowań. Praktycznie biorąc, nie byli w stanie powiedzieć, kiedy, a przede wszystkim, czy w ogóle się obudzi.

Sandra spojrzała w dół, jakby płynące z radia słowa łączyły się ze strumieniami wody z prysznica. Myśl o dziewczynie stała się jej obsesją. Gdyby Diana pozostała w tym stanie, jakie życie miała przed sobą? Tkwiące w tym wszystkim szyderstwo polegało na tym, że być może nie zdołałaby nawet dostarczyć informacji potrzebnych do schwytania tego, kto ją tak urządził. Sandra doszła do wniosku, że morderca osiągnął swój cel, ponieważ można zabić człowieka również wtedy, gdy zostawia się go przy życiu.

A więc to nie Diana miała szczęście, ale on.

Zestawiając wydarzenia dwóch ostatnich nocy, Sandra dostrzegała zbyt wiele faktów, które do siebie nie pasowały. Napaść na dwójkę młodych ludzi, a potem wyprawa tajemniczego osobnika przy świetle księżyca. A jeśli zabójca świadomie zostawił coś na miejscu zbrodni? Tylko dlaczego przyszedł po to ktoś inny? Nie rozumiała tego, lecz pytanie o przedmiot pozostawiony w zagajniku pod Ostią nie dawało jej spokoju.

Cokolwiek to było, nie on to zakopał, pomyślała. Ktoś zrobił to później. Ukrył coś, żeby potem spokojnie to odzyskać. Ktoś, kto chciał, żeby nikt nie odkrył, co znalazł na miejscu zbrodni.

Ale kto?

Gdy goniła za nim przez zagajnik, przez chwilę miała wrażenie, że kogoś jej przypomina. Nie potrafiła ustalić, na czym to polega, ale to wrażenie było zbyt silne, aby mogła potraktować je jak zwykłe złudzenie.

Nagle Sandra poczuła, że jest jej zimno, zupełnie tak samo jak tej nocy w obecności Marcusa. Ale nie było jej zimno dlatego, że od przeszło pięciu minut stała mokra w kabinie prysznica z zakręconą wodą. Nie, ten chłód szedł z jej wnętrza. Spowodowało go przeczucie. Groźne przeczucie.

– *Zło jest anomalią, którą wszyscy mają przed oczami, ale nikt nie potrafi jej dostrzec* – powtórzyła przyciszonym głosem. Tą anomalią była wciąż jeszcze żyjąca dziewczyna.

♦ ♦ ♦

Odprawa zespołu Centralnego Biura Śledczego zapowiedziana była na jedenastą. Miała dość czasu. Na razie nie zamierzała informować nikogo o swojej inicjatywie, także dlatego, że nie potrafiłaby wyjaśnić tego pomysłu.

Wydział medycyny sądowej znajdował się w trzypiętrowym budyneczku z lat pięćdziesiątych. Jego fasada była raczej nijaka, zwracały w niej uwagę tylko wysokie okna. Wchodziło się do niego po schodach połączonych z rampą umożliwiającą pojazdom parkowanie przed wejściem. Furgonetki pogrzebowe podjeżdżały pod drzwi znajdujące się z tyłu budynku. Stamtąd docierało się od razu do podziemi z komorami chłodniczymi oraz do sal, gdzie przeprowadzano sekcje.

Sandra wybrała główne wejście i skierowała się do starej windy. Była tu tylko kilka razy, wiedziała jednak, że lekarze zajmują ostatnie piętro.

W korytarzach unosił się zapach środków odkażających i formaliny. W odróżnieniu od tego, czego można się było spodziewać, kręciło się tu dużo osób i panowała atmosfera normalnego miejsca pracy. Chociaż przedmiotem zainteresowania była tu głównie śmierć, nikt najwyraźniej nie przywiązywał do tego zbyt dużej wagi. W ciągu lat spędzonych w policji Sandra poznała wielu lekarzy sądowych. Wszyscy mieli wyostrzone poczucie humoru i byli cyniczni. Z wyjątkiem jednego.

Gabinet doktora Astolfiego znajdował się na końcu korytarza po prawej stronie.

Podchodząc bliżej, zwróciła uwagę, że drzwi są otwarte. Zatrzymała się na progu i ujrzała lekarza siedzącego przy biurku. Miał na sobie biały kitel i właśnie zamierzał coś napisać. Na biurku obok jego ręki leżała nieodłączna paczka papierosów, a na niej zapalniczka.

Sandra zapukała w futrynę. Dopiero po kilku sekundach Astolfi podniósł wzrok znad papierów. Zobaczył ją i na jego twarzy odmalowało się pytanie, co w drzwiach jego gabinetu może robić agentka w mundurze.

– Proszę.

– Dzień dobry, panie doktorze. Nazywam się Vega, pamięta mnie pan?

– Tak, przypominam sobie. – Myślami był jak zwykle gdzie indziej. – O co chodzi?

Weszła do środka. Błyskawiczny rzut oka na pokój powiedział jej, że ten człowiek zajmuje go od co najmniej trzydziestu lat. Stały tu regały z książkami o pożółkłych okładkach i skórzana kanapa, która pamiętała lepsze czasy. Na wymagających odmalowania ścianach wisiały wyblakłe dyplomy. Nad tym wszystkim zaś unosił się zatęchły smród dymu papierosowego.

– Znajdzie pan dla mnie minutę? Chciałabym z panem porozmawiać.

Nie odkładając pióra, Astolfi dał jej znak, żeby usiadła.

– Jeśli to coś, co da się szybko załatwić, bo mi się spieszy.

Sandra zajęła miejsce po drugiej stronie biurka.

– Chciałam wyrazić ubolewanie, że wczoraj zwalono całą winę na pana.

Lekarz zmierzył ją niechętnym spojrzeniem.

– Jak mam to rozumieć? Co pani ma z tym wspólnego?

– No cóż, mogłam się wcześniej zorientować, że Diana Delgaudio żyje. Gdybym tylko nie przestała patrzeć w jej oczy...

– Nie zorientowała się pani, ale nie zauważyli tego również pani koledzy z działu technicznego, którzy podjęli czynności zaraz potem. To wyłącznie moja wina.

– Tak naprawdę przyszłam tu, ponieważ chciałabym zaoferować panu możliwość zrehabilitowania się.

Na twarzy Astolfiego pojawił się grymas niedowierzania.

– Zostałem wyłączony z tej sprawy, już się nią nie zajmuję.

– Myślę jednak, że wydarzyło się coś poważnego – powiedziała prowokującym tonem.

– Dlaczego nie pomówi pani o tym ze swoimi zwierzchnikami?

– Ponieważ jeszcze nie jestem tego pewna.

Astolfi wydawał się podenerwowany.

– W takim razie musiała pani dojść do wniosku, że to ja powinienem dać pani tę pewność.

– Być może.

– A zatem o co chodzi?

Sandra była zadowolona, że jeszcze jej nie wyprosił.

– Kiedy przeglądałam ponownie zdjęcia zrobione pod Ostią, zorientowałam się, że przeoczyłam pewien szczegół w dokumentacji – skłamała.

– To może się zdarzyć – pocieszył ją lekarz, ale tylko po to, żeby przyspieszyć jej opowieść.

– Dopiero później odkryłam, że obok auta tych młodych ludzi jest miejsce, w którym ktoś grzebał w ziemi.

Tym razem Astolfi nic nie powiedział, ale odłożył długopis na biurko.

– Postawiłam hipotezę, że morderca mógł ukryć coś pod ziemią.

– To trochę ryzykowne, nie wydaje się pani?

Dobrze, powiedziała sobie w duchu. Nie zapytał jej, dlaczego opowiada o tym właśnie jemu.

– Tak, ale potem udałam się na miejsce, żeby to sprawdzić.

– I co?

Sandra wlepiła w niego wzrok.

– Niczego tam nie było.

Astolfi nie oderwał od niej spojrzenia ani nie zapytał, kiedy sprawdzała miejsce zbrodni.

– Agentko Vega, ja nie mam czasu na pogaduszki.

– A jeśli zrobił to ktoś z naszych? – Sandra zadała to pytanie jednym tchem, zdając sobie sprawę, że dociera do punktu, z którego nie ma odwrotu. Było to ciężkie oskarżenie, a jeżeli się myliła, czekały ją poważne konsekwencje. – Któryś z naszych ludzi podkrada dowód z miejsca zbrodni. Nie mogąc ryzykować zabrania go ze sobą, ukrywa go w ziemi, żeby wrócić i zabrać go kiedy indziej.

Astolfi wydawał się przejęty grozą.

– Agentko Vega, mówi pani o wspólniku mordercy. Czy dobrze to rozumiem?

– Tak, panie doktorze. – Starała się robić wrażenie, że powzięła w tej sprawie możliwie najgłębsze przekonanie.

– Ktoś z sekcji technicznej? Któryś z policjantów? Lub może nawet ja? – Lekarz był wyraźnie poirytowany. – Ma pani świadomość, że można by postawić pani bardzo ciężkie oskarżenie?

– Przepraszam, ale nie uchwycił pan sensu tej sprawy: ja też byłam obecna w tym miejscu, więc mogłabym być w to zamieszana tak samo jak inni. A popełniony przeze mnie błąd stawia mnie na pierwszym miejscu wśród podejrzanych.

– Radzę, żeby dała pani spokój tej sprawie, mówię to dla pani dobra. Nie ma pani żadnych dowodów.

– A pan ma nienaganną opinię o swojej służbie – odparła Sandra. – Sprawdziłam to. Od ilu lat wykonuje pan tę pracę? – Nie dała mu czasu na odpowiedź. – Naprawdę nie zauważył pan, że ta dziewczyna jeszcze żyje? Jak można popełnić tego rodzaju błąd?

– Oszalała pani, agentko Vega.

– Jeżeli z miejsca zbrodni rzeczywiście coś zniknęło, to fakt niedostrzeżenia przez nikogo, że Diana Delgaudio jeszcze żyje, musi zostać zbadany z innego punktu widzenia. Nie jako zwykłe przeoczenie, ale czyn świadomy, mający na celu udzielenie pomocy zabójcy.

Astolfi podniósł się z krzesła i wycelował w nią palec.

– To tylko przypuszczenia. Gdyby miała pani dowody, nie rozmawiałaby pani tu ze mną, ale poszła z tym prosto do zastępcy komendanta.

Sandra milczała. Powoli się przeżegnała – od prawej do lewej i od dołu ku górze.

Wyraz twarzy Astolfiego powiedział jej, że to on był tym tajemniczym człowiekiem, który zakradł się poprzedniej nocy do zagajnika. A lekarz zrozumiał, że ona go tam widziała.

Sandra świadomie przesunęła rękę do pasa, przy którym wisiała kabura z pistoletem.

– To pan zabił tych młodych ludzi. Potem wrócił pan do lasu w kitlu lekarza sądowego, odkrył pan, że Diana jeszcze żyje, i postanowił pozwolić, żeby umarła. Tymczasem oczyścił pan miejsce z dowodów, które mogłyby pana wciągnąć w tarapaty. Ukrył je pan, a potem przyjechał, żeby je odzyskać, kiedy nikogo już tam nie było.

– Nie – zaprzeczył spokojnym, ale stanowczym tonem. – Zostałem wyznaczony do tej sprawy. Nie miałem wpływu na grafik.

– To tylko szczęśliwy zbieg okoliczności – odparła Sandra, chociaż nie wierzyła w takie szczęśliwe przypadki. – Albo to nie pan na nich napadł, ale wie pan, kto jest sprawcą, i teraz go pan chroni.

Astolfi opadł na krzesło.

– Moje słowo przeciwko pani słowu. Ale jeśli zacznie pani rozgłaszać tę historię, zniszczy mnie pani.

Sandra nie odpowiedziała.

– Muszę zapalić. – Nie czekając na jej zgodę, wyjął z leżącej na biurku paczki papierosa i przypalił go.

Przez chwilę siedzieli w milczeniu, spoglądając na siebie jak dwoje obcych w jakiejś poczekalni. Lekarz miał rację. Sandra nie miała żadnego dowodu na poparcie swoich oskarżeń. Nie miała władzy, żeby go aresztować ani zmusić do pójścia z nią do najbliższego komisariatu. Mimo to nie wyprosił jej z pokoju.

Było rzeczą oczywistą, że Astolfi szuka sposobu, żeby ją stąd wyrzucić, nie tylko dlatego, że przewidywał koniec swojej kariery. Sandra była przekonana, że gdyby przeprowadzono śledztwo na temat lekarza, wyskoczyłoby coś kompromitującego. Może nawet odkryto by, co zabrał cichaczem z miejsca zbrodni, chociaż sądziła, że już się tego pozbył. A może nie?

Astolfi zgasił papierosa w popielniczce i podniósł się, wbijając spojrzenie w policjantkę. Skierował się w stronę zamkniętych drzwi, za którymi znajdowała się prawdopodobnie jego prywatna łazienka. W spojrzeniu lekarza kryło się wyzwanie.

Sandra nie mogła mu przeszkodzić.

Zamknął za sobą drzwi i przekręcił klucz w zamku. O kurwa, przeklęła w duchu, zerwała się z krzesła i podbiegła do drzwi, żeby posłuchać, co on kombinuje.

Przez dłuższą chwilę po drugiej stronie panowała cisza, przerwana niespodziewanym odgłosem spuszczania wody.

Co za idiotka ze mnie, powinnam była to przewidzieć, pomyślała, wściekła na siebie. Czekając, aż Astolfi wyjdzie z łazienki, odniosła wrażenie, że słyszy krzyki. Nie była jednak pewna.

Nie dochodziły z budynku, ale z dworu.

Podeszła do okna. Zauważyła kilka osób biegnących w stronę budynku. Otworzyła okno i wyjrzała.

Cztery kondygnacje niżej na asfalcie leżało ciało lekarza sądowego.

Przez moment stała oszołomiona, a potem odwróciła się do drzwi łazienki.

Musiała coś zrobić.

Spróbowała wyważyć drzwi. Jedno, dwa uderzenia ramieniem. W końcu zamek ustąpił. Z impetem wpadła do środka. Poczuła powiew powietrza od otwartego szeroko okna. Klęknęła koło sedesu i bez wahania włożyła rękę do przezroczystej wody, mając nadzieję, że to, co Astolfi tam wrzucił, nie popłynęło do kanalizacji. Wcisnęła rękę najdalej jak mogła i jej palce coś musnęły i uchwyciły, ale potem zgubiły. W końcu udało się jej unieruchomić tajemniczy przedmiot. Próbowała wyjąć go z muszli, lecz zanim zdołała to zrobić, wyślizgnął się jej.

– Kurwa – rzuciła pod nosem.

Ale natychmiast uświadomiła sobie, że opuszki jej palców uchwyciły na moment jego kształt: było to coś okrągłego, co miało wypukłości i szorstką powierzchnię. Z miejsca nasunęła się jej myśl, że to płód. Ale potem zaczęła się zastanawiać. Może chodziło o coś w rodzaju lalki.

10

Lokal nazywał się SX.

Nie było szyldu, tylko czarna tabliczka z dwiema pozłacanymi literami z boku drzwi. Żeby wejść, trzeba było skorzystać z domofonu. Marcus nacisnął guzik i czekał. Przyprowadził go tu nie instynkt, ale prosta konstatacja: skoro morderca wybrał konfesjonał w bazylice Świętego Apolinarego, żeby zostawić wiadomość, to znał wystarczająco dobrze środowisko przestępcze Rzymu. Jeśli tak było, penitencjariusz znalazł się we właściwym miejscu.

Po dwóch minutach w głośniku domofonu odezwał się kobiecy głos. Lakoniczne „Tak?" na tle szalejącej muzyki heavymetalowej nastawionej na cały regulator.

– Cosmo Barditi – powiedział.

Kobieta zwlekała z odpowiedzią.

– Jest pan umówiony?

– Nie.

Głos zamarł, jakby połknięty przez łoskot w głośniku. Minęło parę sekund, po czym zamek odskoczył.

Marcus pchnął drzwi i znalazł się w korytarzu o surowych, zaciągniętych gładzią ścianach. Jedyne światło pochodziło z mrugającej świetlówki sprawiającej wrażenie, jakby w każdej chwili miała się przepalić.

W głębi przejścia widniały czerwone drzwi.

Penitencjariusz ruszył w ich kierunku. Słyszał stłumione dźwięki gitary basowej, a w miarę jak się zbliżał, muzyka stawała się coraz głośniejsza. Nim jeszcze dotarł do progu, drzwi się otworzyły, uwalniając wściekłe dźwięki, które przywitały go triumfalnym jazgotem, niczym wypuszczone z piekła demony.

Ukazała się platynowa blondynka z ostrym makijażem, prawdopodobnie to ona rozmawiała z nim przez domofon. Ubrana była w zawrotnie wysokie szpilki, króciutką skórzaną spódnicę oraz srebrny top z głębokim dekoltem, a na jej lewej piersi widać było wytatuowaną ćmę. Stała oparta o framugę, ostentacyjnie żując gumę. Zmierzyła go wzrokiem od stóp do głów, nie mówiąc ani słowa, po czym odwróciła się plecami i ruszyła przed siebie, dając mu jasno do zrozumienia, żeby szedł za nią.

Marcus wszedł do lokalu. SX znaczyło tyle, co „Sex", z tym że bez „e". I charakter tego miejsca wykluczał wszelkie wątpliwości; wnętrze utrzymane było w stylu zdecydowanie sadomasochistycznym.

Obszerna sala z niskim sufitem. Czarne ściany. W centrum kolisty parkiet, na którym stały trzy stołki do tańca ze striptizem. Naokoło ustawiono kanapy z czerwonej skóry i stoliki w tym samym kolorze. Wnętrze oświetlały nieliczne żarówki, a na kilku ekranach wyświetlano pornograficzne obrazki przedstawiające tortury i kary cielesne.

Na małej estradzie dziewczyna topless ze zniechęconą miną występowała w czymś w rodzaju numeru z piłą mechaniczną, tańcząc przy dźwiękach piosenki heavymetalowej. Solista powtarzał w kółko: *Heaven is for those who kill gently**.

Idąc za platynową blondynką, Marcus doliczył się sześciu klientów rozrzuconych po sali. Sami mężczyźni. Nie demonstrowali ostentacyjnie trupich główek czy bluz nabijanych ćwiekami ani nie wydawali się specjalnie groźni, jak można się

---

* Niebo jest dla tych, którzy zabijają delikatnie (ang.).

było spodziewać. Byli to anonimowi faceci w różnym wieku, ubrani jak urzędnicy. Mieli znudzone, niewyraźne miny. Siódmy klient onanizował się w jednym z kątów.

– Ej, ty tam, schowaj tego ptaszka! – upomniała go przewodniczka Marcusa.

Mężczyzna nie zwrócił na nią uwagi. Pokręciła z poirytowaniem głową, ale na tym poprzestała. Przeszedłszy przez całą salę, weszli w wąski korytarz z drzwiami do prywatnych pokoików dla klientów preferujących intymność. Była też toaleta dla mężczyzn, a dalej drzwi z napisem „Wstęp wzbroniony”.

Kobieta przystanęła i spojrzała na Marcusa.

– Nikt tutaj nie nazywa go jego prawdziwym imieniem i nazwiskiem. Dlatego Cosmo postanowił cię przyjąć.

Zapukała i dała mu znak ręką, żeby wszedł. Widząc, że się oddala, Marcus otworzył drzwi.

◆ ◆ ◆

Na ścianach wisiały afisze filmów hard porno z lat siedemdziesiątych, była też barowa lada, wiszące półki ze sprzętem stereo i trochę różnych mebli. Pokój oświetlała tylko lampka biurowa tworząca bańkę światła wokół czarnego biurka, na którym panował sterylny porządek.

Przy biurku siedział Cosmo Barditi.

Marcus zamknął za sobą drzwi, odcinając muzykę, ale na moment pozostał na granicy cienia, żeby lepiej przyjrzeć się gospodarzowi.

Cosmo miał na czubku nosa okulary do czytania, które nie pasowały do ogolonej głowy i dżinsowej koszuli z podwiniętymi rękawami. Penitencjariusz natychmiast dostrzegł krzyże i trupie czaszki wytatuowane na jego przedramionach. Oraz swastykę na szyi.

– A więc coś ty za jeden i po kiego wała żeś tu przylazł? – spytał Cosmo Barditi.

Marcus zrobił krok naprzód, żeby umożliwić mu przyjrzenie się jego twarzy.

Przez dłuższą chwilę Cosmo siedział jak oniemiały, starając się wydobyć to oblicze z głębin swej pamięci.

– A, to ty – powiedział w końcu.

Więzień z sauny go rozpoznał.

Penitencjariusz pamiętał próbę, na jaką wystawił go Clemente, wręczając mu klucz i wysyłając do domu dwojga rodziców udręczonych bólem z powodu śmierci córki.

Zło jest regułą. Dobro jest wyjątkiem.

– Sądziłem, że po tym, jak cię uwolniłem, zmienisz swoje życie.

Mężczyzna się uśmiechnął.

– Nie wiem, czy wiesz, ale z przeszłością taką jak moja nie przyjmą cię nigdzie do stałej pracy.

Marcus zatoczył ręką łuk.

– W takim razie dlaczego właśnie to?

– To jest praca jak wszystkie inne, no nie? Moje dziewczyny są czyściutkie, nie uprawiają seksu z klientami, nie ma również narkotyków: tu się tylko ogląda. – Potem spoważniał. – Mam teraz kobietę, która mnie kocha. I dwuletnią córeczkę. – Chciał pokazać, że na to zasłużył.

– To dobrze, Cosmo. To dobrze – powiedział dobitnie Marcus.

– Przyszedłeś wystawić mi rachunek?

– Nie. Poprosić cię o przysługę.

– Nie wiem nawet, kim jesteś i co tam robiłeś tamtego dnia.

– To bez znaczenia.

Cosmo Barditi podrapał się po karku.

– Co mam zrobić?

Marcus zrobił krok w stronę biurka.

– Szukam pewnego faceta.

– Znam go czy może powinienem go znać?

– Nie wiem, ale nie sądzę. Mógłbyś mi jednak pomóc go znaleźć.

– Dlaczego właśnie ja?

Ileż to razy Marcus kierował to pytanie do siebie albo do

Clemente? Odpowiedź była zawsze taka sama: zadecydowało o tym przeznaczenie lub, jeśli ktoś w nią wierzył, Opatrzność.

– Ponieważ gość, którego szukam, ma specjalne zainteresowania w sprawach seksu, i myślę, że w przeszłości realizował swoje fantazje w takich miejscach jak to.

Marcus wiedział, że przed popełnieniem gwałtownego czynu jest zawsze stadium wylęgania. Morderca nie wie jeszcze, że chce zabić. Karmi bestię, którą nosi w swoim wnętrzu, skrajnymi doświadczeniami seksualnymi, a tymczasem stopniowo przybliża się do najbardziej ukrytych zakątków samego siebie.

Cosmo wydawał się zaciekawiony.

– Opowiedz mi o nim.

– Lubi noże i pistolety, prawdopodobnie ma też problemy na tle seksualnym: te różne rodzaje broni są jedynym sposobem, żeby poczuł się zaspokojony. Lubi patrzeć na innych, jak uprawiają seks, być może odwiedzał też lokale dla amatorów wymieniania się partnerkami. Lubi fotografować i sądzę, że przechowuje zdjęcia ze wszystkich kontaktów, jakie miał.

Cosmo notował to niczym pilny uczeń. W końcu podniósł wzrok znad kartki, na której pisał.

– Coś jeszcze?

– Tak, rzecz najważniejsza: czuje się gorszy od innych, i to przyprawia go o wściekłość. Żeby pokazać, że jest od nich lepszy, wystawia ich na próbę.

– W jaki sposób?

Przed oczami Marcusa stanął chłopak, który musiał śmiertelnie ugodzić ukochaną, łudząc się, że dzięki temu uratuje życie.

…*fałszywi głosiciele fałszywej miłości*…

Tymi słowami morderca określił ich w wiadomości pozostawionej w bazylice Świętego Apolinarego.

– To jest coś w rodzaju gry bez możliwości wygrania czegokolwiek, służy tylko upokarzaniu ofiar.

Przez chwilę Cosmo obracał sprawę w myślach.

– Ma może przypadkiem coś wspólnego z wydarzeniami pod Ostią?

Penitencjariusz nie odpowiedział.

Cosmo wybuchnął krótkim śmiechem.

– Mój przyjacielu, przemoc tu, w tym miejscu, to tylko widowisko. Ci, których widziałeś, przychodzą do mojego lokalu, ponieważ czują się winni przekraczania pewnych norm, ale nie odgrywają żadnej roli w rzeczywistym świecie i nie byliby zdolni do wyrządzenia krzywdy nawet małej muszce. To, o czym ty mówisz, to poważna sprawa, z pewnością nie robota któregoś z tych moich frajerów.

– W takim razie gdzie powinienem szukać?

Cosmo odwrócił na chwilę wzrok, zastanawiając się nad sytuacją, a przede wszystkim nad tym, czy może mu zaufać.

– Nie udzielam się już w tym półświatku, ale słyszałem o pewnej sprawie... Jest grupa osób, które po każdym krwawym wydarzeniu w Rzymie zbierają się, żeby je „celebrować". Mówią, że za każdym razem, kiedy poświęca się czyjeś niewinne życie, uwalnia się negatywna energia. Urządzają te swoje orgie, żeby przywoływać to, co się zdarzyło, ale to tylko pretekst, żeby brać narkotyki i uprawiać seks.

– Kto w tym uczestniczy?

– Moim zdaniem typy z poważnymi problemami psychicznymi. Ale także ludzie z forsą. Nie masz pojęcia, ile osób wierzy w te głupoty. Wszystko odbywa się anonimowo, można się tam dostać tylko pod określonymi warunkami, bo oni pilnują prywatności. Dziś w nocy ma się odbyć taka zabawa poświęcona temu, co wydarzyło się w Ostii.

– Możesz umożliwić mi wejście?

– Spotykają się zawsze w innym miejscu. Nie tak łatwo jest dowiedzieć się gdzie. – Cosmo był wyraźnie niezdecydowany. Nie chciał mieszać się w te sprawy, być może myślał też o bezpieczeństwie kobiety i córki, które czekały na niego w domu. – Będę musiał odnowić kontakty z moim dawnym środowiskiem – oświadczył niechętnie.

– Jestem pewien, że nie sprawi ci to kłopotu.

– Zadzwonię do paru osób – obiecał Cosmo. – Do takich miejsc nie wchodzi się bez zaproszenia. Będziesz musiał jednak bardzo uważać, bo to niebezpieczni ludzie.

– Postaram się zabezpieczyć.

– A jeżeli nie będę mógł ci pomóc?

– Ile ofiar chcesz mieć na sumieniu?

– Dobra, rozumiem. Zrobię, co będę mógł.

Marcus podszedł do stołu, wziął długopis i kartkę, na której niedawno Cosmo robił swoje zapiski, i sam zaczął pisać.

– Gdy tylko się dowiesz, jak mogę wejść na tę imprezę, zadzwoń pod ten numer. To moja poczta głosowa.

Kiedy oddał mu kartkę, Cosmo zobaczył, że oprócz numeru telefonu jest na niej jeszcze jakiś dopisek.

– Co to za „chłopiec z soli"?

– Byłbym ci bardzo wdzięczny, gdybyś dzwoniąc do tych ludzi, niby przypadkiem rzucił te słowa.

Cosmo skinął w zamyśleniu głową. Marcus załatwił swoją sprawę i zaczął zbierać się do wyjścia. Kiedy odwrócił się do drzwi, właściciel lokalu zatrzymał go pytaniem:

– Dlaczego uwolniłeś mnie tamtego dnia?

Penitencjariusz odpowiedział, nie oglądając się:

– Nie wiem.

11

W sześćdziesiątym roku życia Battista Erriaga uważał się za człowieka rozważnego.

Ale nie zawsze tak było. Gdy jako mały chłopak biegał jeszcze po jednej z wysp na Filipinach, nie wiedział, co to jest rozwaga. Wręcz przeciwnie. Wiele razy za sprawą swego złego charakteru kusił los, a czasami śmierć. Gdyby się dobrze przyjrzeć jego łobuzerskim poczynaniom, można by wyciągnąć wniosek, że jedyną korzyścią, jaką odniósł, było poczucie dumy.

Nie chodziło o pieniądze ani o władzę, ani nawet o szacunek.

Właśnie owa duma miała się stać przyczyną największego nieszczęścia. Ten wypadek miał zaważyć na jego życiu, ale wtedy Battista nie mógł jeszcze o tym wiedzieć.

Miał wówczas zaledwie szesnaście lat i zaczesywał włosy w czub, żeby wydawać się wyższym. Uwielbiał swoją kruczoczarną czuprynę; była jego chlubą. Mył głowę co wieczór, a potem nacierał olejkiem palmowym. Na jakimś straganie ukradł grzebień z kości słoniowej. Nosił go w tylnej kieszeni spodni i co jakiś czas sięgał po niego, żeby ożywić gęstą grzywkę.

Wypinał pierś, chodząc po uliczkach swojej wioski w obcisłych dżinsach, które uszyła mu matka z płótna namiotowego, w butach kupionych za parę groszy u szewca, ponieważ wykonane były z prasowanej tektury posmarowanej pastą do butów, i w zielonej koszuli z kołnierzykiem, zawsze czystej i doskonale wyprasowanej.

Wszyscy w wiosce znali go jako „eleganta Battistę". Chodził dumny z tego przezwiska, dopóki nie odkrył, że w rzeczywistości wyśmiewano się z niego i za plecami nazywano go „synalkiem tresowanej małpy", ponieważ jego ojciec alkoholik gotów był zrobić wszystko za kieliszek czegoś mocniejszego i często zabawiał gości w oberży, upokarzając się w śmiesznych małych przedstawieniach, które odgrywał za postawioną mu kolejkę.

Battista nienawidził ojca. Nienawidził sposobu, w jaki zawsze żył, gnąc plecy na plantacjach, a potem żebrząc, żeby zaspokoić nałóg. Udawał twardziela tylko wobec żony, gdy wieczorem wracał pijany do domu i poddawał ją takim samym udrękom, jakich doznawał od innych. Matka Battisty mogłaby się z łatwością obronić i pokonać go lekkim pchnięciem, ponieważ ledwo trzymał się na nogach. Znosiła jednak bez protestu jego poszturchiwania, tylko dlatego, że nie chciała przysparzać mu upokorzeń. Był ciągle jej mężczyzną i okazywała mu w ten sposób, że go kocha i że się nim opiekuje. Dlatego Battista nienawidził również i jej.

Z powodu hiszpańskiego nazwiska rodzina Erriagów należała we wsi do czegoś w rodzaju niższej kasty. To nazwisko przyjął pradziadek Battisty jeszcze w odległym roku 1849, za rządów generalnego gubernatora Narcisa Claveríi. Wcześniej mieszkańcy Filipin nie używali nazwisk i dopiero Claveria narzucił im ten zwyczaj. Wielu zapożyczyło je od kolonizatorów, żeby zapewnić sobie ich życzliwość, nie wiedząc, że w ten sposób naznaczają siebie i przyszłe pokolenia. Gardzili nimi bowiem Hiszpanie, którzy nie tolerowali prób bratania się z nimi, i nienawidzili pozostali Filipińczycy za to, że zdradzili własne tradycje.

Battistę dodatkowo obciążało imię wybrane przez matkę, która chciała w ten sposób zaznaczyć, że są katolikami.

Tylko jedna osoba zdawała się nie przywiązywać do tego wszystkiego najmniejszej wagi. Był nią Min, najlepszy przyjaciel Battisty Erriagi, wysoki i potężnie zbudowany, istny olbrzym. Budził strach u każdego, kto zobaczył go po raz pierwszy, choć w rzeczywistości nie wyrządziłby nikomu najmniejszej krzywdy. Nie, nie był głupi, po prostu był bardzo naiwny i prostoduszny. Ciężko pracował i marzył o tym, żeby zostać księdzem.

Battista i Min spędzali razem dużo czasu, choć była między nimi znaczna różnica wieku. Olbrzym miał przeszło trzydzieści lat, ale im to nie przeszkadzało. Przeciwnie, można by powiedzieć, że Min zajął w życiu przyjaciela miejsce ojca. Ochraniał go i udzielał mu cennych rad. Battista nie zwierzał mu się jednak z niczego, co chodziło mu po głowie.

W tym samym tygodniu, w którym wydarzyło się coś, co miało zmienić jego życie, młodemu Erriadze udało się dostać do bandy *Los soldados del diablo**. Zabiegał o to od wielu miesięcy. Jej członkowie byli mniej więcej w jego wieku. Najstarszy, który był też szefem, miał dziewiętnaście lat.

Aby zostać przyjętym, Battista musiał poddać się kilku próbom, takim jak strzelanie do świni, przejście przez ognisko z opon i okradzenie domu. Wszystkie przeszedł celująco i zasłużył sobie na skórzaną bransoletkę, która była symbolem bandy. Dysponując takim dowodem uznania, członkowie mieli prawo do szeregu przywilejów, mogli na przykład pić za darmo w barach, spotykać się z prostytutkami, nie płacąc za usługi, oraz zmuszać każdego spotkanego, żeby ustąpił im z drogi. W rzeczywistości nikt nie przyznał im tego rodzaju praw, były one wyłącznie owocem arogancji.

Battista był członkiem gangu od kilku dni i czuł się w swoim żywiole. Nareszcie uwolnił swoje imię od ciążącej na nim bojaźliwości ojca. Nikt nie śmiałby już nie okazać mu szacunku ani nazwać go „synem tresowanej małpy".

---

* Żołnierze diabła (hiszp.).

Aż do chwili, gdy pewnego wieczoru, będąc w towarzystwie nowych kompanów, napotkał Mina.

Ujrzawszy go wśród członków gangu, na widok jego fanfaronady i tej śmiesznej skórzanej bransoletki, przyjaciel zaczął się z niego nabijać. Nazwał go nawet „tresowaną małpą".

Min miał dobre intencje, a i sam Battista zdawał sobie sprawę, że przyjaciel tak naprawdę chce dać mu tylko do zrozumienia, jaki popełnia błąd. Zachowanie Mina i sposób, w jaki go potraktował, nie pozostawiały mu jednak wyboru. Battista zaczął go z całej siły popychać i uderzać, ponieważ był pewien, że Min nie zareaguje. Ale tamten zaczął się śmiać jeszcze głośniej.

Battista nigdy nie potrafił opowiedzieć ze szczegółami tego, co nastąpiło potem – gdzie znalazł pałkę i kiedy zadał pierwszy cios. Nie pamiętał niczego. Ale gdy później odzyskał rozsądek, poczuł się tak, jakby się obudził ze snu: stał spocony i pobrudzony krwią; kompani zniknęli bez śladu, jego najlepszy przyjaciel zaś leżał martwy z roztrzaskaną głową i uśmiechem na ustach.

Następnych piętnaście lat Battista Erriaga spędził w więzieniu. Jego matka ciężko zachorowała i we wsi, w której się urodził i wyrósł, nie był już nawet godzien ośmieszającego przezwiska.

Mimo wszystko śmierć Mina, olbrzyma, który pragnął zostać księdzem, okazała się czymś pozytywnym.

Po wielu latach od tamtego dnia Battista Erriaga rozmyślał o tym wydarzeniu, lecąc samolotem z Manili do Rzymu.

Dowiedziawszy się o morderstwie w zagajniku pod Ostią, kupił bilet na pierwszy dostępny lot. Leciał w klasie turystycznej, mając na sobie zwyczajne ubranie i czapeczkę z daszkiem, dzięki czemu wmieszał się w grupę rodaków lecących do Włoch, żeby pracować tam jako posługacze. Przez całą podróż z nikim nie rozmawiał, obawiając się, że ktoś mógłby go rozpoznać. Miał za to dość czasu na przemyślenia.

Dotarłszy do celu, wynajął pokój w skromnym hotelu turystycznym w centrum.

Siedział teraz na łóżku nakrytym podniszczoną narzutą i oglądał dziennik telewizyjny, żeby zdobyć świeże informacje o mordercy, którego nazwano już „Potworem z Rzymu".

To się zdarzyło naprawdę, powiedział sobie. I ta myśl go dręczyła. Ale być może był jeszcze sposób, żeby zapobiec kolejnym nieszczęściom.

Wyłączył dźwięk w telewizorze i podszedł do stolika, na którym położył tablet. Nacisnął guzik i uruchomił odtwarzanie.

...dawno temu... Zdarzyło się to nocą... I wszyscy pobiegli tam, gdzie był wbity jego nóż... przyszedł jego czas... dzieci umarły... fałszywi głosiciele fałszywej miłości... a on był dla nich bezlitosny... chłopca z soli... jeżeli nie zostanie powstrzymany, sam się nie zatrzyma.

Kilka zdań z niejasnej wiadomości zostawionej w konfesjonale w bazylice Świętego Apolinarego, używanym kiedyś przez przestępców do kontaktów z policją.

Erriaga odwrócił się znowu do milczącego ekranu telewizora. Potwór z Rzymu, powtórzył w myśli. Biedni głupcy, nie wiedzą, jakie wisi nad nimi zagrożenie.

Wyłączył urządzenie pilotem. Miał do wykonania zadanie, ale musiał być ostrożny.

Nikt nie powinien się dowiedzieć, że Battista Erriaga przebywa w Rzymie.

12

– Lalka?

– Tak.

Zastępca komendanta Moro chciał być pewien, że dobrze zrozumiał. Sandra była dostatecznie o tym przekonana, ale z upływem czasu sama zaczęła podchodzić sceptycznie do odniesionego wrażenia.

Po odebraniu wiadomości o samobójstwie lekarza sądowego, a przede wszystkim o tym, że zdecydował się na ten dramatyczny krok, ponieważ ujawniono, że zabrał z miejsca zbrodni jakiś dowód, Moro uruchomił procedury poufności, domagając się, by całe śledztwo powierzono jemu i jego grupie specjalnej.

Od tej pory nie wolno było dotykać ani wyrzucać niczego, co wiązało się ze sprawą, nawet notatki zrobionej przypadkiem na skrawku papieru. Urządzono centrum operacyjne i ustawiono w nim połączone w sieć komputery współpracujące z innym serwerem niż ten używany na komendzie. Żeby zapobiec wyciekowi informacji, telefony wychodzące i przychodzące miały być nagrywane. I chociaż nie można było monitorować użytkowników komórek oraz prywatnych telefonów, wszyscy pracujący przy śledztwie musieli podpisać zobowiązanie do nierozpowszechniania informacji pod karą zwolnienia i aresztowania za współudział w przestępstwie.

Głównym zmartwieniem zastępcy komendanta była jednak możliwość zniszczenia innych dowodów w sprawie. Rozmawiając z nowym szefem, Sandra wiedziała, że ściągnięci z laboratorium kryminalistycznego wyspecjalizowani technicy sprawdzają właśnie rury kanalizacyjne wydziału medycyny sądowej. Nawet nie próbowała sobie wyobrażać, w jakich warunkach muszą działać ci ludzie, ale instalacje w budynku były stare i istniała realna nadzieja, że lalka, którą, jak się jej wydawało, rozpoznała dotykiem w łazience Astolfiego, jeszcze się tam znajduje.

– A więc wczoraj w nocy wróciła pani do tamtego zagajnika, żeby się upewnić, że dokładnie dopełniła pani procedur dokumentacji fotograficznej. – Moro pochylił się w jej stronę.

– Tak jest – odparła Sandra, próbując ukryć skrępowanie.

– Zobaczyła tam pani mężczyznę, który coś wyciągał z ziemi. I doszła pani do wniosku, że może to być doktor Astolfi, więc dziś rano poszła pani z nim porozmawiać? – Szef grupy specjalnej powtarzał wersję zdarzeń, którą właśnie mu przedstawiła, ale wydawało się, że robi to tylko po to, żeby zdała sobie sprawę, jak absurdalnie się zachowała.

– Pomyślałam, że zanim zawiadomię kogokolwiek, powinnam dać doktorowi możliwość wyjaśnienia, co i jak – dodała Sandra, żeby zyskać większą wiarygodność. – Postąpiłam niewłaściwie?

Moro zastanawiał się przez chwilę.

– Nie. Ja zrobiłbym to samo.

– Naprawdę nie mogłam przewidzieć, że przyparty do muru, popełni samobójstwo.

Zastępca komendanta stukał w biurko ołówkiem i nie odrywał od niej oczu. Czuła na sobie presję, ale oczywiście nie wspomniała o penitencjariuszu.

– Według pani, agentko Vega, Astolfi mógł znać zabójcę?

Oprócz kanalizacji wydziału medycyny sądowej ludzie z grupy specjalnej zbadali życie lekarza sądowego. Dokładnemu przeszukaniu poddano jego gabinet i mieszkanie. Skontrolowano rozmowy telefoniczne, komputery, pocztę elektroniczną. Analizowano konta bankowe, wydatki. Odtwarzano jego życie, starając się nie pominąć niczego – krewnych, znajomych, kolegów z pracy, nawet okazjonalnych wizyt. Moro był przekonany, że coś powinno wyskoczyć, choćby nawet jeden drobniutki element, który pozwoliłby zrozumieć, z jakiego powodu Astolfi postanowił przywłaszczyć sobie dowód z miejsca zbrodni i dołożył starań, żeby Diana Delgaudio nie przeżyła. W obu tych działaniach lekarz nie odniósł pełnego powodzenia. Lub może należałoby powiedzieć, że prawie mu się udały. Chociaż Moro dysponował odpowiednimi środkami i technologiami, szukał dodatkowego wsparcia w postaci osobistej opinii. Dlatego zadał Sandrze to pytanie.

– Astolfi zaryzykował swoją reputację, karierę, wolność – powiedziała. – Człowiek nie ryzykuje wszystkiego, jeśli nie popycha go jakaś silna motywacja. Dlatego myślę, że tak, wiedział, kto to jest. Dowodzi tego fakt, że wolał raczej umrzeć, niż wyjawić jego tożsamość.

– Jakaś bardzo bliska osoba, syn, krewny, przyjaciel? – Moro zamilkł na chwilę. – Ale on nie miał nikogo. Nie miał żony, dzieci i był typem samotnika.

Sandra wyczuła, że wszechstronne sprawdzanie życia lekarza sądowego nie daje wyników, jakich śledczy by sobie życzyli.

– W jaki sposób Astolfi znalazł się na miejscu zbrodni? – dociekała. – Stało się to przez przypadek czy też coś się za tym kryje? Szczerze mówiąc, wydaje mi się niewiarygodne, żeby mógł znać zabójcę i brać udział w działaniach śledczych dzięki zbiegowi okoliczności.

– Dyżury lekarzy sądowych ustala się z tygodnia na tydzień. Astolfi nie miał talentów jasnowidza, dzięki którym mógłby sobie wybrać dyżur właśnie tego dnia. Co więcej, tamtego ranka nie znajdował się nawet na liście dyżurnych, wezwano go tylko dlatego, że był w Rzymie głównym ekspertem od najcięższych zbrodni.

– Krótko mówiąc, był jakby predestynowany, żeby się tam znaleźć.

– Można to tak ująć. – Moro nie ukrywał swoich wątpliwości. – W związku z jego szczególnymi kompetencjami było rzeczą naturalną, że wezwiemy właśnie jego. I on dobrze o tym wiedział.

Podniósł się z krzesła i przeszedł na drugi koniec sali.

– Z pewnością odegrał w tej zbrodni jakąś rolę – ciągnął. – Krył kogoś. Być może rozpoznał *modus operandi* mordercy, ponieważ zetknął się z nim już wcześniej. Dlatego też sprawdzamy dawne sprawy, którymi się zajmował.

Sandra ruszyła za nim.

– Czy rozważył pan moją hipotezę, że morderca nałożył makijaż na twarz Diany Delgaudio? Jestem coraz bardziej przekonana, że ją sfotografował. Bo inaczej, po co miałby zawracać sobie głowę szminkowaniem jej ust?

Moro zatrzymał się obok jednego ze stanowisk pracy. Pochylił się w stronę ekranu komputera, żeby coś sprawdzić, i odpowiedział, nie oglądając się:

– Ta historia ze szminką… Zastanawiałem się nad tym i myślę, że ma pani rację. Kazałem wciągnąć to na listę. – Wskazał ścianę za ich plecami.

Znajdowała się tam olbrzymia tablica, na której zostały wypisane poszlaki, owoc raportów laboratorium kryminalistycznego i działu medycyny sądowej. Były ujęte w jedną listę.

Przedmioty: plecak, lina wspinaczkowa,
nóż myśliwski, rewolwer Ruger SP101.

Odciski palców chłopaka na linie i nożu pozostawionym
w ciele dziewczyny: zabójca kazał mu przywiązać ją
i zadać cios nożem, jeżeli chce uratować swoje życie.

Zabija chłopaka, strzelając mu w tył głowy.

Potem szminkuje dziewczynie usta (żeby zrobić jej zdjęcie?).

Analiza balistyczna pozwoliła ustalić broń zabójcy, rewolwer Ruger. Ale Sandra była zaskoczona przede wszystkim tym, jak Moro domyślił się, że zabójca kazał Giorgiowi zabić Dianę. Do takiego samego wniosku doszedł penitencjariusz. Tylko że podczas gdy śledczy ustalił to dzięki pomocy nauki i technologii, Marcus domyślił się tego, przyglądając się zdjęciom i miejscu, w którym dokonano zbrodni.

– Proszę za mną – powiedział Moro, przerywając jej rozmyślania. – Chciałbym pani coś pokazać.

◆ ◆ ◆

Zaprowadził ją do sąsiedniego pokoju. Było to wąskie pomieszczenie bez okien. Jedyne światło dochodziło od stojącego na środku podświetlonego stołu. Sandra natychmiast skupiła uwagę na otaczających ją ścianach, w całości oklejonych zdjęciami z miejsca zbrodni. Ujęcia panoramiczne i szczegóły. Zainicjowane przez nią dokumentowanie fotograficzne kontynuowali koledzy z laboratorium kryminalistycznego, którzy zdjęli odciski palców oraz dokonali wszelkiego rodzaju pomiarów i badań.

– Chętnie tu zaglądam, żeby się zastanawiać – odezwał się Moro.

Sandrze przypomniało się to, co jej powiedział Marcus: że winnego powinno się szukać na miejscu zbrodni. *Morderca ciągle tu jest, chociaż go nie widzimy. Musimy zapolować na niego w tym miejscu, nie gdzie indziej.*

– I to tu go dopadniemy, agentko Vega. W tym pokoju.

Przerwała na chwilę oglądanie zdjęć na ścianach i odwróciła się w stronę zastępcy komendanta. Dopiero teraz zorientowała się, że na podświetlonym stole leżą dwie paczki owinięte przezroczystą folią, jakiej używa się w pralni. W środku znajdowały się ubrania. Rozpoznała je. Należały do Diany Delgaudio i Giorgia Montefioriego. Były to stroje, jakie wybrali

116

na swoje spotkanie. Leżały rozrzucone na tylnym siedzeniu samochodu, w którym zostali zaatakowani.

Sandra przyjrzała się im, doznając wrażenia niepokoju i skrępowania, ponieważ wyglądało to tak, jakby tych dwoje młodych ludzi znalazło się na tym stole, jedno obok drugiego.

Eleganccy niczym duchy dwojga oblubieńców.

Nie trzeba było prać tych ubrań, nie były poplamione krwią. I nie stanowiły dowodu.

– Oddamy je ich rodzinom – potwierdził jej myśli Moro. – Matka Giorgia Montefioriego przychodzi tu ciągle i pyta, kiedy przekażemy jej osobiste rzeczy syna. Nie wiem, dlaczego to robi. Wydaje się to bez sensu. Ale każdy inaczej reaguje na cierpienie. Zwłaszcza rodzice. Czasami przyprawia ich o szaleństwo. I dlatego ich prośby stają się absurdalne.

– Słyszałam, że stan Diany Delgaudio się poprawia, być może naprawdę będzie mogła nam pomóc.

Moro pokręcił głową i uśmiechnął się gorzko.

– Jeśli ma pani na myśli wieści, które pojawiają się w prasie, byłoby lepiej, gdyby nie przeżyła operacji chirurgicznej.

Nie spodziewała się takiej odpowiedzi.

– Co pan chce powiedzieć?

– Że nie czeka jej normalne życie, ale wegetacja. – Moro zbliżył się do niej, poczuła niemal na twarzy jego oddech. – Kiedy to wszystko się skończy i spojrzymy w twarz zabójcy, wszyscy poczujemy się głupkami, agentko Vega. Przyjrzymy mu się i stwierdzimy, że wcale nie jest taki, jak go sobie wyobrażaliśmy. Przede wszystkim wyciągniemy wniosek, że to nie jest bestia, ale zwykły człowiek, taki jak my. A raczej, że jest nawet do nas podobny. Będziemy drążyć w jego pospolitym żywocie i znajdziemy tylko nudę, mierność i urazę. Odkryjemy, że owszem, lubi zabijać ludzi, ale być może nienawidzi tych, którzy znęcają się nad zwierzętami, no i uwielbia psy. Że ma dzieci, rodzinę, a nawet kogoś, kogo darzy naprawdę szczerym uczuciem. Przestaniemy się go bać i będziemy się dziwić, że daliśmy się oszukać tak banalnemu człowiekowi.

Sandrę uderzył sposób, w jaki to mówił. Ciągle zadawała sobie pytanie, dlaczego ją tu przyprowadził.

– Jak dotąd wykonała pani świetną robotę, agentko Vega.

– Dziękuję.

– Ale niech się pani więcej nie waży izolować mnie tak, jak to pani zrobiła ze sprawą Astolfiego. Muszę być na bieżąco z każdą inicjatywą moich ludzi, nawet z tym, co myślą.

Sandra poczuła głębokie zakłopotanie wobec spokojnej surowości zastępcy komendanta i spuściła wzrok.

– Tak jest.

Moro nie odzywał się przez dłuższą chwilę, potem zmienił ton.

– Jest pani atrakcyjną kobietą.

Nie spodziewała się tego komplementu i poczuła, że się czerwieni. Wydało się jej nie na miejscu, że zwierzchnik zwraca się do niej w taki sposób.

– Od jak dawna nie miała pani w ręce broni?

Pytanie wyraźnie nie miało związku z tym, co powiedział przed chwilą, i zbiło Sandrę z tropu. Mimo to próbowała odpowiedzieć:

– Co miesiąc ćwiczę na strzelnicy, jak każe regulamin, ale nigdy nie zostałam wyznaczona do czynnych zadań.

– Mam pewien plan. Żeby wykurzyć z nory zabójcę, postanowiłem podsunąć mu kilka przynęt w postaci najzwyklejszych samochodów z mężczyznami i kobietami w środku, którzy w rzeczywistości będą agentami ubranymi po cywilnemu. Począwszy od dzisiejszej nocy, obsadzą peryferyjne strefy miasta i co godzinę będą się przenosić w inne miejsce. Nazwałem tę operację „Tarczą".

– Fałszywe pary.

– Właśnie. Ale brakuje nam agentek, i dlatego zapytałem panią, czy potrafi pani użyć broni.

– Nie jestem tego pewna.

– Zwolnię panią z dyżuru tej nocy, ale od jutra chciałbym, żeby pani też wzięła w tym udział. Potrzebujemy wszystkich środków, żeby... – Przerwał mu sygnał komórki. Odpowiedział, zapominając całkowicie o Sandrze, która stała jak słup, nie wiedząc, gdzie obrócić wzrok.

Moro ograniczył się do odpowiadania rozmówcy krótkimi monosylabami, tak jakby zwyczajnie zapamiętywał informacje. Nie trwało to długo, a kiedy skończył, odwrócił się do niej.

– Właśnie dokończyli sprawdzanie rur kanalizacyjnych i ścieków w budynku wydziału medycyny sądowej. Przykro mi, agentko Vega, ale nie znaleźli żadnej lalki ani niczego, co mogłoby ją przypominać.

Sandra popadła w jeszcze większe zakłopotanie. Miała nadzieję, że dobra wiadomość przyniesie jej odrobinę uznania.

– Jak to możliwe? Zapewniam pana, że dotknęłam czegoś czubkami palców, nie wymyśliłam tego – zapewniła z przekonaniem.

Moro milczał przez parę sekund.

– Przypuszczam, że może się to pani wydać nieistotne... ale kiedy mi pani opowiadała, że przed popełnieniem samobójstwa lekarz pozbył się jakiegoś przedmiotu, wrzucając go do muszli, poprosiłem techników, żeby zbadali jego dłonie. Nigdy nie wiadomo, zawsze można mieć łut szczęścia.

Sandra nie wierzyła w szczęśliwe trafy, ale teraz miała nadzieję, że coś takiego się zdarzy.

– Na jednej z nich znaleziono ślady ałunu potasowego. – Moro znowu zawiesił głos. – To dlatego nie znaleźliśmy przedmiotu, którego pani dotknęła, agentko Vega: rozpuścił się w kanalizacji. Cokolwiek to było, zostało wykonane z soli.

13

Rzym został założony dzięki zabójstwu.

Zgodnie z legendą Romulus zabił brata Remusa, a potem nazwał miasto swoim imieniem i został jego pierwszym władcą.

Ale był to dopiero początek krwawych wypadków, jakie miały nadejść. Historia Wiecznego Miasta usiana jest morderstwami i często nie można odróżnić, które z nich są owocem mitotwórczej fantazji, a które cegiełkami prawdziwej historii. Można by uczciwie stwierdzić, że wielkość Rzymu żywiła się krwią. Jest dziełem, do powstania którego przez wieki przyczyniło się również papiestwo.

Z tego powodu nie ma nic dziwnego w tym, że miasto wciąż, choć potajemnie, celebruje krwawą przemoc.

Cosmo Barditi dotrzymał słowa: umożliwił Marcusowi wejście na prywatną imprezę, która miała się odbyć tej nocy dla uczczenia tego, co się wydarzyło pod Ostią. W kabinie telefonicznej na dworcu autobusowym Tiburtina penitencjariusz wysłuchał uważnie wiadomości pozostawionej mu przez informatora w poczcie głosowej, jednak nie wiedział jeszcze, czego może się tej nocy spodziewać.

„Każdy z zaproszonych ma własny kod złożony z cyfr i liter. Musisz się go nauczyć na pamięć, absolutnie nie wolno ci go zapisać".

To nie był problem, penitencjariusze nigdy niczego nie zapisywali, żeby nie ryzykować pozostawienia gdzieś śladów swojego istnienia.

„689A473CS43".

Powtórzył tę sekwencję w myśli.

„Spotkanie rozpoczyna się o północy".

Następnie Cosmo podał mu adres przy via Appia Antica.

Marcus zapamiętał także i tę informację.

„Jeszcze jedna sprawa: być może trafiłem na obiecujący trop... Muszę sprawdzić moje źródła, dlatego nie chcę podawać ci niczego zawczasu".

Marcus zadał sobie pytanie, co to może być. W każdym razie umiarkowanie zadowolony ton głosu Cosma był obiecujący.

Wiadomość kończyła się ostrzeżeniem:

„Jeżeli zdecydujesz się iść do tej willi, później nie będziesz już mógł się rozmyślić. Nie ma stamtąd odwrotu".

♦ ♦ ♦

Dzielnica Appia Antica wzięła swoją nazwę od drogi, której budowę zlecił w roku 312 przed naszą erą cenzor i konsul rzymski Appio Claudio Cieco.

Starożytni Rzymianie nazywali ją *regina viarum*, ponieważ w odróżnieniu od innych dróg było to prawdziwe arcydzieło inżynierii, bardzo awangardowej jak na tamte czasy. Nawierzchnię miała z kamiennych płyt, dzięki czemu mogły z niej korzystać wszelkiego rodzaju pojazdy, w każdych warunkach meteorologicznych. I rzeczywiście, podczas deszczu system drenów zapobiegał grzęźnięciu kół w błocie. W chwili powstania droga miała przeszło cztery metry szerokości i umożliwiała dwukierunkowy ruch pojazdów, a ponadto obok niej biegły chodniki dla pieszych.

Została zbudowana tak solidnie, że do naszych czasów zachowały się długie odcinki w doskonałym stanie. Obok szczątków dawnych budowli wyrosły wspaniałe wille, które obecnie służyły za siedziby ludziom zamożnym i uprzywilejowanym.

Willa, która interesowała Marcusa, stała w odosobnieniu. Jej utrzymana w stylu secesyjnym fasada była w połowie pokryta bluszczem, który teraz, pozbawiony liści, wyglądał jak szkielet gigantycznego prehistorycznego węża. Po jej zachodniej stronie wznosiła się wieża, na której szczycie umieszczono obserwatorium. Okna były duże i ciemne. Co pewien czas podjeżdżał jakiś samochód i w świetle jego reflektorów ukazywały się barwne obrazy wielkich orchidei, magnolii, pawi i papug.

Olbrzymia brama z kutego żelaza, która wyglądała jak plątanina gałązek i kwiatów, otwierała się na aleję, wzdłuż której rosły piętnastometrowe pinie o wydłużonych i lekko pochylonych pniach i wspierających się na nich spłaszczonych kulach koron. Przypominały starsze panie w niedzielnych kapeluszach.

Dom wydawał się niezamieszkany od dziesięcioleci. O tym, że ktoś w nim przebywa, informowała jednak umieszczona na słupie kamera ochrony, która co jakiś czas zmieniała kąt widzenia, omiatając ciągnącą się naprzeciwko drogę oświetloną jedną latarnią rzucającą pomarańczowe światło.

Marcus dotarł na miejsce dużo wcześniej, na długo przed wyznaczonym początkiem spotkania. Zaczaił się jakieś trzydzieści metrów od wejścia, stając w zagłębieniu otaczającego willę muru. Stamtąd przyglądał się uważnie otoczeniu, czekając, aż wybije północ.

W wiejskiej okolicy panowało dotkliwe zimno, które zdawało się zamrażać wszystko, łącznie z odgłosami. Nie było najlżejszego wiatru i wszystko trwało w zawieszeniu. Penitencjariusz poczuł się głęboko osamotniony, niczym ktoś, kto stoi przed niewiadomą, co wydarzy się po jego śmierci. Kilka metrów od niego znajdowało się wejście do sekretnego świata, ukrytego przed oczami zwykłych ludzi.

Już przy innych okazjach odnosił wrażenie, że stoi u wrót krainy piekieł.

Zdarzyło się to na pokładzie czarterowego samolotu, który

wylatywał z lotniska Ciampino w każdy wtorek o drugiej nad ranem, a którego pasażerami byli wyłącznie mężczyźni. W kabinie przygaszono światła, żeby uwolnić ich od ciężaru wzajemnych spojrzeń, chociaż wszyscy znaleźli się tam w tym samym celu. Przechodząc między rzędami foteli, przyglądał się twarzom tych normalnych ludzi, wyobrażając sobie ich życie w pełnym świetle słońca – szanowanych pracowników, ojców rodzin, przyjaciół, z którymi można wspólnie pokibicować na meczu. Pozornie zapłacili po prostu za bilet na podróż do miejsca położonego w tropikach, w rzeczywistości zaś udawali się do któregoś z krajów Trzeciego Świata, żeby wykorzystywać za pieniądze młode osoby i w ten sposób zaspokajać niezdrowe popędy, których istnienia nie podejrzewały ani nigdy nie powinny nawet podejrzewać ich matki, żony, narzeczone, znajomi i koledzy z pracy.

Ten sam niepokój ogarniał Marcusa na widok zgaszonych, pełnych rezygnacji spojrzeń nigeryjskich prostytutek, które zwabiano na Zachód obietnicą pracy, a trafiały do mrocznych suteren, sprzedawane tam do różnych usług, które mogły obejmować nawet tortury.

Marcus nie był w stanie zapomnieć oszołomienia i przerażenia doznanego po tym, jak zapoznał się z rozmiarami najtwardszej pornografii w internecie. Sieci ukrytej w sieci. Miejsca, w którym dzieci przestawały być dziećmi, a gwałt i przemoc stawały się narzędziem przyjemności. Miejsca, w którym każdy w odosobnieniu własnego mieszkania mógł znaleźć materiał do zaspokojenia najbardziej tajemnych, ukrytych instynktów, siedząc sobie wygodnie w kapciach i piżamie.

Teraz zadawał sobie pytanie, co znajdzie w willi, do której szykował się wejść?

Podczas gdy o tym myślał, nastała północ. Punktualni goście zaczęli docierać na imprezę.

Wysiadali z taksówek albo z samochodów z kierowcą, które po chwili odjeżdżały. Niektórzy przychodzili na piechotę nie wiadomo skąd. Zjawiali się parami lub samotnie. Pod płasz-

123

czami i futrami mieli wieczorowe ubrania. Twarze osłaniały im kapelusze albo szale. Lub po prostu podnosili kołnierz, żeby uniknąć rozpoznania.

Wszyscy wykonywali te same gesty. Stawali przed bramą, naciskali dzwonek i czekali na krótki muzyczny motyw w głośniku. W tym momencie podawali kod cyfrowo-literowy. Zamek odskakiwał i mogli wejść.

Marcus odczekał niemal do pierwszej w nocy i w tym czasie doliczył się co najmniej setki osób. Wreszcie wyszedł z cienia, w którym się zaszył, i skierował się do wejścia.

– 689A473CS43 – wyrecytował, usłyszawszy w domofonie muzyczny sygnał.

Zamek odskoczył, umożliwiając wejście.

◆ ◆ ◆

Na przywitanie wyszedł masywny osobnik, z pewnością ochroniarz, i nie odzywając się ani słowem, poprowadził go korytarzem. Byli sami, po osobach, które na oczach Marcusa weszły niedawno do willi, nie było śladu. Najbardziej zdziwił go jednak brak jakichkolwiek odgłosów we wnętrzu budynku.

Mężczyzna zaprosił go gestem do wejścia do jakiegoś pokoju, po czym wszedł tuż za nim i stanął za jego plecami. Penitencjariusz znalazł się przed mahoniowym stołem, za którym siedziała młoda kobieta w purpurowej wieczorowej sukni, odsłaniającej jedno ramię. Miała smukłe dłonie i zielone oczy jak kotka. Jej czarne włosy zebrane były w elegancki kok. Obok niej stała srebrna taca z dzbankiem wody i szklankami.

– Witam – powiedziała do niego z filuternym uśmiechem. – Jest pan u nas pierwszy raz?

Marcus przytaknął.

– Obowiązuje tu jedna prosta reguła: wolno robić wszystko, jeśli ten drugi się zgadza. Ale jeśli mówi „nie", to nie.

– Rozumiem.

– Ma pan przy sobie komórkę?

– Nie.

– Broń lub przedmioty, które mogłyby komuś wyrządzić krzywdę?

– Nie.

– Tak czy owak, musimy pana przeszukać. Zgadza się pan?

Marcus zdawał sobie sprawę, że nie ma wyboru. Rozłożył ręce i zaczekał, aż facet za jego plecami wykona swoją robotę. Kiedy było po wszystkim, wrócił do poprzedniej postawy.

W tym momencie kobieta napełniła jedną ze szklanek, które stały przed nią. Otworzyła szufladę, zamknęła ją z powrotem i położyła przed nim błyszczącą czarną pigułkę.

Marcus zawahał się.

– To jest klucz – zapewniła go. – Musi ją pan zażyć, w przeciwnym razie nie będzie pan mógł wejść.

Wyciągnął rękę, wziął pastylkę w palce, włożył ją do ust i przełknął, a potem popił wodą.

◆ ◆ ◆

Ledwie odstawił pustą szklankę, poczuł gorącą i niespodziewaną falę, która przeszyła go na wskroś i dotarła do jego oczu. Zachwiały się zarysy wszystkiego, co go otaczało. Bał się, że straci równowagę, ale w tym momencie poczuł, że podtrzymują go dwie mocne dłonie.

Usłyszał wyraźnie wybuch śmiechu, który posypał się dźwięczną perlistą kaskadą.

– Za parę sekund przyzwyczai się pan. Tymczasem niech pan nie stawia oporu, żeby poskutkowało – powiedziała rozbawiona kobieta. – Działa około trzech godzin.

Marcus starał się pójść za jej radą… Niedługo potem, nie wiedząc, jak to się stało, stwierdził, że opiera się o ścianę w sali wypełnionej mnóstwem głosów. Przypominały ptaki uwięzione w klatce. Wnętrze skąpane było w półmroku, który powoli się rozjaśniał. Domyślił się, że to po prostu jego oczy przyzwyczajają się do zmiany oświetlenia.

Gdy poczuł się wystarczająco pewny, że zachowa równowagę, oderwał się od ściany i zrobił kilka kroków. W pomieszczeniu rozbrzmiewała subtelna muzyka, być może Bacha. Światła był przygaszone i dalekie, otoczone barwnymi kręgami aureoli. W powietrzu unosiła się woń wosku i świec, a także przenikliwy zapach seksu.

Otaczali go ludzie. Nie widział ich wyraźnie, ale wyczuwał ich obecność.

Z pewnością podano mu jakiś środek odurzający, a jednocześnie pobudzający zmysły i uniemożliwiający zapamiętanie tego, co miał wokół siebie. Patrzył na jakąś twarz i natychmiast zapominał jej rysy. Taki cel musiał przyświecać podaniu narkotyku: pozbawienie wszystkich obecnych zdolności rozpoznania kogokolwiek.

Obok niego przechodziły ludzkie postacie, muskały go spojrzeniem albo się do niego uśmiechały. Jakaś kobieta przeciągnęła po nim pieszczotliwie ręką, ale po chwili się oddaliła. Niektórzy byli nadzy.

Na jednej z kanap zobaczył istną plątaninę ciał bez twarzy. Były tylko piersi, ramiona, nogi. I złaknione rozkoszy usta, które szukały innych ust. Wszystko to przesuwało się przed oczami Marcusa niczym umykający film puszczony na przyspieszonych obrotach.

Tylko że skoro nie mógł przyjrzeć się tym osobom, to niepotrzebnie tu przyszedł. Musiał wymyślić jakiś sposób. Uświadomił sobie, że wprawdzie całość umyka jego oczom, ale szczegóły nie. Powinien się skupić na nich. Kiedy spoglądał w dół, jego wzrok stawał się ostrzejszy. Było coś, co nie znikało.

Buty.

Był w stanie je zapamiętać. Z obcasem albo ze sznurówkami. Czarne, jasne, czerwone. Chodził wśród nich i pozwalał im, żeby go prowadziły. Aż w końcu zaczęły nagle poruszać się wszystkie razem. Niczym potok kierowały się w stronę środka sali, jakby coś je tam przyciągało. Penitencjariusz także skierował się w tym kierunku. Przecisnął się przez barierę pleców i zobaczył nagie ciało leżące twarzą do dołu. Wydawało się, że z karku tryska mu krew.

Giorgio Montefiori, pomyślał natychmiast. Obok leżącego klęczały dwie kobiety, które go głaskały.

...przyszedł jego czas... dzieci umarły... Takie słowa pozostawił zabójca w wiadomości w bazylice Świętego Apolinarego.

Nieco dalej ustawiono samochodowy fotel, do którego przywiązana była naga dziewczyna. Jej piersi ściskała lina wspinaczkowa. Na twarzy miała papierową maskę: uśmiechnięte oblicze Diany Delgaudio, wzięte ze zdjęcia w jakiejś gazecie albo z internetu.

...fałszywi głosiciele fałszywej miłości...

Na dziewczynie siedział okrakiem potężnie zbudowany mężczyzna. Jego twarz o wyrazistych rysach wysmarowana była oliwą. Na głowie miał czarny kaptur ze skóry, a w ręce trzymał nóż z posrebrzanym ostrzem.

...a on był dla nich bezlitosny... chłopca z soli...

Scena z dwojgiem młodych napadniętych w zagajniku pod Ostią była złowróżbnym jądrem spotkania, z którego brało się wszystko inne. Od czasu do czasu niektórzy widzowie oddzielali się od reszty i oddalali razem, żeby uprawiać seks.

...jeżeli nie zostanie powstrzymany, sam się nie zatrzyma.

Marcus nagle poczuł nasilające się mdłości. Odwrócił się i rozpychając się ramionami, zdołał dotrzeć do rogu sali. Oparł się jedną ręką o ścianę i odetchnął głęboko. Miał ochotę zwymiotować, żeby pozbyć się przynajmniej części narkotyku i opuścić to miejsce. Ale miał też świadomość, że jego organizmowi trudno będzie wyzwolić się szybko z tego kalejdoskopowego transu. Poza tym nie mógł się wycofać właśnie teraz. Musiał dotrwać do końca, innej możliwości nie było.

Uniósł głowę i w tym samym momencie zauważył ludzki cień, który obserwował widowisko, trzymając się z boku. Miał na sobie księżą albę lub może był to płaszcz, albo zbyt długa kurtka. Ale tym, co uderzyło Marcusa, był dziwny czarny przedmiot, który wystawał spod materiału tego okrycia. Cień starał się go ukryć. Wydawało się, że to pistolet.

Marcus zadał sobie pytanie, w jaki sposób udało mu się go wnieść do środka. Czy nie przeszukano go przy wejściu? Ale potem uświadomił sobie, że to nie jest broń.

To był aparat fotograficzny.

Przypomniał sobie słowa Sandry mówiące o tym, że morderca poprawił szminkę na ustach Diany Delgaudio.

Myślę też, że zrobił jej zdjęcie. A nawet jestem tego pewna.

Przyszedł tu, żeby wynieść pamiątkę, pomyślał penitencjariusz. Oderwał się od ściany i ruszył w jego kierunku. Kiedy szedł mu na spotkanie, usilnie starał się skupić spojrzenie na rysach jego twarzy. Ale czuł się tak, jakby oglądał jakiś miraż: im bliżej podchodził, tym bardziej obraz się rozmazywał.

Cień musiał go zauważyć, bo odwrócił się w jego stronę.

Marcus poczuł na sobie siłę dwojga czarnych oczu, które unieruchamiały go niczym ćmę przyszpiloną w gablotce. Zmobilizował się, kontynuując marsz w jego kierunku. Cień zaczął się wycofywać. Marcus przyspieszył kroku, ale czuł dziwny opór, tak jakby poruszał się w oceanie wody i piasku.

Cień oddalał się, oglądając się od czasu do czasu, jakby dla sprawdzenia, czy on jest ciągle w pobliżu.

Marcus starał się nadążyć, jednak szło mu to z trudem. Wyciągnął nawet rękę w złudnym odruchu, że może go zatrzymać. Ale oddychał już ciężko, jakby się wspinał po bardzo stromym zboczu. Wpadł więc na inny pomysł. Zatrzymał się i postanowił zaczekać, aż cień wróci, żeby mu się przyjrzeć.

Gdy tamten znalazł się blisko niego, penitencjariusz zrobił znak krzyża na opak.

Cień zwolnił kroku, jakby starał się zrozumieć znaczenie tego gestu. Potem ruszył jednak swoją drogą.

Marcus podjął pościg i zobaczył, że tamten znika za drzwiami wychodzącymi na taras. Prawdopodobnie wszedł tu właśnie tą drogą, unikając kontroli w wejściu. Zaraz potem Marcus również wyszedł na zewnątrz i uderzyła go dobroczynna fala nocnego chłodu, który przez chwilę budził na nowo jego zmysły przytępione działaniem narkotyku.

Cień kierował się w stronę zagajnika i był już daleko. Marcus nie zamierzał dopuścić, żeby zwyczajnie odszedł.

…jeżeli nie zostanie powstrzymany, sam się nie zatrzyma.

Ale właśnie gdy zaczynał odzyskiwać swoją zwykłą sprawność, niespodziewanie zwalił się na niego jakiś ciężar. Przeszył go nagły ból. Ktoś uderzył go w kark. Padając, Marcus zaczął tracić przytomność. Ale ostatkiem świadomości dostrzegł kilka centymetrów od swojej twarzy parę niebieskich butów, które miał na nogach napastnik.

CZĘŚĆ DRUGA

Człowiek z wilczą głową

1

Wiatr przybierał na sile w nagłych porywach. A potem cichł. Komunikat meteorologiczny zapowiadał burzliwą noc. Pomiędzy koronami drzew prześwitywało mleczne, pokryte chmurami niebo. Poza tym chłód stawał się coraz bardziej przenikliwy, jak na złą wróżbę.

A ona miała na sobie tę przeklętą minispódniczkę.

– Mówisz, że będziemy musieli się pocałować?

– Odpieprz się, Stefano – odpowiedziała.

Spośród wszystkich kolegów, jacy mogli się jej przytrafić na tym dyżurze, dostała właśnie tego głupka Carboniego.

Przyczaili się w wiejskiej okolicy w białym fiacie 500. Mieli przypominać parę, która schowała się na uboczu, szukając intymności, ale agentka Pia Rimonti nie była w stanie zachować spokoju. Nie podobała się jej operacja Tarcza, którą uważała za bezproduktywne marnowanie ludzi i środków. Kontrolowanie okolic Rzymu było przedsięwzięciem niemożliwym do zrealizowania, gdy do dyspozycji pozostawało zaledwie około czterdziestu samochodów mających odgrywać rolę przynęty.

Próba schwytania mordercy za pomocą tego wybiegu przypominała trochę nadzieję na wygraną w loterii za pierwszym razem.

Poza tym zwerbowano ją do tej akcji w sposób, w którym nie brakło seksualnych aluzji.

Podobnie jak inne policjantki, wybrano ją przede wszystkim z powodu jej atrakcyjnego wyglądu. Natomiast dowodem na to, że przy dobieraniu partnerów zastosowano zupełnie inne kryterium, był właśnie Stefano Carboni, najmniej apetyczny i najbardziej odpychający mężczyzna w całej komendzie.

Postanowiła, że następnego dnia pomówi o tym z koleżankami zatrudnionymi tej nocy. Powinny zwrócić się z tą sprawą do związku zawodowego.

Ale było też coś innego, do czego Pia Rimonti nigdy by się nie przyznała. Mianowicie do tego, że się bała. Dreszczu, jaki pełzł w górę po jej nogach, nie wywoływała tylko krótka spódniczka.

Co chwilę sięgała do kieszeni w drzwiach, starając się wyczuć rękojeść pistoletu. Wiedziała, że tam jest, ale dotykanie go wzmacniało jej poczucie bezpieczeństwa.

Za to Carboni miał rozbawioną minę. Nie mógł wprost uwierzyć, że jest w samochodzie sam na sam z policjantką, do której puszczał oko od przeszło dwóch i pół roku. Czyżby naprawdę się łudził, że ta sytuacja cokolwiek zmieni? Co za idiota! Mimo to nie przestawał jej prowokować dwuznacznymi aluzjami.

– Masz pojęcie? Będę mógł powiedzieć, że spędziliśmy razem noc – odezwał się kpiącym tonem.

– Dlaczego nie przestaniesz się wygłupiać i nie skupisz się na pracy?

– Na jakiej pracy? – odparł Carboni, wskazując ręką okolicę. – Stoimy na pustkowiu i nikt się tu nie zjawi. Przyznaj, ten zarozumialec Moro nie ma o niczym pojęcia. Ale cieszę się, że tu jestem. – A potem pochylił się w jej stronę z dwuznacznym półuśmieszkiem. – Trzeba skorzystać z takiej okazji.

Pia odepchnęła go, kładąc mu rękę na klatce piersiowej.

– Nie wiem, czybyś się ucieszył, gdybym powiedziała Ivanowi.

Jej chłopak Ivan był o nią bardzo zazdrosny. Ale istniało też duże prawdopodobieństwo, że jak wszyscy zazdrośnicy miałby pretensje przede wszystkim do niej, że znalazła się w takiej sytuacji. Rzuciłby jej w twarz, że mogła tego uniknąć, zwracając się do zwierzchników, żeby przydzielili jej innego kolegę. Oskarżyłby ją, że jak wszystkie kobiety znajdowała sekretną przyjemność w tych umizgach. Koniec końców zwaliłby całą winę na nią. Na próżno starałaby się wytłumaczyć mu, że niezależnie od trudności zawodu policjantki musi też stale udowadniać, że dorównuje kolegom mężczyznom. Dlatego nie może za każdym razem mazać się przed zwierzchnikami, że ktoś nie traktuje jej jak księżniczki. Powinna zostawić Ivana w spokoju.

Pomyślała, że następnego dnia ten głupek Stefano Carboni będzie się przechwalał przed kolegami, choć tej nocy nie uda mu się niczego osiągnąć. A niech sobie gada, co chce, będzie tylko musiała trzymać go na dystans do końca dyżuru.

Teraz prawdziwym problemem było jednak to, że musiała pójść na stronę.

Wstrzymywała się od przeszło godziny i czuła, że za chwilę popuści. To wszystko z powodu zimna i napięcia. Aż dotąd jakoś wytrzymała, zakładając nogę na nogę i opierając ciężar ciała na lewym boku.

– Co ty wyprawiasz? – spytała, gdy Carboni przechylił się w jej stronę.

– Poszukam jakiejś muzyki, dobra?

Włączył radio, ale Pia wyłączyła je prawie natychmiast.

– Chcę słyszeć, czy ktoś nie podchodzi do samochodu.

Parsknął śmiechem.

– Odwagi, panno Rimonti, odpręż się trochę. Wydaje mi się, że jesteś moją narzeczoną.

– Masz dziewczynę?

– Jasne, że mam – odparł z oburzeniem.

Pia nie mogła w to uwierzyć.

– Zaczekaj, pokażę ci ją. – Carboni wyjął komórkę i pokazał jej zdjęcie, którego używał jako wygaszacza ekranu. Stał na brzegu morza i obejmował jakąś dziewczynę.

Nawet ładna, pomyślała Pia. A potem dodała w myśli: biedactwo.

– Nie miałaby pretensji, gdyby się dowiedziała, że próbujesz ze mną? – spytała żartobliwym tonem.

– E tam, mężczyzna musi być mężczyzną – odparł. – Gdybym nie próbował w takiej sytuacji jak ta, nie zasługiwałbym na to miano. Nie sądzę, żeby mojej kobiecie sprawiało przyjemność mieć koło siebie półfaceta.

Pokręciła głową. Jego rozumowanie nie miało sensu. Ale zamiast ją rozbawić, przypomniało jej Dianę Delgaudio. Chłopak, z którym umówiła się tamtego wieczoru, gdy zostali napadnięci w zagajniku koło Ostii, nie stanął w jej obronie. Przeciwnie, żeby uratować siebie, zgodził się wbić jej nóż w sam środek piersi. Czy kogoś takiego można uznać za mężczyznę? Jak na jego miejscu zachowałby się Ivan?

A Stefano Carboni?

W istocie pytanie, którego unikała przez całą noc, brzmiało właśnie tak. Czy jej kolega potrafiłby ją obronić, gdyby rzeczywiście zostali napadnięci przez tę bestię? Czy też gość, który od przeszło dwóch godzin mocno się do niej zalecał, zaoferowałby swoją pomoc mordercy?

Podczas gdy snuła te rozważania, w służbowym radiu rozległ się głos:

– Rimonti, Carboni, u was wszystko w porządku?

Było to centrum operacyjne. Co godzinę sprawdzali patrole rozsiane w podmiejskich okolicach, żeby mieć obraz sytuacji. Pia chwyciła nadajnik.

– Potwierdzenie, tu nic się nie dzieje.

– Oczy otwarte, dzieciaki. Przed nami jeszcze długa noc.

Odwiesiła mikrofon i stwierdziła, że cyfrowy zegar na tablicy rozdzielczej pokazuje dopiero pierwszą. Pewnie, że długa, pomyślała. W tym momencie Carboni położył dłoń na jej udzie. Pia najpierw rzuciła mu wściekłe spojrzenie, a potem rąbnęła go pięścią w przedramię.

– Ojej! – jęknął.

Rozzłościł ją nie tyle ten gest, ile raczej to, że z jego powodu musiała poruszyć się na siedzeniu. Teraz ucisk pełnego pęcherza stał się nie do zniesienia. Ujęła kolegę za kołnierz.

– Posłuchaj, muszę wyjść na chwilę, poszukać jakichś krzaczków.

– Żeby co zrobić?

Pia nie była w stanie uwierzyć, że on naprawdę jest taki głupi. Nie odpowiedziała na jego pytanie, ale dodała:

– Stań koło samochodu i nie ruszaj się, dopóki nie skończę. Jasne?

Carboni kiwnął głową.

◆ ◆ ◆

Pia wysiadła z auta, ściskając w ręce pistolet. Carboni zrobił to samo.

– Idź spokojnie, koleżanko. Ja tu jestem.

Pokręciła głową i zaczęła się oddalać. Za jej plecami Carboni zaczął pogwizdywać, a potem dał się słyszeć odgłos tryskającego na ziemię strumienia. On też skorzystał z okazji.

– Przewaga mężczyzny polega na tym, że możemy to robić, gdzie i kiedy mamy ochotę – powiedział głośno, a potem podjął pogwizdywanie.

Za to Pia z niejakim trudem poruszała się po nierównym terenie. Bolał ją pęcherz, a ta przeklęta wąska spódniczka krępowała jej ruchy. Poza tym wiał jeszcze ten cholerny wiatr, który popychał ją niczym niewidzialna i złośliwa ręka.

Miała ze sobą komórkę. Próbowała oświetlać sobie drogę wyświetlaczem. W końcu zauważyła drzewo i przyspieszyła kroku.

Dotarłszy do niego, rozejrzała się na wszystkie strony. Położyła na ziemi broń i telefon, po czym, trochę zalękniona, zsunęła rajstopy i majtki, zadarła spódniczkę i przykucnęła.

Było jej zimno i niewygodnie. Ale mimo silnego parcia nie mogła zacząć sikać. Jakby ją zablokowało. Zaczęła zanosić błagalne modły, żeby zachęcić swoją kanalizację do odblokowania.

Wszystko to z powodu strachu.

Sięgnęła po pistolet i przycisnęła go do brzucha. Po lesie niosło się pogwizdywanie Carboniego, które ją nieco uspokajało. Ale zanikało przy każdym podmuchu wiatru. Aż nagle całkiem zamilkło.

– Nie mógłbyś pogwizdać jeszcze trochę?! – zawołała, karcąc się natychmiast za użycie błagalnego tonu.

– Jasne! – odkrzyknął i znowu zaczął gwizdać.

W końcu zaczęła sikać. Zamknęła oczy, zadowolona, że może się uwolnić od nieznośnego parcia. Ciepły płyn wyciekał z niej silnym strumieniem.

Carboni znowu przestał gwizdać.

– Co za głupek – rzuciła pod nosem, choć chwilę potem gwizdanie rozległo się znowu.

Prawie skończyła, gdy zachwiał nią silniejszy podmuch wiatru. W tym samym momencie do jej uszu dobiegł głośny huk.

Zesztywniała. Co to za odgłos? Usłyszała go naprawdę czy tylko się jej wydawało? Przebrzmiał tak szybko, przytłumiony wiatrem. Wolałaby teraz, żeby kolega przestał gwizdać, ponieważ nie słyszała nic innego.

Opadło ją irracjonalne przerażenie. Uniosła się, podciągając byle jak rajstopy. Chwyciła pistolet i komórkę, a potem puściła się biegiem, ze spódniczką uniesioną aż do pępka. Z pewnością musiała wyglądać nieszczególnie, ale tłumaczył ją paniczny strach.

Rzuciła się przed siebie, nie bacząc na to, że w każdej chwili może się przewrócić. Kierowała się tylko pogwizdywaniem Carboniego.

Błagam cię, nie przestawaj.

Miała wrażenie, że ktoś za nią idzie. Mógł to być jedynie wytwór jej wyobraźni, ale mało ją to obchodziło. Chciała tylko wrócić do samochodu.

Gdy w końcu wypadła na małą polankę, na której zaparkowali auto, zobaczyła, że kolega siedzi w środku i zostawił otwarte drzwi. Przyspieszyła kroku, żeby wrócić na swoje miejsce.

– Stefano, przestań gwizdać, ktoś tu jest! – rzuciła nerwowo.

Ale on nie przestawał. Pomyślała, że jak już go dopadnie, wymierzy mu porządny policzek za to, że jest takim kretynem, ale stanęła jak wryta na widok jego wybałuszonych oczu i szeroko otwartych ust. Zobaczyła w jego tułowiu otwór, z którego tryskała ciemna i lepka krew. Huk, jaki usłyszała, był strzałem.

Gdzieś z boku, całkiem blisko, ktoś gwizdał nadal.

2

O świcie obudził go śpiew ptaków.

Marcus otworzył oczy i natychmiast jego czaszkę przeszyło ostre ukłucie. Próbował znaleźć jego przyczynę, ale stwierdził tylko, że czuje ból w całym ciele.

Na dodatek był zmarznięty.

Leżał na ziemi, tak jak upadł. Prawą stroną twarzy wyrżnął o twarde podłoże, ramiona miał wyciągnięte bezwładnie wzdłuż boków, jedną nogę wyprostowaną, a drugą niebezpiecznie zgiętą w kolanie.

Musiał upaść całym ciężarem twarzą do dołu, nie asekurując się rękami.

Najpierw spróbował unieść miednicę. Potem, pomagając sobie łokciami, zaczął wstawać. Kręciło mu się w głowie. Musiał się oprzeć pokusie zamknięcia oczu. Strach, że znowu straci przytomność, był silniejszy niż najgorsze zawroty.

Zdołał usiąść i spojrzał w dół. W miejscu, w którym leżał na ziemi, była ciemna plama, a wszędzie naokoło widać było nocny szron. Czuł, że ma wilgotne plecy, nogi i ramiona, a także kark.

Głowa, pomyślał. Tam znajdowało się główne źródło bólu.

Dotknął tyłu głowy ręką, żeby sprawdzić, czy przypadkiem nie jest ranny. W miejscu, gdzie został uderzony, nie było jednak krwi. Tylko wielki guz i być może lekkie otarcie.

Był przerażony, że znowu może stracić pamięć. Spróbował więc dokonać szybkiego przeglądu tego, co zapamiętał.

Nie wiadomo dlaczego, pierwszą rzeczą, jaką sobie przypomniał, był widok zakonnicy z odciętymi członkami, oglądany rok wcześniej w ogrodach watykańskich. Ale zastąpił go myślą o Sandrze, o jej pocałunku z mężczyzną, w którym była zakochana, i o spotkaniu z nią w zagajniku koło Ostii. Potem zjawiła się też reszta... Magnetofon w bazylice Świętego Apolinarego, słowa Clemente: *Nad Rzymem wisi poważne zagrożenie. To, co wydarzyło się zeszłej nocy, do głębi wstrząsnęło ludźmi.* Chłopiec z soli... I w końcu zabawa ze złowróżbną orgią, w której uczestniczył tej nocy, ludzki cień z aparatem fotograficznym, pościg za nim w stanie oszołomienia wywołanego przez narkotyk, uderzenie w głowę. Jednak ostatnim obrazem, jaki pamiętał, był widok stóp oddalającego się napastnika. W niebieskich butach.

Ktoś chronił tajemniczego osobnika, który wyglądał jak cień. Dlaczego?

W końcu Marcus zdołał stanąć na nogach. Odczuwał skutki wychłodzenia. Kto wie, w jakim momencie jego dawnego życia, nim jeszcze nastąpiła w nim przerwa spowodowana amnezją, jego ciało nauczyło się opierać zimnu.

Blade światło świtu przydawało ogrodowi willi widmowego wyglądu. Penitencjariusz wrócił do drzwi tarasu, przez które wyszedł w nocy, ale teraz były zamknięte. Próbował popchnąć skrzydło, jednak nie miał dość siły. Sięgnął po kamień i stłukł szybę. Potem wsunął rękę i otworzył zamek.

W środku nie było śladu po imprezie. Dom wydawał się niezamieszkany od dziesięcioleci. Meble okrywały białe płótna, a w powietrzu unosił się zapach zamkniętego pomieszczenia.

Czy naprawdę wszystko to mogło być tylko wytworem jego wyobraźni? Czy ten narkotyk miał w sobie aż tyle mocy? Potem zauważył jednak pewien szczegół – anomalię – który podpowiedział mu, że to wydarzyło się naprawdę.

Nie było kurzu.

Wszystko w tej sali było zbyt czyste, na przedmiotach nie osiadła jeszcze patyna czasu i zapomnienia.

Zdjął prześcieradło okrywające kanapę i owinął się nim, żeby się ogrzać. Potem nacisnął jakiś wyłącznik, ale prądu nie było. Ruszył więc po omacku schodami prowadzącymi na wyższe piętro, w poszukiwaniu łazienki.

Znalazł ją obok sypialni.

Ze szczelin żaluzji przenikało słabe światło dnia. Marcus kilka razy przemył twarz w umywalce. Potem wyprostował się, żeby spojrzeć w lustro. Z powodu otrzymanego ciosu miał podkrążone oczy. Nie był pewny, czy nie doznał urazu czaszki.

Przyszedł mu na myśl Cosmo Barditi i jego wiadomość w skrzynce głosowej. *Jeszcze jedna sprawa: być może trafiłem na obiecujący trop... Muszę sprawdzić moje źródła, dlatego nie chcę podawać ci niczego zawczasu.*

– Cosmo – powtórzył Marcus przyciszonym głosem. Powiedział mu o orgii, potem znalazł sposób, żeby umożliwić mu wejście do willi. Czy było możliwe, że to on go zdradził?

Coś mu jednak podpowiadało, że Cosmo nie ma z tym nic wspólnego. To się wydarzyło, ponieważ zaczął śledzić tajemniczego osobnika. Ale być może nie to zadecydowało, że zarobił potężny cios w głowę, mógł ściągnąć na siebie zagrożenie, robiąc znak krzyża w ten szczególny sposób. Cień nie rozpoznał jednak tego gestu. Choć Marcus z powodu działania narkotyku nie mógł sobie przypomnieć jego twarzy, pamiętał, że zwrócił uwagę na niepewność zachowania tajemniczego osobnika, gdy ten się zatrzymał, żeby na niego spojrzeć.Ale gest został zrozumiany przez kogoś innego. Tego w niebieskich butach.

Powinien poinformować o tym Clemente, a potem dowiedzieć się, czy Cosmo ma dla niego nowe informacje. W tym momencie jednak chciał po prostu opuścić tę willę.

◆ ◆ ◆

Niedługo potem wszedł do baru na stacji benzynowej. Kobieta za ladą spojrzała na niego tak, jakby zobaczyła trupa. Marcus nie był jeszcze w stanie trzymać się pewnie na nogach, z wielkim trudem dojechał aż tu, prowadząc samochód. Musiał wyglądać strasznie. Pogrzebał w kieszeniach w poszukiwaniu jakichś monet i położył na ladzie kilka euro.

– Poproszę kawę, ale z większą ilością wody.

Czekając, aż kawa się zaparzy, spojrzał w kierunku telewizora stojącego w jednym z rogów sali.

Zobaczył reportera dziennika telewizyjnego, który stał na jakimś pustkowiu, pośrodku wiejskiego krajobrazu. Za jego plecami uwijali się policjanci. Marcus rozpoznał wśród nich Sandrę.

„Dzisiejszej nocy zostało zamordowanych dwoje policjantów. Ich nazwiska to Stefano Carboni i Pia Rimonti – powiedział dziennikarz. – Zabójca zachował się niemal identycznie jak za pierwszym razem: strzelił w klatkę piersiową mężczyzny, a potem w brzuch kobiety, być może dlatego, że zauważył pistolet w jej ręce. Ale nie zabił jej na miejscu. Zranił ją tylko, a potem przykuł do drzewa i zaczął się nad nią znęcać, posługując się nożem. Jak się dowiedzieliśmy, według lekarza sądowego tortury trwały dość długo. Kolejne szczegóły przedstawimy państwu w następnych wydaniach…"

Marcus zauważył w jednym z rogów automat telefoniczny. Zapomniał o kawie i ruszył do kabiny. Wybrał numer poczty głosowej, zamierzając zostawić w niej informację dla Clemente, ale elektroniczny głos poinformował go, że w skrzynce znajduje się już inna wiadomość, jeszcze nieodsłuchana.

Wybrał swój kod i czekał. Był pewien, że usłyszy Clemente, natomiast rozpoznał głos Cosmy Barditiego. Oprócz wiadomości z poprzedniego wieczoru Cosma zostawił mu nową. W odróżnieniu od pierwszej, tym razem ton głosu mężczyzny nie był równie beztroski; zdradzał głębokie zaniepokojenie połączone z prawdziwym strachem.

„Musimy się natychmiast zobaczyć – wysapał. – Sprawa wygląda dużo gorzej, niż mogłem sobie wyobrazić... – Był tak poruszony, że sprawiał wrażenie, jakby płakał. – Jesteśmy w niebezpieczeństwie, i to poważnym – dodał. – Nie mogę powiedzieć ci tego teraz, dlatego przyjedź do mojego lokalu, jak tylko odbierzesz tę wiadomość. Będę tu na ciebie czekał do ósmej, potem zabiorę córkę i dziewczynę, żeby wywieźć je z Rzymu".

Koniec wiadomości. Marcus spojrzał na zegarek: siódma dziesięć. Mógł jeszcze zdążyć, ale musiał się pospieszyć.

W tym momencie interesowało go nie tyle odkrycie, jakiego dokonał Cosmo, ile powód, dla którego ten człowiek był tak przerażony.

3

Sandra znała Pię Rimonti.

Często ze sobą rozmawiały. Przy okazji ostatniego spotkania zamieniły parę słów na temat sklepu z odzieżą sportową. Pia, tak jak ona, chodziła do siłowni i zamierzała zapisać się na pilates.

Była niezamężna, ale z tego, co mówiła, można się było domyślić, że pragnęłaby założyć rodzinę z narzeczonym, który, jeśli Sandra dobrze pamiętała, miał na imię Ivan. Powiedziała jej, że jest bardzo zazdrosny i zaborczy, i że właśnie dlatego złożyła podanie o przeniesienie na stanowisko biurowe, dzięki czemu wiedziałby przynajmniej, gdzie ona przebywa. Pia była w nim zakochana i chociaż przez całe życie marzyła o noszeniu munduru, chętnie zaakceptowałaby tę zmianę. Sandra zapamiętała jej promienny uśmiech i to, że w kantynie lubiła zamawiać kawę z kostką lodu.

Po sfotografowaniu tego ranka jej nagiego umęczonego ciała popadła w kompletną dezorientację. Mechanicznie dokończyła robienie zdjęć, tak jakby coś w jej wnętrzu stało się nieczułe na te przerażające widoki. Była zła na siebie za to, że poddała się takiemu nastrojowi, ale bez tego nieprzewidzianego pancerza nie wytrzymałaby ani chwili dłużej.

Gdy morderca stwierdził, że ma przed sobą dwoje policjantów, znęcał się nad Pią w sposób wyjątkowo brutalny. Strzelił jej w brzuch, żeby ją unieruchomić, a potem rozebrał i torturował przez co najmniej pół godziny. Przykuł jej ręce kajdankami do drzewa i ponacinał ciało nożem myśliwskim. Stefano Carboni miał więcej szczęścia. Według lekarza sądowego morderca strzelił mu w klatkę piersiową, trafiając w tętnicę. Młody policjant zginął na miejscu.

Centrum operacyjne bezskutecznie próbowało skontaktować się z dwójką funkcjonariuszy przez radio, jak to robiono średnio co sześćdziesiąt minut. Nie otrzymawszy odpowiedzi, wysłano na miejsce patrol, który dokonał makabrycznego odkrycia.

Media wiedziały już o wszystkim, pomimo środków ostrożności zastosowanych przez Centralne Biuro Śledcze, które miały zapobiec wyciekowi informacji.

Podwójne morderstwo wydarzyło się w pobliżu via Appia Antica, gdzie zarejestrowano tej nocy nietypowo duży ruch pojazdów, co na razie było jedyną dziwną okolicznością.

Zastępca komendanta wychodził z siebie z wściekłości. Operacja Tarcza okazała się katastrofą, a śmierć dwojga policjantów oceniono jako najgorszą z klęsk obciążających policję.

Ponadto morderca zbezcześcił zwłoki Pii Rimonti, nakładając na jej twarz makijaż i malując szminką usta. Być może również w tym przypadku zrobił pamiątkowe zdjęcia swego dzieła. Bez względu na to, jakiemu celowi miał służyć ten rytuał, Sandra uznała go za odpychający.

Również tym razem zabójca nie pozostawił żadnych śladów pozwalających ustalić jego DNA ani odcisków palców.

♦ ♦ ♦

Po powrocie z miejsca zbrodni Sandra weszła do komendy razem z ludźmi z grupy specjalnej z Morem na czele. Gromadka dziennikarzy czekała tam właśnie na ich dowódcę, który z trudem przepchnął się do windy, nie wygłaszając żadnych oświadczeń.

Sandra zauważyła w holu matkę Giorgia Montefioriego.

Kobieta, która bardzo nalegała, by policja oddała jej ubrania syna, zjawiła się znowu i stała teraz, trzymając w rękach plastikową torbę, którą starała się przyciągnąć uwagę Mora.

Zastępca komendanta odwrócił się do jednego ze swoich ludzi, żeby powiedzieć mu coś przyciszonym głosem, ale Sandrze udało się wyłapać jego słowa.

– Usuńcie mi stąd tę kobietę. Bądźcie wobec niej uprzejmi, ale stanowczy.

Sandrze zrobiło się jej żal, rozumiała jednak poirytowanie Mora. Zostało zamordowanych dwoje ich ludzi, i to nie był czas na wysłuchiwanie lamentów zrozpaczonej matki, choćby nawet usprawiedliwionych jej cierpieniem.

– To śledztwo rozpoczyna się na nowo. – Zastępca komendanta zwrócił się do agentów zebranych w centrum operacyjnym. Następnie zabrał się do aktualizowania tabeli z głównymi wskazówkami, dodając do nich to, co zostało stwierdzone na nowym miejscu zbrodni.

Zabójstwo w lasku koło Ostii

Przedmioty: plecak, lina wspinaczkowa,
nóż myśliwski, rewolwer Ruger SP101.

Odciski palców chłopaka na linie i nożu
pozostawionym w ciele dziewczyny: zabójca kazał mu
przywiązać ją i zadać cios nożem, jeżeli chce uratować
życie.

Zabija chłopaka, strzelając mu w tył głowy.

Potem szminkuje dziewczynie usta (żeby ją
sfotografować?).

Zostawia obok ofiar jakiś przedmiot z soli (laleczkę?).

Zabójstwo agentów Rimonti i Carboniego

Przedmioty: nóż myśliwski, rewolwer Ruger SP101.

*Zabija Stefana Carboniego strzałem
w klatkę piersiową.*

*Strzela do Pii Rimonti, raniąc ją w brzuch.
Potem rozbiera ją do naga. Przykuwa do drzewa
kajdankami, torturuje i morduje nożem myśliwskim.*

Nakłada jej makijaż (żeby ją sfotografować?).

Podczas gdy Moro pisał, Sandra natychmiast zauważyła różnice między elementami zebranymi na obu miejscach zbrodni. Na drugim było ich mniej i wydawały się też mniej znaczące.

Również tym razem morderca nie zostawił niczego z myślą o policji. Żadnego fetyszu, żadnego podpisu.

Dokończywszy pisanie, zastępca komendanta odwrócił się do podwładnych.

– Chcę, żebyście odnaleźli w naszych kartotekach wszystkich zwyrodnialców i maniaków, którzy wcześniej popełnili w tym mieście przestępstwa na tle seksualnym. Macie ich przycisnąć i wydusić z nich wszystko, co wiedzą. Musimy na nowo przeczytać ich profile, słowo po słowie, sprawdzić każdą zmianę miejsca zamieszkania w ostatnich miesiącach, a jeśli to będzie konieczne, również w ostatnich latach. Chcę wiedzieć, co mają w swoich komputerach, jakie strony internetowe odwiedzali i przy jakich obrzydlistwach się onanizowali. Przygotujemy zestawienia rozmów telefonicznych i będziemy dzwonić pod te numery, jeden po drugim, dopóki na coś nie wpadniemy. Muszą poczuć nasz oddech na karku. Ten człowiek nie mógł wyskoczyć z nicości, z całą pewnością ma jakąś przeszłość. Dlatego przeczytajcie ponownie raporty ze śledztw, zwracając uwagę na wszelkie najdrobniejsze szczegóły, jakie pominęliśmy. I przynieście mi coś konkretnego na temat tego skurwysyna. – Moro podkreślił końcowy epitet rąbnięciem pięścią w stół. Odprawa się zakończyła.

Sandra miała pewność, że nie mają w ręce dosłownie niczego. Ta myśl obudziła w niej nagłe poczucie niepewności. Była przekonana, że nie tylko ona odczuwa tego rodzaju emocje. Na twarzach kolegów malowało się wyraźne strapienie.

Gdy kolejno opuszczali pokój, uchwyciła spojrzenie komisarza Crespiego. Stary policjant wydawał się zmęczony, tak jakby wypadki ostatnich dni wystawiły go na ciężką próbę.

– A więc jak wam poszło u Astolfiego? – spytała go.

Crespi prowadził przeszukanie mieszkania lekarza sądowego po jego samobójstwie.

– Żadnego związku z zabójstwami.

Sandra była zaskoczona.

– W takim razie jak wyjaśnisz to, co zrobił?

– Sprawa wydaje się niepojęta. Ludzie z grupy specjalnej wywrócili do góry nogami jego życie i nic nie znaleźli.

To niemożliwe, nie mogła w to uwierzyć.

– Najpierw mógł nam pomóc, ratując Dianę Delgaudio, ale wolał, żeby umarła. A potem ukrył i zniszczył dowód rzeczowy. Człowiek nie staje się wspólnikiem zbrodni, jeżeli nie ma w tym własnego interesu.

Crespiego uderzyło to, że Sandra zbytnio podnosi głos, toteż ujął ją pod ramię i poprowadził na bok.

– Posłuchaj, nie wiem, co strzeliło temu Astolfiemu nagle do głowy, ale pomyśl tylko: w jakim celu miałby niszczyć tę laleczkę z soli? To prawda, że był człowiekiem samotnym, trzymał się na dystans i, trzeba przyznać, nie cieszył się niczyją sympatią. Być może miał powody, żeby odczuwać niechęć do komendy albo do ludzi w ogóle, kto wie. To się zdarza pewnym socjopatycznym osobnikom, robią rzeczy straszne i niepojęte.

– Myślisz, że Astolfi był szaleńcem?

– Nie szaleńcem, ale mógł stracić głowę. – Zamilkł na chwilę. – Pewnego razu aresztowałem pediatrę, który raz na każde sto jedenaście recept wypisywał niewłaściwy lek. Później te biedne dzieci ciężko chorowały i nie można było znaleźć przyczyny.

– Dlaczego właśnie raz na sto jedenaście?

– A kto to może wiedzieć. Ale zgubiła go właśnie ta precyzja. Poza tym był dobrym lekarzem, dokładnym i uważnym jak niewielu. Być może co jakiś czas musiał uwolnić coś, co tkwiło w jego ciemnej stronie.

Sandry nie przekonało jednak to wyjaśnienie.

Crespi położył rękę na jej ramieniu.

– Wiem, że cię to dręczy, ponieważ to ty zdemaskowałaś tego sukinsyna. Ale jak wiesz, seryjni mordercy nie mają wspólników, są samotnikami. Poza tym istnieje bardzo małe prawdopodobieństwo, że Astolfi znał zabójcę i że właśnie dlatego znalazł się na miejscu pierwszej zbrodni.

Musiała przyznać, aczkolwiek niechętnie, że słowa komisarza mają sens. Lecz ta świadomość sprawiła, że poczuła jeszcze większą bezsilność wobec zła, jakie zostało popełnione. Zadała sobie pytanie, gdzie może być teraz penitencjariusz. Chętnie by z nim porozmawiała, żeby ją podniósł na duchu.

♦ ♦ ♦

Marcus dotarł do SX kilka minut przed ósmą. O tej rannej godzinie ulica, przy której znajdował się lokal, była pusta. Podszedł do wejścia, nacisnął przycisk domofonu i czekał. Na próżno.

Zastanawiał się, czy Cosmo, widząc, że nie przyjeżdża, nie przyspieszył ucieczki. Ten człowiek się bał, a trudno przewidzieć, jak może funkcjonować umysł kogoś, kto czuje się zagrożony. Marcus nie mógł jednak dopuścić, żeby mu umknęła jakakolwiek wskazówka, nawet najskromniejsza. Upewniwszy się, że w pobliżu nikogo nie ma, wyjął z kieszeni mały śrubokręt z zagiętym końcem, który zawsze miał przy sobie, i otworzył nim zamek.

Ruszył długim korytarzem prowadzącym do czerwonych drzwi. Oświetlający go poprzednio neon był wyłączony. Marcus powtórzył operację wykonaną wcześniej przy drzwiach wejściowych i wszedł do lokalu.

Wnętrze oświetlała tylko jedna żarówka umieszczona na podium pośrodku sali.

Szedł dalej, starając się omijać kanapy i stoliki. Po chwili znalazł się na zapleczu, gdzie znajdowało się biuro Cosma. Dotarłszy do wejścia, przystanął.

W otaczającej go ciszy było coś dziwnego.

Nim jeszcze dotknął klamki, wiedział już, że za drzwiami znajdzie trupa.

Gdy w końcu przekroczył próg, zobaczył w mroku ciało Cosma Barditiego oparte o biurko. Podszedł bliżej i zapalił stojącą na blacie lampę: mężczyzna trzymał w ręce pistolet, a w jego skroni widać było otwór po pocisku. Miał wybałuszone oczy, a lewy policzek spoczywał w kałuży krwi, która rozlała się aż do krawędzi blatu i skapywała na podłogę.

Ułożenie ciała i pistolet miały wskazywać na samobójstwo, ale Marcus wiedział, że to tylko pozory. Mimo że nie było śladów walki, które świadczyłyby o obecności zabójcy, Cosmo nie odebrałby sobie życia. Miał teraz córkę, mówił mu o niej z dumą. Nigdy by jej nie porzucił.

Został zabity, ponieważ odkrył coś ważnego. W ostatniej wiadomości pozostawionej w skrzynce głosowej wygłosił niepokojące słowa.

Sprawa wygląda dużo gorzej, niż mogłem sobie wyobrazić. Jesteśmy w niebezpieczeństwie, i to poważnym.

O czym mówił? Co go tak przeraziło?

Mając nadzieję, że Cosmo znalazł przed śmiercią sposób, żeby zostawić mu jakąś informację, Marcus zaczął szukać wokół zwłok. Włożył na dłonie lateksowe rękawiczki. Otworzył szuflady biurka, przeszukał kieszenie zmarłego, przesunął meble i sprzęty, pogrzebał w koszu na śmieci.

Miał jednak wrażenie, że ktoś go uprzedził.

Brak komórki Barditiego potwierdził to. Czy zabójca ją zabrał? Być może zachowały się w niej ślady rozmów przeprowadzonych przez Cosma w celu uzyskania informacji. Może właśnie dzięki swoim kontaktom w środowisku spod znaku czerwonych latarni udało mu się odkryć coś tak ważnego, że musiał zginąć.

Być może.

Marcus zdawał sobie jednak sprawę, że są to tylko przypuszczenia. Nie wiedział nawet, czy Cosmo kiedykolwiek miał komórkę.

W biurze był jednak telefon stacjonarny. Penitencjariusz podniósł słuchawkę i nacisnął przycisk, który pokazywał ostatni numer wybrany na aparacie. Po kilku sygnałach odpowiedział mu kobiecy głos:

– Cosmo, to ty? Gdzie jesteś?

Ton głosu kobiety zdradzał zdenerwowanie. Marcus odłożył słuchawkę. Prawdopodobnie była to partnerka Cosma, która musiała zacząć się niepokoić, że jej mężczyzna się nie zjawia.

Rozejrzał się po raz ostatni po pokoju, ale nie zauważył niczego, co mogłoby go zainteresować. Przed wyjściem spojrzał jeszcze raz na swastykę wytatuowaną na szyi Cosma.

Kilka lat wcześniej uratował mu życie, a raczej dał mu możliwość jego zmiany. Ten symbol nienawiści nie miał już nic wspólnego z obecnym Cosmem Barditim, ale ktoś, kto by ją zobaczył na jego zwłokach, mógłby pomyśleć, że sprawa przedstawia się zupełnie inaczej, i być może nawet nie poczułby litości, na jaką ten człowiek zasługiwał.

Marcus uniósł rękę i udzielił mu błogosławieństwa. Czasami przypominał sobie, że jest też księdzem.

4

Tajemnice należało rozpatrywać na trzech poziomach. Pierwszym był Chłopiec z soli.

Gdyby nawet komuś udało się odsłonić tę część zagadki, wciąż jeszcze do odcyfrowania pozostawały dwie inne.

Aż do tej chwili nie udało się to nikomu.

Mimo to Battista Erriaga nie był spokojny. Śnił mu się olbrzym Min, dobry przyjaciel, którego zabił wiele lat temu na Filipinach. W ostatnich dniach często o nim myślał, być może dlatego Min wracał też w snach. Za każdym razem, gdy to się zdarzało, Battistę nawiedzał niepokój, ponieważ nigdy nie był to dobry znak. Min sprawiał wrażenie, jakby chciał go przed czymś ostrzec. Wokół Battisty gęstniało zagrożenie niczym zbierająca się burza. Ale straszliwa tajemnica jego młodości była błahostką w porównaniu z tym, czemu starał się zapobiec w tym momencie.

Wypadki toczyły się zbyt szybko. Tak jakby odblokował się groźny mechanizm, a on nie wiedział, jak wyhamować jego bieg.

Tej nocy doszło do nowej napaści zakończonej podwójnym morderstwem.

Nie oburzała go śmierć, a fakt, że zginęło dwoje niewinnych ludzi, nie budził w nim żadnego współczucia. To należało do zwykłego biegu spraw tego świata. A on nie był hipokrytą. Prawda polega bowiem na tym, że w obliczu śmierci innych płaczemy nad sobą. Nie jest to uczucie szlachetne, ale zwykły strach, że pewnego dnia i nas dopadnie taki sam los.

Jedyną okolicznością, którą uznał za ważną, było to, że tym razem zginęło dwoje policjantów. Z tego powodu sprawy mogły się skomplikować.

Musiał jednak przyznać, że jest w tym również coś pozytywnego. Samobójstwo lekarza sądowego mogło posłużyć za hamulec. Wprawdzie ten idiota Astolfi pozwolił się zdemaskować, ale okazał się wystarczająco przewidujący, żeby odebrać sobie życie, zanim policja zdążyła się domyślić, na czym polegała jego rola w całej tej sprawie.

Erriaga musiał się jednak koniecznie dowiedzieć, czy ktoś podąża śladem Chłopca z soli, chociaż nawet gdyby tak było, w pewnym momencie ten ktoś znalazłby się przed murem nie do przebycia.

A wtedy tajemnica Battisty Erriagi zostałaby uratowana.

Wiele lat temu popełnił błąd, nie doceniając wielkiego zagrożenia. Nadszedł czas, żeby go naprawić. Sprawy toczyły się jednak zbyt szybko. Dlatego musiał się dowiedzieć, w jakim dokładnie punkcie znajduje się policyjne śledztwo.

A na to był tylko jeden sposób, i w tym celu musiałby złamać pierwotne założenie, że będzie przebywał w Rzymie całkowicie anonimowo.

O jego przybyciu do miasta musiałaby się dowiedzieć pewna osoba.

♦ ♦ ♦

Hotel De Russie stoi przy końcu via del Babuino, eleganckiej ulicy łączącej piazza del Popolo z piazza di Spagna, która wzięła swą nazwę od rzeźby z roku 1571 przedstawiającej satyra leżącego na małej fontannie. Rzeźbiarz opatrzył posążek twarzą tak brzydką, że rzymianie natychmiast przyrównali go do pawiana, czyli *un babbuino*, którego nazwę w miejscowym dialekcie wymawiano z jednym „b".

Battista Erriaga przekroczył próg luksusowego hotelu, nasunąwszy daszek czapki na oczy, żeby zabezpieczyć się przed przypadkowym rozpoznaniem, i skierował się do Baru Strawińskiego, ekskluzywnego lokalu serwującego doskonałe koktajle i wyrafinowane dania. Z nastaniem wiosny bar przenosił się do czarującego ogrodu wielkiego hotelu.

Trwało właśnie śniadanie biznesowe. Mężczyzna około siedemdziesiątki o władczym i wytwornym wyglądzie zabawiał swoich przybyłych z Chin partnerów.

Nazywał się Tommaso Oghi. Był rzymianinem od wielu pokoleń i choć pochodził z bardzo biednej rodziny, zbił majątek na przedsięwzięciach budowlanych w okresie, w którym miasto zostało ograbione przez pozbawionych skrupułów inwestorów mających na uwadze wyłącznie mnożenie zysków. Oghi przyjaźnił się z wpływowymi ludźmi, wiązał z przedstawicielami świata polityki wyznającymi wątpliwe zasady moralne, był też członkiem loży masońskiej. Wyspecjalizował się w spekulacjach i korupcji, i w obu tych dziedzinach osiągnął mistrzostwo. Z powodu przeróżnych przestępstw był bohaterem wielu prokuratorskich śledztw, oskarżano go także o interesy ze światem przestępczym. Zawsze jednak wychodził z tego cało, tak że nie pozostał na nim nawet jeden bryzg błota.

Co dziwniejsze, podobne do niego osobistości, które potrafiły wyjść bez szkody z wszelkiego rodzaju burz, zyskiwały coraz większe uznanie i zdobywały coraz większą władzę. Tommaso Oghi uważany był za jednego z władców Rzymu.

Erriaga był od niego młodszy o jakieś dziesięć lat, ale mimo to zazdrościł mu sposobu, w jaki tamten prezentował się w świecie. Ta jego piękna głowa w aureoli zaczesanych porządnie do tyłu, przetykanych srebrem włosów. Odrobina dyskretnej opalenizny, która przydawała mu zdrowego i promiennego wyglądu. Rozpoznał go natychmiast w barze, ubranego w elegancki garnitur od Caraceniego i angielskie buty wykonane na miarę. Erriaga polecił kelnerowi, żeby mu przyniósł kartkę i pióro, po czym skreślił kilka słów i wskazał mu człowieka, któremu miał zanieść tę wiadomość.

Gdy Tommaso Oghi ją otrzymał, jego mina nagle się zmieniła. Opalenizna i uśmiech zniknęły, a w ich miejsce pojawiły się zatroskanie i bladość. Przedsiębiorca przeprosił swoich gości i natychmiast podniósł się z miejsca, żeby udać się do toalety, jak mu polecono.

Otworzywszy drzwi, znalazł się naprzeciwko Erriagi, którego z miejsca rozpoznał.

– A więc to rzeczywiście ty.

– Nikt nie powinien się dowiedzieć, że jestem w Rzymie, z wyjątkiem ciebie – wyjaśnił natychmiast Erriaga, zdejmując czapkę i zamykając drzwi na klucz.

– Nikt się o tym nie dowie – zapewnił go Oghi. – Ale mam tam kilku gości, nie mogę kazać im czekać zbyt długo.

Filipińczyk stanął przed nim, żeby patrzeć mu prosto w oczy.

– Nie zajmie nam to wiele czasu, mam tylko drobną prośbę.

Oghi, który był człowiekiem kutym na cztery nogi, natychmiast pojął, że drobna prośba nie musi być taka znowu drobna, skoro tamten posunął się do rozmowy w toalecie, co całkiem nie było w jego stylu.

– O co chodzi?

– O Potwora z Rzymu, chcę, żebyś mi zdobył kopie raportów policyjnych.

– Nie wystarcza ci to, co piszą gazety?

– Chciałbym znać również szczegóły, które nie są podawane prasie.

Oghi wybuchnął śmiechem.

– Śledztwo powierzono zastępcy komendanta, a Moro to istny buldog z Centralnego Biura Śledczego, do którego nie ma dostępu.

– Dlatego właśnie przyszedłem do ciebie. – Erriaga uśmiechnął się złośliwie.

– Tym razem nawet ja jestem bezsilny. Przykro mi.

Filipińczyk pokręcił głową i cmoknął kilka razy.

– Sprawiasz mi zawód, mój przyjacielu, myślałem, że jesteś potężniejszy.

156

– No cóż, myliłeś się. Są osoby, do których nie mogę dotrzeć.

– Pomimo twoich znajomości i układów? – Erriaga cieszył się za każdym razem, gdy mógł przypomnieć innym, jak bardzo są fałszywi i małostkowi.

– Pomimo moich znajomości i układów – odparł bez cienia strachu Oghi, starając się okazywać pewność siebie.

Erriaga odwrócił się w stronę dużego lustra nad umywalkami. Wlepił wzrok w odbicie tamtego.

– Ilu masz wnuków? Jedenaścioro, dwanaścioro?

– Dwanaścioro – potwierdził niechętnie biznesmen.

– Śliczna duża rodzina, gratuluję. Powiedz mi, ile mają lat twoje wnuki?

– Najstarszy skończył szesnaście. Dlaczego pytasz?

– Co by powiedział na wieść, że jego dziadziuś zabawia się z dziewczynkami w jego wieku?

Oghi był wściekły, ale musiał zachować spokój. Był na straconej pozycji.

– Znowu ta historia… Ile razy się nią jeszcze posłużysz, Erriaga?

– Już dawno temu postanowiłem z tym skończyć. Ale zdaje się, że ty wcale tego nie chcesz, mój przyjacielu. – Filipińczyk odwrócił się znowu w jego stronę. – Oglądałem zdjęcia z twoich ostatnich wakacji w Bangladeszu. Wyszedłeś na nich wyśmienicie, trzymając za rączkę tę małolatę. Znam też adres kobiety, która mieszka tu, na przedmieściu, i w każdy czwartek po południu pozwala ci się spotykać z jej córką. A może pomagasz tej małej odrabiać lekcje?

Oghi chwycił go za kołnierz.

– Nie pozwolę ci więcej na taki szantaż.

– Mylisz się, ja nigdy nikogo nie szantażuję. Biorę tylko to, do czego mam prawo. – Erriaga ujął spokojnie jego rękę i uwolnił się od niej. – Ale pamiętaj, znam cię lepiej, niż ty sam znasz siebie. Choćbyś miał się złościć, zrobisz dokładnie to, o co proszę. Ponieważ wiesz, że nie obnażę twoich sprawek teraz.

Wiesz, że zostawię cię w spokoju i zaczekam do następnego razu, jak znowu dotkniesz jakiejś nastolatki, i dopiero wtedy powiem wszystko prasie. Powiedz mi, mój przyjacielu, jesteś zdolny oprzeć się pokusom?

Tommaso Oghi nie odpowiedział.

– Nie to cię martwi, że stracisz twarz, ale obawa, że nie będziesz mógł więcej robić tego, co tak ci się podoba... Mam rację? – Battista Erriaga podniósł z podłogi czapkę, która upadła mu przed chwilą. Wcisnął ją na głowę. – Wiesz, że po śmierci twoja dusza pójdzie do piekła. Ale dopóki jesteś tutaj, należy tylko do mnie.

5

Operacja Tarcza została wykryta przez media.

W ciągu następnych godzin po podwójnym zabójstwie dziennikarze zasypali ciężkimi zarzutami Centralne Biuro Śledcze, a w szczególności zastępcę komendanta. Oskarżano ich o podjęcie nieodpowiednich działań, w powietrzu latały takie określenia, jak „niekompetencja" i „nieskuteczność". W opinii publicznej współczucie z powodu śmierci dwojga policjantów ustąpiło miejsca rosnącej wściekłości.

Istniała obawa, że może to wpłynąć na postawę społeczeństwa. Potwór z Rzymu wygrywał ten mecz.

Moro doszedł do wniosku, że musi odwołać tę operację, żeby uniknąć kolejnych dyskusji. Potem zabarykadował się na komendzie ze swoimi najwierniejszymi podwładnymi, żeby wspólnie szukać nowego pomysłu na śledztwo.

– Co się dzieje? – W pytaniu Maxa kryła się obawa. – Nie narażasz się na niebezpieczeństwo, prawda?

– Nie wierz dziennikom telewizyjnym – odparła Sandra. – Nie wiedzą, co mówią, starają się tylko sprzedać widzom informacje, więc używają alarmistycznych tonów. – Miała świadomość, że to stwierdzenie nie jest w pełni wiarygodne, ale nie znała lepszego sposobu, żeby go uspokoić.

– Kiedy wrócisz do domu?

– Gdy tylko zakończymy robotę. – To także było kłamstwo.

W rzeczywistości nie mieli wiele materiału, nad którym musieliby pracować, po prostu analizowali na nowo elementy sprawy, szukając sprawców przestępstw seksualnych, których należało przesłuchać. Co do całej reszty zaś błądzili po omacku.

– Dobrze się czujesz?

– Tak.

– Nieprawda, Vega. Słyszę to w twoim głosie.

– Masz rację – przyznała. – Chodzi o śledztwo. Nie byłam przyzwyczajona do takiej przemocy.

– Od paru dni unikasz mojego wzroku.

– Przykro mi, ale w tej chwili nie mogę o tym rozmawiać. – Żeby wykonać ten telefon, wymknęła się do holu. Trudno jej już było wytrzymać towarzystwo innych i starała się znaleźć trochę prywatności, wykorzystując to, że budynek komendy opróżnił się częściowo z nadejściem wieczoru. Teraz jednak żałowała, że zadzwoniła do Maxa. Bała się, że on domyśli się głównego powodu, dla którego tak się czuła. – Nie mogę być zawsze na pełnych obrotach. Rozumiesz to, prawda?

– W takim razie dlaczego nie odpuścisz?

Już o tym rozmawiali. Był zdania, że gdyby Sandra zmieniła pracę, rozwiązałoby to wszystkie problemy. Wręcz nie potrafił zrozumieć, jak można zgadzać się na to, żeby tkwić ciągle między zbrodniarzami a ich ofiarami.

– Ty masz szkołę, lekcje historii, swoich uczniów… Ja mam właśnie to – odpowiedziała, starając się zachować cierpliwość.

– Szanuję to, co robisz, chcę tylko powiedzieć, że mogłabyś rozważyć myśl o innym życiu. To wszystko.

Po części miał rację, Sandra była zbyt zaangażowana w swoją pracę. Czuła ten ciężar w głębi brzucha, jakby zagnieździł się w nim wielki pasożyt, który odbierał jej siły, rewanżując się mnóstwem strapień.

– Kiedy zmarł mój mąż, wszyscy mówili mi, że powinnam zmienić zawód. Moja rodzina, przyjaciele. A ja byłam na tyle uparta, żeby im odpowiedzieć, że dam sobie radę. W rzeczywistości jednak w ciągu tych trzech lat starałam się unikać najbardziej przerażających przypadków. A kiedy mi się nie udawało, ukrywałam się za obiektywem aparatu. W rezultacie ostatnio chciałam jak najprędzej uciec od widoku krwi i nie wykonałam swojej pracy tak, jak powinnam, i dlatego nie zauważyłam od razu, że Diana Delgaudio jeszcze żyje. To była moja wina, Max. Byłam tam, ale wyglądało to tak, jakbym była nieobecna.

Max westchnął do słuchawki.

– Kocham cię, Vega, i wiem, że mogłabyś mi zarzucić egoizm, muszę ci jednak powiedzieć, że ty ciągle się przed czymś ukrywasz. Nie wiem, przed czym, ale wciąż to robisz.

Sandra zdawała sobie sprawę, że Max mówi to wszystko dla jej dobra, ponieważ szczerze martwił się o ich wspólną przyszłość.

– Być może masz rację, rzeczywiście trochę przesadzam. Obiecuję ci, że jak ta historia się skończy, porozmawiamy o tym.

Jej słowa wystarczyły, żeby się rozpogodził.

– Wracaj prędko do domu, czekam na ciebie.

Rozłączyła się, ale pozostała na miejscu, wpatrując się w komórkę w swej dłoni. Naprawdę dobrze się czuła? Tym razem to nie Max, ale ona postawiła to pytanie. I podobnie jak wcześniej nie potrafiła odpowiedzieć jemu, również teraz nie była w stanie zrobić tego wobec siebie samej.

Dzień był bardzo długi i zrobiło się późno. Mimo to nikt z oddziału Mora nie opuściłby budynku, nie oddając wszystkiego śledztwu, które teraz obejmowało też dwoje zamordowanych kolegów.

Już miała ruszyć do windy, żeby wrócić do centrum operacyjnego grupy specjalnej, kiedy zauważyła, że w holu, na jednym z plastikowych krzeseł przeznaczonych dla gości, wciąż siedzi matka Giorgia Montefioriego. Zachowywała godną, wyczekującą postawę. I nadal trzymała na kolanach plastikową torbę, którą kilka godzin wcześniej próbowała wręczyć zastępcy komendanta.

Sandra odwróciła się do niej plecami, obawiając się, że kobieta widziała ją wcześniej w towarzystwie Mora i teraz zwróci się do niej. Nacisnęła przycisk windy. Ale kiedy drzwi otworzyły się przed nią, nie weszła do środka. Drzwi się zamknęły, a Sandra odwróciła się i skierowała w stronę kobiety.

– Dobry wieczór, pani Montefiori, nazywam się Sandra Vega, współpracuję z grupą specjalną. Mogę pani w czymś pomóc?

Kobieta bez wielkiego przekonania ścisnęła wyciągniętą do niej rękę, być może nie wierząc w to, że ktoś wreszcie ją wysłucha.

– Rozmawiałam z kilkoma pani kolegami, prosili, żebym zaczekała, ale ja nie mogę czekać – powiedziała.

Mówiła dziwnie otępiałym głosem. Sandra obawiała się, że w każdej chwili może stracić przytomność.

– Bar w komendzie jest już zamknięty, ale są dystrybutory. Może by pani coś zjadła?

Kobieta wzięła głęboki oddech.

– To straszne stracić syna.

Jej słowa wydały się Sandrze bez związku, ale kobieta wyjaśniła:

– Ale kiedy nikt nie mówi prawdy, jest to przede wszystkim męczące. – W jej spojrzeniu widać było rozgoryczenie, a także jasną świadomość. – Męczące jest wstawanie rano z łóżka, męczące jest chodzenie, nawet pójście do łazienki lub po prostu spojrzenie na ścianę. Uwierzyłaby mi pani, gdybym powiedziała, że kiedy na panią patrzę, męczy mnie otwieranie i zamykanie oczu?

– Tak, wierzę pani.

– Wiec niech mnie pani nie pyta, czy potrzebuję coś zjeść, a za to wysłucha, co mam pani do powiedzenia.

Sandra zrozumiała: ta matka nie potrzebuje współczucia, ale uwagi.

– Dobrze, jestem tutaj, proszę mówić.

Kobieta wskazała plastikową torbę.

– Popełniono błąd.

– Jaki błąd? Nie rozumiem…

– Prosiłam, żeby mi zwrócono osobiste rzeczy Giorgia.

– Tak, wiem o tym. – Sandra zapamiętała pakunki owinięte jak w pralni przezroczystą folią, w których złożono ubrania Diany i jej chłopaka. Pokazywał je Moro, informując ją, że matka Giorgia nalegała, żeby zwrócono jej rzeczy należące do syna. Ocenił to zachowanie jako jeden z wielu absurdów wywołanych cierpieniem.

– Sprawdziłam – powiedziała kobieta, otwierając torbę, żeby pokazać znajdującą się w niej białą koszulę. – Ona nie należy do mojego syna. Daliście mi koszulę kogoś innego.

Sandra przyjrzała się. To była koszula, którą widziała, rzuconą razem z innymi ubraniami na tylne siedzenie samochodu, podczas fotograficznego dokumentowania zabójstwa.

Kobieta upierała się jednak.

– Może to koszula innego zmarłego chłopca, a jego matka zadaje sobie teraz pytanie, co się stało z koszulą jej syna.

Sandra chciałaby jej powiedzieć, że nie ma żadnego innego martwego chłopca ani innej zrozpaczonej matki. To, co cierpienie czyniło z tą kobietą, było czymś straszliwym, toteż starała się okazać cierpliwość.

– Jestem pewna, że nie popełniono żadnego błędu, proszę pani.

Mimo to pani Montefiori wyjęła koszulę z torby.

– Niech pani popatrzy tutaj: ona ma rozmiar M, a Giorgio nosił L. – Potem pokazała rękaw. – Poza tym nie ma jego inicjałów na mankiecie. Wszystkie koszule mojego syna mają inicjały, sama je haftuję.

Powiedziała to z bardzo poważną miną. W innych okolicznościach Sandra pomyślałaby, żeby się jej pozbyć uprzejmie, ale stanowczo. Teraz jednak uderzyło ją nagłe przeczucie, po jej plecach przebiegł dreszcz. A jeśli nie chodziło o błąd?

Istniało tylko jedno wyjaśnienie tej dziwnej sytuacji.

♦　♦　♦

Wbiegła do sali odpraw grupy specjalnej i skierowała się natychmiast do tablicy, na której wypisano najważniejsze elementy sprawy. Sięgnęła po pisak i napisała:

Po popełnieniu zabójstwa zmienia ofierze ubranie.

Moro, który siedział z nogami na blacie biurka, uniósł się i spojrzał na nią pytająco. Również inni obecni nie rozumieli, co się dzieje.

– Skąd się o tym dowiedziałaś? – spytał.

Sandra pokazała mu plastikową torbę z koszulą.

– Przyniosła ją matka Giorgia Montefioriego. Mówi, że to nie jest koszula jej syna. Uważa, że popełniono błąd, i ma rację; tylko że to nie my go popełniliśmy. – To odkrycie ją zelektryzowało. – Przekazaliśmy jej koszulę znalezioną w samochodzie młodej pary pod Ostią, ale zamiany dokonano wcześniej; było ciemno i morderca zabrał koszulę Giorgia, myśląc, że bierze swoją. Da się to wyjaśnić tylko w jeden sposób…

– On się rozbiera na miejscu zbrodni – powiedział Moro. Poczuł, że rośnie w nim nowa nadzieja, usuwając przygnębienie, które trapiło go przez cały dzień. – Być może robi to, na wypadek gdyby pobrudził się krwią, żeby później nie wpaść komuś w oko.

– Właśnie – rzuciła z promiennym uśmiechem Sandra. Ale ten środek ostrożności, stosowany przez innych morderców, w tym przypadku pociągał za sobą nieoczekiwany skutek. – Więc jeżeli ta koszula rzeczywiście należy do zabójcy…

Moro ją uprzedził.

– To są na niej ślady, które pozwolą ustalić jego DNA.

6

Czekał na ulicy, aż ktoś odnajdzie zwłoki Cosma Barditiego.

W końcu makabrycznego odkrycia dokonała jedna z dziewczyn, które pracowały w lokalu. Zaczajony parę kroków od wejścia do SX Marcus usłyszał jej krzyk i oddalił się.

Powinien teraz podjąć trop, jakim podążał jego informator, w przeciwnym razie zarówno uratowanie mu życia przed laty, jak i jego dzisiejsza śmierć pozostaną bezcelowe.

Ale co tak ważnego odkrył Cosmo, że naraził własne życie?

Po południu Marcus wrócił do swego mieszkania na poddaszu przy via dei Serpenti. Musiał uporządkować myśli. A w skroniach czuł ukłucia ostrej migreny. Wyciągnął się na polówce. Bolała go głowa w miejscu, w które został uderzony, czuł też z powodu narkotyku zażytego przed imprezą ucisk w żołądku, a od czasu do czasu miał wrażenie, że będzie wymiotował.

Ściany przypominającego celę pokoju były gołe, z wyjątkiem zdjęcia umocowanego małym gwoździem: było to ujęcie kamery ochrony, na którym został utrwalony domniemany zabójca zakonnicy w ogrodach watykańskich. Mężczyzna z szarą torbą na ramieniu, którego Marcus poszukiwał bez powodzenia przez cały rok.

Hic est diabolus.

Marcus zawiesił je tu, żeby nie zapomnieć. Ale teraz zamknął oczy i pomyślał o Sandrze.

Chciałby z nią znowu porozmawiać. Czy kiedykolwiek był z kobietą? Nie pamiętał. Clemente wyjawił mu, że jego śluby odbyły się wiele lat temu w Argentynie, gdy był jeszcze chłopcem. Ciekawe, co się odczuwa, gdy ktoś nas kocha i pragnie być blisko nas?

Zasnął przy tych rozmyślaniach. Potem coś mu się przyśniło i przekręcił się na łóżku. Sen się powtarzał i był ciągle taki sam. Kiedy wydawało się, że już się skończył, zaczynał się od nowa. Pojawiał się w nim cień nieznanego człowieka z aparatem fotograficznym, oddalającego się w ogrodzie willi przy via Appia Antica. Gdy Marcus miał go już dogonić i spojrzeć mu w twarz, za każdym razem otrzymywał uderzenie w głowę. Tej nocy śmierć wysłała mu ostrzeżenie. Tej nocy śmierć miała na nogach niebieskie buty.

◆ ◆ ◆

Kiedy otworzył oczy, było już ciemno.

Podciągnął się i spojrzał na zegarek. Minęła dwudziesta trzecia. Ból głowy przeszedł, więc poczuł się trochę lepiej.

Wziął błyskawiczny prysznic w małej łazience. Powinien coś zjeść, ale nie był głodny. Włożył czyste ubranie, w ciemnym kolorze, jak wszystkie rzeczy, które przechowywał w otwartej walizce na podłodze.

Powinien udać się w pewne miejsce.

Pod cegłą na poddaszu ukrywał pieniądze, które dawał mu Clemente. Używał ich na swoje misje; mało na siebie wydawał. Nie miał wielkich potrzeb.

Odliczył dziesięć tysięcy euro i wyszedł.

Pół godziny później stanął pod drzwiami domu Cosma Barditiego. Nacisnął dzwonek i czekał. Zauważył cień w wizjerze. Nikt go nie zapytał, kim jest i czego sobie życzy. Marcus miał jednak świadomość, że po drugiej stronie drzwi stoi towarzyszka życia tego człowieka. Było rzeczą zrozumiałą, że może być zaniepokojona wizytą o tej porze.

– Jestem przyjacielem Cosma – skłamał, bo przecież nigdy się nie zaprzyjaźnili. – Trzy lata temu uratowałem mu życie.

Informacja ta mogła przełamać nieufność kobiety, ponieważ chodziło o coś, o czym wiedział tylko on i Cosmo. Miał nadzieję, że mężczyzna podzielił się tym sekretem ze swoją przyjaciółką.

Kobieta wahała się jeszcze przez chwilę, ale potem przekręciła zamek i pokazała się w uchylonych drzwiach. Miała długie włosy, które opadały jej na ramiona, i jasne oczy, zaczerwienione od płaczu.

– Mówił mi o panu – powiedziała. W dłoni ściskała chusteczkę zwiniętą w kulkę. – Cosmo nie żyje.

– Wiem – odparł Marcus. – Właśnie dlatego tu jestem.

Młoda kobieta poprowadziła go do kuchni. Reszta mieszkania pogrążona była w mroku. Poprosiła go o zachowanie ciszy, żeby nie zbudzić dziewczynki. Usiedli przy stole, przy którym rodzina spożywała posiłki. Nisko nad nim wisiał żyrandol rzucający ciepłe i przyjemne światło.

Kobieta zaproponowała kawę, ale Marcus podziękował.

– Mimo to zaparzę panu – powiedziała. – Może jej pan nie pić, jeśli pan nie chce, ale ja po prostu nie mogę siedzieć bezczynnie.

– Cosmo nie odebrał sobie życia – zaczął, kiedy odwróciła się do niego plecami. Dostrzegł, jak zastygła bez ruchu. – Zabili go, ponieważ mi pomagał.

Kobieta nie odpowiedziała. Dopiero po dłuższej chwili zapytała:

– Kto to był? Dlaczego? On nigdy nie zrobił nic złego, jestem tego pewna.

Niewiele brakowało, a rozpłakałaby się. Marcus miał nadzieję, że tego nie zrobi.

– Nie mogę powiedzieć pani nic więcej. Chodzi o bezpieczeństwo pani i dziecka. Musi mi pani zaufać. Najlepiej, żeby wiedziała pani jak najmniej o tej sprawie.

Chciał, żeby zareagowała, żeby zaczęła mu wymyślać, żeby go przepędziła. Ale nie zrobiła tego.

– Był zaniepokojony – przyznała przyciszonym głosem. – Wczoraj po powrocie do domu powiedział mi, żebym się spakowała. Kiedy poprosiłam go o wyjaśnienie, zaczął mówić o czymś innym. – Podczas gdy ekspres syczał na gazie, odwróciła się do Marcusa. – Jeżeli czuje się pan winny jego śmierci, to nie powinien pan. Dzięki panu Cosmo żył trzy lata dłużej. Trzy lata na to, żeby się zmienić, zakochać i doczekać córki. Myślę, że na jego miejscu każdy wybrałby taki los.

Marcus uznał, że to dla niego słaba pociecha.

– Być może zginął całkiem bez powodu, dlatego tu jestem... Nie zostawił pani niczego dla mnie? Wiadomości, numeru telefonu, czegokolwiek...

Kobieta pokręciła głową.

– Wczoraj wieczorem wrócił bardzo późno. Powiedział mi, żebym się spakowała, ale nie dodał, dokąd mamy się udać. Mieliśmy wyruszyć dziś rano. Myślę, że chciał wyjechać za granicę, przynajmniej tak się domyślam. Został w domu tylko godzinę. Położył córeczkę do łóżka, miał dla niej świeżo kupioną książeczkę z bajkami. Wydaje mi się, że w głębi serca wiedział, że może jej więcej nie zobaczyć, i dlatego zrobił jej ten prezent.

Słuchając jej opowieści, Marcus poczuł dziwną niemoc i złość. Musiał zmienić temat.

– Czy Cosmo miał komórkę?

– Tak, ale policja nie znalazła jej w jego biurze. Nie było jej również w samochodzie.

Zanotował w myśli tę informację. Zniknięcie komórki przydawało wiarygodności podejrzeniu o morderstwo.

Cosmo musiał zadzwonić do kogoś, kto przekazał mu informację. Kto to mógł być?

– Pan uratował Cosma, Cosmo uratował mnie – powiedziała kobieta. – Myślę, że istnieje coś takiego, że jeśli ktoś zrobi dobry uczynek, to potem on się powtarza.

Marcus chciałby potwierdzić, że tak jest rzeczywiście, ale przyszło mu na myśl, że tak jest tylko ze złem. Mnoży się jak echo. Cosmo Barditi dziś był niewinny, ale zapłacił rachunek za złe uczynki popełnione w przeszłości.

– Tak czy owak, musicie wyjechać – powiedział. – Tutaj nie jest bezpiecznie.

– Ale ja nie wiem dokąd i nie mam pieniędzy! Cosmo zainwestował wszystko w ten lokal, a interes szedł niezbyt dobrze.

Marcus położył na stole dziesięć tysięcy euro, które zabrał z poddasza.

– Powinny wystarczyć na jakiś czas.

Kobieta spojrzała na plik banknotów. A potem zaniosła się cichym płaczem. Marcus pomyślał, że powinien podejść do niej i ją objąć, ale nie wiedział, jak wykonuje się pewne gesty. Stale widywał ludzi, którzy wymieniali serdeczności i okazywali sobie współczucie, ale sam nie był do tego zdolny.

Ekspres na gazie zaczął buchać parą, znak, że kawa się zaparzyła. Kobieta nie zdjęła go jednak z ognia. Marcus podniósł się i sam to zrobił.

– To ja może już pójdę.

Kiwnęła głową, nie przestając szlochać, a on ruszył do wyjścia. Pokonując z powrotem korytarz, zauważył lekko przymknięte drzwi, zza których dobywało się słabe niebieskie światło. Podszedł do nich.

Pogrążony w półcieniu pokój oświetlała łagodną poświatą lampa w kształcie gwiazdy. W łóżeczku spała spokojnie jasnowłosa dziewczynka. Leżała na boku ze złożonymi rękami, w ustach miała smoczek. Odrzuciła na bok kołderkę. Marcus podszedł i naciągnął ją z powrotem gestem, którego nie spodziewał się po sobie.

Przez chwilę przyglądał się jej, zadając sobie pytanie, czy jest to może nagroda za to, że kilka lat temu uratował Cosma

Barditiego. Że w gruncie rzeczy to nowe życie było też jego zasługą.

Zło jest regułą. Dobro jest wyjątkiem.

A zatem on nie miał z tym nic wspólnego. Postanowił wyjść natychmiast z tego mieszkania, ponieważ czuł się tu obco, nie na swoim miejscu.

Ale właśnie w chwili, gdy miał zrobić krok w kierunku drzwi, jego wzrok padł na okładkę książeczki leżącej na półce. Była to bajka, którą Cosmo Barditi podarował córce poprzedniego wieczoru. Gdy przeczytał tytuł, poczuł się, jakby dostał obuchem w głowę.

Nadzwyczajna historia chłopca ze szkła.

Clemente udzielił mu trzeciej lekcji w parne letnie popołudnie. Umówili się na piazza Barberini i stamtąd ruszyli na piechotę ulicą o tej samej nazwie, a następnie zagłębili się w uliczki prowadzące do fontanny di Trevi.

Przecisnęli się z trudem przez tłum turystów, którzy gromadzili się wokół jej basenu z zamiarem zrobienia zdjęć i wrzucenia do wody drobnych monet na znak uszanowania dla tradycyjnego rytuału, zgodnie z którym ten, kto go dopełnił, miał powrócić do Rzymu.

Podczas gdy ludzie podziwiali Wieczne Miasto, pozwalając się porwać jego urokom, Marcus przyglądał się im, świadom własnej obcości wobec reszty rodzaju ludzkiego. Jego los przypominał cienie migające po ścianach, tak jakby chciały uciec przed światłem słonecznym.

Tego dnia Clemente wydawał się bardziej pogodny. Pokładał wielką nadzieję w szkoleniu i był pewien, że Marcus już niebawem będzie gotowy do podjęcia misji.

Ich spacer zakończył się przed barokowym kościołem San Marcello al Corso, którego wklęsła fasada zdawała się brać wiernych w swoje objęcia.

— Ten kościół kryje w sobie wielką naukę — oświadczył Clemente.

Przy wejściu owiał ich niespodziewany chłód. Wyglądało to tak, jakby marmur oddychał. Wnętrze nie było zbyt duże i składało się z nawy głównej, od której odchodziło po pięć kaplic bocznych z każdej strony.

Clemente skierował się w stronę ołtarza w głębi, nad którym górował wspaniały krucyfiks z ciemnego drewna, pochodzący z czternastowiecznej szkoły sieneńskiej.

– Popatrz na tego Chrystusa – powiedział. – Piękny, prawda?

Marcus przytaknął. Nie był jednak pewien, czy Clemente ma na myśli piękno dzieła sztuki, czy też, będąc księdzem, duchowe przesłanie tego symbolu.

– Mieszkańcy Rzymu uważają, że ten krucyfiks ma cudowne właściwości. Musisz wiedzieć, że kościół w tym kształcie, w jakim widzimy go dzisiaj, został zrekonstruowany po pożarze, który strawił go nocą dwudziestego trzeciego maja tysiąc pięćset dziewiętnastego roku. Jedyną rzeczą, która uratowała się z płomieni, był Chrystus, którego widzisz na ołtarzu.

Opowieść poruszyła Marcusa i zaczął inaczej patrzeć na dzieło.

– Ale to nie wszystko – ciągnął Clemente. – W roku tysiąc pięćset dwudziestym drugim na Rzym spadła zaraza, zabijając setki osób. Ludzie przypomnieli sobie wtedy o cudownym krucyfiksie i postanowili ponieść go w procesji ulicami miasta, pomimo sprzeciwu władz, które bały się, że z powodu nagromadzenia osób epidemia rozszerzy się jeszcze bardziej. – Clemente zamilkł na chwilę. – Procesja trwała szesnaście dni i zaraza zniknęła z Rzymu.

Wysłuchawszy zaskakującej opowieści przyjaciela, Marcus nie był w stanie wymówić słowa, zauroczony mistyczną potęgą tego kawałka drewna.

– Zaczekaj, jest jeszcze coś – dodał Clemente. – Z dziełem związana jest też inna historia... Przyjrzyj się dobrze twarzy tego Chrystusa cierpiącego na krzyżu.

Oblicze oddawało ból w sposób wyjątkowo żywy. Można było niemal wyczuć emanujące z drewna cierpienie. Oczy, usta i bruzdy na czole wiernie oddawały dramatyzm śmierci.

Clemente zrobił poważną minę.

– Artysta, który wykonał tę rzeźbę, pozostał anonimowy. Ale powiadają, że przenikała go wielka wiara i chciał podarować chrześcijanom dzieło, które byłoby zdolne poruszać serca i zarazem wywierać wrażenie swoim realizmem. Z tego powodu stał

się zabójcą. Wybrał na modela biednego węglarza, a potem go zamordował, ale bardzo powoli, żeby pojąć malujące się na jego twarzy cierpienie w trakcie umierania.

– Dlaczego opowiedziałeś mi obie te historie? – spytał Marcus, wyczuwając cel przyświecający przyjacielowi.

– Ponieważ ludzie przez stulecia zabawiali się przypominaniem i jednej, i drugiej. Oczywiście, ateiści woleli tę bardziej makabryczną. Wierzącym podobała się ta pierwsza... ale nie pogardzali również tą drugą, ponieważ natura ludzka ma tę właściwość, że przyciąga ją tajemny urok złych uczynków. Rzecz jednak w tym, której z nich ty dałbyś wiarę?

Marcus zastanawiał się przez chwilę.

– Powinieneś zapytać mnie raczej: czy z niegodziwości może narodzić się coś dobrego?

Clemente wydawał się zadowolony z odpowiedzi.

– Kategorie dobra i zła nigdy nie są dokładnie określone. Często trzeba dopiero ustalić, czym jest jedno, a czym drugie. Ostateczny sąd zależy od nas.

– Zależy od nas – powtórzył Marcus, jakby przyswajając sobie te słowa.

– Kiedy będziesz się przyglądał miejscu zbrodni, nawet takiemu, na którym przelano niewinną krew, nie będziesz mógł zatrzymać się tylko na pytaniach „kto" i „dlaczego". Będziesz musiał wyobrazić sobie przeszłość sprawcy morderstwa, która doprowadziła go aż do tego miejsca, nie pomijając tego, kto go kocha albo kochał wcześniej. Będziesz musiał przedstawić go sobie, jak się śmieje i jak płacze, kiedy jest szczęśliwy albo smutny. Ujrzeć go jako dziecko w ramionach matki. I jako dorosłego, kiedy robi zakupy albo wsiada do autobusu, kiedy śpi i kiedy siedzi przy posiłku. I kiedy kocha. Ponieważ nie istnieje człowiek, nawet najbardziej straszliwy, który nie byłby zdolny doświadczyć tego uczucia.

Marcus zrozumiał sens tej lekcji.

– Aby schwytać złoczyńcę, trzeba pojąć, co robi, żeby zaspokoić potrzebę miłości.

7

Zastępca komendanta Moro jechał wschodnią obwodnicą, siedząc za kierownicą nieoznakowanego radiowozu.

Był to jeden z pojazdów zwanych przez włoskich policjantów puszczykami, którymi posługiwali się do śledzenia podejrzanych. Często były to auta skonfiskowane, używane wcześniej do popełniania przestępstw. Oddawano je do dyspozycji różnych komend rejonowych.

Ten, którym jechał Moro, należał kiedyś do handlarza narkotyków. Wydawało się, że to zwykła limuzyna jak wiele innych, miała jednak wzmocniony silnik i podwójną podłogę: w powstałej w ten sposób szczelinie agenci celni odkryli ładunek pięćdziesięciu kilogramów czystej kokainy.

Moro zapamiętał tę podwójną podłogę i twierdził nawet, że idealnie nadaje się do przewożenia różnych rzeczy, tak żeby nie rzucały się w oczy.

Opuścił budynek policji przy via San Vitale boczną bramą, żeby uniknąć spotkania z reporterami. Polowali na niego, domagając się oświadczeń, i zarazem oskarżali go o śmierć dwojga funkcjonariuszy. Zwykle nie przywiązywał wagi do polemik, w trakcie swej błyskotliwej kariery nieraz potykał się o media i stawał przedmiotem prasowych dyskusji. Była to cena, jaką musiał płacić za popularność, choć zarazem zdawał sobie sprawę, że naraża na szwank swoją godność osobistą.

Tym razem jednak było inaczej. Gdyby dziennikarze odkryli to, co za wszelką cenę starał się przed nimi ukryć, zapłaciłby bardzo wysoki rachunek.

Rzymski poranek rozświetlało blade, migotliwe słońce, ale nie robiło się cieplej. Ruch przebiegał w zwolnionym tempie. Istnieją rzeczy, których znajomość może okazać się niebezpieczna, rozmyślał Moro, obserwując twarze osób w stojących w korku samochodach. Są i takie, o których lepiej w ogóle nie wiedzieć. Ci ludzie niczego by nie zrozumieli. Niech sobie żyją w pokoju, nie trzeba zakłócać ich egzystencji historiami, których nawet on nie był w stanie wytłumaczyć.

◆ ◆ ◆

Zastępca komendanta poświęcił prawie godzinę na dotarcie do miejsca przeznaczenia – wielkiego betonowego budynku stojącego pośrodku innych identycznych bloków, zbudowanego w okresie, w którym niektóre strefy miasta padały łupem spekulantów budowlanych.

Zaparkował w bocznej uliczce. Przy wejściu czekał już jeden z jego ludzi w cywilnym ubraniu i jak tylko go zobaczył, ruszył mu naprzeciw. Moro wręczył mu kluczyki do samochodu.

– Wszyscy są na górze – powiedział policjant.

– Dobrze – odparł Moro, ruszając w stronę drzwi.

Wsiadł do ciasnej windy i nacisnął przycisk jedenastego piętra. Dotarłszy na górę, znalazł właściwe drzwi i zadzwonił. Otworzył mu technik w białym kombinezonie.

– Na jakim jesteście etapie? – spytał Moro.

– Prawie skończyliśmy.

Moro wszedł do środka. W powietrzu unosiły się ostre zapachy, można było rozpoznać wyziewy odczynników chemicznych używanych przez laboratorium kryminalistyczne, ale spod nich dobywała się nieomylnie, niczym stała warstwa, stęchła woń papierosów i zamkniętego pomieszczenia.

Mieszkanie było niezbyt duże i mroczne. Rozciągało się wzdłuż wąskiego korytarza, na który wychodziły cztery pokoje. Przy wejściu stała szafka z lustrem, w rogu wieszak pełen wierzchnich okryć.

Moro zatrzymywał się przy drzwiach do kolejnych pokoi. W pierwszym urządzono gabinet. Znajdowała się tu biblioteka z dziełami poświęconymi anatomii i medycynie, a także przykryte stronicami gazet biurko, na którym pysznił się model trójmasztowego żaglowca do wykończenia, leżały też kleje i pędzelki, a nad wszystkim unosiła się lampa na teleskopowym wysięgniku.

Na regałach, ale i w innych miejscach, także na podłodze, rozstawione były małe modele samolotów, statków i pociągów. Moro rozpoznał model Havillanda DH.95 Flamingo z drugiej wojny światowej ze znakami RAF-u, fenicki okręt z dwoma rzędami wioseł i jedną z pierwszych lokomotyw elektrycznych.

Wszystkie modele pokrywała gruba warstwa kurzu, a cały pokój robił wrażenie cmentarzyska wraków. I prawdopodobnie pełnił taką funkcję: po zbudowaniu kolejnych eksponatów ich twórca przestawał się nimi interesować. Nie miał nikogo, komu mógłby pokazać swoje dzieło, rozmyślał Moro, przyglądając się popielniczkom pełnym niedopałków. Czas i samotność sprzymierzyły się tutaj, dowodem na to były te pety.

W pokoju krzątali się technicy kryminalni, ustawiając wokół porzuconych wraków lampy ultrafioletowe i oprzyrządowanie fotograficzne. Można było odnieść wrażenie, że asystują scenie katastrofy w miniaturze.

W kuchni dwaj inni opróżniali i katalogowali zawartość przeszło trzydziestoletniej lodówki. Także tu panował nieporządek, który wydawał się nawarstwiać z upływem lat.

W trzecim pomieszczeniu znajdowała się łazienka. Białe kafelki, pożółkła wanna, sedes, obok którego leżał stos czasopism i kilka rolek papieru toaletowego. Nad umywalką półka, a na niej pianka i maszynka do golenia.

Moro, po nieudanym pierwszym małżeństwie, również żył samotnie. Mimo to zadawał sobie pytanie, jak można tak się zapuścić.

– Astolfi był samotnikiem, a jego mieszkanie to obrzydlistwo.

Te słowa powiedział komisarz Crespi. On kierował tym przeszukaniem.

Moro się odwrócił.

– Wyłączył pan Vegę?

– Tak. Kiedy mnie pan o to poprosił, powiedziałem jej, że nie znaleźliśmy w tym mieszkaniu nic ważnego. Zasugerowałem jej, że Astolfi stracił głowę i zabrał tamten dowód z miejsca zbrodni w przypływie czegoś w rodzaju szaleństwa, nie mając w tym żadnego celu.

– Dobrze – pochwalił go Moro, chociaż nie był do końca przekonany, czy Sandra Vega przyjęła to wyjaśnienie bez stawiania sobie pytań. Była wystarczająco bystra i prawdopodobnie się nim nie zadowoliła. Być może jednak ta wersja faktów uspokoi ją na jakiś czas. – A co o Astolfim mówią sąsiedzi?

– Niektórzy nie wiedzieli nawet, że nie żyje.

Pogrzeb odbył się właśnie tego ranka, ale nikt nie wziął w nim udziału. Smutna sprawa, pomyślał Moro. Nikt nie przejął się śmiercią lekarza sądowego. Ten człowiek stworzył wokół siebie pustkę. Świadomie zachowywał dystans, wzmacniając go z biegiem lat brakiem zainteresowania. Jedynymi istotami ludzkimi, z jakimi zachowywał jakiś kontakt, były zwłoki, których sekcję przeprowadzał na stole do autopsji. Ale sądząc po miejscu zamieszkania, dołączył do tej milczącej gromady na długo przed samobójstwem.

– Sporządził testament? Komu przypadnie to, co posiadał?

– Nie pozostawił żadnych rozporządzeń i nie miał krewnych – wyjaśnił Crespi. – Jest pan w stanie wyobrazić sobie podobne osamotnienie?

Nie, Moro nie potrafił przedstawić sobie tego rodzaju sytuacji. Ale już wcześniej natknął się na dowody, że tacy ludzie istnieją. Kilkakrotnie oglądał mieszkania podobne do tego i spotykał osoby posiadające dar niewidzialności. Zauważano je dopiero jakiś czas po śmierci, kiedy zapach ich zwłok docierał do mieszkań sąsiadów. Gdy jednak ta woń się rozwiała, nie pozostawało po nich nic i mogły na nowo stać się anonimowe, tak jakby nigdy nie istniały.

Natomiast Astolfi coś po sobie zostawił. Coś, z powodu czego nie powinien zostać zapomniany.

– Chce pan zobaczyć resztę? – spytał Crespi.

Istnieją rzeczy, których znajomość może się okazać niebezpieczna, przypomniał sobie Moro. Są i takie, o których lepiej w ogóle nie wiedzieć. Ale on należał do kategorii osób, które nie mogły się od tego uchylić.

– Zgoda, obejrzyjmy to.

◆ ◆ ◆

Był to ostatni pokój, najdalej w głębi. To tam dokonali odkrycia.

Stało w nim pojedyncze łóżko, na którym Astolfi sypiał. Obok szafka nocna z marmurowym blatem, a na niej stary budzik, który domagał się nakręcenia; była też lampka nocna, szklanka wody i nieodzowna popielniczka. W pokoju znajdowała się też szafa z ciemnego drewna, z wyglądu bardzo ciężka. Fotel z wytartym pluszem i wieszak. Trójramienny żyrandol i okno z opuszczoną żaluzją.

Najzwyklejsza w świecie sypialnia.

– Przyjechałem tu nieoznakowanym samochodem z podwójną podłogą – poinformował Crespiego Moro. – Chcę, żeby dowody zostały przewiezione do komendy bez zwracania niczyjej uwagi. A teraz proszę mi wszystko opowiedzieć…

– Sprawdziliśmy zawartość wszystkich mebli – wyjaśnił Crespi. – Ten pomyleniec nigdy niczego nie wyrzucał. Miałem wrażenie, że przystąpiliśmy do prześledzenia na nowo jego niepotrzebnego żywota. Gromadził przedmioty, ale nie miał pamiątek. Najbardziej zdumiało mnie to, że nie znaleźliśmy jego zdjęć z okresu, gdy był dzieckiem, ani zdjęć jego rodziców. Także żadnego listu od przyjaciela, nawet widokówki.

Gromadził przedmioty, ale nie miał pamiątek, powtórzył w duchu Moro, rozglądając się. Czy naprawdę można żyć w taki sposób, bez żadnego celu? A może Astolfi chciał im tylko wmówić, że tak było?

Pewne osoby ukrywają w swym wnętrzu świat najczarniejszych sekretów.

– Skończyliśmy wywracanie tego mieszkania do góry nogami i zamierzaliśmy się wynieść, kiedy...

– Co dokładnie się wydarzyło?

Crespi odwrócił się do ściany obok drzwi.

– Są tu trzy kontakty – powiedział, wskazując mu je. – Pierwszy zapala żyrandol, drugi jest połączony z lampką na szafce nocnej. Ale trzeci? – Komisarz urwał na chwilę. – W starym mieszkaniu może się zdarzyć jakiś nieużywany już wyłącznik. Pozostaje na miejscu przez całe lata i w końcu nie pamięta się nawet, do czego służył wcześniej.

Tym razem było jednak inaczej. Moro wyciągnął rękę i nacisnął wyłączniki, które gasiły żyrandol i lampkę na szafce nocnej. W pokoju zrobiło się ciemno. I w tym momencie nacisnął trzeci.

W pokoju zajaśniało niewyraźne światełko. Sączyło się spod listwy przyściennej koło jednej ze ścian. Pojawiła się długa i bardzo cienka smużka światła, ciągnąca się od jednego rogu pokoju do drugiego.

– Ta ścianka wykonana jest z płyty gipsowo-kartonowej – wyjaśnił komisarz. – Można się domyślić, że za nią znajduje się pusta przestrzeń otrzymana dzięki zmniejszeniu pierwotnych wymiarów pokoju.

Moro wziął głęboki oddech, zadając sobie pytanie, co też może się znajdować za tym przepierzeniem.

– Wejście jest po prawej stronie. – Crespi wskazał miejsce na dole, gdzie widać było coś w rodzaju drzwiczek o szerokości pięćdziesięciu i wysokości nieprzekraczającej czterdziestu centymetrów. Podszedł i nacisnął je dłonią. Niewidoczny zamek odskoczył, odsłaniając wejście.

Moro pochylił się do podłogi, żeby zajrzeć do środka.

– Niech pan zaczeka – powstrzymał go komisarz. – Chciałbym, żeby pan dobrze zrozumiał, z czym mamy tu do czynienia... – Nacisnął znowu przycisk i światło po drugiej stronie ścianki zgasło. Potem podał mu latarkę. – Proszę mi powiedzieć, jak będzie pan gotowy – poinstruował go.

Moro odwrócił się w stronę mrocznego wejścia. Położył się na brzuchu i wślizgnął do otworu, odpychając się rękami.

Gdy tylko znalazł się po drugiej stronie, poczuł się odcięty od reszty świata.

– Wszystko w porządku? – Głos Crespiego był stłumiony i daleki, chociaż dzieliła ich warstwa grubości paru centymetrów.

– Tak – odparł Moro, wstając. Zapalił latarkę, którą miał w ręce.

Skierował strumień światła najpierw w prawo, potem w lewo. I właśnie w głębi po lewej stronie coś się znajdowało, oddalone od ciasnego wejścia.

Drewniany stolik. Widniał na nim rodzaj delikatnej konstrukcji. Wydawała się lekka jak pajęczyna albo siatka na ptaki. Miała wysokość około trzydziestu centymetrów i była wykonana z nałożonych na siebie i krzyżujących się patyczków.

Moro podszedł ostrożnie, próbując uchwycić sens tej kompozycji. Jej kształt niczego mu nie przypominał, wydawało się, że drewienka są rozmieszczone przypadkowo. Doskonałe dzieło modelarskie, pomyślał, przypomniawszy sobie kleje i pędzelki, które widział w gabinecie. Kiedy znalazł się całkiem blisko, uświadomił sobie, że się mylił.

Nie były to patyczki czy drewienka, ale kości. Małe i poczerniałe. Nie ludzkie, tylko zwierzęce.

Zadał sobie pytanie, czemu ta konstrukcja może służyć. Jaki umysł mógł wymyślić coś takiego?

Zauważył lampkę wiszącą na kabelku, który zwisał pionowo z sufitu i kończył się tuż za makabryczną kompozycją.

– Jestem gotów – powiedział głośno.

Zgasił latarkę i po chwili Crespi znowu nacisnął wyłącznik. Lampka ożyła, rozsiewając pożółkłe światło.

Moro nadal niczego nie pojmował. Co w tym znowu takiego dziwnego?

– Niech się pan teraz odwróci – powiedział komisarz.

Zastępca komendanta zrobił, co mu polecono. Ujrzawszy to, co miał teraz przed sobą, cofnął się odruchowo. Pomyślał, że nie zapomni tej chwili do końca swoich dni.

Na przeciwległej ścianie jego cień nakładał się na cień rzucany przez kompozycję z kości, oświetloną przez lampkę.

Te kosteczki nie zostały połączone przypadkowo. Dowodem tego był obraz, który pojawił się na ścianie.

Wysoka człekokształtna postać. Ludzkie ciało z wilczą głową.

Wilk bez oczu, z pustymi oczodołami. Ale najbardziej niepokojące było to, że wyciągał łapy. To właśnie sprawiło, że Moro aż podskoczył.

Ta kreatura zdawała się obejmować cień rzucany przez niego.

8

Sandra zauważyła go na ławce, na stacji metra przy piazza della Repubblica. Starał się wmieszać między innych pasażerów, ale było oczywiste, że czeka właśnie na nią.

Wysiadła z pociągu i zobaczyła, że penitencjariusz się oddala, dając jej wyraźnie do zrozumienia, żeby szła za nim. Zrobiła to. Weszła po schodach prowadzących do wyjścia i zobaczyła, że Marcus skręca w lewo. Trzymała się na odległość, podczas gdy on szedł bez pośpiechu. Potem zauważyła, że zatrzymuje się przed metalowymi drzwiami, na których widniał napis: „Wstęp tylko dla personelu". Mimo to wszedł do środka. Po chwili ona też przekroczyła próg.

– Miałem słuszność: ktoś ukradł dowód z miejsca zbrodni, prawda? – zaczął Marcus. Jego głos odbijał się echem na klatce schodowej.

– Nie mogę cię informować o śledztwie – odparła Sandra, przyjmując postawę obronną.

– Nie chcę, żebyś się czuła do tego zmuszona – powiedział spokojnym tonem.

Poczuła do niego lekki żal.

– A więc wiedziałeś o tym… Wiedziałeś, że ktoś zabrał stamtąd jakiś przedmiot, i podejrzewałeś o to jednego z naszych.

– Tak, ale chciałem, żebyś sama doszła do tego wniosku – odparł i zamilkł na chwilę. – Czytałem o samobójstwie lekarza sądowego. Być może nie mógł znieść poczucia winy, że omal nie doprowadził Diany Delgaudio do śmierci...

Żadnego poczucia winy, miała ochotę rzucić Sandra. Była jednak pewna, że penitencjariusz pojął także tę część sprawy.

– Przestań bawić się ze mną – upomniała go.

– To był jakiś przedmiot z soli, tak?

Sandra była zdumiona.

– Skąd i jak... – Ale potem dodała szybko: – Astolfiemu udało się zniszczyć dowód, zanim go znaleźliśmy. Ja przez moment nawet go dotykałam, wydawało mi się, że to mała lalka.

– Prawdopodobnie było to coś w rodzaju statuetki. – Marcus wyjął z kieszeni książeczkę z bajkami znalezioną w pokoiku córki Cosma Barditiego.

– *Niezwykła historia chłopca ze szkła* – przeczytała Sandra, a potem spojrzała na niego: – Co to znaczy?

Marcus nie odpowiedział.

Zaczęła kartkować książeczkę. Miała niewiele stronic, zapełnionych przede wszystkim ilustracjami. Opowiadała historię chłopca odmiennego od innych, ponieważ był ze szkła. Był bardzo kruchy, ale za każdym razem, gdy jakaś jego cząstka się tłukła, groziło to również zranieniem innych, zwykłych dzieci.

– Ostatecznie stanie się taki jak inni – zapewnił ją Marcus, uprzedzając to, co miało się wydarzyć na końcu bajki.

– Słucham?

– To jest coś w rodzaju edukacyjnej przypowiastki. Przed jej zakończeniem znajdują się dwie puste stronice. Myślę, że rozwiązanie ma dostarczyć dziecko, które będzie czytać tę bajeczkę.

Sandra zajrzała na koniec książeczki, żeby to sprawdzić. Rzeczywiście, na ostatnich dwóch stronach zamiast ilustracji umieszczono linijki jak w zeszycie. Poza tym ktoś wymazał wpisane wyrazy, ale można było jeszcze dostrzec ślady ołówka. Zamknęła książeczkę i obejrzała okładkę.

– Nie ma autora ani nawet informacji o wydawcy.

Marcus już wcześniej zauważył te dziwne braki.

– Dlaczego ta bajeczka miałaby mieć coś wspólnego z lalką z soli?

– Ponieważ pewien człowiek umarł, żeby podsunąć mi tę wskazówkę. – Marcus nie wspomniał o nagraniu z bazyliki Świętego Apolinarego ani o tym, że zabójca zostawił w konfesjonale wiadomość pięć dni przed zabiciem dwojga młodych pod Ostią. Powiedział za to: – Widziałem go.

– Jak to…? – Sandra nie wierzyła własnym uszom.

– Widziałem tego mordercę. Miał przy sobie aparat fotograficzny, a kiedy zauważył moją obecność, uciekł.

– Widziałeś jego twarz?

– Nie.

– Gdzie to się stało?

– W jednej z willi przy via Appia Antica. Odbywało się tam coś w rodzaju festynu czy orgii. Z udziałem osób, które celebrowały zadawanie śmierci w okrutny sposób. I on tam był.

Appia Antica, ta sama okolica, w której doszło do zamordowania dwojga policjantów z operacji Tarcza.

– Dlaczego go nie zatrzymałeś?

– Ponieważ ktoś mi w tym przeszkodził, uderzając mnie w tył głowy. – Mężczyzna w niebieskich butach, przypomniał sobie.

Sandra nadal niczego nie rozumiała.

– Lekarz sądowy, który podkrada dowód, śmierć mojego informatora, napaść na mnie… Wiesz, Sandro, zabójca korzysta z czyjejś ochrony.

Poczuła pewne skrępowanie: komisarz Crespi zapewnił ją, że Astolfi nie ma nic wspólnego z tą historią i że jego samobójstwo było czymś w rodzaju napadu szaleństwa, ponieważ w trakcie przesiewania jego życia nic nie wyskoczyło. A jeśli ją okłamał?

– Mamy jego DNA – rzuciła odruchowo, nie wiedząc nawet dlaczego. Lub może wiedziała: ufała tylko penitencjariuszowi.

– Ale nie dzięki temu zostanie schwytany, wierz mi. W tej sprawie nie chodzi już tylko o niego. Istnieją inne siły, które działają w mroku. Potężne siły.

Sandra wyczuła, że czegoś od niej oczekuje, inaczej by jej nie szukał.

– Kiedyś pewien przyjaciel powiedział mi, że aby schwytać przestępcę, trzeba zrozumieć, co on robi, żeby zaspokoić potrzebę miłości – powiedział.

– Naprawdę uważasz, że tego rodzaju osobnik jest do tego zdolny?

– Być może obecnie już nie, ale w przeszłości tak. To jest historia o dzieciach, Sandro. Jeżeli uda mi się znaleźć Chłopca z soli, odkryję, kim się stał jako człowiek dorosły.

– W takim razie czego oczekujesz ode mnie?

– Chodzi o Cosma Barditiego, mojego informatora, który został zabity. Starali się upozorować sprawę tak, żeby wyglądała na samobójstwo. I można w nie uwierzyć, jeśli wziąć pod uwagę fakt, że według słów jego towarzyszki życia miał sporo długów. Ale ja wiem, że tak nie jest. – Marcus był wściekły na siebie, bo miał świadomość, że była to również jego wina. – Po zamordowaniu Barditiego ktoś zabrał jego komórkę. Być może dlatego, że wykonał z niej kilka telefonów, żeby zdobyć książeczkę z bajką, i na pewno z kimś się spotkał.

Sandra domyśliła się, dokąd penitencjariusz zmierza, wygłaszając te informacje.

– Żeby otrzymać wydruki z firmy telefonicznej, potrzebna jest decyzja sędziego – powiedziała.

Marcus spojrzał na nią z determinacją.

– Jeżeli naprawdę chcesz mi pomóc, nie ma innej możliwości.

Sandra oparła się o poręcz żelaznych schodów z wrażeniem, że znalazła się między dwiema barierami, które powoli zbliżały się do niej, żeby ją zgnieść jak imadło. Z jednej strony było to, co musiała, z drugiej to, co powinna zrobić. Nie wiedziała, co wybrać.

Penitencjariusz stanął na wprost niej.

– Jestem w stanie go zatrzymać.

♦ ♦ ♦

Sandra dobrze znała inspektora, któremu zostało przydzielone śledztwo w sprawie śmierci Barditiego. A ponieważ chodziło o samobójstwo, była pewna, że sprawa zostanie zamknięta i umorzona przez prokuraturę.

Nie mogła poprosić go o koleżeńską przysługę, nawet pod zmyślonym pretekstem. Zajmowała się dokumentacją fotograficzną i nie miała dobrej wymówki, a w każdym razie nie takiej, w którą on by uwierzył.

Mimo że nie była to sprawa szczególnie poważna, nie mogła ot tak uzyskać dostępu do akt. Dokumentacja znajdowała się w bazie danych komendy, a hasło dostępu do pliku otrzymali tylko prowadzący śledztwo i biuro, które nakazało jego wszczęcie.

W trakcie poranka Sandra kilka razy wychodziła z centrum operacyjnego grupy, żeby zejść piętro niżej, gdzie znajdował się pokój jej kolegi. Zatrzymywała się na pogawędki z innymi policjantami tylko po to, żeby mieć go na oku.

Drzwi do pokoju zawsze były otwarte. Zauważyła, że inspektor ma zwyczaj robienia notatek na luźnych kartkach, które leżały rozrzucone na stole.

Wpadła na pewien pomysł. Zaczekała, aż pójdzie na obiad, i uzbroiła się w lustrzankę. Nie miała wiele czasu, ktoś mógłby ją zobaczyć. Kiedy korytarz opustoszał, weszła do jego pokoju i zrobiła kilka zdjęć rzeczy leżących na biurku.

Niedługo potem obejrzała je na swoim komputerze, starając się znaleźć coś ciekawego. Miała nadzieję, że kolega zanotował gdzieś hasło sprawy Barditiego, na wypadek gdyby go zapomniał.

Odkryła jakiś kod na jednym z wydruków poczty. Wpisała go do jedynego terminalu w centrum operacyjnym grupy, połączonego z bazą danych komendy, i pokazał się poszukiwany przez nią plik.

Musiała się pospieszyć. Istniało niebezpieczeństwo, że ktoś z obecnych nabierze podejrzeń. Na szczęście Moro i Crespi od wielu godzin byli nieobecni.

Jak było do przewidzenia, dokumentacja na temat Cosma Barditiego była raczej szczupła. Znajdowały się w niej informacje dotyczące wcześniejszego okresu, kiedy rozprowadzał narkotyki i wykorzystywał prostytutki, a także jego zdjęcia. Sandrze zrobiło się przykro, gdy zobaczyła swastykę wytatuowaną na szyi Barditiego. Zadała sobie pytanie, jak penitencjariusz mógł mu zaufać, bo Marcus wydawał się szczerze zmartwiony jego śmiercią. Zdawała sobie sprawę, że być może bezpodstawnie się uprzedziła i w rzeczywistości Barditi nie był taki zły, na jakiego wyglądał. W każdym razie ten człowiek sam naznaczył się symbolem nienawiści.

Wolała nie gubić się w domysłach, wróciła więc do przeglądania pliku i zauważyła, że brakuje w nim wniosku do sędziego o udostępnienie billingów samobójcy. Niezwłocznie wypełniła odpowiedni formularz, zaznaczając w nim, że sprawa jest bardzo pilna, a potem go wysłała. Prawdopodobnie inspektor nie powinien tego nawet zauważyć.

Sędzia udzielił zgody i mniej więcej w połowie popołudnia operator przesłał jej to, o co prosiła.

Przeglądając długą listę ostatnich połączeń Barditiego, zauważyła natychmiast, że człowiek ten zadał sobie wiele trudu, żeby zdobyć potrzebne informacje. Wyszczególniono wszystkich właścicieli tych numerów. Nie wiedziała, w jaki sposób penitencjariusz zamierzał ustalić poszukiwaną przez niego osobę, ponieważ mogła się ona kryć pod każdym numerem. Po chwili jednak zorientowała się, że jeden z tych numerów powtarza się na liście co najmniej pięć razy. Zapisała go razem z nazwiskiem, do którego się odnosił.

Pół godziny później, zgodnie z otrzymaną instrukcją, włożyła wydruk listy numerów, razem z danymi z rejestru skazanych człowieka, do którego Cosmo Barditi dzwonił najczęściej, do skrzynki na datki w kościele Świętych Apostołów.

9

Sandra Vega dotrzymała słowa. A nawet zrobiła dużo więcej. Dostarczyła mu nazwisko.

Nicola Gavi był jednak nieuchwytny.

Miał wyłączoną komórkę, a kiedy Marcus złożył wizytę w jego mieszkaniu, odniósł wrażenie, że ten człowiek od co najmniej kilku dni nie wracał do domu.

Nicola Gavi miał trzydzieści dwa lata, ale według rejestru skazanych dużą część tego czasu spędził w domu poprawczym i w więzieniu. Miał na sumieniu długą listę przestępstw – handel narkotykami, kradzież, rabunek z bronią w ręku, napaść.

Ostatnio, żeby zdobyć środki na utrzymanie i narkotyki, od których był uzależniony, zaczął uprawiać prostytucję.

Marcus zdobył informacje o miejscach, w których polował na klientów – lokalach dla samotnych mężczyzn i punktach męskiej prostytucji. Potem zabrał się za poszukiwanie go; rozpytywał się i oferował pieniądze. W końcu trafił na kogoś, kto widział go w okolicy czterdzieści osiem godzin wcześniej.

Penitencjariusz wyciągnął wniosek, że Nicola nie żyje albo ukrywa się, bo czegoś się boi.

Zdecydował się na tę drugą hipotezę, również dlatego, że istniał pewien sposób jej weryfikacji. Jeżeli rzeczywiście minęły dwa dni od czasu, gdy facet był ostatni raz widziany w odwiedzanych przez niego zwykle miejscach, oznaczało to, że znalazł się na granicy wytrzymałości i prędko powinien się pokazać w poszukiwaniu działki.

Odpowiedź kryła się w narkotykach. Ich brak powinien go wykurzyć z nory bez względu na związane z tym zagrożenia.

Marcus nie sądził, żeby Nicola miał zapas pieniędzy – znał narkomanów i wiedział na pewno, że wydają wszystko, do ostatniego grosza, żeby zdobyć działkę. Jeśli nie pracował od wielu dni, musiałby poszukać sobie klienta, który by mu za nią zapłacił. W takim razie Marcus powinien rozejrzeć się za nim w miejscach, w których uprawiano męską prostytucję. Koniec końców doszedł do wniosku, że jest tylko jedno miejsce, do którego powinien się udać.

Królestwem handlarzy narkotyków jest dzielnica Pigneto. O zachodzie słońca zaczął po niej krążyć w nadziei, że znajdzie Nicolę.

Około wpół do ósmej, gdy wieczorne powietrze zrobiło się chłodniejsze, zaczaił się kilka metrów od rogu ulicy, na którym jeden z handlarzy sprzedawał towar. Transakcje odbywały się błyskawicznie, z ręki do ręki. Narkomani wiedzieli, że nie powinni ustawiać się w kolejce, żeby nie zwracać na siebie uwagi, toteż kręcili się w pewnym oddaleniu. Łatwo było ich odróżnić, poruszali się bowiem nerwowo, wpatrując się przed siebie nieruchomym wzrokiem. Potem, po kolei, jeden z nich urywał się z kręgu oczekujących, żeby podejść do handlarza, chwycić działkę i oddalić się.

Marcus zauważył pojawienie się typka o masywnej budowie ubranego w cienką czarną bluzę. Nakrył głowę kapturem i włożył ręce do kieszeni. Było chłodno, więc to lekkie ubranie obudziło podejrzenia penitencjariusza. Dryblas ubrany był jak ktoś, kto musiał opuścić mieszkanie w wielkim pośpiechu i teraz nie może do niego wrócić.

Dokonał wymiany z rozprowadzającym i prędko się oddalił. Kiedy rozglądał się na wszystkie strony, Marcus dojrzał jego twarz pod kapturem.

Nicola.

Ruszył za nim, ale był pewien, że nie będzie musiał iść daleko. I rzeczywiście, Gavi wszedł do miejskiego szaletu, żeby zażyć działkę.

Marcus wszedł za nim i gdy tylko przekroczył próg, uderzył go straszliwy fetor odchodów. Miejsce było odpychające, jednak Nicola Gavi musiał zaspokoić potrzebę narkotyku po okresie abstynencji. Zamknął się w jednej z kabin. Penitencjariusz czekał. Po chwili z kabiny buchnął szary dym, a po kilku minutach facet wreszcie wyszedł. Podszedł do jedynej umywalki i zaczął myć ręce.

Marcus stał w rogu, za jego plecami. Przyglądał mu się, wiedząc, że Gavi go nie zauważył. Chłopak miał muskuły jak kulturysta, a wysunięta spod kaptura ogolona głowa i potężna szyja budziły strach.

– Nicola.

Odwrócił się nagle, wytrzeszczając oczy.

– Chcę tylko porozmawiać – uspokoił go Marcus, unosząc ręce.

Widząc nieznajomą twarz, Nicola rzucił się gwałtownie do przodu. Swoim ciężarem zwalił Marcusa z nóg, niczym atakujący na meczu rugby. Penitencjariusz poczuł nagle, że brakuje mu tchu, i upadł do tyłu, uderzając mocno plecami o brudną podłogę. Mimo to zdołał wyciągnąć rękę, chwycić napastnika za kostkę i go zatrzymać.

Nicola potknął się i wywrócił z głuchym łoskotem, ale pomimo potężnej postury okazał się bardzo zwinny. Natychmiast zerwał się na nogi i wymierzył Marcusowi solidnego kopniaka w żebra. Penitencjariuszowi oczy zaszły mgiełką z bólu. Chciał coś powiedzieć, żeby powstrzymać napastnika, ale ten postawił mu podeszwę potężnego buciora na głowie, a potem go uniósł, zamierzając zmiażdżyć ją całym swoim ciężarem. Marcus znalazł dość siły, żeby go chwycić obiema rękami za łydkę i ponownie przewrócić. Tym razem Nicola rąbnął w drzwi kabiny, wyłamując je.

191

Penitencjariusz próbował się podnieść. Wiedział, że nie ma wiele czasu. Słyszał pojękiwania osiłka, ale zdawał sobie sprawę, że tamten prędko się pozbiera i tym razem mu nie odpuści. Oparł się rękami na brudnej podłodze i podźwignął, podczas gdy wnętrze toalety wirowało mu przed oczami. Wstał w końcu, chwiejąc się na nogach. Gdy w końcu odzyskał równowagę, zobaczył, że Nicola leży koło jednego z sedesów. Rąbnął w niego głową i teraz dochodził do siebie, a czoło ociekało mu krwią.

Marcus zawdzięczał tylko szczęściu, że zdołał go unieruchomić. Był pewien, że w przeciwnym razie Gavi by go zamordował. Zbliżył się do ogłuszonego giganta i zrewanżował mu się kopem w żebra.

– O! – wrzasnął tamten cienkim głosem, całkiem jak mały chłopczyk.

Penitencjariusz przykucnął koło niego.

– Jak ci ktoś mówi, że chce tylko porozmawiać, to najpierw go wysłuchaj, a dopiero potem bierz się do bicia, jeżeli w ogóle. Zrozumiałeś? – Leżący dryblas kiwnął głową. Marcus pogrzebał w kieszeni, a potem rzucił mu na piersi kilka banknotów pięćdziesięcioeurowych. – Możesz dostać więcej, jeśli mi pomożesz.

Nicola ponownie skinął głową. Jego oczy zaczęły wypełniać się łzami.

– Był u ciebie Cosmo Barditi – powiedział Marcus. – Szukał cię, zgadza się?

– Ten głupek wpędził mnie w kłopoty.

Te słowa potwierdziły podejrzenia Marcusa: Gavi bał się, że ktoś zrobi mu coś złego, i dlatego zniknął.

– On nie żyje – oznajmił Marcus.

Na twarzy Nicoli odmalowała się konsternacja i przerażenie.

Niedługo potem Nicola stanął ponownie przed umywalką. Próbował zatamować papierem toaletowym krwawienie z czoła.

– Słyszałem od chłopaków, że jakiś gość szuka informacji na temat zboczonego miłośnika noży i fotografii. Od razu się domyśliłem, że chodzi o tego, co napada na pary. No i zacząłem się rozglądać za gościem, który zadawał te pytania, żeby wyciągnąć od niego trochę forsy.

Cosmo Barditi nie zachował należytej ostrożności. Wypytywał naokoło, ale oprócz Nicoli ucha nadstawił też ktoś inny. Ktoś niebezpieczny.

– Nic nie wiedziałeś, tak?

– Ale mogłem wymyślić historyjkę, że natrafiłem na klienta, który przypominał tego mordercę. Wierz mi, trafiało mi się mnóstwo dziwnych typków.

– Jednak Barditi ci się nie napatoczył.

– Ten sukinsyn mnie pobił.

Marcus wahał się, czy może mu wierzyć, wziąwszy pod uwagę posturę i sposób, w jaki Gavi dopiero co go potraktował.

– I na tym się skończyło?

– Nie. – Oczywiście tę odpowiedź podyktował Nicoli strach. – W pewnym momencie wspomniał o Chłopcu z soli. Wtedy przypomniała mi się stara książka, którą miałem w domu. Powiedziałem mu o niej i zaczęliśmy negocjować.

To by wyjaśniało telefony, jakie Cosmo wykonał do niego przed śmiercią.

– Zapłacił mi, a ja doręczyłem mu towar: obie strony zadowolone – oświadczył Gavi. A potem odwrócił się nieoczekiwanie i podciągnął bluzę, pokazując plecy: na wysokości prawej nerki miał wielki plaster. – Po tej wymianie jakiś facet zaatakował mnie nożem. Wyszedłem z tego tylko dlatego, że byłem od niego większy. I uciekłem.

Jeszcze raz ktoś próbował zatuszować tę sprawę. Za wszelką cenę.

Teraz Marcus musiał postawić najważniejsze pytanie.

– Dlaczego Cosmo kupił tę książkę? Co go skłoniło do myślenia, że jej treść łączy się ze sprawą Chłopca z soli?

Nicola się uśmiechnął.

– Ponieważ przekonałem go o tym. – Na jego twarzy pojawiła się bolesna mina, ale było to wspomnienie czegoś dawnego, co nie miało nic wspólnego z raną na czole. – Nie ma na to rady: Dokądkolwiek próbowałbyś uciec, ściga cię twoje dzieciństwo.

Penitencjariusz domyślił się, że jego słowa odnoszą się do jakichś spraw osobistych.

– Zabiłeś kiedyś kogoś, kogo kochałeś? – Gavi uśmiechnął się, kręcąc głową. – Bo ja kochałem tego sukinsyna, ale on od razu pojął, że nie jestem podobny do innych dzieciaków. Więc mnie bił, starając się zmienić coś, czego nawet ja sam nie rozumiałem w pełni. – Uniósł głowę. – Pewnego dnia odkryłem, gdzie ukrywa pistolet, wziąłem go i strzeliłem do niego, kiedy spał. Dobranoc, tatuśku.

Marcus poczuł wobec niego wielkie współczucie.

– Ale w rejestrze twoich przestępstw nie ma po tym śladu.

Nicola parsknął śmiechem.

– Kiedy masz dziewięć lat, nie wsadzają cię do więzienia, nie wytaczają ci nawet procesu. Powierzają cię opiece społecznej i zamykają w jednym z tych miejsc, w których dorośli próbują pojąć, dlaczego to zrobiłeś i czy zrobisz to jeszcze raz. Tak naprawdę nikomu nie zależy na tym, żeby cię uratować. Robią ci pranie mózgu, faszerują cię lekami i usprawiedliwiają się, mówiąc, że to jest wyłącznie dla twojego dobra.

– Jak się nazywa to miejsce? – spytał Marcus, wyczuwając związek z tym, czego szukał.

– Instytut Kroppa – odparł natychmiast Gavi, po czym się zachmurzył. – Jak strzeliłem do mojego ojca, ktoś wezwał policję. Zamknęli mnie w pokoju razem z jakimś psychologiem, ale prawie przez cały czas milczeliśmy. Potem, w nocy, przyszli po mnie. Pytałem, dokąd mnie zabierają, ale odpowiedzieli, że nie mogą mi tego zdradzić. Zauważyłem ich uśmieszki, kiedy mówili, że nigdy stamtąd nie ucieknę. Bo i dokąd mógłbym uciec?

Marcus zauważył, że przez twarz chłopaka przemknął cień, tak jakby za sprawą tych słów zmaterializowało się konkretne wspomnienie. Zaczekał, aż Gavi podejmie swoją opowieść.

– W czasie kiedy byłem w tym instytucie, nigdy nie dowiedziałem się dokładnie, gdzie jestem. Dla mnie to miejsce mogło się znajdować nawet na Księżycu. – Zamilkł na chwilę. – Odkąd stamtąd wyszedłem, zadaję sobie pytanie, czy to wszystko działo się naprawdę, czy też jest to tylko produkt mojej wyobraźni.

Jego ostatnie zdanie zaciekawiło Marcusa.

– Nie uwierzysz mi. – Nicola Gavi roześmiał się gorzko, a potem znowu spoważniał. – Wyglądało to tak, jakby się żyło w jakiejś bajce… Ale nie można było z niej wyjść.

– Opowiedz mi ją.

– Był tam ten lekarz psychiatra, profesor Kropp, który wymyślił tę „terapeutyczną bajkę", jak to nazywał. Każdemu przydzielano bohatera i bajkę, w zależności od jego schorzenia psychicznego. Ja byłem Chłopcem ze szkła, kruchym i niebezpiecznym. Poza tym był jeszcze Chłopiec z kurzu, Chłopiec ze słomy, z wiatru…

– A Chłopiec z soli? – wszedł mu w słowo Marcus.

– Ta bajka przedstawiała go jako inteligentniejszego od innych dzieci, ale właśnie dlatego wszyscy go unikali. Sprawiał, że jedzenie stawało się niestrawne, powodował usychanie roślin i kwiatów. Tak jakby niszczył wszystko, czego tylko dotknął.

Rzeczywiście, nieprzyjemna inteligencja, uznał Marcus.

– Na czym polegało jego schorzenie?

– Cierpiał na najgorsze rzeczy – odparł Gavi. – Na zakłócenia sfery seksualnej, na utajoną agresywność, na zamiłowanie do kłamstwa. Ale to wszystko łączyło się z bardzo wysokim ilorazem inteligencji.

Marcus zauważył, że ten opis doskonale pasuje do bestii grasującej po obrzeżach Rzymu. Czy to naprawdę możliwe, że Nicola go znał w czasach, kiedy obaj byli dziećmi? Skoro teraz ktoś próbował go uciszyć ciosem noża, prawdopodobnie właśnie tak było.

– Kim był ten Chłopiec z soli?

– Dobrze go pamiętam, był ulubieńcem Kroppa – zapewnił Gavi, podsycając nadzieje penitencjariusza. – Oczy i włosy kasztanowe... wyglądał dość zwyczajnie. Miał około jedenastu lat, ale znalazł się w instytucie jeszcze przede mną. Nieśmiały, zamknięty w sobie, zajmował się zawsze swoimi sprawami. Był bardzo delikatny i doskonale nadawał się na ofiarę przemocy starszych kolegów, a jednak go nie dotykali. Bali się go. – Po chwili sprecyzował: – Baliśmy się go wszyscy. Nie potrafię wyjaśnić dlaczego, ale tak było.

– Jak miał na imię?

Gavi pokręcił głową.

– Przykro mi, przyjacielu, nie znaliśmy prawdziwych imion kolegów, była to jedna z reguł terapii. Przed umieszczeniem cię razem z innymi spędzałeś sporo czasu samotnie. Potem Kropp i jego współpracownicy przekonywali cię, żebyś zapomniał, kim byłeś wcześniej, i usunął z pamięci popełnioną zbrodnię. Myślę, że postępowali tak, ponieważ ich celem było odtworzenie od zera człowieka we wnętrzu dziecka. Przypomniałem sobie, jak mam na imię, i to, co zrobiłem mojemu ojcu, dopiero w wieku szesnastu lat, kiedy sędzia przeczytał w obecności wszystkich moje prawdziwe imię i nazwisko w dniu, w którym stwierdził, że mogę wrócić do rzeczywistego świata.

Marcus pomyślał, że te informacje mogłyby mu wystarczyć. Ale pozostawała do wyjaśnienia ostatnia sprawa.

– Przed kim uciekasz, Nicola?

Gavi odkręcił kran, żeby opłukać ręce.

– Tak jak ci powiedziałem, Chłopiec z soli budził strach u wszystkich, a trzeba dodać, że byli tam zamknięci niebezpieczni chłopcy, którzy bez mrugnięcia okiem popełnili najokropniejsze zbrodnie. Nie zdziwiłoby mnie, gdyby się okazało, że ten chłopak, pozornie kruchy i bezbronny, jest teraz gdzieś tam w okolicy, gotów wyrządzić komuś krzywdę. – Wlepił wzrok w odbicie Marcusa w lustrze. – Może ty też powinieneś się go bać. Ale to nie on zadał mi ten cios nożem.

– A więc widziałeś twarz napastnika?

– Zaatakował mnie z tyłu. Wiem na pewno, że miał ręce starego człowieka. Zauważyłem też, że nosił obrzydliwe niebieskie buty.

10

Mieszkanie Astolfiego dostało nazwę „miejsce 23".

Liczbę tę wybrano z uwagi na postępy w śledztwie. Moro wyjaśniał to właśnie na tajnej odprawie, która odbywała się późnym wieczorem w pokoju komendanta.

Zaproszono na nią nielicznych wyselekcjonowanych gości. Oprócz gospodarza i jego zastępcy przy stole siedzieli: przedstawiciel Ministerstwa Spraw Wewnętrznych, generalny inspektor do spraw bezpieczeństwa publicznego, przedstawiciel prokuratury i komisarz Crespi.

– Dwadzieścia trzy śledztwa – wyjaśnił zastępca komendanta. – Pierwsze z roku tysiąc dziewięćset osiemdziesiątego siódmego. Trzyletnie dziecko spada z balkonu na piątym piętrze budynku mieszkalnego. Wygląda to na tragiczny wypadek. Po kilku miesiącach ten sam los spotyka niewiele młodszą dziewczynkę mieszkającą w tej samej dzielnicy. Oba te przypadki łączy coś dziwnego: zwłokom brakuje prawego bucika. Gdzie się podział? Nie spadł w trakcie upadku, a według rodziców nie ma go też w domu. Czy to tylko zbieg okoliczności? Zostaje zatrzymana niania, którą obie rodziny zatrudniały jako opiekunkę dzieci. Oba buciki odnajdują się w jej rzeczach, a w pamiętniku, który prowadziła, śledczy znajdują taki oto rysuneczek.

Moro pokazał obecnym fotokopię strony z zeszytu. Widniała na niej człekokształtna postać, taka sama jak ta, którą rzucał na ścianę cień w domu Astolfiego. Człowiek z wilczą głową.

– Dziewczyna przyznaje się do zabójstw, ale nie potrafi wyjaśnić, skąd wziął się ten rysunek. Mówi, że nie ona go wykonała. Ale przyznaje się do winy i śledztwo zostaje zamknięte. Nikt nie zgłębia tego szczegółu, również z powodu obaw śledczych, że mogłoby to dostarczyć obrońcom pretekstu do twierdzeń, że kobieta cierpi na zaburzenia umysłowe.

Obecni z uwagą przysłuchiwali się opowieści, nie mając odwagi przerwać.

– Od tej chwili ta postać pojawia się w sposób bezpośredni albo pośredni w dwudziestu innych przypadkach – ciągnął Moro. – W roku dziewięćdziesiątym czwartym zostaje znaleziona w domu, w którym pewien mężczyzna zamordował właśnie żonę i dzieci, a potem popełnił samobójstwo. Policjanci nie dostrzegają jej od razu, dopiero sekcja techniczna odkrywa ją w trakcie dodatkowego śledztwa, o które poprosił prokurator, żeby ustalić, czy morderca działał sam, czy też miał wspólnika. Dzięki użyciu odczynników chemicznych postać pojawia się na lustrze w łazience, gdzie ktoś narysował ją w nieznanym czasie, kiedy lustro było zaparowane. – Moro wyłowił ze swoich papierów zrobione wtedy zdjęcie. Ale jeszcze nie skończył. – Znaleźliśmy ją także namalowaną lakierem w sprayu na grobie pedofila zamordowanego w więzieniu przez innego więźnia w roku dwa tysiące piątym. Co ciekawe, ponieważ władze obawiały się aktów wandalizmu, na ich polecenie na płycie nagrobkowej nie umieszczono imienia i nazwiska. Nikt nie znał tożsamości zmarłego. To także zbieg okoliczności?

Nikt nie potrafił odpowiedzieć na to pytanie.

– Mógłbym was tu trzymać przez następną godzinę, ale prawdą jest, że sprawa tego powracającego obrazka utrzymywana była w sekrecie, ponieważ chciano się zabezpieczyć przed głupimi aktami współzawodnictwa lub, co gorsza, przed tym, że ktoś mógłby się nim zainspirować i popełniać zbrodnie, podpisując je tym znakiem.

– Wplątał się w to również jeden z naszych, lekarz sądowy... Co za obrzydlistwo – zauważył komendant, przypominając wszystkim wagę odkrycia dokonanego w mieszkaniu Astolfiego.

– Myśli pan, że istnieje jakiś związek między tą przypominającą człowieka postacią a zabójcą młodych par? – spytał przedstawiciel ministerstwa, najstarszy rangą w pokoju.

– Jakiś związek musi być, chociaż jeszcze nie wiemy, na czym on polega – odparł Moro.

– A według pana, co oznacza ten wizerunek?

Moro zdawał sobie sprawę, że odpowiedź jest ryzykowna, ale czuł, że nie ma wyboru. Zbyt długo unikano konfrontacji z prawdą.

– To rodzaj jakiegoś symbolu ezoterycznego.

W tym momencie głos zabrał generalny inspektor do spraw bezpieczeństwa publicznego, zajmujący najwyższe stanowisko we włoskiej policji.

– Panowie, z łaski swojej. Nie chciałbym zostać źle zrozumiany, ale uważam, że powinniśmy zachować wielką ostrożność. Sprawa Potwora z Rzymu wznieca mnóstwo polemik. Opinia publiczna jest wzburzona, ludzie nie czują się bezpiecznie, a media podsycają napięcie, starając się ustawicznie postawić nas w złym świetle.

– Trzeba czasu, aby osiągnąć jakieś wyniki w takiej sprawie jak ta – zauważył komisarz Crespi.

– Jestem tego świadom, ale sprawa jest delikatna – odparł inspektor. – Ludzie patrzą na to zwyczajnie i w sposób praktyczny: chcą płacić niskie podatki i mieć pewność, że te, które płacą, będą dobrze wydawane na łapanie przestępców. Żądają natychmiastowych odpowiedzi, nie obchodzi ich, jak się prowadzi śledztwo.

Człowiek z ministerstwa zgodził się z jego zdaniem.

– Jeśli za bardzo zbliżymy się do tej ezoteryki i rzecz wyjdzie na jaw, media oświadczą, że nie mamy nic, na czym moglibyśmy oprzeć śledztwo, i z tego powodu zaczynamy ścigać złe duchy, zagłębiając się w tego rodzaju bzdury. Wyśmieją nas tylko.

Moro przysłuchiwał się dyskusji w milczeniu, miał bowiem świadomość, że jej przedmiotem jest właśnie powód, dla którego w przeszłości nikt nie chciał zgłębić tej kwestii. Ich obawy sprowadzały się nie tylko do tego, że policja się ośmieszy, istniały też inne czynniki. Żaden policjant, który pragnął piąć się po szczeblach kariery, nigdy nie podjąłby ezoterycznego tropu, bo istniało ryzyko, że do niczego nie doprowadzi, poplącze wątki śledztwa, a policjant przez to narazi własną karierę. Ponadto żaden szef czy wyższy funkcjonariusz nie zatwierdziłby podobnego śledztwa; groziłoby to utratą wiarygodności i panowania nad sytuacją. Ale istniał też czynnik bardziej ludzki, naturalna niechęć do podejmowania pewnych tematów. Być może stała za tym niemożliwa do ujawnienia, irracjonalna obawa, że mogłoby się w tym kryć ziarno prawdy. Z tego powodu takie sprawy pozostawiano zawsze w spokoju. I to był błąd. Jednak teraz zastępca komendanta nie czuł się na siłach, żeby odwrócić ten stan rzeczy, toteż przyznał rację swoim zwierzchnikom.

– Podzielam wasze obawy, panowie, i zapewniam was, że będziemy uważni.

Komendant podniósł się z miejsca i podszedł do okna. Zbliżała się burza. Nocny horyzont rozjaśniały błyskawice, ostrzegając miasto, że wkrótce lunie deszcz.

– Mamy przecież DNA zabójcy, prawda? A więc skoncentrujmy się na tym. Schwytajmy mordercę młodych par i zapomnijmy o całej tej historii.

Głos postanowił zabrać Crespi.

– Wzywamy wszystkich skazanych kiedykolwiek za wszelkie przestępstwa na tle seksualnym albo za napaść. Pobieramy od każdego próbki DNA i porównujemy profile genetyczne, mając nadzieję, że jeden z nich będzie pasował. Ale ta operacja nie skończy się zbyt prędko.

Komendant rąbnął pięścią w ścianę.

– Musi się szybko skończyć, do wszystkich diabłów! Bo inaczej to śledztwo pochłonie miliony euro. Rozmawiamy o przeszło dwudziestu tysiącach takich spraw wyłącznie w Rzymie i tylko w zeszłym roku!

Przestępstwa na tle seksualnym należały do popełnianych najczęściej, chociaż ich liczba była utajniona, żeby jakiś zwyrodnialec nie pomyślał, że pozostanie bezkarny.

– Jeżeli się nie mylę, DNA ustalone dzięki koszuli pozostawionej w samochodzie pierwszej pary potwierdziło tylko, że mamy do czynienia z osobnikiem płci męskiej – powiedział przedstawiciel ministerstwa, reasumując te działania. – Żadnej genetycznej anomalii, która skierowałaby podejrzenia na osobę określonego typu, zgadza się?

– Tak – potwierdził Crespi. Ale wszyscy obecni dobrze wiedzieli, że włoska policja przechowuje tylko dane genetyczne przestępców mających na sumieniu zbrodnie, z powodu których konieczne było przeprowadzenie badania DNA, żeby ustalić winnego. Od zwykłych przestępców w chwili zatrzymania pobierano tylko odciski palców. – Jak dotąd poszukiwania nie dały żadnych wyników.

Podczas gdy pozostali wrócili do rozmowy na temat podnoszących na duchu postępów w śledztwie, Moro nadal rozmyślał o cieniu, który zobaczył na ścianie wewnątrz sekretnego pomieszczenia w mieszkaniu Astolfiego. Człowiek z wilczą głową był sprawą, z którą nikt w tym pokoju nie chciał się zmierzyć. Znowu pomyślał o konstrukcji ze zwierzęcych kości sporządzonej przez lekarza sądowego i o tym, ile cierpliwości kosztowało go jej wykonanie. Gdyby chodziło tylko o mordercę zakochanych par, być może Moro poczułby się spokojniejszy. Ale wokół sprawy Potwora z Rzymu kłębiło się coś straszliwego.

Coś, o czym nikt nie chciał słyszeć ani rozmawiać.

♦ ♦ ♦

Stojąc przed oknem swojego skromnego pokoju hotelowego, Battista Erriaga trzymał w dłoni zdjęcie. Błyskawica zapowiadająca nadejście burzy oświetliła na krótką chwilę fotografię konstrukcji z kości odnalezionej w mieszkaniu Astolfiego.

Na łóżku rozłożony był cały plik raportów ze śledztwa dotyczącego Potwora z Rzymu. Jego „przyjaciel" Tommaso Oghi dostarczył mu go zgodnie z żądaniem. Plik zawierał również dokumenty poufne.

Erriaga był zmartwiony.

Pierwszy poziom tajemnicy obejmował Chłopca z soli. Drugi – człowieka o wilczej głowie. Żeby dotrzeć do trzeciego, śledczy musieliby zrozumieć sens dwóch pierwszych.

Próbował się uspokoić. Nikt nigdy do tego nie dojdzie, wmawiał sobie. Ale w myśli słyszał głos Mina, swego olbrzymiego przyjaciela, który powtarzał mu, że policja niebezpiecznie przybliża się do prawdy. Od lat mądry Min zajmował miejsce w tej części jego świadomości, która kreśliła najbardziej nieszczęsne scenariusze. Tej, którą od młodych lat Erriaga starał się systematycznie ignorować. Ale czasy na Filipinach minęły, teraz był innym człowiekiem. Dlatego miał obowiązek wysłuchać własnych obaw.

Z raportów wynikało, że śledczy mają w ręce całkiem niewiele. Ustalili DNA mordercy, ale to Erriagi nie niepokoiło: nauka nie wystarczy, żeby schwytać tę bestię, policjanci nie potrafią spoglądać na sprawy we właściwy sposób.

Dlatego dręczył go tylko ezoteryczny symbol, który pojawił się znowu w kontekście krwawej zbrodni. Zatrzymają się przed nim, jak we wszystkich wcześniejszych przypadkach, powiedział sobie. Bo gdyby nawet odkryli prawdę, nie byliby przygotowani na to, żeby przyznać jej jakąś wartość.

Jednakże prawdziwym problemem był zastępca komendanta Moro. To uparty policjant, który nie ustaje, zanim nie dotrze do dna sprawy.

Do człowieka z wilczą głową.

Erriaga nie mógł dopuścić, żeby ten symbol został rozszyfrowany. Ale podczas gdy na dworze zaczynała się ulewa, tknęło go złe przeczucie.

Co by się stało, gdyby jednak do tego doszło?

11

Oficjalnie Instytut Kroppa nie istniał.

Musiało to być sekretne miejsce, do którego zawożono dzieci mające na sumieniu zabójstwo. Nikt nie nazwałby ich nigdy mordercami, ale miały dokładnie taką naturę, pomyślał Marcus.

Wyglądało to tak, jakby się żyło w jakiejś bajce... Ale nie można było z niej wyjść. Tak opisał pobyt w zakładzie Nicola Gavi.

Nigdzie nie było śladu takiego zakładu psychiatrycznego dla małoletnich. Żadnego adresu ani nawet niepewnej wskazówki w internecie, gdzie nawet najbardziej poufne informacje prawie zawsze odbijają się echem.

W sieci było też niewiele na temat samego Josepha Kroppa, lekarza pochodzenia austriackiego, który pragnął stworzyć i obmyślił zasadę działania miejsca przywracania światu małoletnich, którzy splamili się strasznymi zbrodniami, ale często ignorowano powagę ich czynu.

Kropp był wymieniany jako autor kilku publikacji poświęconych analizie winy w wieku dziecięcym i skłonnościom przestępczym u najmłodszych. Ale nie można było znaleźć nic więcej, żadnych danych biograficznych ani jego zawodowego życiorysu.

Jedyna wskazówka, jaką Marcus zdołał wytropić, znajdowała się w pewnym artykule, w którym podkreślano walory wychowawcze baśni.

Penitencjariusz był przekonany, że powodem tej powściągliwości była chęć chronienia prywatności małych podopiecznych instytutu. Chorobliwa nieufność ludzi mogła postawić w zagrożeniu wszelką możliwość resocjalizacji. Jednak to miejsce nie mogło być przecież absolutnie nieznane. Z pewnością miało dostawców, którzy zaopatrywali je we wszelkie potrzebne rzeczy, musiały istnieć dokumenty podatkowe potwierdzające tego rodzaju działalność, rozmaite zezwolenia. No i musiał tam pracować jakiś personel, regularnie zatrudniany i opłacany. A więc być może jedynym wiarygodnym wyjaśnieniem było to, że instytut nosił inną, fasadową nazwę, dzięki czemu nie zwracał niczyjej uwagi.

W ten sposób Marcus natknął się na Ośrodek Pomocy Dzieciom Hameln.

Hameln, taką nazwę nosiło miasteczko z baśni braci Grimm, w którym pewnego dnia pojawił się Szczurołap. Według tej opowieści grą na flecie uwolnił najpierw jego mieszkańców od plagi nękających je szczurów, a potem, wciąż za sprawą magicznych dźwięków tego instrumentu, wyprowadził z miasta wszystkie dzieci, co było zemstą za to, że mu nie zapłacono za wykonanie zadania.

Dziwny wybór, pomyślał Marcus. W tej baśni nie ma nic dobrego.

◆ ◆ ◆

Ośrodek Hameln znajdował się w budynku z początków dwudziestego wieku, w południowo-zachodniej części miasta. Otoczony był parkiem, który w świetle błyskawic odsłaniał ślady zaniedbania. Budynek z szarego kamienia nie był zbyt duży i miał zaledwie dwie kondygnacje. Okna fasady od frontu zasłonięto panelami z ciemnego drewna. Wyglądało na to, że jest od dawna opuszczony.

Stojąc w deszczu, Marcus przyglądał się budowli przez zardzewiałą żelazną bramę. Rozmyślał o zwięzłym opisie Chłopca z soli, jaki przedstawił mu Nicola Gavi. Włosy i oczy kasztanowe, zwyczajny wygląd. Delikatny i introwertyczny, ale mimo to zdolny do budzenia u innych dziwnego lęku. Dlaczego się tu znalazł? Jak straszny czyn popełnił? Prawdopodobnie odpowiedzi znajdowały się w tym budynku. O tej nocnej porze miejsce odpychało swoim ponurym, ale także melancholijnym wyglądem. Kojarzyło się z dziecięcą tajemnicą.

Marcus nie mógł czekać.

Wspiął się na ogrodzenie i zeskoczył na dywan ze zwiędłych, mokrych liści. Mimo zawilgocenia wiatr podrywał je i przenosił z miejsca na miejsce po całym ogrodzie. Przypominały duchy dzieciaków bawiących się w berka. W padającym deszczu słychać było ich szeleszczące, stłumione śmiechy.

Penitencjariusz ruszył w kierunku wejścia.

Dolna część fasady pokryta była napisami wykonanymi farbami w sprayu – jeszcze jedna oznaka zaniedbania tego miejsca. Drzwi wejściowe zabito deskami. Marcus obszedł budynek, szukając sposobu, żeby dostać się do środka. W panelu zasłaniającym jedno z okien parteru dostrzegł szczelinę. Stanął obiema nogami na śliskim gzymsie, chwycił się parapetu i podciągnął, a następnie wcisnął w wąskie pęknięcie, uważając, żeby się nie poślizgnąć.

Znalazłszy się wewnątrz, zatrzymał się, a kapiąca z jego ubrania woda obficie moczyła podłogę. Wyjął z kieszeni latarkę i oświetlił nią pomieszczenie. Wyglądało jak jadalnia. Wokół niskich okrągłych stołów stało około trzydziestu jednakowych plastikowych krzeseł. Ich porządne ustawienie kłóciło się z zapuszczonym wyglądem tego miejsca. Wydawało się, że te krzesła i stoły ciągle na kogoś czekają.

Poświecił na podłogę. Była ceglaną mozaiką o wyblakłych kolorach. Ruszył naprzód, żeby zbadać inne pomieszczenia.

Wszystkie pokoje były do siebie podobne. Być może dlatego, że jeśli nie liczyć resztek mebli, były puste. Brakowało drzwi, a ściany połyskiwały wyblakłą bielą w miejscach, w których tynk nie odpadł z powodu wilgoci. Wszędzie unosił się przenikliwy zapach pleśni, a z głębi budynku dochodziły odgłosy kapiącej do środka deszczówki. Ośrodek wydawał się wrakiem zniszczonego przez sztorm transatlantyku.

Kroki Marcusa w kolejnych pomieszczeniach wprowadzały do nich nowe dźwięki – smutne i osamotnione, niczym stąpanie spóźnionego gościa. Zastanawiał się, co przydarzyło się temu miejscu, jakie dotknęło je przekleństwo, wyznaczając mu tak niechlubny koniec.

Czuł jednak, że przenika go dziwny dreszcz. Jeszcze raz znalazł się bardzo blisko prawdy. On tu był, powiedział sobie w duchu, rozmyślając o cieniu człowieka dostrzeżonego podczas orgii przy via Appia Antica. Wiele lat wcześniej jego droga doprowadziła go do tego miejsca, nim skrzyżowała się z moją tamtej nocy.

Wszedł na schody prowadzące na piętro. Stopnie wyglądały niepewnie, jakby gotowe były załamać się pod najmniejszym naciskiem. Zatrzymał się u ich szczytu. Krótki korytarz ciągnął się z prawa na lewo. Po kolei zajrzał do znajdujących się tam pomieszczeń.

Zardzewiałe piętrowe łóżka, kilka połamanych krzeseł. Była też wielka łaźnia z przymocowanymi do jednej rury prysznicami oraz wspólna szatnia. Uwagę penitencjariusza przyciągnął jednak pokój w głębi. Przekroczył jego próg i znalazł się w pomieszczeniu różniącym się od pozostałych. Ściany były tu pokryte czymś w rodzaju papierowej tapety.

Wokół widniały rysunki scen ze słynnych baśni.

Rozpoznał Jasia i Małgosię przed chatką z piernika. Królewnę Śnieżkę, Kopciuszka na balu, Czerwonego Kapturka niosącego koszyczek z wiktuałami dla babci. Była też Dziewczynka z zapałkami. Wyglądało to tak, jakby wszystkie te postaci wyszły z jakiejś starej spłowiałej książki. Ale było w tym też coś jeszcze dziwniejszego. Przesuwając snop światła, Marcus zrozumiał, co to jest.

Na ich twarzach nie było radości.

Żadne z dzieci się nie uśmiechało, jak można by się spodziewać po postaciach z baśni. Patrząc na nie, odczuwało się skrępowanie i niepokój.

Z dworu dobiegł grzmot głośniejszy niż inne. Penitencjariusz poczuł potrzebę opuszczenia pokoju. Ale wychodząc, na coś nadepnął. Oświetlił to miejsce i zobaczył na podłodze krople wosku. Poświecił do przodu i spostrzegł, że krople tworzą ścieżkę prowadzącą na zewnątrz. Odnalazł je również na korytarzu. Postanowił iść ich śladem.

◆ ◆ ◆

Ślady wosku zaprowadziły go do ciasnego pomieszczenia pod schodami, gdzie się urywały przed drewnianymi drzwiczkami. Ktoś, kto się zapędził aż tutaj ze świecą w dłoni, poszedł także dalej. Marcus nacisnął klamkę. Wejście nie było zamknięte na klucz.

Skierował światło z latarki w dół i zobaczył labirynt pokoików i korytarzy. Obliczył w myśli, że zajmują dużo większą przestrzeń niż parter domu, tak jakby budynek był pogrążony w ziemi i wystawał ponad powierzchnię swoją skromniejszą częścią.

Ruszył dalej. Wskazówką były wyłącznie krople wosku, inaczej z pewnością by się zgubił. Podłoga tego poziomu nie była wykonana z cegieł, tylko z gruzu budowlanego. Można było wyczuć silny zapach oleju opałowego; dochodził najprawdopodobniej ze starych kotłów.

Wszędzie poupychano stare wyposażenie z byłego ośrodka. Materace, które pleśniały w mroku, meble nadżerane w milczeniu przez wilgoć. Podziemie przypominało ogromny brzuch, który powoli je trawił, aby zatrzeć po nich wszelki ślad.

Było też wiele zabawek. Pajacyki na przeżartych przez rdzę sprężynach, samochodziki, konik na biegunach, konstrukcje z drewna, podarty pluszowy miś, który zachował jednak dwoje żywych oczu. Ośrodek Hameln był czymś pośrednim między więzieniem i szpitalem psychiatrycznym, ale te przedmioty przypominały penitencjariuszowi również o tym, że przebywały tu dzieci.

Po jakimś czasie ślady woskowych kropli skręciły do jednego z pomieszczeń. Marcus oświetlił wnętrze. Nie był w stanie uwierzyć własnym oczom.

Znalazł się w archiwum.

Lokal zawalony był segregatorami i stosami luźnych kartek. Złożono je wzdłuż ścian, ale zajmowały też środek pomieszczenia, aż po sam sufit. Rządził tu jednak chaos.

Marcus oświetlił z bliska szuflady, żeby przeczytać widniejące na nich etykiety. Na każdej była umieszczona wyłącznie data. Na ich podstawie wywnioskował, że Ośrodek Hameln działał przez piętnaście lat. Potem, z jakiegoś nieznanego powodu, został zamknięty.

Zaczął przeglądać dokumenty, wybierając je na chybił trafił, pewien, że wystarczy mu rzut oka, żeby stwierdzić, czy zawierają coś interesującego. Ale po przeczytaniu kilku linijek z wyłowionych losowo kartek zdał sobie sprawę, że to, co ma przed sobą, nie jest zwykłym archiwum kart chorobowych i urzędowych dokumentów.

Był to nieuporządkowany dziennik profesora Josepha Kroppa.

Tu znajdowały się odpowiedzi na wszystkie pytania. Ale główną przeszkodą w dotarciu do prawdy była właśnie wielkość tych pokładów nagromadzonych informacji. Nie mogąc zastosować jakiegoś logicznego kryterium, Marcus musiał zawierzyć przypadkowi. Zaczął przeglądać zeszyty Kroppa.

Podobnie jak dorośli, również dzieci posiadają naturalną skłonność do zabijania, która objawia się zazwyczaj w wieku dojrzewania płciowego, pisał psychiatra. *Małoletni są odpowiedzialni za bezlitosne rzezie w szkołach z użyciem broni palnej. Oprócz*

tych szkolnych zabójców są też mordercy należący do gangów,
czyli chłopcy, którzy wstępują do band i popełniają zabójstwa,
korzystając z komfortu, jaki zapewnia im przynależność do stada.

Kropp sięgał jednak dalej, analizując zjawisko zabijania w okresie niewinności i czystości duszy.

W okresie dzieciństwa.

12

W okresie piętnastu lat działalności Ośrodka Hameln prze-
winęło się przez niego około trzydzieściorga dzieci.

Zbrodnia była zawsze taka sama. Zabójstwo. Chociaż nie
wszystkie zabiły. Niektóre zdołały tylko zamanifestować *wyjątkowo silne skłonności do popełniania zabójstw* lub zostały po-
wstrzymane przed osiągnięciem celu, albo też zwyczajnie się
im nie udało.

Biorąc pod uwagę wiek winnych, ta trzydziestka była liczbą
zasługującą na uwagę. Opowieściom o tym, co popełniły, nie
towarzyszyły zdjęcia, nie było też prawdziwych personaliów.

Tożsamość każdego z nich była ukryta w jakiejś baśni.

*W trakcie zabijania dzieci są bardziej okrutne niż dorośli; ich
maską jest naiwność,* pisał Joseph Kropp. *Kiedy się tu zjawiają,
wydają się absolutnie nieświadome powagi tego, co zrobiły lub
zamierzały zrobić. Ale niewinność ich zachowania może wprowadzić w błąd. Dość pomyśleć na przykład o dziecku, które torturuje
małego owada. Dorosły je upomni, ale będzie myślał o zabawie,
ponieważ ciągle utrzymuje się przekonanie, że osoba małoletnia
nie jest w stanie zrozumieć w pełni różnicy między dobrem i złem.
Jednakże w jakimś zakątku swej świadomości dziecko wie, że po-
stępuje źle, i doznaje mrocznej, sadystycznej przyjemności.*

Marcus czytał na chybił trafił.

Chłopiec ze słomy miał dwanaście lat i nie przejawiał żad-

211

nych uczuć. Samotna matka powierzyła go wujostwu, ponieważ nie mogła się nim zajmować. Pewnego dnia, bawiąc się na placu zabaw w parku, spotkał pięcioletniego chłopca i korzystając z nieuwagi opiekunki, która go tam przyprowadziła, namówił malca, żeby poszedł z nim do opuszczonej piwnicy. Tam zaprowadził go nad brzeg zbiornika wkopanego w ziemię na kilka metrów i wepchnął do środka. Maluszek połamał sobie obie nóżki, ale nie umarł od razu. W ciągu następnych dwóch dni, gdy wszyscy zajęci byli szukaniem go i podejrzewali, że mógł zostać porwany przez jakiegoś dorosłego, odpowiedzialny za jego zaginięcie chłopiec kilka razy wracał do piwnicy i siadał na krawędzi zbiornika, żeby słuchać płaczu i wezwań o pomoc, które dochodziły z dołu. Przypominało to położenie muchy uwięzionej w słoiku. Aż w końcu, na trzeci dzień, jęki ustały.

Chłopiec z kurzu miał zaledwie siedem lat. Długo był jedynym dzieckiem, dlatego nie zaakceptował pojawienia się młodszego braciszka – był on dla niego kimś obcym i wrogim, ponieważ naruszył stałą strukturę rodzinnych relacji. Pewnego dnia, korzystając z nieuwagi matki, wyjął noworodka z kołyski, zaniósł go do łazienki i zanurzył w wannie wypełnionej wodą. Matka przyłapała go, jak przyglądał się tonącemu braciszkowi, którego uratowała w ostatniej chwili. Pomimo jego oczywistej winy Chłopiec z kurzu twierdził uparcie, że to nie on był sprawcą.

Według Kroppa, czasami zabójstwo popełniane jest w stanie rozszczepienia jaźni. *W trakcie czynu dochodzi do prawdziwej ucieczki od rzeczywistości, z powodu której ofiara zostaje uznana za przedmiot, a nie za istotę ludzką. Wyjaśnia to amnezję często występującą po dokonaniu zbrodni, gdy młody sprawca nie pamięta, co zrobił, lub nie jest zdolny do okazania litości czy skruchy.*

Marcus domyślał się, dlaczego władze utrzymują te przypadki w tajemnicy. To było tabu. Rozpowszechnianie tego rodzaju historii mogło wywoływać zakłócenia świadomości. Dlatego ustanowiono specjalne sądy, nadano dokumentom klauzulę poufności i objęto wszystkie takie sprawy maksymalną powściągliwością informacyjną.

Chłopców z wiatru było trzech, wszyscy mieli po dziesięć lat. Ich ofiarą był pięćdziesięcioletni mężczyzna, agent handlowy mający żonę i dwóch synów, który w zwyczajny zimowy wieczór wracał autostradą do domu. W sam środek przedniej szyby jego samochodu uderzył rzucony z wiaduktu kamień, który przedziurawił mu czaszkę, zostawiając krwawą dziurę w miejscu, gdzie znajdowała się twarz. Po obejrzeniu zdjęć z kamery ochrony umieszczonej nad wiaduktem ustalono, że za wypadek odpowiedzialni są właśnie ci trzej chłopcy. Okazało się, że ich zabawa trwała już od paru tygodni. Uszkodzili kilka pojazdów, ale nikt nie zwrócił na nich uwagi.

Chłopiec z ognia miał osiem lat. Kiedy oparzył sobie rękę petardą, rodzice pomyśleli, że to był wypadek, podczas gdy on chciał eksperymentalnie sprawdzić na sobie tajemniczą potęgę płomienia – wyobrażał sobie, że w tym cierpieniu kryje się coś przyjemnego. Od jakiegoś czasu miał na oku bezdomnego, który spędzał noce w pozostawionym na parkingu samochodzie. Podpalił ten pojazd, oblewając go benzyną z kanistra ukradzionego z garażu ojca. Bezdomny miał poparzone siedemdziesiąt procent ciała.

Komentując te zbrodnie, Joseph Kropp nie okazywał wyrozumiałości, ale starał się wykazać głębokie motywacje sprawców. *Wiele osób zadaje sobie pytanie, jak dziecko, istota ludzka uważana za wcielenie niewinności, może dopuścić się tak nieludzkiego czynu jak zabójstwo. Jednakże, w odróżnieniu od morderstw popełnianych przez dorosłych, w których można wyróżnić dwie postacie, zabójcę i ofiarę, w morderstwach, które popełniają dzieci, ofiarą jest sam zabójca. Zazwyczaj nieobecnego, surowego albo okazującego za mało uczuć ojca. Albo despotycznej matki, pozbawionej uczuć lub uwodzącej własnego syna. Dziecko, które jest prześladowane lub gwałcone w rodzinie, a rodzice nim gardzą, ma skłonność do przyjmowania na siebie winy za te zachowania, uważa bowiem, że zasługuje na złe traktowanie. Dlatego wybiera podobnego do siebie rówieśnika, słabego i bezbronnego, po czym zabija go, ponieważ z domu wynosi jedynie naukę, że słabszy zawsze musi paść ofiarą silniejszego. W rzeczywistości mały morderca karze w ten sposób samego siebie i własną niezdolność do reagowania na upokorzenia.*

Taki los przypadł w udziale Chłopcu z cyny, źle traktowanemu już od wczesnego dzieciństwa przez oboje rodziców, którzy wyładowywali na nim swoje frustracje. Znajomi tej pary mieli o niej zbyt wysokie mniemanie, aby powziąć jakiekolwiek podejrzenia. W oczach innych ludzi ów jedynak musiał być niezdarą lub po prostu brakowało mu szczęścia, gdyż zdarzały mu się bezustannie drobne wypadki, po których pozostawały siniaki i złamania. W końcu właśnie to samotne dziecko znalazło serdecznego przyjaciela. Ta przyjaźń wprowadziła do jego życia pozytywną zmianę, zaczął czuć się szczęśliwy, taki jak inni. Mimo to pewnego dnia, posługując się kłamstwem, zaciągnął małego przyjaciela do piwnicy w domu jego babci, związał go i połamał mu ciężkim młotkiem kości nóg i rąk. Potem pociął go w wielu miejscach jakimś ostrym narzędziem. W końcu przebił mu brzuch zaostrzonym żelaznym prętem. *Musiałem to zrobić, bo on w żaden sposób nie chciał umrzeć.*

Marcus, który z powodu amnezji nie wiedział nic o swoim poprzednim życiu, łącznie z dzieciństwem, poczuł się zmuszony zadać sobie pytanie, w jakim dokładnie momencie, gdy był jeszcze dzieckiem, zrozumiał sens dobra i zła i czy również on jako chłopiec zdolny był do takiej okrutnej obojętności. Nie potrafił jednak odpowiedzieć na to pytanie. Zatem zabrał się znowu do szukania historii, która najbardziej go interesowała.

Ale na żadnej kartce nie było wzmianki o Chłopcu z soli ani o popełnionej przez niego zbrodni. Przyjrzał się na nowo segregatorom i stosom dokumentów, które miał wokół siebie. Poszukiwania mogły potrwać długo. Pobieżnie obejrzał w świetle latarki to, co znajdowało się najbliżej, mając nadzieję, że coś wpadnie mu w oko. Zatrzymał się przed uchyloną szufladą drewnianego mebla. Podszedł bliżej i zobaczył, że wypełniają ją stare wideokasety. Wyciągnął ją, chociaż coś w środku stawiało opór. Położył szufladę na podłodze i pochylił się, żeby sprawdzić zawartość.

Wszystkie kasety miały na grzbietach etykietki – „Psychoza agresywna", „Antyspołeczne zaburzenie osobowości", „Opóźnienie umysłowe pogłębione przez surowe traktowanie". Było ich co najmniej trzydzieści.

Marcus zaczął sprawdzać, czy wśród wymienionych patologii znajduje się coś, co mogłoby odpowiadać opisowi Chłopca z soli przedstawionemu przez Nicolę Gaviego: zaburzenia sfery seksualnej, utajona agresywność, zdolność okłamywania, bardzo wysoki iloraz inteligencji. Był tak skoncentrowany na tych poszukiwaniach, że latarka wysunęła mu się z rąk i upadła na podłogę. Kiedy się pochylił, żeby ją podnieść, zauważył, że oświetla coś znajdującego się w rogu.

Leżał tam materac rzucony na podłogę i stos łachmanów, a przy ścianie stało krzesło, na którym widać było świece i turystyczną kuchenkę. Pomyślał natychmiast, że musi to być legowisko jakiegoś włóczęgi, ale potem zauważył u stóp krzesła coś jeszcze.

Parę butów. Były niebieskie.

♦ ♦ ♦

Nie zdążył zareagować, ponieważ usłyszał za plecami jakiś szelest. Skierował w tę stronę światło latarki i zobaczył staruszka.

Miał włosy białe niczym księżycowe światło i bardzo głęboko osadzone niebieskie oczy. Zmarszczki upodabniały jego twarz do woskowej maski. Wpatrywał się w niego z dziwnym uśmiechem na ustach.

Marcus powoli podniósł się na nogi. Ale staruszek się nie poruszył. Jedną rękę trzymał za plecami.

Był to ten sam człowiek, który zabił Cosma Barditiego, ugodził nożem Nicolę Gaviego i rąbnął Marcusa w kark w willi przy Appia Antica. A teraz penitencjariusz był bezbronny.

Staruszek odsłonił w końcu to, co ukrywał za plecami.

Małą plastikową niebieską zapalniczkę.

Zrobił nią znak krzyża na opak i ruszył biegiem w ciemność.

Marcus próbował oświetlić go latarką, ale zobaczył tylko nikły cień, który wymykał się z pomieszczenia. Po chwili wahania ruszył za nim, jednak gdy tylko znalazł się na korytarzu, poczuł w powietrzu silniejszy niż przedtem zapach oleju opałowego. Gdzieś w głębi labiryntu, który miał przed sobą, pokazały się płomienie. Widział ich blask.

Zawahał się. Musiał natychmiast uciekać, inaczej zostanie zablokowany w tym miejscu i spali się żywcem. Coś mówiło mu jednak, że jeśli wyjdzie stąd bez odpowiedzi, nie znajdzie innego sposobu na powstrzymanie zła, które ogarniało Rzym. Dlatego, świadom ryzyka, na jakie się naraża, wrócił po swoich śladach do archiwum.

Rzucił się na nowo do szuflady, w której prowadził poszukiwania, i zaczął wyjmować kasety wideo, odrzucając z miejsca te, które nie wydały mu się interesujące. W końcu jedna z nich zwróciła jego uwagę.

Na etykietce widniał napis: „Inteligentny psychopata".

Wsunął ją pod kurtkę i natychmiast rzucił się do wyjścia.

◆　◆　◆

Korytarze podziemia zdawały się nie różnić od siebie i bardzo prędko wypełniały się ostrym i gęstym dymem. Marcus zasłonił usta i nos kołnierzem, starając się przypomnieć sobie trasę, którą pokonał wcześniej, ale było to diabelnie trudne. Strumień światła z latarki napotykał już czarną ścianę dymu.

Marcus zaczął posuwać się na czworakach, żeby ułatwić sobie oddychanie. Czuł, że temperatura wokół niego rośnie, a płomienie są coraz bliżej, osaczają go ze wszystkich stron. Podniósł wzrok i zorientował się, że dym kieruje się w jedną stronę, jakby znalazł drogę ujścia. Zerwał się na nogi i ruszył w tym samym kierunku.

Oganiał się od dymu, wymachując rękami, ale co pewien czas musiał stanąć i oprzeć się o ścianę, żeby się wykasłać. Po jakimś czasie, który wydał mu się wiecznością, dotarł do schodów prowadzących na górę. Zaczął się po nich wspinać, otoczony ze wszystkich stron ogniem.

Na parterze zauważył, że dym prędko wypełnia również ten poziom. Nie mógł więc skorzystać z okna, przez które się tu dostał, ponieważ prawdopodobnie udusiłby się, zanim zdołałby do niego dotrzeć. Doszedł do wniosku, że jeśli chce się uratować, musi wejść na wyższe piętro, wyprzedzając ścigający go dym.

Znalazł się na pierwszym piętrze i łapiąc z trudem powietrze, zdołał dotrzeć do pokoju wytapetowanego scenami z baśni. Jednakże piekący żar dotarł tu już wcześniej i pod jego wpływem papierowe tapety odchodziły od ścian.

Wyczuwając, że pozostało mu niewiele czasu, zaczął kopać w drewnianą płytę zasłaniającą okno. Jeden, dwa, trzy kopniaki, podczas gdy korytarz wypełniał się już blaskiem zapowiadającym rychłe nadejście płomieni. W końcu panel ustąpił i spadł na ziemię. Marcus wdrapał się na parapet i zamierzał już rzucić się jego śladem w ciemność szalejącej burzy, gdy spod tapety z rysunkami z baśni wyłoniła się postać o imponującej posturze, która zdawała się unosić niczym groźny cień.

Postać człowieka pozbawionego ludzkich cech. Miał wilczą głowę z pustymi oczodołami.

13

Deszcz, który przez całą noc zalewał Rzym potokami wody, następnego ranka był już tylko niewyraźnym wspomnieniem. Wyblakłe słońce oświetlało Bazylikę Świętego Pawła za Murami, drugą pod względem wielkości po Bazylice Świętego Piotra.

Znajduje się tu grób apostoła Pawła, który według legendy miał zostać umęczony i ścięty kilka kilometrów od tego miejsca. Nazwa bazyliki wzięła się stąd, że wzniesiono ją na lewym brzegu Tybru tuż za murami Aureliana. Wykorzystywano ją często na uroczyste obrzędy, takie jak pogrzeby państwowe. Teraz odbywała się tu msza żałobna za dusze Pii Rimonti i Stefano Carboniego, policjantów brutalnie zamordowanych dwie noce wcześniej przez Potwora z Rzymu.

Bazylika zapełniona była ludźmi po brzegi. Na pogrzeb przybyły władze policji i różne osobistości. Było jednak także wielu mieszkańców miasta, którzy pragnęli złożyć hołd ofiarom straszliwej zbrodni.

Pod kolumnadą czworobocznego dziedzińca przed bazyliką rozłożyły się ekipy reporterów dokumentujących wydarzenie dla krajowych dzienników telewizyjnych. Przed wejściem stała warta honorowa złożona z policjantów w galowych mundurach, którzy mieli oddać ostatni salut trumnom ze szczątkami zamordowanych.

Sandra pozostała na zewnątrz wraz z wieloma kolegami i przyglądała się wszystkiemu z poczuciem rezygnacji. Była pewna, że morderca cieszy się tym widowiskiem zainscenizowanym z jego powodu.

Ubrała się po cywilnemu i miała przy sobie małą cyfrówkę, którą uwieczniała obecnych. To samo robili inni dokumentaliści wmieszani w tłum, wewnątrz bazyliki i przed nią. Szukali podejrzanej twarzy albo zachowania. Istniała nadzieja, że morderca zjawi się na mszy żałobnej, żeby przeżyć upojenie tym, że jest ciągle na wolności i może się czuć bezkarnie.

On nie jest taki głupi, pomyślała Sandra. Nie ma go tu.

Po raz ostatni uczestniczyła w pogrzebie, kiedy zmarł jej mąż. Ale tamtego odległego już dnia jej myśli nie miały nic wspólnego z bólem po stracie małżonka. Uczestnicząc w pogrzebie Davida, nie była w stanie usunąć z głowy myśli, że oficjalnie jest wdową. To słowo nie pasowało do niej, a tym bardziej do jej młodego wieku. Irytowało ją. Nikt nie użył go jeszcze w jej obecności, a mimo to nie była w stanie uniknąć postrzegania siebie w ten sposób.

Nie zdołała pozbyć się tego miana, dopóki nie rozwiązała zagadki śmierci mężczyzny, którego kochała. Nikt tego nigdy nie przyzna, ale czasami śmierć naszych ukochanych prześladuje nas niczym niemożliwy do spłacenia dług. Dlatego ciągle miała w pamięci poczucie wyzwolenia, jakiego doświadczyła, gdy David zostawił ją wreszcie w spokoju.

Musiało jednak upłynąć jeszcze trochę czasu, aby mogła pogodzić się z myślą, że w jej życie wkroczy inny mężczyzna. Zupełnie inny rodzaj miłości i całkowicie inny sposób kochania. Druga szczotka do zębów w łazience, nowy zapach na poduszce obok jej zapachu.

Ale teraz nie była już pewna swojego uczucia do Maxa i nie wiedziała, jak mu to powiedzieć. Im bardziej starała się przekonać siebie, że jest on właściwym człowiekiem, i przypominać sobie bezustannie, jaki jest doskonały, tym bardziej rosła w niej potrzeba przerwania tej sytuacji.

Myśli te przybrały na sile właśnie teraz, w dniu pogrzebu koleżanki, Pii Rimonti. Co by się stało, gdyby to ona była na jej miejscu w tamtym samochodzie, który miał posłużyć za przynętę i umożliwić schwytanie zabójcy. Jaki obraz i jaki żal nawiedziłyby ją w ostatnich chwilach życia?

Sandra bała się odpowiedzieć sobie na to pytanie. Ale być może właśnie dzięki tym natrętnym myślom zorientowała się, że uwieczniając cyfrowym aparatem małą grupkę osób, sfotografowała również Ivana, narzeczonego Pii, który nieoczekiwanie oddalał się szybkim krokiem od bazyliki jeszcze przed końcem mszy żałobnej.

Odprowadziła go wzrokiem i zobaczyła, że opuszcza dziedziniec z kolumnadą, skręca w boczną uliczkę i podchodzi do zaparkowanego samochodu. Nawet z tej odległości było widać, że jest mocno poruszony. Może nie wytrzymał bólu i uciekł. Ale zanim dotarł do samochodu, zrobił coś, co zastanowiło Sandrę.

Wściekłym ruchem wyjął z kieszeni marynarki komórkę i wrzucił ją do kosza na śmieci.

Sandra zapamiętała słowa penitencjariusza dotyczące anomalii. A to z pewnością nie było normalne zachowanie. Wahała się przez chwilę, a potem postanowiła podejść do tego człowieka, żeby z nim porozmawiać.

♦ ♦ ♦

Przed tym tragicznym wydarzeniem widziała go tylko raz, gdy czekał na Pię pod koniec dyżuru. Ale w ciągu ostatnich dwóch dni często odwiedzał komendę. Wydawało się, że śmierć narzeczonej nie daje mu spokoju i że czuje się w jakiś sposób odpowiedzialny za to, że nie zapewnił ochrony swojej ukochanej.

– Część. Jesteś Ivan, prawda? – zaczęła Sandra.

Mężczyzna odwrócił się, żeby na nią spojrzeć.

– Tak.

– Nazywam się Sandra Vega, jestem koleżanką Pii. – Poczuła się w obowiązku wyjaśnić, dlaczego do niego podeszła. – Nie jest łatwo, wiem o tym. Przeszłam przez to kilka lat temu, kiedy zginął mój mąż.

– Przykro mi – odparł krótko. Być może nie wiedział, co innego mógłby powiedzieć.

– Widziałam, jak pospiesznie wychodziłeś z kościoła. – Sandra zauważyła, że usłyszawszy to, Ivan instynktownie zerknął na kosz ze śmieciami, do którego dopiero co wrzucił komórkę.

– Tak, rzeczywiście… Po prostu nie mogłem tam wytrzymać.

Pomyliła się; w jego głosie nie było bólu ani złości. Był tylko nieprzemyślany pośpiech.

– Złapiemy go – obiecała. – Nie pozostanie bez kary. Zawsze w końcu ich łapiemy.

– Wiem, że tak będzie – powiedział Ivan, ale jakoś bez przekonania, jakby wcale mu na tym nie zależało.

Ton jego głosu i zachowanie kłóciły się z wyobrażeniem, jakie miała o nim aż do tej chwili – narzeczonego, który chce sprawiedliwości za wszelką cenę. Odniosła wrażenie, że mężczyzna stara się coś ukryć. Także dlatego, że rzucał ulotne spojrzenia na kosz ze śmieciami.

– Mogę cię zapytać, dlaczego wyszedłeś z mszy?

– Już ci powiedziałem.

– Chciałabym usłyszeć prawdziwy powód – upierała się.

– To nie twoja sprawa – rzucił gniewnie.

Sandra znieruchomiała, przyglądając mu się w milczeniu przez kilka sekund, które, była tego pewna, ciągnęły się dla niego niczym godziny.

– Dobrze, przepraszam cię za to nagabywanie – powiedziała, szykując się do odejścia. – Przykro mi z powodu tego, co przechodzisz.

– Zaczekaj…

Sandra zatrzymała się i odwróciła do niego.

– Dobrze znałaś Pię? – spytał zupełnie innym, bardziej zasmuconym tonem.

– Nie tak dobrze, jak bym chciała.

– Tu niedaleko jest bar. – Mężczyzna spojrzał w ziemię, a potem dodał: – Nie miałabyś ochoty porozmawiać?

W pierwszej chwili Sandra nie wiedziała, co odpowiedzieć.

– Nie chciałbym wystawiać cię na żadne próby. – Uniósł ręce w przepraszającym geście. – Ale muszę to komuś powiedzieć…

Przyjrzała mu się uważnie: bez względu na to, co aż tak mu ciążyło, zasługiwał na pomoc w pozbyciu się tego ciężaru. Być może łatwiej mu będzie zwierzyć się komuś obcemu.

– Muszę skończyć służbę. Ale idź tam, zaraz przyjdę.

◆ ◆ ◆

Zanim Sandra zdołała się wymknąć, minęła następna godzina. Przez cały czas zadawała sobie pytanie, co gryzie tego człowieka i czy jest to coś poważniejszego od ciężaru, jaki przygniatał ją samą, dlatego że nie miała odwagi powiedzieć Maxowi prawdy. Potem, jak obiecała, udała się do baru, w którym miał na nią czekać.

Siedział przy stoliku, popijając drinka. Wydawało się, że się przebudził na jej widok, a w jego wzroku pojawiło się dziwne oczekiwanie.

Sandra usiadła naprzeciwko niego.

– A więc, o co chodzi?

Ivan przewrócił oczami, jakby szukał słów.

– Jestem świnią. Straszną świnią. Ale kochałem je obie.

Zadała sobie pytanie, dlaczego zaczyna w taki sposób, ale postanowiła mu nie przerywać.

– Pia była wspaniałą kobietą, nigdy by mnie nie skrzywdziła. Mawiała, że nasza historia jest najważniejsza ze wszystkiego. Czekała tylko, aż poproszę ją o rękę. Ale ja wszystko zepsułem…

222

Zorientowała się, że Ivan nie ma odwagi spojrzeć jej w oczy. Położyła rękę na jego dłoni.

– Jeśli już jej nie kochałeś, to nie ponosisz żadnej winy.

– Ależ przeciwnie, kochałem ją – zapewnił z przekonaniem. – Ale tamtej nocy, kiedy zginęła, zdradzałem ją.

Sandrę uderzyło to wyznanie. Powoli wycofała rękę.

– Już od jakiegoś czasu spotykałem się z inną kobietą.

– Nie sądzę, że powinnam tego słuchać.

– Ależ tak, z pewnością.

Wydawało się, że prosi ją o to.

– Tamtej nocy wiedziałem, że Pia ma dyżur i nie może do mnie zadzwonić, więc skorzystałem, żeby się spotkać z tą drugą.

– Mówię poważnie, wystarczy. – Nie miała najmniejszej ochoty słuchać reszty.

– Jesteś policjantką, prawda? Więc musisz mnie wysłuchać.

Sandra poczuła się zakłopotana, ale pozwoliła mu mówić dalej.

– Nie wspomniałem o tym wcześniej, ponieważ bałem się, że wszyscy wezmą mnie za gówniarza. Co by o mnie powiedzieli nasi przyjaciele, jej rodzice? I wszyscy inni. Ta historia trafiła do telewizji, ludzie, którzy mnie nie znają, doszliby do wniosku, że mają prawo mnie osądzać. Zachowałem się jak tchórz.

– O czym nie wspomniałeś?

Ivan wlepił w nią oczy pełne strachu. Sandra bała się, że za chwilę się rozpłacze.

– Że tamtej nocy, kiedy zginęła Pia, ktoś do mnie zadzwonił z jej komórki.

Sandra poczuła chłód, który piął się od stóp po nogach i w górę pleców. Otóż, nie było prawdą stwierdzenie, że na drugim miejscu zbrodni zabójca nie zostawił nic dla policji. Coś jednak było.

– O czym ty mówisz?

Mężczyzna sięgnął do kieszeni i położył na stoliku komórkę. Prawdopodobnie tę, którą niedawno wyrzucił na jej oczach. Popchnął telefon delikatnie w jej kierunku.

– Była wyłączona – powiedział. – Ale potem znalazłem wiadomość w poczcie głosowej.

14

Szukał schronienia w mieszkaniu kontaktowym.

Była to jedna z wielu rozrzuconych po Rzymie nieruchomości należących do Watykanu. Bezpieczne miejsca, zazwyczaj puste apartamenty w blokach, które pozostawały poza wszelkim podejrzeniem. W razie potrzeby można w nich było znaleźć jedzenie, lekarstwa, łóżko, komputer połączony z internetem, a przede wszystkim telefon z bezpieczną linią.

Tej nocy Marcus posłużył się nim, żeby zadzwonić do Clemente i powiedzieć mu, że musi z nim natychmiast porozmawiać.

Przyjaciel zjawił się około jedenastej rano. Kiedy Marcus otworzył mu drzwi, poczuł się jak przed lustrem, ponieważ mina Clemente powiedziała mu, jakie wrażenie robi jego wygląd.

– Kto cię tak urządził?

Marcus został uderzony w głowę podczas orgii w willi przy via Appia Antica, później napadł go Nicola Gavi, a w końcu ledwie zdołał uciec przed pożarem, skacząc z okna. Upadek spowodował drobne otarcia twarzy, a z powodu sadzy, której się nałykał, ciągle miał kłopot z oddychaniem.

– To drobiazg. – Próbując zbagatelizować swoje przejścia, zaprosił do środka gościa, który ciągnął za sobą czarną walizkę na kółkach. Przeszli do jedynego umeblowanego pokoju w mieszkaniu. Usiedli na brzegu niepościelonego łóżka, na którym Marcus próbował się bezskutecznie przespać przez ostatnie godziny.

– Powinieneś iść do lekarza – powiedział Clemente, ustawiając walizkę obok siebie.

– Wziąłem kilka aspiryn, to powinno wystarczyć.

– A przynajmniej coś jadłeś?

Marcus nie odpowiedział, ponieważ w tym momencie troskliwość przyjaciela po prostu go irytowała.

– Ciągle masz do mnie żal? – Clemente miał na myśli niezakończone śledztwo w sprawie zakonnicy poćwiartowanej w ogrodach watykańskich.

– Nie mam ochoty o tym rozmawiać – zbył go szybko Marcus. Ale przy każdym spotkaniu z przyjacielem przed oczami miał widok tamtego ciała z odciętymi kończynami.

– Masz rację – powiedział Clemente. – Musimy się zająć Potworem z Rzymu, to pilniejsze niż jakakolwiek inna kwestia.

W jego głosie słychać było zdecydowanie i Marcus postanowił to wykorzystać.

– Do zabójstwa dwojga policjantów doszło kilka dni po napaści w lasku koło Ostii – kontynuował Clemente. – Minęły następne dwa i jeżeli morderca realizuje dokładnie to, co zaplanował, powinien zaatakować tej nocy.

– Ale tej nocy padało – zauważył Marcus.

– I co z tego?

– Pamiętasz Chłopca z soli? On boi się wody.

◆ ◆ ◆

Ta myśl przyszła mu do głowy tej nocy, kiedy oddalał się w deszczu z Ośrodka Hameln. Przymus powtarzania zabójstw, charakterystyczny dla seryjnych morderców, dyktowany jest precyzyjnymi etapami. Wyobrażenie, zaplanowanie, wykonanie. Jednakże zazwyczaj po ataku morderca tłumi swój instynkt drapieżnika za pomocą jakiejś pamiątki, która może mu zagwarantować poczucie zaspokojenia na krótszy lub dłuższy czas. W tym przypadku niedługa przerwa między dwoma morderstwami wskazywała, że sprawca opracował bardzo dokładny plan działania. I że zabójstwa, które nastąpiły jedno po drugim, są tylko etapami szlaku, którego meta pozostawała na razie nieznana.

A więc impuls nakazujący popełnienie morderstwa nie był uwarunkowany potrzebą, ale pozostawał raczej celem samym w sobie.

Jednak bez względu na przyświecające mu przesłanki, Potwór z Rzymu poważnie traktował przypisaną sobie rolę. Starał się przekazać informację, że Chłopiec z soli z Ośrodka Hameln bynajmniej nie pozbył się swego schorzenia. Przeciwnie, jeszcze bardziej je wysublimował.

– On realizuje swój scenariusz – zapewnił Marcus. – A deszcz również odgrywa w tym pewną rolę. Sprawdziłem, dziś w nocy też będzie padać. Jeżeli mam rację, to zaatakuje znowu jutro albo pojutrze.

– W takim razie jaką mamy nad nim przewagę? Trzydziestu sześciu godzin? – zapytał Clemente. – Zaledwie trzydzieści sześć godzin na zrozumienie, jak działa jego umysł. A tymczasem możemy tylko powiedzieć, że jest bardzo sprytny. Lubi zabijać, lubi się znęcać, siać panikę. Ale jeszcze nie znamy motywu, jakim się kieruje. Dlaczego wybiera właśnie młode pary?

– Ma to związek z baśnią o Chłopcu z soli – odparł Marcus, a potem wyjaśnił przyjacielowi sprawę książek używanych w Ośrodku Hameln w ramach terapii opracowanej przez profesora Josepha Kroppa. – Uważam, że on stara się opowiedzieć nam bajkę o samym sobie. Zabójstwa są kolejnymi rozdziałami tej opowieści. Układa ją tu i teraz, ale tym, co próbuje przed nami odsłonić, musi być jakaś stara historia, pełna cierpienia i przemocy.

– Morderca opowiadacz.

Seryjnych morderców dzieli się zwykle na kategorie według ich *modus operandi* i motywu, jaki ich popycha. „Mordercy opowiadacze" uważani są za podkategorię morderców wizjonerów, którzy popełniają zabójstwa zdominowani przez *alter ego*, z którym są w kontakcie i od którego odbierają instrukcje, czasami w postaci wizji lub głosów.

Natomiast opowiadacze potrzebują dla swoich działań publiczności. Wygląda to tak, jakby stale szukali przyzwolenia na to, co robią, również w postaci przerażenia.

To był powód, dla którego Potwór z Rzymu pięć dni przed napaścią zostawił wiadomość nagraną na magnetofon w konfesjonale.

...dawno temu... Zdarzyło się to nocą... I wszyscy pobiegli tam, gdzie był wbity jego nóż... przyszedł jego czas... dzieci umarły... fałszywi głosiciele fałszywej miłości... a on był dla nich bezlitosny... chłopca z soli... jeżeli nie zostanie powstrzymany, sam się nie zatrzyma.

– U Świętego Apolinarego mówił w czasie przeszłym, jak w jakiejś baśni – wyjaśnił Marcus. – A pierwsze zdanie, w którym brakuje części początkowej, powinno brzmieć „Był sobie dawno temu".

Clemente zaczynał pojmować.

– Nie zatrzyma się, dopóki nie zrozumiemy sensu jego opowieści – dodał Marcus. – Ale w tej chwili on nie jest naszym jedynym problemem.

Walka toczyła się na dwóch frontach.

Z jednej strony był bezlitosny morderca. Z drugiej, szereg osób, które włączały się do działania, żeby zagmatwać sprawę, zabijając i zostawiając fałszywe tropy. A to wszystko również za cenę własnego życia. Dlatego dwaj penitencjariusze odsunęli chwilowo na bok mordercę opowiadacza i skupili się na tym drugim zjawisku. Marcus skorzystał z okazji i poinformował Clemente o swoich odkryciach.

Zaczął od lekarza sądowego Astolfiego, który podkradł dowód rzeczowy z pierwszego miejsca zbrodni. Być może była to statuetka z soli. Potem opowiedział o Cosmie Barditim i o tym, jak odkrył on właściwy trop dzięki książeczce z bajką o Chłopcu ze szkła, którą mu sprzedał Nicola Gavi.

Bo to właśnie pytania, które Barditi zadawał różnym ludziom, ściągnęły na niego uwagę zabójcy. Była to ta sama osoba, która próbowała wyeliminować Nicolę Gaviego ciosem noża i napadła na Marcusa podczas orgii w willi przy via Appia Antica: mężczyzna w niebieskich butach, staruszek o niebieskich oczach mieszkający w podziemiach Ośrodka Hameln.

– Astolfi i ten stary są dowodem na to, że ktoś stara się ukryć prawdę i być może osłonić tę bestię – zakończył Marcus.

– Osłonić go? Skąd taki domysł?

– Utwierdza mnie w tym wrażenie, jakie odniosłem. Potwór z Rzymu potrzebuje publiczności, pamiętasz? Lubi czuć się nagrodzony. Dlatego jestem pewien, że spotkałem go tamtej nocy w willi przy Appia Antica. Był tam z aparatem fotograficznym, żeby incognito cieszyć się sceną celebracji jego osoby. Ale zorientował się, że go zauważyłem, i uciekł. Kiedy go ścigałem, przyszedł mi do głowy pomysł, żeby się przeżegnać w ten sposób, jak to zrobił Astolfi w lasku pod Ostią, kiedy wyciągał z ziemi figurkę z soli, którą tam wcześniej ukrył.

– I co?

– Spodziewałem się, że człowiek z aparatem jakoś na to zareaguje, ale rzucił mi tylko zdziwione spojrzenie, tak jakby ten gest nic mu nie mówił.

– Ale człowiek w niebieskich butach, ten staruszek, rozpoznał znak i dlatego na ciebie napadł, a potem zostawił cię półżywego w ogrodzie willi. Zgadza się?

– Myślę, że tak.

Clemente zastanawiał się nad tym przez chwilę.

– Potwór z Rzymu jest chroniony, ale nic o tym nie wie... Dlaczego?

– Dojdziemy do tego – obiecał Marcus. – Myślę, że wizyta w Hameln umożliwiła mi podjęcie właściwego tropu. – Zaczął przechadzać się po pokoju, starając się usilnie nadać sens temu, co widział poprzedniej nocy. – W podziemiach staruszek przeżegnał się w ten dziwny sposób, a potem uciekł i podłożył ogień. Działanie pozornie szalone, jednak nie sądzę, żeby w grę wchodziło szaleństwo. Myślę natomiast, że chodziło mu o zademonstrowanie czegoś. Tak, chciał mi pokazać swoją niezłomną decyzję, że dochowa tajemnicy. Nie sądzę, żeby przeżył: odczekałem sporo czasu przed willą, żeby się co do tego upewnić, ale nikt nie opuścił budynku. W gruncie rzeczy ja sam ledwo się z tego wykaraskałem.

– Podobnie Astolfi, wolał raczej odebrać sobie życie, niż mówić. – Clemente miał jednak ciągle niewyraźną minę. – Czego może dotyczyć ta tajemnica?

– W jednym z pomieszczeń w Ośrodku Hameln pod tapetą z rysunkami bohaterów baśni ukryty był obraz człekokształtnej figury, człowieka z wilczą głową – poinformował go Marcus. – Chciałbym, żebyś zbadał dla mnie tę sprawę: musisz ustalić sens tego symbolu. Co on przedstawia? Z pewnością jest z nim związana jakaś tradycja.

Clemente obiecał, że to zrobi.

– To jedyny ślad, jaki odkryłeś w tym ośrodku?

Marcus wskazał czarną walizkę na kółkach, z którą zjawił się jego przyjaciel.

– Przywiozłeś odtwarzacz wideo?

– Tak jak prosiłeś.

– Znalazłem tam wideokasetę. To jedyna rzecz, jaką udało mi się uratować z pożaru, ale myślę, że warto było się pomęczyć.

Marcus podniósł ją z krzesła i podał przyjacielowi, który przeczytał napis na etykietce.

INTELIGENTNY PSYCHOPATA

– Mali pacjenci nie używali swych prawdziwych imion i nie znali też imion kolegów – wyjaśnił. – Kropp przydzielał im pseudonimy związane z baśnią wybraną w celach terapeutycznych. Zamiarem lekarza było odtworzenie w psychice każdego z chłopców kompletnej osobowości. Na przykład Nicola Gavi był „kruchy i niebezpieczny" jak szkło. Natomiast

Chłopiec z soli w baśni był inteligentniejszy od innych chłopców, ale właśnie z tego powodu go unikano: niszczył wszystko, czego dotykał. Gavi powiedział, że ten jego kolega miał bardzo wysoki iloraz inteligencji...

Clemente zaczynał pojmować.

– Chrystus nazwał swoich uczniów „solą ziemi". Chciał podkreślić wartość ich wiedzy, gdyż została im objawiona prawda boża. Od tego czasu sól stała się synonimem mądrości – skonkludował. – I rzeczywiście, Chłopiec z soli musi być inteligentniejszy od innych.

– Inteligentny psychopata – powiedział Marcus. – Myślę, że na tej kasecie zobaczymy naszego zabójcę z czasów, gdy był jeszcze dzieckiem.

15

LAT, czyli laboratorium analiz technologicznych komendy głównej w Rzymie, należy do najnowocześniejszych w Europie. Jego działalność obejmuje szeroki wachlarz badań, od ustalania DNA po śledztwa informatyczne.

Kierował nim trzydziestopięcioletni Leopoldo Strini, łysiejący informatyk o bladej cerze i w okularach z grubymi szkłami.

– Rozszyfrowujemy tu kody i odtwarzamy zawartość podsłuchów środowiskowych oraz telefonicznych – wyjaśniał Sandrze. – Na przykład, jeśli w nagraniu są dziury, LAT ze swoją aparaturą jest w stanie wypełnić je właściwymi słowami. Ze zdjęcia zrobionego w ciemności możemy wyłowić ukryty obraz, jakby zostało wykonane w biały dzień.

– Jak to możliwe? – spytała Sandra.

Strini podszedł do jednego z terminali znajdujących się w wielkim pomieszczeniu i z zadowoloną miną klepnął kilka razy monitor.

– Dzięki bardzo potężnym i nowoczesnym programom nasz margines błędów wynosi zero przecinek zero zero dziewięć.

Prawdziwy sekret tego miejsca stanowią komputery. LAT wyposażone jest w technologie, jakimi nikt inny – państwowa firma czy prywatna spółka – nie dysponuje. Wielka sala, w której je umieszczono, znajduje się w podziemiach komendy. Nie ma tam okien, za to klimatyzacja utrzymuje stałą temperaturę, zapobiegającą niszczeniu precyzyjnego wyposażenia. Natomiast serwery podtrzymujące całą tę technologię znajdują się pod ziemią na głębokości dobrych siedmiu metrów pod fundamentami starego pałacu przy via San Vitale.

Sandra doszła do wniosku, że to miejsce jest czymś pośrednim między laboratorium biologicznym – z warsztatem wyposażonym w mikroskopy i całą resztą – a informatycznym, a także elektronicznym – z lutownicami, niezbędną aparaturą i różnymi narzędziami.

Obecnie LAT pracowało nad DNA Potwora z Rzymu na podstawie materiału uzyskanego z koszuli, którą morderca przez nieuwagę zostawił w samochodzie młodej pary napadniętej pod Ostią. Badało też dowody zebrane w mieszkaniu Astolfiego. Ale szefostwo utajniło to drugie śledztwo, przypomniał sobie Strini. Dlatego też Sandra Vega, zwykła fotograf policyjna, nie mogła odwiedzić go właśnie w tej sprawie.

– DNA mordercy nic nam nie dało – oznajmił technik, robiąc wymowny gest rękami. – Żadnego związku z innymi sprawami ani nawet z testami, jakim poddajemy wszystkich, którzy w przeszłości popełnili podobne przestępstwa albo są w kręgu podejrzanych.

– Chciałabym cię prosić o pewną przysługę – powiedziała Sandra, przechodząc do celu swej wizyty. A potem podała mu komórkę, którą dostała od Ivana, narzeczonego Pii Rimonti.

– Co miałbym z tym zrobić?

– W poczcie głosowej znajduje się wiadomość od mojej koleżanki, która została zamordowana dwa dni temu. Ale najpierw proszę tego posłuchać.

Strini wziął telefon z rąk Sandry, jakby to była relikwia. Potem, przyglądając mu się w milczeniu, podszedł do jednego z terminali. Podłączył komórkę i wystukał kilka poleceń na klawiaturze.

– Odzyskuję wiadomość głosową – oświadczył, a potem nacisnął przycisk łączący bezpośrednio z pocztą i podkręcił głośność odtwarzania.

Telefon ożył. Kobiecy głos podał informację, że skrzynka zawiera zapisaną wiadomość. Potem wymienił dzień, a przede wszystkim godzinę, o której została pozostawiona: trzecia w nocy. W końcu ruszyło nagranie.

Strini spodziewał się, że za chwilę usłyszy głos Pii Rimonti. Tymczasem nastąpiło przedłużone milczenie, które trwało około trzydziestu sekund. Potem połączenie się urwało.

– Co to znaczy? Nie rozumiem – powiedział, odwracając się do Sandry.

– Właśnie dlatego nie poinformowałam o tym jeszcze Mora ani nawet Crespiego – wyjaśniła. Następnie opowiedziała pokrótce o spotkaniu z narzeczonym Pii po pogrzebie i o tym, jak dowiedziała się o wiadomości głosowej. – Chciałabym, żebyś mi powiedział, czy wystąpił tu jakiś błąd, to znaczy, czy połączenie zostało nawiązane przez nieuwagę, czy też automatyczna sekretarka źle nagrała wiadomość, ponieważ mogło nie być zasięgu…

Strini z miejsca pojął, co Sandra ma na myśli. Chciała wiedzieć, czy ta cisza coś w sobie kryje.

– Myślę, że będę mógł ci to powiedzieć bardzo prędko – zapewnił ją, a potem zabrał się sprawnie do pracy.

Minęło kilka minut, w czasie których Sandra przyglądała się, jak Strini przekształca wiadomość w kilka ścieżek dźwiękowych, które wyglądały na ekranie niczym diagram sejsmografu. Wzmacniał każdą wibrację, każdy szmer, tak że słupki wykresu skakały w górę przy najcichszym sygnale.

– Maksymalnie wzmocniłem odgłosy w tle – poinformował technik. – Mogę wykluczyć, że sekretarka błędnie nagrała wiadomość. – Nacisnął przycisk i ponownie odtworzył zawartość.

Teraz słychać było wyraźnie szum wiatru i liści. Można odnieść wrażenie, że się tam jest, pomyślała Sandra. Tajemne odgłosy nocnego lasu, gdy nie ma w nim nikogo, kto mógłby ich słuchać. Przeszedł ją dziwny strach. Ponieważ wydało się jej, że ktoś tam jest.

– Ktoś świadomie nawiązał połączenie – potwierdził Strini. – Milczał przez trzydzieści sekund i rozłączył się. – Po czym zapytał: – Ale w jakim celu miałby robić coś takiego?

– Chodzi o godzinę – odparła Sandra.

Strini nie zrozumiał.

– Na samym początku poczta głosowa informuje, że wiadomość pozostawiono o trzeciej w nocy.

– A więc?

Sandra wyjęła kartkę, którą ze sobą przyniosła.

– Ostatni kontakt radiowy między dwójką agentów i centralą miał miejsce krótko po pierwszej. Według orzeczenia z autopsji Stefano Carboni zmarł kilka minut później, natomiast Pia Rimonti była torturowana przynajmniej przez pół godziny i dopiero potem zamordowana.

– Ta wiadomość została wysłana już po jej śmierci – powiedział Strini, zdziwiony, ale także przestraszony tą konstatacją.

– Stało się to mniej więcej wtedy, gdy nasi ludzie pojechali sprawdzić, co się dzieje, i odkryli na miejscu dwa ciała.

Słowa nie były potrzebne, aby wyciągnąć z tego naturalną konkluzję. Morderca oddalił się z telefonem Pii Rimonti i wykonał połączenie z innego miejsca.

– Komórki Pii nie było wśród przedmiotów odnalezionych na miejscu zbrodni. – Jako dowód Sandra pokazała technikowi kartkę, na której wymieniona była lista tych rzeczy.

Strini podniósł się, nie spoglądając na nią.

– Dlaczego zwróciłaś się z tym do mnie, a nie poszłaś od razu do Mora albo do Crespiego?

– Już ci to wyjaśniłam: potrzebowałam potwierdzenia.

– Potwierdzenia czego?

– Sądzę, że morderca chciał tą milczącą wiadomością zwrócić na coś naszą uwagę. Mógłbyś ustalić miejsce, z którego to połączenie zostało wykonane?

16

Włożył kasetę do odtwarzacza, a potem nacisnął przycisk PLAY.

Ekran wypełnił się szarawą chmurką. Utrzymywała się bardzo długo, około minuty, w czasie której Marcus i Clemente nie powiedzieli ani słowa. Wreszcie coś się pokazało. Obraz ześlizgiwał się z góry na dół, podczas gdy taśma wchodziła stopniowo na miejsce – wydawało się, że w każdej chwili może się zerwać. Potem jednak ujęcie ustabilizowało się samoczynnie, ukazując obraz o wyblakłych kolorach.

Był to pokój, na którego ścianach namalowano postacie z baśni. Na podłodze leżały zabawki, w rogu stał koń na biegunach. Pośrodku znajdowały się dwa krzesła.

Na tym po prawej stronie siedział mniej więcej czterdziestoletni mężczyzna z nogą założoną na nogę. Miał bardzo jasne włosy, wąsy i okulary o przyciemnionych szkłach. Ubrany był w lekarski kitel. Prawdopodobnie był to profesor Joseph Kropp.

Na drugim krześle siedział szczupły chłopczyk z przygarbionymi plecami i obiema rękami wsuniętymi pod uda. Ubrany był w białą koszulę z zapiętymi mankietami i kołnierzykiem, szare spodnie i skórzane buciki. Kasztanowa grzywka zakrywała mu czoło aż po oczy. Patrzył w podłogę.

„Wiesz, gdzie się znajdujesz?" – spytał psychiatra z lekkim niemieckim akcentem.

Chłopczyk pokręcił głową na znak, że nie wie.

Obraz przesuwał się przez chwilę, tak jakby ktoś poprawiał ustawienie kamery. Niebawem przed obiektywem pojawił się drugi mężczyzna. Również on miał na sobie kitel i trzymał w dłoni tekturową teczkę.

„To jest doktor Astolfi" – powiedział Kropp, przedstawiając młodego człowieka, który w przyszłości miał zostać lekarzem sądowym. Astolfi sięgnął po trzecie krzesło i postawił je obok tego, na którym siedział profesor.

Marcus znalazł potwierdzenie, że Astolfi był zamieszany w sprawę i znał Potwora z Rzymu.

„Chcemy, żebyś się poczuł swobodnie, jesteś wśród przyjaciół".

Chłopczyk nie zareagował, natomiast Kropp zrobił znak w kierunku otwartych drzwi. Weszło nimi troje pielęgniarzy, kobieta o rudych włosach i dwóch mężczyzn. Cała trójka stanęła przy ścianie w głębi pokoju.

Jednemu z pielęgniarzy brakowało lewej ręki, ale nie nosił protezy. Marcus rozpoznał drugiego.

– To jest ten staruszek, który podpalił ośrodek i napadł na mnie w willi przy via Appia Antica. – Te same niebieskie oczy, choć sądząc z wyglądu, dużo silniejszy, ale w tamtym okresie nie powinien mieć więcej niż pięćdziesiąt lat. Jeszcze jedno potwierdzenie, że człowiek ochraniający Potwora z Rzymu spotkał się z nim, gdy ten był małym chłopcem.

„On ma na imię Giovanni" – powiedział Kropp, przedstawiając go. „Ta pani, to signorina Olga. A ten chudzielec z wielkim nosem to Fernando" – poinformował chłopca psychiatra, wskazując po kolei trójkę pielęgniarzy.

Wszyscy odpowiedzieli na jego żarcik uśmiechem, nie zareagował tylko chłopiec, który nadal wpatrywał się w swoje nogi.

„Przez jakiś czas będziesz przebywał tylko z nami, ale później będziesz mógł dołączyć do innych chłopców. Na razie czujesz się niezbyt dobrze, ale zobaczysz, w końcu będziesz zadowolony z pobytu u nas".

Marcus rozpoznał już dwóch bohaterów kasety wideo. Teraz zwrócił uwagę na imiona i fizjonomie pozostałych. Kropp, blondyn. Fernando, kaleka bez ręki. Olga, rude włosy.

„Przygotowałam mu pokój" – powiedziała z miłym uśmiechem kobieta. Zwracała się do psychiatry, jednak w rzeczywistości mówiła do chłopca. „Umieściłam w szufladach jego rzeczy, ale myślę, że później będziemy też mogli pójść razem do magazynu zabawek i wybrać coś, co mu przypadnie do gustu. Co pan o tym sądzi, panie profesorze?"

„Wydaje mi się, że to bardzo dobry pomysł".

Na twarzy chłopca nie pojawiła się najmniejsza reakcja. Kropp znowu dał znak ręką i trójka pielęgniarzy opuściła pokój.

Marcus zauważył, że wszyscy mają bardzo troskliwe i przyjazne miny. Jednak ich zachowanie pozostawało w niezgodzie z przedstawionych na ścianach twarzami baśniowych bohaterów, w których nie było cienia radości.

„Teraz zadamy ci parę pytań, zgoda?" – spytał Kropp.

Niespodziewanie chłopiec odwrócił się do kamery.

Krop ponownie zwrócił się do niego:

„Wiesz, dlaczego się tu znalazłeś, Victorze?"

– Ma na imię Victor – powiedział Clemente, żeby podkreślić fakt, że być może mają już imię Potwora z Rzymu. Ale w tym momencie Marcus interesował się bardziej tym, co działo się na ekranie.

Chłopiec odwrócił się znowu do Kroppa, ale nie odpowiedział również i na to pytanie.

Profesor próbował zachęcić go do mówienia.

„Myślę, że ty to wiesz, ale nie chcesz o tym rozmawiać, prawda?"

Znowu żadnej reakcji ze strony chłopca.

„Wiem, że lubisz zajmować się liczbami. Powiedziano mi,

żc jesteś bardzo dobry z matematyki. Zechciałbyś zademon-strować mi swoje zdolności?"

W tym momencie Astolfi podniósł się z miejsca i wyszedł poza kadr. Niedługo potem pokazał się znowu i postawił obok Victora tablicę, na której był wypisany pierwiastek kwadratowy.

$$\sqrt{787470575790457}$$

Odłożył kawałek kredy i wrócił na swoje miejsce.

„Nie miałbyś ochoty rozwiązać tego zadania?" – spytał Kropp.

Chłopiec nie odwrócił się nawet, żeby zobaczyć, co robi Astolfi.

Po kilku chwilach wahania Victor podniósł się, podszedł do tablicy i zaczął pisać rozwiązanie.

$$28061906,132522$$

Astolfi zajrzał do teczki i dał znak Kroppowi, że wynik jest prawidłowy.

„To mały geniusz" – zauważył zdumiony Clemente.

Psychiatra był zachwycony.

„Dobrze, Victorze, bardzo dobrze".

Marcus wiedział, że istnieją osoby obdarzone wyjątkowymi talentami do matematyki, muzyki czy do rysunku. Niektórzy posiadają niewiarygodne zdolności matematyczne, innym wy-starcza jeden dzień, by nauczyli się doskonale grać na jakimś instrumencie, jeszcze inni po kilku sekundach przyglądania się miastu potrafią narysować jego panoramę. Często nad-zwyczajny talent łączy się z jakimś mentalnym schorzeniem, takim jak autyzm lub zespół Aspergera. W przeszłości okreś-lano ich mianem idiota-sawant – uczony głupiec. Ale obecnie stosuje się wobec nich bardziej odpowiedni termin – sawanci. Pomimo ponadprzeciętnych uzdolnień zazwyczaj nie potrafią nawiązać relacji z otaczającym ich światem i okazują znaczące opóźnienia w posługiwaniu się językiem lub w procesach przyswajania wiedzy, a także cierpią na zaburzenia obsesyjno--kompulsywne.

Victor musi być jednym z nich, pomyślał. Genialnym psychopatą.

Chłopiec wrócił na swoje krzesło i usiadł w takiej samej pozycji jak wcześniej, przygarbiony i z dłońmi pod udami. Po czym znowu zaczął się wpatrywać w obiektyw kamery.

„Victorze, bądź łaskaw patrzeć na mnie" – upomniał go łagodnie Kropp.

Spojrzenie chłopca było przenikliwe i Marcus odniósł nieprzyjemne wrażenie, że dzieciak widzi go poprzez ekran.

Po chwili Victor posłuchał psychiatry i odwrócił się do niego.

„Musimy porozmawiać o twojej siostrze" – oświadczył Kropp.

Słowa nie wywarły żadnego wrażenia na chłopcu, który nadal siedział bez ruchu.

„Co się przydarzyło twojej siostrze, Victorze? Pamiętasz, co jej się stało?" – Pytanie Kroppa zawisło w ciszy, tak jakby psychiatra chciał pobudzić reakcję chłopca.

Minęło kilka chwil i wreszcie Victor coś powiedział. Jego głos był jednak zbyt słaby, żeby można go było usłyszeć.

– Co on powiedział? – spytał Clemente.

„Byłbyś łaskaw to powtórzyć?" – zapytał Kropp.

Chłopiec wzmocnił nieco głos i powtórzył nieśmiało:

„To nie byłem ja".

Dwaj lekarze w pokoju nie odpowiedzieli. Czekali, że doda coś jeszcze. Ale na próżno. Victor odwrócił się znowu do kamery – już po raz trzeci.

„Dlaczego patrzysz w tamtą stronę?" – zapytał go Kropp.

Chłopiec powoli uniósł rękę i coś nią wskazał.

„Nic tam nie ma. Nie rozumiem".

Wpatrywał się nadal w milczeniu w kamerę.

„Widzisz tam coś? Jakiś przedmiot?"

Victor dał znak, że nie.

„Więc może kogoś... Jakąś osobę?"

Chłopiec nie poruszył się.

„Mylisz się, nie ma tam nikogo. W pokoju jesteśmy tylko my".

Victor nadal spoglądał w tamtym kierunku, a Marcus i Clemente odnieśli niemiłe wrażenie, że naprawdę coś od nich chce.

„Musimy wrócić do rozmowy o twojej siostrze. To ważne – powiedział Kropp. – Ale na dziś już wystarczy. Możesz zostać tu i pobawić się, jeżeli masz ochotę".

Zamieniwszy krótkie spojrzenia, obaj lekarze podnieśli się i ruszyli do drzwi. Wyszli z pokoju, pozostawiając chłopca samego, ale nie wyłączyli kamery. Marcusowi wydało się to dziwne. Tymczasem Victor nadal tkwił jak skamieniały, wpatrując się bez najmniejszego poruszenia w obiektyw.

Marcus próbował odczytać, co kryje się w głębi jego oczu. Jaką tajemnicę ten chłopiec ukrywa w swym wzroku? Co zrobił siostrze?

Minęła niemal minuta. Taśma skończyła się i nagranie urwało się.

◆ ◆ ◆

– Teraz znamy jego imię – powiedział z zadowoleniem Clemente.

Istniały dwa konkretne elementy w postaci wideo i nagrania głosu zabójcy z konfesjonału w bazylice Świętego Apolinarego, które dało początek ich śledztwu.

... dawno temu... Zdarzyło się to nocą... I wszyscy pobiegli tam, gdzie był wbity jego nóż... przyszedł jego czas... dzieci umarły... fałszywi głosiciele fałszywej miłości... a on był dla nich bezlitosny... chłopca z soli... jeżeli nie zostanie powstrzymany, sam się nie zatrzyma.

Nagrania wideo i audio stanowiły dwie skrajności. Potwór z Rzymu jako mały chłopiec, a potem jako człowiek dorosły. Co mogło się wydarzyć w międzyczasie? I wcześniej?

– Jak mówiłeś, w przeszłości z konfesjonału w Świętym

Apolinarym korzystali informatorzy policji – podsumował tę sprawę Marcus, chcąc uporządkować zdobytą wiedzę. – Bazylika była czymś w rodzaju wolnocłowego portu, miejscem bezpiecznym. Potwór wiedział o tym, dlatego przyjęliśmy za pewnik, że jest przestępcą.

– Prawdopodobne jest, że po wyjściu z Hameln popełnił inne przestępstwa – powiedział Clemente, wskazując ekran. – Ogólnie biorąc, wiemy, jak toczą się te sprawy: większość małych chłopców albo nastolatków, którzy popełniają przestępstwo, robi to także później.

– Ich los jest naznaczony – potwierdził Marcus. Ale było to bardziej owocem zastanowienia się nad samym sobą. Czuł, że zbliża się do ważnego odkrycia. W nagranej wiadomości było zdanie, które w świetle tego, co zobaczył na wideo, nabierało innego znaczenia.

...*dzieci umarły*...

Kiedy słuchał tego po raz pierwszy, sądził, że Potwór z Rzymu ma na myśli rodziców swoich młodych ofiar. Że może to być sadystyczne ostrzeżenie pod ich adresem, dotyczące cierpienia, jakiego mieli doświadczyć za jego sprawą.

Mylił się.

– Zrozumiałem, dlaczego wybiera zakochane pary – powiedział, wychodząc z zamyślenia. – Powodem nie jest seks ani żadne zboczenie. W nagranej wiadomości odnosi się do ofiar, nazywa je „dziećmi".

Clemente słuchał go, wytężając całą uwagę.

– Na wideo Kropp pyta Victora, co przydarzyło się jego siostrze. Prawdopodobnie z nią związany jest powód, dla którego chłopiec znalazł się w Hameln: zrobił jej coś złego. I rzeczywiście, po chwili mówi: „To nie byłem ja".

– Kontynuuj, słucham cię...

– Nasz morderca jest opowiadaczem, za pomocą morderstw opowiada nam swoją historię.

– Jasne, te dzieci! – Clemente sam znalazł wyjaśnienie. – W jego wyobraźni te pary reprezentują brata i siostrę.

– Żeby zrealizować swoje plany, musi zaskoczyć ofiary, gdy są same, gdzieś na uboczu. Pomyśl tylko: łatwiej jest znaleźć taką parę zakochanych niż rodzeństwo.

Ponadto teorię istnienia związku między obecnymi wydarzeniami i tym, co się wydarzyło między nim i jego siostrą, wspierał fakt, że morderca znęcał się głównie nad ofiarami płci żeńskiej.

– „To nie byłem ja". On jest wciąż przekonany, że doznał w dzieciństwie niesprawiedliwości. A wina leży po stronie siostry.

– I dokłada starań, żeby zapłacili za nią ci młodzi ludzie.

Marcus działał już na pełnych obrotach. Znowu zaczął chodzić po pokoju.

– Victor robi krzywdę siostrze, więc wysyłają go do Ośrodka Hameln. Ale zamiast zmienić go na lepsze, to miejsce robi z niego przestępcę. Dlatego po osiągnięciu dojrzałości popełnia następne przestępstwa.

– Gdybyśmy tylko wiedzieli jakie. – Clemente się zachmurzył. – Moglibyśmy wówczas ustalić jego tożsamość.

Nie było to jednak możliwe. Przestępstwo, jakim Victor splamił się w dzieciństwie, zostało wymazane na zawsze; w policyjnych archiwach nie było śladu po zbrodniach popełnianych przez dzieci. Wszystko ulegało zatarciu. Świat nie mógł pogodzić się z myślą, że czysta dziecięca duszyczka mogłaby zrobić coś złego z całą bezlitosną świadomością.

– Jest na to sposób – zapewnił go pewnym tonem Marcus. – Chodzi o jego pierwszą ofiarę. – Po chwili wyjaśnił to bliżej. – Została usunięta tylko tożsamość winnego, ale jeśli odkryjemy, co przydarzyło się siostrze Victora, znajdziemy również i jego.

17

Milcząca wiadomość w poczcie głosowej stanowiła zaproszenie.

Wyglądało to tak, jakby zabójca mówił: „No, śmiało,
przyjdźcie tu i popatrzcie". Według technika z LAT, który
ustalił miejsce wysłania wiadomości, aparat zabrany tamtej
nocy Pii Rimonti wykryto w południowo-wschodniej części
Rzymu, w okolicy Wzgórz Albańskich.

Sandra natychmiast poinformowała o tym Mora i Crespiego.

Została uruchomiona procedura alarmowa dla agentów
z grupy specjalnej. Brakowało niecałej godziny do zachodu
słońca, musieli się pospieszyć.

Pałac przy via San Vitale opuściła kolumna około dziesięciu pojazdów opancerzonych i radiowozów, a za nimi natychmiast ruszyły furgonetki ekip telewizyjnych. Mając nad sobą
dwójkę aniołów stróżów w postaci policyjnych helikopterów
Agusta, oddziały specjalne przejechały przez centrum Rzymu
z włączonymi syrenami, przyciągając uwagę przechodniów.
Z okna samochodu Sandra oglądała ich posępne spojrzenia:
wpatrywali się w orszak, sparaliżowani tymi odgłosami i za-
hipnotyzowani strachem. Rodzice, którzy popychali spa-
cerówki z dziećmi, turyści, którzy wybrali właśnie te chwile
wielkiego napięcia, żeby odwiedzić Wieczne Miasto, i mieli
nigdy nie zapomnieć tych wakacji. Kobiety i mężczyźni, sta-

rzy i młodzi. Wszyscy połączeni tym samym uczuciem, tym samym niedającym się opanować lękiem.

Sandra siedziała obok Mora na tylnym siedzeniu drugiego samochodu, licząc od czoła kolumny. Zastępca komendanta zaprosił ją do swojego auta, ale jeszcze nie odezwał się ani słowem. Siedział pogrążony w rozmyślaniach, ale można było wyczuć jego podenerwowanie choćby w tym, że od czasu do czasu spoglądał w lusterku wstecznym na anteny na furgonetkach reporterów, którzy niczym wygłodniałe bestie parli na polowanie, węsząc cenną zdobycz.

Domyślała się, wokół czego krążą myśli jej szefa. Zadawała sobie pytanie, jak policja poradzi sobie tym razem. Bo aż do tej chwili, choć nikt tego głośno nie przyznawał, przegrywała ten mecz. Było więc rzeczą normalną, że do jego zwykłych zmartwień doszło również i takie, że mogą mu zabrać to śledztwo. Sprawa była zbyt smakowita, żeby ktoś inny nie próbował położyć na niej ręki. Na przykład ROS, specjalna jednostka operacyjna karabinierów, zajmująca się również zabójstwami ze szczególnym okrucieństwem, która już przebierała nogami, żeby zastąpić obecnych śledczych.

Podczas gdy długa kolumna pojazdów sunęła zwartym oddziałem drogą lokalną 217, na miasto opadał front chłodnego powietrza, który ciągnął za sobą niskie i groźne chmury przesuwające się nad ich głowami niczym armia cieni w pogoni za słońcem, ginącym szybko za horyzontem.

Także żywioły sprzysięgły się przeciwko nim.

Wzgórza Albańskie są w rzeczywistości ogromnym uśpionym wulkanem, który tysiące lat temu zapadł się we własne czeluści. Kilka jego kraterów zamieniło się w równiny lub w małe słodkowodne jeziorka. Całość otacza pas wzniesień pokrytych gęstą roślinnością.

Tereny te są zamieszkane i znajduje się tu kilka miejscowości. Leopoldo Strini, technik z LAT, nie był w stanie precyzyjnie określić miejsca, gdzie znajdowała się komórka. Chodziło o trudny do ustalenia, kolisty obszar o promieniu trzech kilometrów.

Po około dwudziestu minutach znaleźli się w typowo wiejskiej okolicy. Samochody jadące na czele zatrzymały się na skraju lasu, podczas gdy pojazdy opancerzone, wiozące ludzi z oddziałów specjalnych, ustawiały się tak, żeby utworzyć linię frontu.

– Dobrze, zaczynamy poszukiwania – polecił Moro przez radio.

Z furgonetek wysiedli policjanci w kamizelkach kuloodpornych i z pistoletami maszynowymi. Ustawili się wzdłuż krawędzi lasu. Po czym na umówiony sygnał równocześnie ruszyli i zniknęli między drzewami.

Moro stanął na pagórku, ściskając w ręce radiotelefon, i czekał. Sandra wpatrywała się w niego, zadając sobie pytanie, co też w takim momencie może czuć człowiek przygotowany na wszelkie okoliczności. Około stu metrów za ich plecami, pod okiem funkcjonariuszy tworzących kordon bezpieczeństwa, reporterzy telewizyjni zaczynali instalować kamery do transmisji na żywo.

Z nadejściem mroku rozstawiono stojaki dla lamp halogenowych. Podłączone do wysokoprężnych generatorów prądu, umieszczane były mniej więcej co dziesięć metrów na bardzo długim odcinku. Kiedy zaczęły znikać ostatnie promienie słońca, komisarz Crespi polecił je włączyć. Przy akompaniamencie metalicznych odgłosów, które odbiły się echem w dolinie, ich oślepiające światło starło się z barierą roślinności.

Tymczasem las omiatały z góry potężne reflektory helikopterów, aby zapewnić trochę widoczności uzbrojonym ludziom.

Przez prawie trzydzieści minut nie wydarzyło się nic godnego uwagi. Nikt nie spodziewał się zresztą, że dojdzie do tego tak prędko, a jednak doszło. W radiotelefonie Mora odezwał się głos:

– Szefie, znaleźliśmy komórkę agentki Rimonti. Może powinien pan zobaczyć to miejsce.

◆ ◆ ◆

Przez gałęzie drzew przenikały z góry cienkie strugi światła z helikopterów, przydając lasowi czarodziejskiej aury. Sandra szła za plecami Mora i komisarza Crespiego. W eskorcie innych agentów zagłębiali się w zieloną gęstwinę.

Szum śmigieł krążących w górze helikopterów zagłuszał ich kroki i rozpływał z echem, które przypominało Sandrze odgłosy, jakie można usłyszeć w ogromnej katedrze.

Około stu metrów przed nimi któryś z agentów zasygnalizował im przerywanym światłem latarki, żeby kierowali się w jego stronę.

Dotarłszy na miejsce, zastali czekającą na nich grupę z jednostki specjalnej. Otaczali swojego dowódcę.

– Gdzie ona jest? – zapytał Moro.

– Tu, na ziemi. – Agent wskazał dokładne miejsce i oświetlił je latarką.

Rzeczywiście, leżała tam komórka ubrudzona ziemią.

Zastępca komendanta przykucnął, żeby się lepiej przyjrzeć, a jednocześnie wyjął z kieszeni lateksową rękawiczkę i wsunął ją na prawą dłoń.

– Poświećcie mi. – Natychmiast pojawiły się smugi światła z innych latarek.

Był to smartfon w ciemnoniebieskim etui z oznaczeniami policji państwowej. Moro rozpoznał go, ponieważ był to jeden z produktów, w jakie zaopatrywano jednostkę; można go było kupić na oficjalnej stronie, podobnie jak koszulki, czapki i inne gadżety. Ale etui dodawano agentom za darmo, żeby uniknąć noszenia przez nich przedmiotów w zbyt rzucających się w oczy kolorach lub niepasujących do munduru. W tym przypadku właścicielka pozwoliła sobie dodać tylko mały breloczek w kształcie serca, umocowany do jednego z rogów.

To małe serduszko rzucało odblaski, jakby biło.

– Komórka leżała tak, jak ją pan widzi – powiedział agent. – Zauważyliśmy przerwy w emisji sygnału, prawdopodobnie oznacza to, że bateria w telefonie jest na wyczerpaniu.

– Prawdopodobnie – powtórzył półgłosem Moro, wpatrując się w aparat. Potem uniósł go jednym palcem, żeby zobaczyć ekran. Oprócz grudek ziemi, widać było na nim plamy krwi.

Krew Pii Rimonti, pomyślała Sandra.

– Wezwijcie techników i każcie im zdjąć odciski palców z tego telefonu. Przesiejcie przez sito całą okolicę.

Wzywając Mora przez radio, agent z jednostki specjalnej posłużył się precyzyjnym wyrażeniem.

Może powinien pan zobaczyć to miejsce.

W tym właśnie tkwił cały problem. Wszyscy od samego początku spodziewali się, że znajdą tu coś więcej. Ale oprócz telefonu nie było nic innego do oglądania.

W jakim celu morderca sprowadził ich tutaj?

Nie podnosząc się na nogi, Moro wlepił spojrzenie najpierw w Sandrę, a potem w komisarza Crespiego.

– Dobrze, trzeba przyprowadzić tu psy.

◆ ◆ ◆

Sześciu agentów z sekcji zajmującej się psami prowadziło sześć bloodhoundów, starając się pokryć wirtualną siatkę, której punktem centralnym było miejsce odnalezienia telefonu.

Operację prowadzono pod wiatr, a uczestniczące w niej psy posuwały się po zygzakowatych liniach, z nosami przy ziemi.

Bloodhoundy są posokowcami, czyli psami tropiącymi, i niedawno zyskały w prasie opinię „psów molekularnych", ponieważ potrafią wywęszyć najdrobniejsze ślady zapachów w najbardziej niesprzyjających warunkach. Ale również dlatego, że w odróżnieniu od innych ras, znajdują trop zapachowy także wtedy, gdy od popełnienia zbrodni upłynęło dużo czasu. Niedawno dzięki nim zdołano dotrzeć do maniaka, który zgwałcił i zabił małą dziewczynkę z północnych Włoch: doprowadziły śledczych do miejsca jego pracy i aresztowano go w obecności fotografów i kamer telewizyjnych. Od tej pory ta rasa psów cieszy się niespodziewaną sławą.

W środowisku policjantów nadal nazywano je „psami od zwłok".

W pewnej chwili jeden z psów zatrzymał się nagle i odwrócił pyskiem w stronę swojego przewodnika. Był to sygnał, że coś wywęszył. Przewodnik uniósł rękę: gest ten miał zachęcić psa do potwierdzenia znaleziska. I rzeczywiście, zwierzę szczeknęło, a potem stanęło wyprostowane na czterech łapach w oczekiwaniu na nagrodę.

– Coś tu jest pod ziemią – poinformował agent. A potem podał psu przysmak i wyprowadził go ze wskazanego miejsca.

Moro podszedł razem z Crespim. Pochylili się. Podczas gdy komisarz omiatał ziemię światłem latarki, Moro zabrał się do odgarniania gałązek i zeschłych liści. Potem przesunął ręką po odkrytej ziemi.

Znajdowało się tu lekkie zagłębienie.

– Cholera – rzucił poirytowanym tonem.

Stojąca w pobliżu Sandra wyczuła, co się dzieje. Pod ziemią musiało być ciało. Nie tylko dlatego, że zostało wywęszone przez bloodhounda. Klatka piersiowa trupa pogrzebanego bez trumny po jakimś czasie zapada się pod ciężarem pokrywającej ją ziemi, w wyniku czego na powierzchni powstaje nieduży dołek.

Podszedł do niej Crespi.

– Vega, być może powinnaś się przygotować.

♦ ♦ ♦

Sandra wciągnęła biały skafander z kapturem i umocowała na głowie zakrzywiony wspornik z mikrofonem magnetofonu, tak żeby znalazł się na wysokości ust.

Ekipy specjalne ustąpiły miejsca ludziom z sekcji technicznej, którzy razem z zespołem tak zwanych grabarzy przystąpili do kopania. Zamontowano reflektory i teren został otoczony palikami.

Sandra uwieczniała tę scenerię lustrzanką. W miarę usuwania ziemi – delikatnie, za pomocą małych rydelków – zaczęło się coś wyłaniać. Najpierw pokazały się fragmenty dżinsowej tkaniny. Natychmiast domyślono się, że chodzi o spodnie.

Zwłoki zakopane były zaledwie pół metra pod powierzchnią, nietrudno było odsłonić również całą resztę. Sportowe buty i skarpetki, brązowy pleciony pasek i zielona kurtka. Ciało leżało na plecach z podciągniętymi do piersi nogami, znak, że ktoś, kto kopał dół, nie potrafił dobrze wymierzyć wzrostu ofiary. Klatka piersiowa zapadła się i w tym właśnie miejscu powstało spore wklęśnięcie.

Sandra nie przerywała pstrykania zdjęć, poruszając się wokół kolegów zabierających się do ekshumacji. Odłożyli rydelki i teraz usuwali grudki ziemi pędzelkami.

Głowa ofiary znajdowała się jeszcze w ziemi, ale ręce, jedyne części ciała nieokryte ubraniami, wyglądały jak dwa ciemne, zdrewniałe wypustki. Pochowanie zwłok bezpośrednio w ziemi przyspieszyło proces rozkładu.

Po jakimś czasie przyszła pora na odsłonięcie twarzy. Zrobiono to z wielką troskliwością. W końcu wyłoniła się czaszka z przylepionymi resztkami włosów – skołtunionym kosmykiem w kolorze hebanu.

– Mężczyzna, wiek nieustalony – odezwał się lekarz sądowy po uważnym obejrzeniu kości czoła, kości policzkowych i szczęk.

– Na wysokości prawej skroni znajduje się otwór wlotowy pocisku – powiedziała do mikrofonu Sandra i natychmiast przyszedł jej na myśl rewolwer Ruger, użyty przez Potwora, w tym momencie stanowiący już coś w rodzaju podpisu mordercy. – Otwór wylotowy powinien znajdować się w tylnej części czaszki.

Następnie nastawiła zoom, żeby zrobić zbliżenie, i zorientowała się, że widzi coś wystającego z ziemi pod karkiem trupa.

– Pod zwłokami znajduje się coś jeszcze – zakomunikowała technikom. Spojrzeli na nią ze zdziwieniem, ale po chwili podjęli swoje czynności.

Zastępca komendanta stał bez ruchu kilka metrów dalej i z założonymi na piersi rękami przyglądał się ich pracy. Patrzył, jak wydobywają zwłoki z dołu i kładą je delikatnie na folii.

Właśnie w tym momencie ukazało się drugie ciało leżące pod spodem.

– Kobieta, wiek nieokreślony.

Była dużo drobniejsza od swojego towarzysza z mogiły. Miała na sobie obcisłe spodnie w kwiaty i różowe sportowe buty. Od pasa w górę była naga.

Sandrze przypomniały się poprzednie ofiary płci żeńskiej. Diana Delgaudio była naga i dzięki temu się wychłodziła, a to uratowało jej życie. Pia Rimonti została obnażona, zanim morderca zabrał się do torturowania jej, a potem zadźgał ją nożem myśliwskim. Za każdym razem sprawca sprowadzał na mężczyzn szybką śmierć. Giorgio Montefiori został przez niego przekonany do zadania ciosu nożem Dianie, a potem dostał strzał w głowę, niczym na egzekucji. Stefano Carboni został trafiony w klatkę piersiową i również zginął na miejscu. A mężczyznę, który teraz leżał obok dołu, z otworem po pocisku w skroni, spotkał pewno taki sam los.

Być może zabójca po prostu nie był w jakiś szczególny sposób zainteresowany mężczyznami. Ale jeśli tak, to dlaczego wybierał pary?

Klatka piersiowa drugiej ofiary również była zapadnięta z powodu naciskającego z góry ciężaru. Lekarz obejrzał ją uważnie.

– Na ósmym i dziewiątym żebrze kobiety, po stronie lewej, widać drobne bruzdy z radełkowanymi konturami, oznaka prawdopodobnego zasztyletowania – powiedział.

Także tym razem znalazł potwierdzenie *modus operandi* sprawcy.

Ale zanim patolog zdążył coś dodać, kilka metrów dalej psy zaczęły zachowywać się niespokojnie.

♦ ♦ ♦

Drugi dół zawierał dwa plecaki. Jeden czerwony, drugi czarny. Jeden większy, drugi mniejszy. Należały do ofiar. Najprostszym i najbardziej prawdopodobnym wyjaśnieniem było to, że morderca, nie znajdując dla nich miejsca w pierwszym dole, zmuszony był wykopać drugi.

Kiedy grabarze otworzyli czarny plecak kobiety i zaczęli wykładać zawartość, Sandra zauważyła u Mora zmianę wyrazu twarzy.

Odmalował się na niej nagły przestrach. Zastępca komendanta wziął do ręki coś, co wyglądało znajomo.

Test ciążowy.

W lesie zapadło milczenie. Nikt nie odezwał się słowem. Wszyscy poczuli się jednakowo skonsternowani.

– Autostopowicze – wyszeptał Moro.

18

Życie składa się z ciągu pierwszych razów.

Sandra nie pamiętała, kto to powiedział, ale te słowa przyszły jej na myśl, kiedy zabierała się do opuszczenia miejsca zbrodni. Wydawało się jej zawsze, że jest to stwierdzenie pozytywne, naładowane oczekiwaniami i nadzieją.

Każda czynność ma swój pierwszy raz. Pamiętała na przykład chwilę z dzieciństwa, kiedy ojciec uczył ją jazdy na rowerze.

„No widzisz, teraz już tego nie zapomnisz" – powiedział jej. I miał rację, chociaż wówczas nie bardzo w to wierzyła.

Pamiętała też, jak to było, gdy po raz pierwszy pocałowała chłopaka. Także tego miała nigdy nie zapomnieć, ale gdyby nawet to wspomnienie się zatarło, nie byłoby jej przykro z tego powodu, ponieważ chodziło o pryszczatego nastolatka, którego oddech pachniał gumą do żucia o smaku poziomkowym. I to wydało się jej najmniej seksowną rzeczą na świecie.

Poza tym są pierwsze razy, które są zarazem ostatnie. Sandra nie mogła pozbyć się wrażenia, że małżeństwo z Davidem było doświadczeniem niepowtarzalnym. Dlatego nigdy nie wyszłaby za Maxa.

W każdym razie bez względu na to, czy te pierwsze razy były przyjemne, czy nie, stanowiły niezatarte wspomnienia i kryły w sobie dziwny urok. Zawierały też cenną naukę, którą

253

można było wykorzystać w przyszłości. Zawsze. Oprócz tego pierwszego razu, który odkryli tej nocy w lesie.

Pierwszy raz bestii w ludzkiej skórze.

Bernhard Jäger i Anabel Meyer mieli dwadzieścia trzy i dziewiętnaście lat.

On był z Berlina, ona z Hamburga. Chłopiec ukończył niedawno architekturę, natomiast ona uczyła się w szkole plastycznej. Znali się od kilku miesięcy i od razu zamieszkali razem.

Dwa lata temu wyruszyli w wakacyjną podróż autostopem do Włoch. Ale po paru tygodniach spędzonych na półwyspie zniknęli bez śladu. W ostatnich telefonach do rodzin Bernhard i Anabel informowali, że będą mieli dziecko.

I to na nich Potwór z Rzymu nauczył się mordować.

Już na podstawie pobieżnego badania miejsca zbrodni wszyscy wyciągnęli wyraźny wniosek, że morderca zastosował taki sam *modus operandi*, tyle że potem udoskonalił metodę. Niczym ktoś początkujący, kto czuje powołanie i zna podstawowe zasady zawodu, ale nie posiada jeszcze doświadczenia potrzebnego do jak najlepszego wykonania zadania.

W tym przypadku była to sprawa szczegółów.

Nabój, który zabił chłopca, wystrzelono na wysokości skroni, co w większości przypadków nie powoduje natychmiastowej śmierci. Ciosy nożem zadane dziewczynie zostały wymierzone w brzuch na chybił trafił, tak jakby morderca działał w pośpiechu, nie delektując się własnym dziełem.

Poza tym była kwestia dziecka.

Nie mógł wiedzieć, że Anabel jest w ciąży, było za wcześnie, żeby można się było tego domyślić na podstawie zmian w jej wyglądzie. Być może ona mu to powiedziała, ale dopiero w chwili, gdy było już za późno. Lub może sam zauważył później wynik testu ciążowego. I po odkryciu tego szczegółu zdał sobie sprawę z popełnionego błędu: wybrał parę, która nie odpowiadała jego pierwotnym fantazjom.

W planach zabójcy nie było miejsca dla dzieci.

Prawdopodobnie dlatego postanowił zakopać zwłoki. Podczas swego pierwszego razu pomylił się i chciał to ukryć przed światem, a przede wszystkim przed samym sobą.

Później jednak, gdy osiągnął wystarczającą sprawność i po dwóch niemal wzorcowych napaściach wszyscy obdarowali go należnym uznaniem, składając mu hołd przerażeniem i konsternacją, postanowił ujawnić swoje niedoskonałe początki. Tak jakby chciał powiedzieć, że teraz może już przestać się ich wstydzić.

Ponieważ dziś tamto „roztargnienie" mogło nabrać innej wartości i zamienić się w jego największy triumf.

Faktem było, że zniknięcie dwojga młodych nie podzieliło losu innych przypadków zaginięć zdarzających się co roku we Włoszech. Zazwyczaj zapominano o nich w oczekiwaniu na pojawienie się przełomowej informacji albo na jakieś szczęśliwe zrządzenie losu, które zwykle nie nadchodziło.

Anabel Meyer była drugim dzieckiem znanego niemieckiego bankiera, człowieka wpływowego, który wywierał znaczne naciski na włoski rząd, domagając się odnalezienia córki. Sprawą zajmowały się dzienniki i stacje telewizyjne, a śledztwo zostało powierzone najwyżej cenionemu policjantowi – Morowi.

Ponieważ tych dwoje poruszało się autostopem, obejrzano całe godziny nagrań kamer ochrony na lokalnych drogach i autostradach, a z uwagi na naturę śledztwa do poszukiwań skierowano mnóstwo ludzi i środków. Zaginięcie nie było równoznaczne z zabójstwem, brakowało też dowodów, że mogło chodzić o porwanie, wydano jednak dużo pieniędzy i wykorzystano znaczne zasoby.

W końcu, pomimo obiektywnych kłopotów ze znalezieniem jakichkolwiek śladów, wyszło na jaw, że Bernhard i Anabel w lipcu kręcili się po stacji benzynowej tuż pod Florencją na drodze A1, czyli na autostradzie del Sole. Zatrzymywali kierowców, żeby poprosić o podwiezienie do Rzymu.

Kamery ochrony stacji benzynowej nagrały moment, w którym młoda para wsiadała do małego samochodu osobowego. Z tablicy rejestracyjnej wynikało, że samochód został ukradziony, a obiektyw kamery nie był w stanie uchwycić twarzy kierowcy. Mimo to, właśnie dzięki talentom Mora, policja dotarła do złodzieja.

Chodziło o typka, który już wcześniej kradł i napadał. Jego specjalnością było proponowanie podwiezienia niedoświadczonym turystom po to, żeby później zmusić ich pod groźbą pistoletu do oddania tego, co mieli przy sobie. Podejrzanego zatrzymano po wytężonych poszukiwaniach. W jego domu odnaleziono, oprócz beretty z usuniętymi numerami, rzeczy należące do dwojga młodych niemieckich turystów – portfel Bernharda i mały złoty naszyjnik Anabel.

Śledczy doszli do wniosku, że rosły chłopak stawił opór napastnikowi, więc ten poczuł się zmuszony do użycia broni. W przypływie panicznego strachu po tym czynie zabił też dziewczynę, a potem ukrył zwłoki obojga.

Po aresztowaniu mężczyzna przyznał się do rabunku, ale bronił się przed zarzutem zabójstwa, utrzymując, że do nikogo nie strzelał i że wysadził młodą parę w wiejskiej okolicy.

Sandra zauważyła, że nie przypadkiem stało się to w odległości kilkuset metrów od miejsca, w którym teraz odnaleziono ciała.

Jednak dwa lata wcześniej nikt ich nie szukał, ponieważ w pierwszej fazie procesu napastnik zmienił zeznania. Przyznał się do podwójnego zabójstwa i oświadczył, że pozbył się zwłok, wrzucając je do rzeki.

Koryto rzeki zbadali płetwonurkowie, ale niczego nie znaleźli. Ława przysięgłych doceniła jednak gotowość oskarżonego do współpracy z wymiarem sprawiedliwości i skazała go na dożywocie, zaznaczając przy tym w wyroku, że w niezbyt odległym terminie będzie mógł prosić o zwolnienie warunkowe.

Teraz stało się jasne, że zeznanie to podsunęli mu adwokaci, którzy precyzyjnie ustalili strategię obrony: z uwagi na miażdżące dowody doradzili mu, żeby przyznał się do winy, choć nie było to zgodne z prawdą. Wykorzystano jedną z luk prawa karnego, ale w tamtym okresie rodzice młodych zadowolili się tym wyrokiem, ponieważ w końcu znaleziono winnego i zasądzono mu maksymalną karę. Prawdopodobnie wynagrodziła im ona brak miejsca, w którym mogliby opłakiwać swoje dzieci. Z drugiej strony, włoskie władze dostarczyły niemieckim kolegom dowodu na skuteczność swoich działań. Zastępca komendanta Moro został obsypany podziękowaniami, a jego sława znacznie wzrosła.

Wszyscy zadowoleni. Aż do tej chwili.

Podczas gdy na jaw wychodziła bulwersująca prawda, Sandra zdjęła skafander i odłożyła sprzęt fotograficzny do służbowego samochodu.

Kilka kroków od niej zakłopotany Moro wygłaszał pierwsze oświadczenia dla głównych mediów, krajowych i zagranicznych. W świetle reflektorów jego twarz wydawała się jeszcze bardziej zmęczona. Za jego plecami znajdował się las, w którym odnaleziono szczątki, a przed nim gąszcz mikrofonów.

– Ofiary to Bernhard Jäger i Anabel Meyer – wypowiedział smutnym tonem na użytek kamer ich imiona i nazwiska. – Dwadzieścia trzy i dziewiętnaście lat.

– W jaki sposób zmarli? – zapytał jeden z reporterów.

Moro próbował odszukać jego twarz wśród innych, ale oślepiały go błyski fleszów i dał temu spokój.

– Można powiedzieć, że są trzecią parą zamordowaną przez Potwora z Rzymu. Jednak ponieważ zaginęli co najmniej dwa lata temu, a ich szczątki są w stanie zaawansowanego rozkładu, możemy uznać, że padli jego ofiarą jako pierwsi.

Przez dwa lata morderca żył nieniepokojony przez nikogo, dopiero teraz zamienił się w bestię.

Penitencjariusz wspominał, że ktoś go osłania, przypomniała sobie Sandra. Kto i dlaczego robi coś takiego? Być może w gniew wprawiała ją głównie myśl, że mogą istnieć ludzie, dla których ważniejszy jest morderca niż dwoje niewinnych młodych ludzi.

W tej absurdalnej ochronie brał udział Astolfi, a ona go zdemaskowała. Komisarz Crespi zapewnił ją, że nie był on w żaden sposób związany ze sprawą i że popełnił samobójstwo w przypływie szaleństwa. Ale Marcus zaprzeczył tej tezie. I Sandra wierzyła teraz tylko jemu.

Chciałaby spojrzeć w oczy innym wspólnikom, kimkolwiek są. Chciałaby dać im do zrozumienia, że jest ktoś, kto odkrył ich plany. W związku z tym, że policja nie zamierzała zająć się lekarzem sądowym ani prowadzić śledztwa w jego sprawie i badać motywów samobójstwa, chciałaby mimo to wysłać pewien sygnał. Była pewna, że penitencjariusz by to zaaprobował.

Ta myśl przyszła jej do głowy, gdy przyglądała się wychodzącemu z lasu komisarzowi Crespiemu, który będąc człowiekiem bardzo religijnym, przeżegnał się.

Życie składa się z ciągu pierwszych razów, powiedziała sobie Sandra. Być może przyszedł moment, żeby podjęła ryzyko po zbyt długim ukrywaniu się za parawanem swojego aparatu fotograficznego.

Tak więc, stojąc tuż za zastępcą komendanta i mając pewność, że znajduje się w zasięgu kamer telewizyjnych, uniosła prawą rękę i przeżegnała się tak, jak to zrobił Astolfi w lesie pod Ostią.

CZĘŚĆ TRZECIA

Inteligentny psychopata

Czwarta lekcja szkolenia penitencjariusza odbyła się w największej świątyni świata.

Bazylika Świętego Piotra nie ma sobie równych. Została zbudowana przez Bramantego po rozebraniu poprzedniej. Łącznie z portykiem ma 211 metrów długości. Kopuła, aż po czubek krzyża, który się nad nią wznosi, sięga 132 metrów wysokości.

Każde rękodzieło w jej wnętrzu, każdy posąg czy kolumna, ornament czy nisza, mają swoją historię.

Gdy Clemente w parny czerwcowy czwartek zaprowadził Marcusa po raz pierwszy do ogromnego kościoła, wierni mieszali się z turystami. Ale nie można było odróżnić tych, którzy przybyli tu powodowani wiarą, od ludzi ożywianych jedynie pragnieniem zwiedzenia tej świątyni. W odróżnieniu od innych miejsc kultu, tu nie odczuwa się żadnych mistycznych tchnień.

W rzeczywistości ten najważniejszy symbol chrześcijaństwa symbolizuje przede wszystkim doczesną władzę papieży, którzy w trakcie dziejów reprezentowali wprawdzie apostoła Piotra, ale pod pretekstem sprawowania rządu dusz poświęcali się głównie sprawom materialnym, niczym pierwszy lepszy świecki władca.

Minął już okres panowania papieży-królów, ale pozostały grobowce świadczące o ich rządach. Wydaje się, że wszyscy oni prześcigali się w pozostawianiu wystawnego śladu swojego pobytu na ziemi, korzystając z umiejętności wielkich artystów.

Z tego właśnie powodu Marcus czuł, że nie powinien potępiać próżności tych ludzi, chociaż wszystko to miało niewiele wspólnego z Bogiem.

W podziemiach Rzymu kryje się wiele cudowności. Pozostałości Wiecznego Miasta, którego cywilizacja zdominowała cały świat, ale również liczne nekropolie, w tym także katakumby z czasów chrześcijańskich. Nad niektórymi z nich została wzniesiona bazylika, w której właśnie się znajdowali.

W katakumbach według tradycyjnych przekazów ma się mieścić grób ulubionego ucznia Chrystusa. Ale dopiero w roku 1939 Pius XII zainicjował kampanię wykopaliskową mającą na celu sprawdzenie, czy naprawdę pod ziemią znajdują się szczątki apostoła Piotra.

Na głębokości wielu metrów odkryto czerwony mur z niszą, na której wyryty był napis w języku starogreckim:

ΠΕΤΡ (ΟΣ)
ΕΝΙ

„Piotr tu jest".

Grób pod niszą był jednak pusty. Dopiero wiele lat po tym odkryciu ktoś przypomniał, że w pewnym schowku złożono to, co odkryto przypadkowo w pobliżu wykopaliska.

Umieszczono to w najzwyklejszym pudełku po butach.

Znajdowały się w nim fragmenty kości – ludzkich i zwierzęcych – kawałki tkaniny, ziemia, odłamki czerwonego tynku i średniowieczne monety.

Specjaliści zdołali ustalić, że ludzkie kości należały do osobnika płci męskiej, raczej wysokiego, silnego, w wieku od sześćdziesięciu do siedemdziesięciu lat. Kawałki tkaniny okazały się resztkami purpurowego jedwabiu przetykanego złotem. Tynk pochodził z czerwonego muru, w którym znajdowała się nisza, a ziemia również została zabrana z tego miejsca pochówku. Natomiast średniowieczne monety przyniosły najprawdopodobniej myszy, których szczątki były przemieszane z kośćmi zmarłego.

– Można odnieść wrażenie, że to fragment akcji jakiejś świetnej powieści z dreszczykiem – rzekł Clemente, opowiedziawszy Marcusowi całą historię. – Faktem jest, że nigdy się nie dowiemy, czy ten człowiek to rzeczywiście apostoł Piotr. Mógł to być każdy inny mężczyzna o tym imieniu, może nawet jakiś rozpustnik albo złoczyńca. – Clemente rozejrzał się. – Ale każdego roku tysiące osób klękają na jego grobie i modlą się. Modlą się za niego.

Marcus domyślił się jednak, że w opowieści przyjaciela kryje się coś, co ma znaczenie praktyczne.

– Problem sprowadza się jednak do pytania: czym jest człowiek? Gdy nie możemy się dowiedzieć, kim ktoś jest w rzeczywistości, oceniamy go według jego uczynków. Wydając sąd o nim, sięgamy po jednostkę miary, którą jest dobro i zło. Ale czy to wystarcza? – Clemente przybrał nagle poważną minę. – Nadszedł moment, żebyś poznał największe archiwum kryminalne w dziejach.

♦ ♦ ♦

Katolicyzm jest jedyną religią, która wprowadziła sakrament spowiedzi: ludzie opowiadają o swoich grzechach kapłanowi z nadzieją, że w zamian otrzymają przebaczenie. Jednak czasami wina jest tak wielka, że nie może on udzielić rozgrzeszenia. Zdarza się to w odniesieniu do tak zwanych „grzechów śmiertelnych", to znaczy dotyczących „spraw najpoważniejszych", a do tego popełnionych „świadomie i z rozmyślną zgodą".

Na pierwszym miejscu stawiało się i stawia zabójstwo, ale wchodzą też w grę zdrada Kościoła oraz wiary.

W tych przypadkach kapłan tradycyjnie spisywał tekst spowiedzi i wysyłał go do władz wyższych, a mianowicie do kolegium wysokich hierarchów kościelnych, które powołano w Rzymie do osądzania takich spraw.

Do Trybunału Dusz.

Został on powołany do życia w dwunastym wieku pod nazwą Paenitentiaria Apostolica. Wydarzenie to miało związek z nadzwyczajnym napływem pielgrzymów do Wiecznego Miasta. Wielu z nich spodziewało się, że dostąpią tu odpuszczenia grzechów.

W tamtych czasach tylko Pontifex Maximus miał prawo po-dejmowania pewnych decyzji, takich jak udzielanie dyspensy i łask zastrzeżonych dla najwyższej władzy kościelnej. Ale było to straszliwym obciążeniem dla papieża. Z czasem zaczął więc obarczać tym zadaniem wybranych kardynałów, którzy potem utworzyli kongregację penitencjariuszy.

Istniała reguła, zgodnie z którą po wydaniu przez ów trybunał werdyktu zapisy spowiedzi były palone. Jednak po kilku zaledwie latach penitencjariusze postanowili utworzyć tajne archiwum...

– I nie przerwali działalności – zakończył Clemente. – Od prawie tysiąca lat w archiwum tym przechowuje się pamięć o naj-cięższych grzechach ludzkości. Czasami są to zbrodnie, o których świat nigdy się nie dowiedział. Nie chodzi przy tym o zwykłą bazę danych, taką, jaką posiada policja, ale o najobszerniejsze i doprowadzone do najnowszych czasów archiwum zła.

Marcus wciąż jeszcze nie rozumiał jednak, co to może mieć wspólnego z nim.

– Będziesz badał archiwum grzechów. Ja dostarczę ci sprawy zasługujące na zbadanie, a ty je przeprowadzisz. W końcu sta-niesz się kimś w rodzaju policyjnego profilera albo kryminologa. Takiego, jakim byłeś kiedyś, zanim straciłeś pamięć.

– W jakim celu mam to robić?

– Ponieważ potem będziesz mógł zastosować swoją wiedzę w rzeczywistym świecie.

Był to główny punkt jego szkolenia.

– Zło znajduje się we wszystkim, ale często nie jesteśmy w sta-nie go dostrzec – dodał Clemente. – Niemal niedostrzegalnym znakiem jego obecności są anomalie. W odróżnieniu od jakichkol-wiek innych osób, ty będziesz umiał je zidentyfikować. Pamiętaj, Marcusie: zło nie jest abstrakcyjną ideą. Zło ma swój konkretny wymiar.

1

Sala szpitalna skąpana była w zielonkawym półcieniu. Tworzyły go światełka urządzeń medycznych. W tle słychać było pracę respiratora podłączonego do tchawicy dziewczyny leżącej na łóżku.

Diany Delgaudio.

Otwarte usta, struga śliny spływająca po jej brodzie. Włosy uczesane z przedziałkiem na boku upodabniały ją do wyrośniętej dziewczynki. Oczy wybałuszone w spojrzeniu pozbawionym wyrazu.

Z korytarza dobiegły głosy zbliżających się pielęgniarek. Jedna z nich mówiła o problemach ze swoim chłopakiem.

– Powiedziałam mu, że nie ma dla mnie żadnego znaczenia, czy spotykał się ze swoimi przyjaciółmi, zanim się poznaliśmy w ostatni czwartek. Teraz jestem ja i mam pierwszeństwo, oni się nie liczą.

– I jak zareagował? – spytała druga, która wydawała się rozbawiona opowieścią koleżanki.

– Z początku robił trochę historii, ale potem ustąpił.

Weszły do sali, popychając wózek z pościelą, rurkami i nowymi cewnikami, żeby wykonać przy pacjentce zwykłe czynności higieniczne. Jedna z nich zapaliła światło.

– Już się obudziła – powiedziała druga, zauważywszy, że pacjentka ma otwarte oczy.

Ale nie było to najbardziej stosowne określenie stanu Diany, ponieważ znajdowała się ona w stanie śpiączki wegetatywnej. Media nie dotykały tej sprawy przez szacunek dla rodziny, ale również dlatego, że nie chciały wystawiać na próbę wrażliwości wszystkich osób, które uważały, że dziewczyna przeżyła za sprawą jakiegoś cudu.

Był to jedyny komentarz wygłoszony na jej temat przez dwie pielęgniarki, które zaraz potem wróciły do rozmowy o swoich sprawach.

– Więc, jak ci mówiłam, doszłam do wniosku, że jeżeli będę chciała coś osiągnąć, muszę trzymać go krótko.

Gawędząc swobodnie, pielęgniarki przebrały i umyły Dianę, zainstalowały też nową rurkę do respiratora. Każdą z tych czynności odnotowywały na kartce. Aby wymienić prześcieradło na łóżku, przeniosły dziewczynę na fotel na kółkach. Jedna z pielęgniarek położyła kartkę i długopis na jej kolanach, ponieważ tak było najwygodniej.

Zmieniwszy pościel, położyły pacjentkę znowu na łóżku.

Zabrały wózek i opuściły pokój, nadal rozmawiając beztrosko.

– Zaczekaj chwilę – powiedziała jedna z nich. – Zapomniałam o kartce.

Wróciła do pokoju i zabrała ją z fotela na kółkach. Zerknęła na nią z roztargnieniem, ale po chwili poczuła się zmuszona przyjrzeć się jej bliżej. Nagle zamilkła ze zdumioną miną. Spojrzała na leżącą na łóżku dziewczynę, która jak zwykle nie poruszała się i miała twarz bez wyrazu. Po czym znowu wlepiła z niedowierzaniem wzrok w kartkę, którą miała przed sobą.

Na kartce pojawił się napis naniesiony niepewną ręką, tak jakby należała do dziecka. Tylko jedno słowo.

O N I

2

Telewizor w barze z fast foodem nastawiony był na kanał informacyjny, dlatego już po raz trzeci oglądał ten sam dziennik telewizyjny.

Chętnie by się obył bez tego towarzystwa podczas jedzenia, lecz nie mógł nic na to poradzić; próbował nawet patrzeć w inną stronę, ale gdy tylko się zdekoncentrował, jego wzrok automatycznie wracał do ekranu, chociaż dźwięk był wyłączony.

Leopoldo Strini pomyślał, że musi to być skutek uzależnienia od technologii. Ludzie nie potrafią już przebywać sami ze sobą. Było to najgłębsze spostrzeżenie, jakie przyszło mu na myśl tego dnia.

Również inni klienci lokalu – rodziny z dziećmi i urzędnicy, którzy wyrwali się z biura przed przerwą obiadową – gapili się jak urzeczeni w ekran. Sprawy związane z Potworem z Rzymu przykuwały uwagę wszystkich w mieście. A media były w swoim żywiole. Na przykład teraz bezustannie nadawały ujęcia z odnalezienia dwóch szkieletów w lesie. Informacje były bardzo skąpe, ale dzienniki telewizyjne powtarzały je w kółko. A ludzi nie męczyło ich oglądanie. Nawet jeśli ktoś zmienił kanał, program pozostawał taki sam. Doszło już do zbiorowej psychozy.

Przypominało to oglądanie akwarium. Tak, akwarium horrorów.

Technik z policyjnego laboratorium, Leopoldo Strini, siedział w głębi sali przy tym samym stoliku co zawsze. Pracował przez całą noc nad nowymi dowodami, ale jeszcze nie mógł dostarczyć żadnego przydatnego wyniku. Padał z nóg ze zmęczenia i pozwolił sobie na przerwę, żeby pospiesznie coś zjeść przed powrotem do pracy.

Bułka z hamburgerem, frytki i sprite.

Właśnie zabierał się do ostatnich kęsów kanapki, gdy do jego stolika przysiadł się jakiś mężczyzna, zajmując miejsce dokładnie naprzeciwko niego i zasłaniając mu telewizor.

– Witam – powiedział nieznajomy, uśmiechając się przyjaźnie.

Na moment Strini zapomniał języka w gębie. Nigdy przedtem nie widział tego człowieka, nie przyjaźnił się też z żadnymi Azjatami.

– Zechcesz poświęcić mi minutę?

– Nie zamierzam niczego kupować – burknął Strini.

– Och, nie, nie przyszedłem, żeby cię namawiać do kupowania czegokolwiek – zapewnił Battista Erriaga. – Chcę ci zrobić prezent.

– Posłuchaj, to mnie nie interesuje. Chcę tylko dokończyć jedzenie.

Erriaga zdjął czapkę i przeciągnął po niej dłonią, jakby chciał z niej zetrzeć niewidzialny kurz. Chętnie powiedziałby temu głupkowi, że przebywanie tu nie sprawia mu najmniejszej przyjemności, ponieważ nie cierpi barów z fast foodem, w których jada się tłuste rzeczy, szkodliwe przy jego nadciśnieniu i wysokim cholesterolu. Pogardza też bachorami i rodzinkami chodzącymi zazwyczaj do takich lokali, ponieważ nie znosi hałasu, zatłuszczonych rąk i śmiesznego szczęścia ludzi, którzy wydają na świat dzieci. Ale po tym, co wydarzyło się poprzedniego wieczoru, po odnalezieniu szczątków dwojga niemieckich autostopowiczów, musiał podjąć kilka niezbędnych decyzji, ponieważ jego plany groziły zawaleniem.

Z przyjemnością wyjawiłby to wszystko idiocie, którego miał przed sobą, ale powiedział tylko:

– Posłuchaj mnie, Leopoldo...

Usłyszawszy, że nieznajomy wymienia jego imię, Strini znieruchomiał z uniesioną do ust bułką.

– Czy my się znamy?

– Wiem, kim jesteś.

Striniego ogarnęło złe przeczucie; ta historia zupełnie mu się nie podobała.

– Odwal się ode mnie, dobra?

Erriaga położył czapkę na stole i skrzyżował ręce na piersi.

– Jesteś szefem laboratorium analiz technologicznych komendy.

– Słuchaj no, jeżeli jesteś dziennikarzem, to źle trafiłeś: nie wolno mi ujawniać żadnych informacji.

– Jasne – rzucił tamten, udając, że rozumie jego sytuację. – Wiem, że w tych sprawach musicie przestrzegać bardzo sztywnych reguł, mam też świadomość, że nigdy byś ich nie złamał. W każdym razie, ja nie jestem dziennikarzem, a ty przekażesz mi wszystko, co wiesz, wyłącznie z własnej woli.

Strini spojrzał z ukosa na nieznajomego. Co to za gnida?

– Nie wiem nawet, kim jesteś, więc dlaczego miałbym dzielić się z tobą poufnymi informacjami, i to jeszcze na własne życzenie?

– Ponieważ od tej chwili ja i ty jesteśmy przyjaciółmi. – Erriaga opatrzył to zdanie najuprzejmiejszym ze swoich drapieżnych uśmiechów.

Policyjny technik wybuchnął śmiechem.

– Posłuchaj, kochasiu, spieprzaj stąd czym prędzej, jasne?

Azjata udał, że się obraził.

– Jeszcze nie wiesz o tym, ale przyjaźń ze mną zapewnia korzyści.

– Nie interesują mnie pieniądze.

– Nie mówię o forsie. Wierzysz w raj, Leopoldo?

Strini miał tego dość. Odłożył resztę hamburgera na talerz i zaczął się szykować do opuszczenia lokalu.

– Jestem policjantem, ty idioto. Mógłbym kazać cię aresztować.

– Kochałeś swoją babcię Leonorę?

Strini znieruchomiał.

– Co moja babcia ma z tym wspólnego?

Erriaga z miejsca zauważył, że wystarczyło, by o niej wspomniał, a technikowi przestało się spieszyć. Znak, że jakaś część jego świadomości chciała dowiedzieć się więcej.

– Dziewięćdziesiąt cztery lata... Pożyła sobie dość długo, prawda?

– Tak, z pewnością.

Ton głosu Striniego nagle się zmienił, wydawał się uległy i zawstydzony. Erriaga postanowił uderzyć mocniej.

– Jeżeli się nie mylę, byłeś jej jedynym wnuczkiem i bardzo cię kochała. A jej mąż, twój dziadek, miał na imię Leopoldo.

– Tak.

– Obiecała ci, że pewnego dnia odziedziczysz domek w Centocelle, gdzie mieszkała. Trzy pokoje z kuchnią i łazienką. Poza tym miała trochę odłożonych pieniędzy. Trzydzieści tysięcy euro, jeśli się nie mylę?

Strini wybałuszył oczy, pobladł i nie był w stanie wykształusić słowa.

– Tak... A raczej nie... Nie pamiętam...

– Jak możesz nie pamiętać? – spytał Erriaga, udając oburzenie. – Dzięki tym pieniądzom mogłeś się ożenić z dziewczyną, którą kochałeś, a potem przenieść się do domku babci. Szkoda, że w celu zdobycia tego wszystkiego musiałeś odebrać życie tej staruszce.

– Co ty wygadujesz, do kurwy nędzy? – zareagował gniewnie Strini i chwycił go za ramię, ściskając je mocno. – Moja babcia umarła na raka.

– Wiem – odparł Erriaga, nie odrywając spojrzenia od rozwścieczonych oczu Striniego. – Dimetylortęć to interesująca substancja: wystarczy kilka kropel na skórze, żeby natychmiast przedostała się przez błonę komórkową i zapoczątkowała nieodwracalny proces umierania. Jasne, trzeba odczekać kilka miesięcy, ale wynik jest zapewniony. Chociaż w zasadzie cierpliwość nie jest twoją mocną stroną, bo przecież chciałeś uprzedzić dobrego Pana Boga.

– Skąd ty to wszystko...

Erriaga ujął dłoń, która ściskała mu ramię, i uwolnił się od niej.

– Uważasz, jak się domyślam, że dziewięćdziesiąt cztery lata to wiek w sam raz jak na jedno życie. Poza tym twoja droga babcia Eleonora nie była już samodzielna, a ty, jako jej jedyny spadkobierca, musiałbyś się nią zaopiekować, poświęcając na to energię i pieniądze.

Strini zdrętwiał z przerażenia.

– Lekarze wzięli pod uwagę wiek zmarłej i nie szukali zbyt głęboko przyczyn jej śmierci. Nikt niczego nie podejrzewał. Dlatego wiem, co ci chodzi po głowie: myślisz, że nikt nie zna tej historii, nawet żona. Ale na twoim miejscu nie zadawałbym sobie zbyt wielu pytań, jak się o tym dowiedziałem. A że nie masz pojęcia, czy także dożyjesz dziewięćdziesięciu czterech lat, radzę ci, żebyś zaczął oszczędnie gospodarować czasem.

– Szantażujesz mnie?

Erriaga pomyślał, że ten Strini nie jest chyba taki znowu inteligentny, skoro zapytał o coś, co było oczywiste.

– Jak ci powiedziałem na samym początku, jestem tu, żeby ci zrobić prezent. – Zawiesił na chwilę głos. – Ten prezent to moje milczenie.

Strini wreszcie zrozumiał.

– Czego chcesz?

Azjata wyjął z kieszeni kartkę i długopis, po czym napisał na niej numer telefonu.

– Możesz do mnie dzwonić o każdej godzinie dnia i nocy. Chcę znać wcześniej niż inni wszystkie wyniki prowadzonych w laboratorium analiz dowodów w sprawie Potwora z Rzymu.

– Wcześniej niż inni?

– Tak właśnie – odparł Erriaga, podnosząc wzrok znad kartki.

– Po co?

Przyszła kolej na najtrudniejszą część rozmowy.

– Ponieważ może się zdarzyć, że poproszę cię o zniszczenie dowodów.

Technik oparł się na krześle, wznosząc wzrok do sufitu.

– Kurwa, nie możesz żądać ode mnie czegoś takiego.

Erriaga zachował opanowanie.

– Po śmierci babci chciałeś oddać jej zwłoki do kremacji, prawda? Ale Eleonora była osobą religijną i wcześniej wykupiła miejsce w grobowcu na cmentarzu Verano. Naprawdę szkoda by było, gdyby ktoś ekshumował zwłoki i zaczął w nich szukać resztek niezwykłej trucizny, jaką jest dimetylortęć. Jestem nawet pewien, że poprosiliby cię o konsultację, jako że w twoim laboratorium nietrudno natrafić na takie substancje.

– Wcześniej niż inni – zgodził się Strini.

Erriaga posłał mu uśmiech godny prawdziwej hieny.

– Cieszę się, że tak prędko doszliśmy do porozumienia. – Potem spojrzał na zegarek. – Myślę, że powinieneś już iść, masz tam mnóstwo pracy.

Leopoldo Strini wahał się przez chwilę, a potem wstał od stołu i podszedł do kasy, żeby zapłacić rachunek. Erriaga był tak zadowolony, że również podniósł się z miejsca i usiadł na krześle zwolnionym przez technika. Sięgnął po to, co zostało z hamburgera, i już miał odgryźć kawałek, gwiżdżąc na cholesterol i nadciśnienie, gdy jego uwagę przyciągnął telewizor z wyłączonym dźwiękiem.

Właśnie pokazywano zdjęcia z zastępcą komendanta Mora, który udzielał wyjaśnień grupie dziennikarzy, o dwa kroki od miejsca odnalezienia dwóch szkieletów w lesie. Od poprzedniego wieczoru Erriaga oglądał tę scenę co najmniej z dziesięć razy, ponieważ stacje telewizyjne nadawały ją bezustannie.

Ale aż do tej chwili nie zauważył tego, co działo się za plecami śledczego.

Widoczna na tle zagajnika młoda policjantka zrobiła znak krzyża od dołu do góry i od prawej do lewej.

Wiedział, kim jest ta kobieta. Trzy lata wcześniej była bohaterką ważnego śledztwa.

Co ona robi, u diabła? Dlaczego wykonuje ten gest?

Musi być bardzo sprytna albo bardzo głupia, pomyślał Battista Erriaga. Tak czy inaczej, z pewnością nie miała pojęcia, że naraża się na poważne niebezpieczeństwo.

3

Wiadomość dotarła do redakcji wczesnym popołudniem. Śledczy rozpowszechnili ją, żeby odzyskać trochę zaufania w oczach opinii publicznej, ale chcieli również odsunąć na drugi plan sprawę odnalezienia szczątków dwojga autostopowiczów.

Diana Delgaudio, dziewczyna, która cudem przeżyła cios nożem w mostek i noc pod gołym niebem, odzyskała świadomość i zaczęła się porozumiewać z otoczeniem. Zrobiła to na piśmie. Napisała tylko jedno słowo.

Oni.

Prawdą, i to bardziej przykrą, było jednak to, że ta chwiejna przytomność wróciła Dianie tylko na chwilę, po czym dziewczyna znowu zapadła w stan śpiączki. W oczach lekarzy wszystko przebiegało normalnie, nie odczuwali potrzeby podsycania nadziei. W tego rodzaju przypadkach z rzadka dochodziło do stałej poprawy. Ale ludzie już mówili o wyleczeniu i nikt nie zdobył się na zaprzeczenie tym pogłoskom.

Kto wie, co za koszmary mogą się pojawiać we śnie, w jaki zapadła ta dziewczyna, zastanawiała się Sandra.

Poza tym słowo, które napisała na kartce, mogło być też owocem halucynacji. Czymś w rodzaju odruchu podobnego do tego, gdy katatonik łapie rzuconą piłkę.

274

Lekarze próbowali ponownie podsunąć Dianie długopis i kartkę, ale ich starania nie przyniosły żadnego rezultatu.

Oni, zastanawiała się Sandra.

– Z punktu widzenia śledztwa to sprawa bez znaczenia – powiedział komisarz Crespi. – Lekarze mówią, że to słowo można powiązać z każdym wspomnieniem. Być może przypomniała sobie jakieś wydarzenie ze swego życia i napisała „oni", mając je na myśli.

Jednak słowo to nie zostało sprowokowane żadnym pytaniem, nie było też reakcją na rozmowę, jaką pielęgniarki prowadziły w chwili, gdy Diana napisała je na kartce.

Rozmawiały o chłopaku jednej z nich.

Kilku dziennikarzy wysunęło śmiałą sugestię, że to „oni" może się odnosić do obecności większej liczby osób w chwili, gdy młoda para została napadnięta w lesie pod Ostią. Ale Sandra jako pierwsza odrzuciła tę hipotezę: sfotografowane przez nią ślady, a zwłaszcza odciski butów, wskazywały wyraźnie, że działał tylko jeden człowiek. Chyba że miał wspólnika, który potrafił latać albo przemieszczać się z jednego drzewa na drugie... Śmieszne skojarzenia, godne mediów.

Ostatecznie słowo to nie zostało umieszczone na liście dowodów i poszlak na wielkiej tablicy w centrum operacyjnym grupy specjalnej.

Zabójstwo w lasku koło Ostii

Przedmioty: plecak, lina wspinaczkowa,
nóż myśliwski, rewolwer Ruger SP101.

Odciski palców chłopaka na linie i nożu
pozostawionym w ciele dziewczyny: zabójca kazał mu
przywiązać ją i zadać cios nożem, jeżeli chce uratować
życie.

Zabija chłopaka, strzelając mu w tył głowy.

*Potem szminkuje dziewczynie usta (żeby ją
sfotografować?).*

Zostawia obok ofiar jakiś przedmiot z soli (laleczkę?).

Zabójstwo agentów Rimonti i Carboniego

Przedmioty: nóż myśliwski, rewolwer Ruger SP101.

*Zabija Stefana Carboniego strzałem
w klatkę piersiową.*

*Strzela do Pii Rimonti, raniąc ją w brzuch.
Potem rozbiera ją do naga. Przykuwa do drzewa
kajdankami, torturuje i morduje nożem myśliwskim.*

Nakłada jej makijaż (żeby ją sfotografować?).

Zabójstwo autostopowiczów

Przedmioty: nóż myśliwski, rewolwer Ruger SP101.

Zabija Bernharda Jägera strzałem z rewolweru w skroń.

Zabija Anabel Meyer kilkoma ciosami noża w brzuch.

Anabel Meyer była w ciąży.

Zakopuje ciała i plecaki ofiar.

Wszyscy uznali za rzecz oczywistą, że elementy ostatniego
z podwójnych zabójstw – a w rzeczywistości pierwszego w porządku chronologicznym – są ubogie.

W odniesieniu do autostopowiczów liczył się też fakt, że od zamordowania minęło dużo czasu. Teraz zawartość plecaków dwojga młodych Niemców była przedmiotem analizy laboratoryjnej. Crespi miał nadzieję, że Leopoldo Strini pokaże się na odprawie z paroma dobrymi wiadomościami. A przede wszystkim z jakimś dowodem.

— Co im zajmuje aż tyle czasu? — zapytał komisarz. Miał na myśli to, że niedługo przed odprawą w centrum operacyjnym Moro został niespodziewanie wezwany do biura komendanta.

Sandra nie miała gotowej odpowiedzi, ale była w stanie ją sobie wyobrazić.

◆ ◆ ◆

— Co ma oznaczać ta „współpraca międzyresortowa"?

— To, że nie jest już pan jedyną osobą kierującą tym śledztwem — powiedział szef Urzędu Bezpieczeństwa Publicznego, nie owijając sprawy w bawełnę.

Moro nadal nie chwytał sensu.

— Nie potrzebujemy nikogo obcego, damy sobie radę sami. Ale tak czy owak, dziękuję.

— Żadnych sprzeciwów — wtrącił komendant. — Były naciski, sam widziałeś, że mamy ich wszystkich na głowie: ministra, burmistrza, opinię publiczną, media.

Od pół godziny siedzieli zamknięci w jego biurze na najwyższym piętrze pałacu przy via San Vitale.

— W takim razie jak to teraz ma wyglądać? — spytał Moro.

— Karabinierzy ze specjalnej grupy operacyjnej udzielą nam oficjalnego wsparcia w śledztwie. Będziemy musieli przekazywać im wszystkie informacje, jakie zdobędziemy, a oni w przyszłości będą się nam rewanżować tym samym. Chodzi o stworzenie jednostki specjalnej. Jest to życzenie ministra, który niebawem ogłosi to na konferencji prasowej.

Co za kurewstwo, chętnie odparłby Moro. O losach takiej sprawy jak ta nie decyduje poszerzanie środków. Przeciwnie, często udział zbyt wielu głów okazuje się zgubny dla śledztwa. Wydłużając linię dowodzenia, powiększa się tylko czas potrzebny na podjęcie decyzji. Określenie „jednostka specjalna" może jedynie służyć udobruchaniu mediów, to taki termin opisujący policyjnych nieudaczników, nadający się do filmów akcji. W rzeczywistości śledztwa prowadzi się w ciszy, pokonując przeszkody krok po kroku. Jest to robota wymagająca inteligencji, w której wykorzystuje się informatorów i donosy. Przypomina to powolne i cierpliwe splatanie wielu wątków. Wyniku można się spodziewać dopiero na końcu całego procesu.

– No dobrze, to jest wersja oficjalna. A jak rzeczy wyglądają naprawdę?

Komendant spojrzał swemu zastępcy w oczy, wpadając we wściekłość.

– Wyglądają tak, że dwa lata temu posłałeś do pierdla niewinnego człowieka, który nie miał nic wspólnego ze zniknięciem dwojga niemieckich autostopowiczów. Wyglądają tak, że teraz ten skurwiel chce wytoczyć włoskiemu państwu proces; jego adwokat wydał już oświadczenie, w którym utrzymuje, że, cytuję: „dwa lata temu jego klient został zmuszony do przyznania się do winy, ponieważ padł ofiarą systemu wymiaru sprawiedliwości i mało wnikliwych metod stosowanych przez policję". Masz pojęcie? Złodziej, który teraz uchodzi za bohatera! Wyglądają tak, że dziś rano jeden z portali internetowych uruchomił sondaż opinii na temat, jak sobie radzisz z tą sprawą. Chcesz, żebym ci podał wyniki?

– Krótko mówiąc, szefie, wyłączasz mnie ze śledztwa.

– Ty sam, Moro, zrobiłeś wszystko, żeby znaleźć się poza nawiasem.

Zastępca komendanta był rozgoryczony, ale nie chciał tego pokazać po sobie. Uśmiechnął się tylko.

– A więc, jeśli dobrze zrozumiałem, od tej chwili współpracujemy z karabinierami, ale w rzeczywistości to oni będą wydawać rozkazy, a ta historia z jednostką specjalną to tylko sposób na uratowanie twarzy?

– Myśli pan, że nam sprawia to przyjemność? – spytał szef Urzędu Bezpieczeństwa. – Od tej chwili będę musiał meldować się temu palantowi, dowódcy karabinierów, i znosić to, że on z czystej łaskawości będzie udawał, że w tej sprawie liczymy się jednakowo.

Moro uświadomił sobie, że ci dwaj ludzie decydują właśnie o końcu jego kariery. Że po latach służenia im i przynoszenia gotowych wyników, co do których przypisywali sobie większą część zasługi, nie przejmują się zupełnie tym, że teraz zapłaci tylko on.

– I co dalej? – zapytał.

– Przekazanie nastąpi jeszcze dziś po południu – odparł komendant. – Będziesz musiał zrelacjonować stan sprawy odpowiadającemu ci stopniem karabinierowi i wyjaśnić mu wszystkie szczegóły śledztwa. Odpowiesz na jego pytania, a potem przekażesz mu znalezione przedmioty oraz inne dowody.

Moro poczuł ucisk w żołądku.

– Poinformujemy go również o tym ezoterycznym symbolu? Czy człowiek z wilczą głową nie miał pozostać sprawą poufną?

– Wyłączamy ten wątek – wtrącił szef Urzędu Bezpieczeństwa. – Tak będzie roztropniej.

– Zgoda – przytaknął mu komendant, a potem zwrócił się znowu do Mora: – Centrum operacyjne grupy specjalnej nie zostanie zamknięte, ale praktycznie biorąc, nie będzie już odgrywało żadnej roli, ponieważ ludzie zostaną natychmiast przydzieleni do innych zadań.

Kolejne kłamstwo, żeby ratować pozory.

– Składam dymisję – powiedział nagle Moro.

– Nie możesz tego zrobić, nie w takim momencie – warknął komendant.

Te dupki zrobiły karierę dzięki jego osiągnięciom, a teraz pozbywają się go bez skrupułów za błąd popełniony dwa lata wcześniej. A co on mógł zrobić w sytuacji, gdy niewinny człowiek wyłącznie w celu złagodzenia wyroku zeznał, że popełnił tę zbrodnię i zabił dwoje autostopowiczów? To system okazał się błędny, nie on.

– Ale ja chcę złożyć dymisję teraz i nikt nie może mi w tym przeszkodzić.

Komendant zamierzał już dać ujście swemu zdenerwowaniu, ale szef Urzędu Bezpieczeństwa wtrącił się, żeby go powstrzymać.

– To się panu nie opłaca – zapewnił Mora z całym spokojem. – Dopóki pozostanie pan na służbie, będzie pan miał prawo do obrony z urzędu, ale jeśli zdejmie pan mundur, stanie się pan zwykłym obywatelem, a wtedy będą mogli oskarżyć pana o błąd sprzed dwóch lat. Poza tym to nie jest dobry pomysł, żeby odejść właśnie w tym momencie. Stałby się pan doskonałym celem dla oszczerców i zrobiliby z pana miazgę.

Moro uświadomił sobie, że znalazł się pod ścianą. Uśmiechnął się i pokręcił głową.

– Dobrze przygotowaliście to oszustwo.

– Zaczekajmy, aż przejdzie burza – poradził szef Urzędu Bezpieczeństwa. – Przez jakiś czas będzie pan trochę w cieniu, zostawiając innym trudy i honory. A potem stopniowo będzie pan mógł wrócić do swoich dawnych obowiązków. Pańska kariera nie ucierpi, ma pan na to moje słowo.

Wiesz, gdzie możesz sobie wsadzić to twoje słowo? Ale zastępca komendanta z miejsca pojął, że nie ma wyboru.

– Tak jest, jasne.

♦ ♦ ♦

Moro wrócił do centrum operacyjnego z napiętą i ponurą miną. Gwar ucichł nagle i wszyscy odwrócili się w jego stronę, żeby wysłuchać tego, co ma do powiedzenia, chociaż nie zapowiedział żadnego przemówienia.

– Zostaliśmy wykopani – oświadczył po prostu. – Od tej chwili nasza grupa specjalna nie odgrywa żadnej roli operacyjnej, śledztwo przechodzi w ręce karabinierów. – Podniosły się protesty, ale Moro uciszył je ruchem ręki. – Zapewniam was, że jestem bardziej wkurwiony niż wy, ale nie możemy nic zrobić, to koniec.

Sandra nie była w stanie w to uwierzyć. Usunięcie Mora ze śledztwa było szaleństwem. Karabinierzy musieliby zacząć wszystko od początku, tracąc cenny czas. A ta bestia z pewnością bardzo prędko uderzy znowu. Była pewna, że decyzja ma wyłącznie polityczny charakter.

– Chciałbym podziękować każdemu z was za pracę wykonaną do tej pory – dodał Moro. – Wiem, że w tych szalonych dniach musieliście poświęcać godziny snu i waszego prywatnego życia, wiem, że wielu z was zrezygnowało z obliczania nadgodzin. I chociaż nikt inny nie uzna waszych zasług, zapewniam was: nie zostaną zapomniane.

Podczas gdy Moro wygłaszał te słowa, Sandra przyglądała się kolegom. Wydawało się, że na ich twarzach nagle pojawiło się zmęczenie, ignorowane aż do tej pory. Ona również była zawiedziona, ale poczuła też ulgę. Tak jakby niespodziewanie uwolniono ją od ciężaru. Mogła wrócić do domu, do Maxa, do poprzedniego życia. Minęło zaledwie sześć dni, ale wyglądało to tak, jakby upłynęły miesiące.

Głos zastępcy komendanta ginął w tle jej myśli. Sandra miała wrażenie, że jest już gdzie indziej. W tym momencie poczuła wibrację w kieszeni munduru. Wyjęła komórkę i spojrzała na wyświetlacz.

SMS wysłany z numeru, którego nie znała. Zawierał niezrozumiałe pytanie.

Wielbisz go?

4

Siostra Victora miała na imię Hana. Byli bliźniętami.

Zmarła w wieku dziewięciu lat, praktycznie biorąc w chwili, gdy jej brat znalazł się w Ośrodku Hameln. Marcus uznał, że te dwa fakty muszą być siłą rzeczy ze sobą powiązane.

Byli dziećmi Anatolija Nikołajewicza Agapowa, rosyjskiego dyplomaty zatrudnionego w ambasadzie ZSRR w Rzymie w latach zimnej wojny. Zachował swoje stanowisko wraz z nastaniem pierestrojki i zmarł przed około dwudziestu laty.

Clemente poszedł za przeczuciem Marcusa, szukając dziewczynki, a nie przestępstwa popełnionego przez Victora. W ten sposób ustalił tożsamość obojga rodzeństwa.

Gdy przyjaciel zapytał go, jak mu się to udało, odparł, że Watykan przechowuje dane wszystkich powiązanych z reżimami komunistycznymi osób, które kiedykolwiek przebywały w Rzymie. Było rzeczą oczywistą, że tych informacji udzielił mu ktoś z wyższych sfer watykańskiej hierarchii. W poufnych dokumentach wspominano o „podejrzeniu zabójstwa", ale oficjalnie Hana zmarła z przyczyn naturalnych.

Właśnie ta niezgodność sprawiła, że sprawa wypłynęła z archiwów Watykanu.

Clemente zrobił jednak dużo więcej. Zdobył nazwisko gospodyni, która w tamtych czasach pracowała w domu Agapowa. Obecnie przebywała w domu opieki prowadzonym przez siostry salezjanki.

Marcus wsiadł do metra, żeby złożyć jej wizytę, mając nadzieję, że dowie się czegoś więcej o sprawie.

Tej nocy padało, dlatego Chłopiec z soli powstrzymał się od zabijania. Ale umożliwił znalezienie dwóch szkieletów w lesie. Penitencjariusz nie zdziwił się zbytnio tym znaleziskiem. Morderca opowiadacz dodał tylko nowy rozdział do swojej historii. Ale jego prawdziwą intencją było opowiedzieć o całej swojej przeszłości. Dlatego Marcus chciał zdobyć jak najwięcej informacji na temat jego dzieciństwa.

Przerwa z powodu deszczu dobiegała końca, tej nocy Potwór z Rzymu mógł uderzyć znowu.

Marcus zdawał sobie jednak sprawę, że musi również uważać na tych, którzy starali się chronić zabójcę. Był pewien, że są to te same osoby, które widział na nagraniu wyniesionym z pożaru w Hameln.

Pielęgniarz z pewnością zginął w pożarze, w zaświaty przeniósł się także doktor Astolfi. Pozostawał jeszcze drugi pielęgniarz, ten jednoręki, i kobieta o rudych włosach. Oraz, oczywiście, sam profesor Kropp.

Psychiatra dowodził tą grupą.

♦ ♦ ♦

Na stacji Termini Marcus przesiadł się do pociągu linii bezpośrednio dojeżdżającej do dzielnicy Pietralata. Wielu pasażerów zabierało się do czytania gazety rozdawanej przy wejściach do metra. Było to wydanie nadzwyczajne zawierające wiadomość o „przebudzeniu się" Diany Delgaudio. Dziewczyna napisała na kartce jedno słowo.

Oni.

Mimo że dziennikarze traktowali sprawę inaczej, Marcus nie uważał, aby mogła mieć na myśli to, że w lesie pod Ostią została napadnięta przez kilka osób. Nie była to grupa, ale jeden człowiek. Miał nadzieję, że być może niebawem dowie się o nim czegoś więcej.

Po kilku minutach dotarł na miejsce. Dom opieki mieścił się w skromnym białym budynku utrzymanym w stylu neoklasycznym. Miał trzy piętra i stał w ogrodzie otoczonym czarnym metalowym ogrodzeniem. Clemente telefonicznie zapowiedział siostrom jego wizytę.

Marcus zjawił się tu w sutannie. Tym razem przebranie odpowiadało temu, kim był w rzeczywistości.

Matka przełożona wprowadziła go do sali, w której znajdowali się pensjonariusze. Brakowało kilku minut do osiemnastej, kiedy to podawano kolację. Niektórzy siedzieli na kanapach przed telewizorem, inni grali w karty. Kobieta z ufarbowanymi na błękitny kolor włosami grała na fortepianie, kołysząc głową i uśmiechając się do jakiegoś wspomnienia z przeszłości, podczas gdy za jej plecami dwie inne tańczyły coś w rodzaju walca.

– Proszę, to jest pani Ferri. – Matka przełożona wskazała mu kobietę siedzącą w fotelu na kółkach przed oknem, która z roztargnioną miną wyglądała na dwór. – Nie czuje się najlepiej. Często mówi od rzeczy.

Nazywała się Virginia Ferri i miała przeszło osiemdziesiąt lat.

– Dobry wieczór pani – powiedział Marcus, podchodząc do niej.

Kobieta odwróciła powoli głowę, żeby zobaczyć, kto ją przywitał. Miała zielone kocie oczy, wyróżniające się na tle jasnej karnacji. Jej skóra pokryta była typowymi w tym wieku małymi brązowymi plamkami, ale twarz zwracała uwagę zaskakująco gładką cerą. Włosy miała rzadkie i potargane. Ubrana była w koszulę nocną, ale ściskała w dłoniach skórzaną torebkę leżącą na jej kolanach, jakby gotowa była w każdej chwili stąd wyjść.

– Mam na imię Marcus, jestem księdzem. Mogę porozmawiać z panią przez chwilę?

– Oczywiście – odpowiedziała kobieta ostrzejszym tonem, niż można się było spodziewać. – W sprawie małżeństwa?

– Jakiego małżeństwa?

– Mojego – wyjaśniła. – Postanowiłam wyjść za mąż, ale siostry zakonne nie pozwalają mi na to.

Marcus odniósł wrażenie, że matka przełożona miała rację, uprzedzając go, że kobieta ma niezbyt jasny umysł. Mimo to postanowił spróbować.

– Mam przyjemność rozmawiać z panią Virginią Ferri, zgadza się?

– Tak, to ja – potwierdziła odrobinę podejrzliwym tonem.

– I w latach osiemdziesiątych była pani gospodynią w domu państwa Agapowów, tak?

– Poświęciłam tej rodzinie sześć lat mojego życia.

Dobrze, pomyślał Marcus: to jest właściwa osoba.

– Nie ma pani nic przeciwko temu, żebym zadał pani kilka pytań?

– Nie, dlaczego miałabym mieć coś przeciwko temu?

Marcus sięgnął po krzesło i usiadł obok niej.

– Jakiego rodzaju człowiekiem był pan Agapow?

Staruszka zastanawiała się przez chwilę. Penitencjariusz obawiał się, że zawiedzie ją pamięć, ale się mylił.

– Był człowiekiem surowym, sztywnym w obejściu. Myślę, że pobyt w Rzymie nie sprawiał mu przyjemności. Pracował w rosyjskiej ambasadzie, ale dużo czasu spędzał w domu, zamknięty w swoim gabinecie.

– A jego żona? Bo chyba miał żonę, prawda?

– Pan Agapow był wdowcem.

Marcus zanotował w pamięci te informacje: Anatolij Agapow miał twardy charakter i był zmuszony wychowywać dzieci bez żony. Być może nie był zbyt dobrym ojcem.

– Pani Ferri, na czym polegała pani rola w tym domu?

– Zajmowałam się kierowaniem służbą, w sumie ośmioma osobami, łącznie z ogrodnikami – oznajmiła z dumą.

– Mieszkanie było duże?

– Było olbrzymie – poprawiła go. – Willa pod Rzymem. Żeby tam dojechać, potrzebowałem na to każdego ranka co najmniej godzinę.

Marcus był zaskoczony.

– Jak to, nie mieszkała tam pani, razem z rodziną?

– Nikt nie miał prawa przebywać w tym domu po zachodzie słońca, tak sobie życzył pan Agapow.

Dziwne, pomyślał penitencjariusz. Wyobraził sobie wielki pusty dom zamieszkały tylko przez surowego ojca i dwoje dzieci. Z pewnością nie było to najlepsze miejsce na spędzenie dzieciństwa.

– A co mi pani powie na temat bliźniąt?

– Victora i Hany?

– Dobrze je pani znała?

Kobieta skrzywiła się z niesmakiem.

– Widywaliśmy przede wszystkim Hanę. Wymykała się spod kontroli ojca i odwiedzała nas w kuchni albo przy pracach domowych. Była dziewczynką promieniejącą światłem.

Marcusowi spodobało się to określenie. Ale co mogła oznaczać informacja, że wymykała się spod kontroli ojca?

– Ojciec był zaborczy?

– Dzieci nie chodziły do szkoły i nie miały nawet prywatnego nauczyciela; ich wykształceniem zajmował się osobiście pan Agapow. Nie miały też kolegów ani koleżanek. – Staruszka odwróciła się znowu do okna. – W każdej chwili powinien się zjawić mój narzeczony. Być może przyniesie mi tym razem kwiaty.

Marcus nie zareagował na jej ostatnie słowa; spróbował skierować ją z powrotem na główny temat rozmowy.

– A Victor? Co może mi pani powiedzieć o nim?

Kobieta odwróciła się znowu w jego stronę.

– Uwierzy mi pan, jeśli powiem, że w ciągu sześciu lat widziałam go w sumie może osiem, dziewięć razy? Ciągle przebywał w swoim pokoju. Co jakiś czas słyszeliśmy, jak gra na pianinie. Miał ogromny talent. Był geniuszem matematycznym. Jedna ze służących, porządkując jego rzeczy, znalazła mnóstwo kartek z obliczeniami.

Morderca *savant*, inteligentny psychopata.

– Czy kiedykolwiek pani z nim rozmawiała?

– Victor się nie odzywał. Milczał i tylko się przyglądał. Parę razy przyłapałam go na tym, że patrzył na mnie, ukryty w swoim pokoju. – Wydawało się, że kobieta wzdrygnęła się na to wspomnienie. – Natomiast jego siostra była żywą, wesołą dziewczynką. Myślę, że bardzo cierpiała z powodu tego odosobnienia. Ale pan Agapow wpatrywał się w nią jak w obraz, była jego ulubienicą. Zauważyłam, że uśmiechał się tylko wtedy, gdy był z Haną.

Penitencjariusz uznał za ważną także tę informację. Victor rywalizował z siostrą. Ojciec obdarzał uczuciami Hanę, nie jego. Być może dziewięcioletni chłopiec uznał to za wystarczający powód, żeby zabić.

Staruszka znowu popadła w roztargnienie.

– Któregoś dnia mój narzeczony przyjedzie i zabierze mnie z tego domu. Nie chcę tu umrzeć, chcę wyjść za mąż.

Marcus wrócił do tego, z czym tu przyszedł:

– A jak układały się relacje między dziećmi? Czy Victor i Hana żyli w zgodzie?

– Pan Agapow nie ukrywał, że woli Hanę. Myślę, że Victor cierpiał z tego powodu. Na przykład odmawiał spożywania posiłków z ojcem i siostrą. Pan Agapow zanosił mu jedzenie do jego pokoju. Co jakiś czas słyszałam, że dzieci się sprzeczają, ale spędzały sporo czasu razem; bardzo lubiły bawić się w chowanego.

Nadszedł moment na przywołanie bolesnej przeszłości, pomyślał penitencjariusz.

– Pani Virginio, w jaki sposób umarła Hana?

– Och, ojcze! – wykrzyknęła kobieta, składając dłonie jak do modlitwy. – Pewnego ranka dotarłam do willi z pozostałą służbą i zobaczyliśmy, że pan Agapow siedzi na zewnętrznych schodach. Trzymał się rękami za głowę i rozpaczliwie płakał. Mówił, że jego Hana nie żyje, że zabrał ją nagły napad gorączki.

– I uwierzyliście?

Staruszka zachmurzyła się.

– Tylko do chwili, gdy znaleźliśmy w łóżku dziewczynki krew i nóż.

Nóż, powtórzył w myśli Marcus. To samo narzędzie, którym zabija ofiary płci żeńskiej.

– I nikt nie złożył zawiadomienia?

– Pan Agapow był bardzo wpływowym człowiekiem. Co mogliśmy zrobić? Kazał natychmiast odesłać trumnę z ciałem do Rosji, żeby Hana została pochowana obok swojej matki. Potem zwolnił wszystkich.

Prawdopodobnie posłużył się immunitetem dyplomatycznym, żeby zamieść pod dywan to, co się wydarzyło.

– Umieścił Victora w szkole z internatem, a potem zamknął się w tym domu aż do swojej śmierci – powiedziała kobieta.

To nie była szkoła z internatem, chciał sprostować Marcus, ale zakład psychiatryczny dla dzieci, które splamiły się straszliwymi zbrodniami. W ten sposób Victor uniknął procesu, powiedział sobie w duchu. Ojciec sam skazał go na tę karę.

– Czy ksiądz przyszedł tu z powodu tego chłopca? Znowu coś zmalował, tak? – spytała kobieta ze strachem w oczach.

Marcus nie miał odwagi odpowiedzieć.

– Obawiam się, że tak.

Kobieta kiwnęła w zamyśleniu głową. Wyglądało to tak, jakby zawsze o tym wiedziała, zauważył.

– Chce ich pan zobaczyć? – Zanim Marcus zdążył się odezwać, Virginia Ferri otworzyła skórzaną torebkę, którą trzymała na kolanach, pogrzebała w niej i chwilę potem dobyła małą książeczkę z kwiatkami na okładkach. Przekartkowała ją i wyjęła kilka starych zdjęć. Znalazłszy to, którego szukała, podała je Marcusowi.

Była to spłowiała fotografia pochodząca z lat osiemdziesiątych. Miała wszelkie cechy zdjęcia wykonanego z użyciem samowyzwalacza. W środku stał niezbyt wysoki, ale silny, około pięćdziesięcioletni mężczyzna; Anatolij Agapow był w ciemnym garniturze z kamizelką i krawatem. Miał zaczesane do tyłu włosy i czarną szpicbródkę. Po jego prawej ręce stała dziewczynka w sukieneczce z czerwonego aksamitu, z niezbyt długimi, ale też nie krótkimi włosami, z grzywką podtrzymywaną na czole opaską. Hana. Jedyna, która się uśmiechała. Na lewo od mężczyzny stał chłopiec. Również on był w garniturze z krawatem. Włosy obcięte na pazia z grzywką opadającą na oczy. Marcus rozpoznał go: był to ten sam chłopiec, którego widział na wideo wyniesionym z Ośrodka Hameln.

Victor.

Miał smutną minę i wpatrywał się w obiektyw dokładnie tak, jak to robił przed kamerą, kiedy przepytywał go Kropp. Marcus ponownie doznał niemiłego wrażenia, jakby za pośrednictwem tego zdjęcia chłopiec był w stanie zobaczyć to, co dzieje się obecnie. I przypatrywał się właśnie jemu.

Po chwili penitencjariusz zauważył dziwny szczegół. Anatolij Agapow trzymał za rękę synka, a nie Hanę.

A czy to nie ona była jego ulubienicą? Czegoś tu nie rozumiał… Czy był to gest wyrażający przywiązanie, czy też sposób na narzucenie swojej władzy? Czyżby ojcowska ręka odgrywała rolę smyczy?

– Mogę je zatrzymać? – spytał staruszkę.

– Ale ksiądz mi je zwróci, prawda?

– Oczywiście – obiecał i podniósł się z krzesła. – Dziękuję, pani Virginio. Była mi pani bardzo pomocna.

– Ależ jak to, nie chce pan poznać mojego narzeczonego? Za chwilę tu będzie – zapewniła go z zawiedzioną miną. – Przychodzi co wieczór o tej porze i staje na ulicy, za ogrodem. Patrzy w moje okno, ponieważ chce mieć pewność, że dobrze się czuję. Potem mi się kłania. Nigdy o tym nie zapomina.

– Innym razem – obiecał jej Marcus.

– Siostry zakonne myślą, że jestem wariatką i że go sobie wymyśliłam. Ale to prawda. Jest młodszy ode mnie i chociaż brak mu jednej ręki, i tak mi się podoba.

Marcus zdrętwiał. Przypomniał sobie pielęgniarza z Hameln, którego widział na wideo.

Fernando, jednoręki kaleka.

– Może mi pani pokazać, gdzie staje pani narzeczony, kiedy odwiedza panią wieczorem? – spytał, odwracając się do okna.

Staruszka uśmiechnęła się, ponieważ w końcu ktoś jej uwierzył.

– Koło tamtego drzewa.

◆ ◆ ◆

Zanim Fernando zdążył się zorientować, co się dzieje, Marcus obalił go na ziemię, unieruchomił swoim ciężarem i zacisnął przedramię na jego szyi.

– Obserwujesz tę staruszkę, bo chcesz mieć pewność, że nikt z nią nie będzie rozmawiał? Ponieważ ona zna prawdę, wie wszystko o Victorze…

Mężczyzna zaczynał się dusić, oczy wyszły mu na wierzch.

– Coś ty za je…? – próbował zapytać, korzystając z resztek powietrza, jakie mu pozostało.

Marcus przycisnął mocniej.

– Kto cię wysłał? Czy to był Kropp?

Mężczyzna pokręcił głową.

– Proszę cię, Kropp nie ma z tym nic wspólnego. – Wykręcał się rozpaczliwie, miotając się niczym wyciągnięta z wody ryba, i uderzał o ziemię jedyną ręką ukrytą w rękawie obszernej kurtki.

Marcus zwolnił ucisk, żeby kaleka mógł coś powiedzieć.

– W takim razie wyjaśnij mi…

– To była moja inicjatywa. Giovanni ostrzegł nas, że ktoś węszy. Ktoś, kto nie jest policjantem.

Giovanni, czyli stary pielęgniarz, który sypiał w podziemiach Hameln. Człowiek w niebieskich butach.

– Przyszedłem tu, bo pomyślałem, że ten, kto wypytuje, mógłby dotrzeć do gospodyni. – Zaczął płakać. – Proszę cię, powiem ci wszystko, bo chcę zerwać z tą historią. Nie daję już rady.

Jednak Marcus nie sądził, żeby Fernando chciał być szczery.

– Dlaczego mam ci zaufać?

– Ponieważ zaprowadzę cię do Kroppa.

5

Przez resztę popołudnia nie myślała o dziwnym SMS-ie.

Po zakończonym dyżurze poszła na siłownię, żeby rozładować napięcie nagromadzone w ciągu tych sześciu dni. Dzięki wysiłkowi i zmęczeniu pozbyła się wszystkiego, co ją trapiło.

Klęska Mora i jego grupy operacyjnej, przekazanie śledztwa jednostce specjalnej karabinierów, pozorna poprawa stanu Diany Delgaudio, na co w rzeczywistości nie było najmniejszej szansy.

Prawda polegała jednak na tym, że Sandra nie chciała wracać do domu. Przerażała ją rutyna życia z Maxem. Po raz pierwszy zdała sobie sprawę, że ich związek naprawdę się sypie. Nie wiedziała dlaczego, a przede wszystkim nie miała pojęcia, jak mu o tym powiedzieć.

Gdy wyszła spod prysznica i otworzyła szafkę w szatni, w której zostawiła swoje rzeczy, zauważyła na ekranie komórki ikonę informującą o następnym SMS-ie. Znowu ten sam nieznany numer i ta wiadomość.

Wielbisz go?

Za pierwszym razem pomyślała, że ktoś przez pomyłkę przysłał jej SMS-a przeznaczonego dla kogoś innego. Ale teraz opadły ją wątpliwości. Przyszło jej na myśl, że pytanie adresowane jest właśnie do niej.

Wracając na Zatybrze, próbowała połączyć się z nadawcą, ale nie odebrał, usłyszała tylko kilka sygnałów. Trochę ją to poirytowało. Nie była jednak kobietą ciekawską, więc postanowiła zapomnieć o sprawie.

Zaparkowała kilka metrów od domu, ale odczekała chwilę, zanim wysiadła z samochodu. Trzymając ręce na kierownicy, spoglądała przez przednią szybę w oświetlone okno swojego mieszkania. Dostrzegała kręcącego się po kuchni Maxa. Miał na sobie fartuszek i okulary uniesione nad czoło, prawdopodobnie gotował kolację. Przyglądając mu się, odniosła wrażenie, że jest w swym zwykłym głupawym nastroju, chyba nawet pogwizdywał.

Jak ja mu to powiem? Jak mu wyjaśnię to, czego nie potrafię wyjaśnić nawet samej sobie?

A przecież musiała to zrobić w ten czy w inny sposób, była mu to winna. Dlatego odetchnęła głęboko i wysiadła z samochodu.

◆ ◆ ◆

Gdy tylko Max usłyszał przekręcanie klucza w zamku, podszedł, żeby ją przywitać w przedpokoju, jak to robił każdego wieczoru.

– Zmęczona? – zapytał, całując ją w policzek, i wyjął z jej rąk torbę z rzeczami do siłowni. – Kolacja prawie gotowa – dodał, nie czekając na odpowiedź.

– W porządku – odparła z wysiłkiem Sandra, ale Max nie zwrócił na to uwagi.

– Dzisiaj w szkole był wielki sprawdzian z historii. Dzieci odpowiedziały bezbłędnie na wszystkie pytania dotyczące Odrodzenia. Wystawiłem mnóstwo najwyższych ocen! – Powiedział to jak biznesmen, który dopiero co zawarł milionowy kontrakt.

Max wkładał w swoją pracę niewiarygodnie dużo entuzjazmu. Jego pensja wystarczała zaledwie na zapłacenie czynszu, ale fakt, że był nauczycielem historii, wynagradzał go bardziej niż jakiekolwiek pieniądze.

Pewnej nocy przyśniły mu się liczby. Sandra zachęciła go, żeby zagrał w lotto, ale on się temu sprzeciwił.

– Gdybym został bogaczem, wydawałoby mi się czymś dziwnym, że jestem zwykłym nauczycielem. Musiałbym zmienić swoje życie, a ja jestem zadowolony z tego, czym się zajmuję.

– Nieprawda – odparła. – Mógłbyś nadal robić to, co robisz teraz, tyle że nie musiałbyś się martwić o przyszłość.

– A co jest piękniejszego od tajemnicy, którą kryje w sobie przyszłość? Łącznie z dramatami i lękami. Ludzie, którzy nie muszą się martwić o przyszłość, są w takiej sytuacji, jakby przed czasem zrealizowali w pełni cel swojej egzystencji. Natomiast ja mam historię: jedyna pewna rzecz, jakiej potrzebuję, to przeszłość.

Sandra była zafascynowana tym człowiekiem, który komuś innemu mógłby się wydać osobą pozbawioną ambicji. Natomiast w jej oczach Max, w odróżnieniu od wielu innych, dokładnie wiedział, czego chce. I ta świadomość najzupełniej mu wystarczała.

Parę minut później usiadła przy stole, podczas gdy on odcedzał makaron. Max z wielką swobodą poruszał się wśród garnków. Od przyjazdu z Nottingham do Rzymu doskonale poznał podstawy włoskiej kuchni, podczas gdy jej z trudem udawało się usmażyć jajecznicę.

Tego wieczoru – jak zawsze – nakrył do stołu, umieszczając na środku świecę w kieliszku, którą zapalił przed podaniem jedzenia. Było to już czymś w rodzaju rytuału. Uśmiechnął się do Sandry i otworzył butelkę czerwonego wina.

– Dzięki temu zaszumi nam w głowach, a potem wyciągniemy się na kanapie – zaproponował.

Jak mam powiedzieć takiemu facetowi, że trudno mi jest wytrzymać w jego towarzystwie? Czuła się jak zabawka w rękach niewdzięcznego losu.

Max przygotował jej ulubione danie: makaron z pomidorami i bakłażanami. A na drugie była saltimbocca – sznycle cielęce z szałwią i szynką parmeńską. Nieszczęście posiadania obok siebie kogoś doskonałego polega na tym, że człowiek czuje się zawsze gorszy. Sandra miała świadomość, że nie zasługuje na te względy, toteż jej samopoczucie pogarszało się z każdą chwilą.

– Zawrzyjmy układ – rzucił Max. – Dziś wieczorem żadnych zabójstw i trupów, dobrze?

Tego popołudnia zadzwoniła do niego i powiedziała, że sprawa Potwora z Rzymu przeszła w ręce karabinierów. W rozmowach z Maxem nie poruszała nigdy tematów związanych z pracą, wolała prześlizgiwać się nad okropnościami, które mogłyby wprowadzić zamęt do jego wrażliwej duszy. Ale tego wieczoru odczuwała strach, że nie odezwie się ani słowem. Przeraziło ją wyeliminowanie również tego tematu rozmowy, choć prawdopodobnie i tak by go nie poruszyła.

– Zgoda – odparła mimo woli, zmuszając się do uśmiechu.

Max usiadł naprzeciwko niej i położył rękę na jej dłoni.

– Jestem szczęśliwy, że już nie musisz się zajmować tą historią. A teraz jedz, bo ostygnie.

Wbiła wzrok w talerz, obawiając się, że nie zdoła podnieść oczu. Ale gdy sięgnęła po serwetkę, świat zwalił się na nią z niespodziewaną gwałtownością.

Leżało pod nią aksamitne pudełeczko. Najprawdopodobniej skrywało pierścionek.

Poczuła, że do oczu napływają jej łzy. Próbowała je powstrzymać, ale na próżno.

– Wiem, co myślisz na temat małżeństwa – odezwał się Max, który nie był w stanie wyobrazić sobie prawdziwego powodu jej płaczu. – Kiedy się poznaliśmy, powiedziałaś od razu, że po Davidzie nie poślubisz nikogo innego. Przez cały ten czas respektowałem twoją wolę i nigdy nawet nie wspomniałem o ślubie. Ale teraz zmieniłem zdanie. Chcesz wiedzieć dlaczego?

Sandra kiwnęła głową bez słowa.

– Nic nie trwa wiecznie. – Zamilkł na chwilę. – Jeżeli czegoś się nauczyłem, to takiej oto prawdy, że nasze działania nie zależą od tego, jak dobrzy jesteśmy w projektowaniu albo wyobrażaniu sobie przyszłości. Dyktuje je tylko to, co czujemy tu i teraz. Więc twoje małżeństwo ze mną nie musiałoby trwać przez całe życie, nie o to mi chodzi. Liczy się to, że chcę go w tej chwili. Jestem gotów podjąć ryzyko, że spotka mnie nieszczęście w przyszłości, tylko po to, żebym mógł poczuć się szczęśliwy teraz.

Tymczasem Sandra wpatrywała się w pudełeczko, nie mając odwagi wziąć go do ręki.

– Nie spodziewaj się, że zobaczysz arcydzieło sztuki jubilerskiej – uprzedził ją. – Lecz to pudełeczko nie pomieści wszystkiego, co czuję.

– Ale ja nie chcę – powiedziała półgłosem, niemal szeptem.

– Słucham? – Max rzeczywiście nie dosłyszał jej słów.

Sandra podniosła na niego zaczerwienione od płaczu oczy.

– Nie chcę wyjść za ciebie.

Być może oczekiwał jakiegoś wyjaśnienia, którego jednak zabrakło. Jego mina zmieniła się nagle. Wyrażała nie tylko rozczarowanie; wyglądał tak, jakby dopiero co usłyszał, że zostało mu kilka dni życia.

– Masz kogoś innego?

– Nie – odparła natychmiast. Ale nie była pewna nawet tego, czy to prawda.

– A więc o co chodzi?

Sandra sięgnęła po komórkę, którą położyła na konsolce. Otworzyła pocztę i pokazała mu dwie anonimowe wiadomości, które otrzymała w ciągu dnia.

– Wielbisz go? – przeczytał głośno Max.

– Nie wiem, kto mi to przysłał ani z jakiego powodu. Ktoś inny na moim miejscu byłby ciekaw, jaki sekret kryje się za tą romantyczną wiadomością. Ale nie ja. A wiesz dlaczego? – spytała, lecz nie zaczekała na odpowiedź. – Ponieważ to pytanie kazało mi zastanowić się nad naszą sytuacją. Zmusiło mnie do zadania sobie pytania, co właściwie czuję. – Odetchnęła. – Kocham cię, Max. Ale cię nie wielbię. Myślę, że aby kogoś poślubić lub nawet spędzić z nim razem całe życie, trzeba odczuwać coś więcej niż tylko miłość. A ja teraz tego nie czuję.

– Chcesz powiedzieć, że to koniec?

– Nie wiem, naprawdę. Ale obawiam się, że tak. Przykro mi.

Przez chwilę oboje się nie odzywali. Potem Max wstał od stołu.

– Mój przyjaciel ma dom nad morzem, z którego korzysta tylko latem. Mógłbym go poprosić, żeby mi pozwolił spędzić w nim dzisiejszą noc, a może i kilka następnych. Nie chcę cię stracić, Sandro. Ale nie chcę też zostać tu dłużej.

Rozumiała go. W tym momencie chętnie by go objęła i przytrzymała przy sobie. Miała jednak świadomość, że byłby to błąd.

Max zgasił świecę na stole.

– Koloseum.

– Co takiego? – spytała, spoglądając na niego.

– To nie jest historyczna prawda, a tylko legenda – powiedział. – Zgodnie z nią Koloseum jest czymś w rodzaju diabolicznej świątyni używanej przez sekty. Do obcych, którzy chcieli wejść i uczestniczyć w kulcie, kierowano pytanie po łacinie: *Colis Eum?*... to znaczy „Wielbisz go?". Oczywiście to „go" odnosiło się do diabła... *Colis-Eum*: Koloseum.

Jego wyjaśnienia zbulwersowały Sandrę. Nie odezwała się jednak.

Max wyszedł do kuchni, ale przedtem zabrał ze stołu pudełeczko z pierścionkiem. Był to jedyny gest, na jaki pozwolił sobie w reakcji na jej słowa. I to powiedziało jej wiele o jego zaletach: ktoś inny okazałby urażoną dumę, odpowiadając z pogardą na upokorzenie. Lecz nie Max. Być może wolałaby w tym momencie narazić się na to, żeby wymierzył jej parę policzków, niż znosić tę lekcję miłości i szacunku.

Wychodząc, Max zabrał ze sobą jedynie pierścionek i kurtkę wiszącą w przedpokoju. Po czym opuścił mieszkanie, zamykając za sobą drzwi.

Sandra nie była w stanie się poruszyć. Makaron z pomidorami i bakłażanami na jej talerzu zupełnie już wystygł. Ze świecy na środku stołu unosiła się jeszcze cienka nitka szarego dymu, napełniając pokój słodkim zapachem wosku. Zadała sobie pytanie, czy to naprawdę koniec. Przez chwilę próbowała myśleć o swoim życiu bez Maxa. Poczuła się jeszcze gorzej. Ale to nie wystarczyło. Nie popędziła za nim i nie powiedziała mu, że się pomyliła.

Przez kilka chwil starała się uporządkować myśli, a potem wzięła komórkę i odpowiedziała na wiadomość z pytaniem „Wielbisz go?", wystukując jedno słowo: „Colosseo".

Po kilku minutach nadszedł nowy SMS.

O czwartej rano.

6

Moro był sam w centrum operacyjnym swej grupy.

Sam niczym weteran, który przegrał wojnę, ale nie chce wrócić do domu i pozostaje na opuszczonym polu bitwy wśród duchów swoich towarzyszy broni, w oczekiwaniu na wroga, który się nie zjawi. Ponieważ potrafi tylko jedno – walczyć.

Stał przed tablicą z wypisanymi dowodami i poszlakami. Miałeś przed oczami wszystkie odpowiedzi, powiedział sobie. Ale patrzyłeś na nie w niewłaściwy sposób i dlatego przegrałeś.

Wyłączono go ze śledztwa z powodu historii z autostopowiczami, ponieważ dwa lata wcześniej posłał do więzienia niewinnego człowieka, za zabójstwo, chociaż zwłok nie odnaleziono. A ten głupek przyznał się do czegoś, czego nie popełnił.

Moro zdawał sobie sprawę, że zasłużył na karę, jaka go spotkała. Ale nie mógł ustąpić, nie leżało to w jego charakterze. Choć nie odgrywał już żadnej roli w śledztwie dotyczącym Potwora z Rzymu, nie potrafił zwolnić obrotów i stanąć w miejscu. Przypominał maksymalnie rozpędzoną maszynę, nastawioną na realizację wyznaczonego celu. Był tym, kim chciano go widzieć i na kogo został wyszkolony. Teraz nie mógł się już zatrzymać, lecz nie mógł też ryzykować, że z hukiem wyleci z policji. Kilka godzin wcześniej złożył dymisję, ale szef Urzędu Bezpieczeństwa odrzucił ją, grożąc mu i obiecując jednocześnie.

Dopóki pozostanie pan na służbie, będzie pan miał prawo do obrony z urzędu, ale jeśli zdejmie pan mundur, stanie się pan zwykłym obywatelem, a wtedy będą mogli oskarżyć pana o błąd sprzed dwóch lat... Zaczekajmy, aż przejdzie burza. Przez jakiś czas będzie pan trochę w cieniu, zostawiając innym trudy i honory. A potem stopniowo będzie pan mógł wrócić do swoich dawnych obowiązków. Pańska kariera nie ucierpi, ma pan na to moje słowo.

Co za stek bzdur! Złożenie dymisji było jednak blefem z jego strony. On również wiedział, że byłby sam jak palec. Opuściliby go wszyscy, może nawet przypisaliby mu większą część błędów.

Mimo wszystko Potwór z nim wygrywał. Moro musiał to przyznać z gniewnym podziwem. W przypadku zabójstwa pod Ostią zarzucił ich dowodami i wskazówkami, łącznie z materiałem umożliwiającym ustalenie jego DNA, który pozostawił na koszuli pomylonej z koszulą ofiary, kiedy zmieniał ubranie po morderczym ataku. Od tamtej pory nie pojawiło się nic więcej, lub prawie nic.

Ale w tym spisie czegoś brakowało. Symbolu. Człowieka z wilczą głową. Moro wciąż pamiętał cień rzucony przez konstrukcję z kości znalezioną w mieszkaniu Astolfiego. Pamiętał też dreszcz, jaki go przeszedł, gdy na to patrzył.

Jego zwierzchnicy woleli nie informować o tej sprawie karabinierów. Pamiętał ciągle ich słowa, kiedy pytał, czy przekazanie zadania jednostce specjalnej obejmuje też problem tego ezoterycznego symbolu.

Wyłączamy ten wątek – powiedział szef Urzędu Bezpieczeństwa, poparty przez komendanta. – *Tak będzie roztropniej.*

Mimo wszystko właśnie ta część mogła dostarczyć Morowi okazji, żeby wrócił do gry. W zasadzie nikt nie zakazał im dalszego analizowania sprawy tego symbolu. Dlatego oficjalnie biorąc, miał ciągle prawo się nim zająć.

Dwadzieścia trzy sprawy, powtórzył sobie. Dwadzieścia trzy przypadki, w których człekokształtna postać pojawiła się w kontekście zbrodni albo w związku z czymś lub z kimś, kto miał coś wspólnego ze zbrodnią. Z jakiego powodu?

Przypomniał sobie kilka z tych zdarzeń. Opiekunka, która wyrzucała dzieci przez okno i przechowywała ich buciki w charakterze pamiątek; przyznała się, ale nie potrafiła wyjaśnić obecności rysunku człowieka z wilczą głową na jednej ze stron jej pamiętnika. W roku 1994 ta postać pojawiła się na lustrze w łazience w domu człowieka, który zmasakrował rodzinę, a potem popełnił samobójstwo. W 2005 roku odkryto ją na grobie pedofila, wymalowaną lakierem w sprayu.

Niepowiązane z sobą fakty z różnych lat dotyczące różnych sprawców. Tym, co je łączyło, był tylko ten symbol. Tak jakby ktoś chciał naznaczyć te zbrodnie szczególnym piętnem. Ale nie po to, żeby przypisać sobie zasługę.

Mogło się wydawać, że jest to raczej robota... gorliwych wyznawców jakiegoś kultu.

Ten, kto czyni zło, zrozumie – taka była treść tego przesłania. Otrzyma wsparcie. Tak jak Potwór z Rzymu otrzymał wsparcie od Astolfiego, który ukradł dowód z miejsca zbrodni i nie ratował życia Diany Delgaudio, by naprawić błąd popełniony przez mordercę.

Moro doszedł do przekonania, że gdzieś tam w Rzymie lub poza nim żyją inni tacy jak ten lekarz sądowy. Ludzie odczuwający powołanie do czynienia zła, które traktują niczym religię.

Gdyby zdołał ich zdemaskować, odegrałby się za ostatnie klęski.

◆ ◆ ◆

Wezwał Leopolda Striniego. Oprócz zaufanych ludzi z ich grupy operacyjnej i komisarza Crespiego technik z laboratorium był jedynym człowiekiem, który znał sprawę tego ezoterycznego symbolu. Również dlatego, że poproszono go o zbadanie konstrukcji ze zwierzęcych kości znalezionej w mieszkaniu Astolfiego.

Zobaczył, że nadchodzi z żądanymi aktami. Miał dziwną minę, wydawał się podniecony.

Strini uświadomił sobie, że Moro mu się przygląda, ponieważ być może wyczuł jego zaniepokojenie. Rozmowa podczas lunchu z tajemniczym człowiekiem o azjatyckich rysach wywróciła jego życie do góry nogami. Dowiedziawszy się, że śledztwo w sprawie Potwora znalazło się w kompetencjach karabinierów, technik trochę się uspokoił. Będzie musiał przekazać materiały do ich laboratorium naukowego, w związku z czym jego nowy „przyjaciel" szantażysta nie będzie mógł już żądać przedstawiania mu dowodów wcześniej niż innym ani ich niszczenia. Przynajmniej taką Strini miał nadzieję. Lecz uparty głosik w jego głowie powtarzał mu nadal, że ten typ z baru ma go już porządnie w garści i nie popuści, dopóki jeden z nich nie padnie trupem. Ładna perspektywa!

– Proszę, wszystko jest tutaj – powiedział, kładąc teczki na stole. Potem usunął się, żeby nie przeszkadzać.

Moro natychmiast zapomniał o Strinim i o jego zdenerwowaniu, ponieważ miał przed sobą dokładny opis dwudziestu trzech spraw, w których pojawił się obrazek człowieka z wilczą głową. Zaczął je przeglądać w poszukiwaniu czegoś istotnego.

Na przykład w przypadku rodzinnej rzezi, gdy technicy znaleźli ten symbol na lustrze w łazience w trakcie dodatkowych czynności śledczych, stwierdzili też obecność wyraźnego odcisku prawej dłoni na podłodze. W raporcie zamieszczono coś w rodzaju wyjaśnienia: wiele dni po dokonaniu zbrodni ktoś wszedł do mieszkania i odkręcił krany z gorącą wodą w łazience, żeby narysować tę postać na zaparowanym lustrze. Ale wychodząc, prawdopodobnie poślizgnął się na wilgotnej podłodze. Aby zamortyzować upadek, podparł się ręką. Stąd ślad na podłodze.

Teza ta zawierała jednak niekonsekwencję, bo gdyby ten ktoś rzeczywiście się potknął, instynktownie podparłby się dwiema rękami.

Ponieważ nie zdołano wyjaśnić tej tajemnicy, w tamtym okresie sprawa śladu dłoni została odsunięta na drugi plan, a wraz z nią wątek symbolu na lustrze. Na ile Moro pamiętał, głównym powodem było to, że policjanci woleli nie zajmować się kwestiami ezoterycznymi.

Przeszedł do analizy przypadku grobu pedofila. Ale w lakonicznym raporcie kolegów była po prostu mowa o „aktach wandalizmu popełnionych przez nieznanych sprawców". Ekspertyza grafologiczna wykazała, że napis jest dziełem osoby, która została „przestawiona na pisanie prawą ręką". W przeszłości niektórzy nauczyciele zmuszali dzieci leworęczne do używania prawej. Przede wszystkim w szkołach katolickich, pomyślał Moro. Był to owoc absurdalnego przesądu mówiącego, że lewa ręka jest ręką diabła i mańkutów należy „przyuczać" do posługiwania się prawą. Ale oprócz tego szczegółu także ten przypadek nie przedstawiał nic interesującego.

Sprawa opiekunki dzieci była jeszcze mniej ciekawa. Całe śledztwo skupiło się na bucikach, które morderczyni przechowywała u siebie w charakterze fetyszów – należały do dzieci wypchniętych przez nią z okna. Na temat rysunku w jej pamiętniku nie było prawie nic; kobieta oświadczyła, że to nie ona go wykonała, i śledczy zadowolili się tą wersją. Zwłaszcza że to, czy była, czy też nie jego autorką, nie miało żadnego znaczenia procesowego. A nawet mogło utrudnić wymierzenie kary, gdyby opiekunka powołała się na coś w rodzaju zaburzeń umysłowych.

„Panie sędzio, widzę człowieka z wilczą głową! To on powiedział, żebym zabiła te dzieci!"

Ale właśnie w chwili, gdy miał już przejść do następnego śledztwa, Moro zauważył wyjątkową okoliczność. W tamtym okresie jego koledzy przesłuchali człowieka, który od czasu do czasu odwiedzał podsądną. Nie byli narzeczonymi, ale – według zeznania kobiety – sypiali ze sobą. Mężczyzna został przesłuchany, ponieważ podejrzewano go o współudział, lecz obciążające go poszlaki okazały się bezpodstawne i udało mu się wybronić. Mimo to do teczki został dołączony protokół z jego zeznania.

Tym, co uderzyło Mora, nie były dość banalne wyjaśnienia tego gościa, ale jego dowód tożsamości dołączony do protokołu.

Wśród znaków szczególnych wymieniono brak lewej ręki.

Ślad na podłodze łazienki, pomyślał z miejsca Moro. Oto dlaczego znaleziono tam tylko ślad prawej ręki: on był kaleką! Domysł Mora znalazł potwierdzenie również w historii z grobem pedofila: autor napisu umieścił go tam, posługując się prawą ręką, ale charakter pisma świadczył o tym, że był mańkutem... Przestawił się na pisanie prawą ręką, ponieważ lewą stracił.

Zastępca komendanta natychmiast podjął poszukiwania danych dotyczących przyjaciela opiekunki dzieci. Oprócz nazwiska zdobył też jego adres.

7

Zapadła noc.

Księżyc na bezchmurnym niebie świecił jak latarnia. Marcus był przekonany, że w ciągu paru najbliższych godzin Potwór zaatakuje znowu. Z tego powodu musiał wydusić z jednorękiego człowieka jak najwięcej informacji.

Pomimo kalectwa Fernando zręcznie posługiwał się kierownicą.

– Co możesz mi powiedzieć na temat Victora? – spytał penitencjariusz.

– Jeśli dotarłeś do tej starej gospodyni, to praktycznie biorąc, wiesz już wszystko.

– Powiedz mi coś więcej. Na przykład o Ośrodku Hameln.

Fernando obrócił kierownicę, żeby się zmieścić w bardzo ciasnym zakręcie.

– Dzieci, które tam trafiały, popełniły już jakąś zbrodnię albo miały wybitne skłonności do takich czynów. Ale wyobrażam sobie, że o tym też już wiesz.

– Owszem.

– Nie wiesz natomiast, że nie podejmowano żadnej terapii umożliwiającej ich resocjalizację. Kropp chciał zachować ich zdolność do czynienia zła. Uważał ją za coś w rodzaju talentu.

– Z jakiego powodu?

– Dowiesz się wszystkiego, jak tylko do niego dojedziemy.

– Dlaczego nie chcesz mi powiedzieć tego teraz?

Fernando oderwał na moment wzrok od ulicy i rzucił mu ostre spojrzenie.

– Ponieważ chcę ci to pokazać.

– Czy ma z tym coś wspólnego człowiek z wilczą głową?

Nie odpowiedział również tym razem.

– Musisz zachować cierpliwość, jesteśmy już niedaleko, Nie będziesz tego żałował – zapewnił. – Ty raczej nie wyglądasz na policjanta. A więc musisz być prywatnym detektywem...

– Kimś w tym rodzaju – odparł Marcus. – Gdzie teraz jest Victor?

– Nie wiem – odparł Fernando, a potem sprecyzował: – Nikt tego nie wie. Po opuszczeniu Hameln chłopcy wracali do rzeczywistego świata i gubiliśmy ich ślad. – Uśmiechnął się. – Ale mieliśmy nadzieję, że prędzej czy później ich odnajdziemy. Po kilku latach wielu z nich popełniało jakąś zbrodnię. Dowiadywaliśmy się o tym z gazet albo z dzienników telewizyjnych i Kropp był zadowolony, ponieważ osiągnął swój cel: zamienić ich w doskonałe narzędzia zła.

– Czy to dlatego chronicie Victora?

– Robiliśmy to także w stosunku do innych. Ale Victor był przedmiotem dumy Kroppa: inteligentny psychopata, całkowicie niezdolny do odczuwania emocji. Skłonność do czynienia zła dorównywała jego inteligencji. Profesor był pewien, że Chłopiec z soli dokona wielkich rzeczy. I rzeczywiście, popatrz, co się dzieje.

Marcus nie potrafił ustalić, ile prawdy kryje się w słowach tego człowieka, ale nie miał wyboru, musiał mu wierzyć.

– Kiedy przewróciłem cię przed domem opieki, powiedziałeś, że wiesz o kimś, kto prowadzi śledztwo w tej sprawie, ale nie jest policjantem.

– Policja nic nie wie o Chłopcu z soli, ale my mieliśmy pewność, że ktoś idzie tym tropem. Nie robiłem nic innego oprócz stawania przed oknem tej staruszki, żeby sprawdzać, czy ktoś ją odwiedza. Już ci to wyjaśniłem: chcę z tym skończyć.

– Kto jeszcze jest w to zamieszany?

– Giovanni, stary pielęgniarz, którego spotkałeś, ale on już nie żyje. – Człowiek w niebieskich butach. – Poza tym był jeszcze doktor Astolfi; on również zmarł. No i pielęgniarka Olga. Ja i Kropp.

Marcus wystawił go na próbę, bo chciał mieć pewność, że wymieni wszystkich tych, których widział na wideo wyniesionym z Hameln.

– Nikt inny?

– Nie, nikt.

Skręcili na zjazd z obwodnicy w kierunku centrum.

– Dlaczego chcesz się z tego wyłączyć?

Fernando parsknął śmiechem.

– Ponieważ na początku poglądy Kroppa zafascynowały również mnie. Zanim poznałem profesora, byłem śmieciem. On pokazał mi cele i ideały. – Po chwili dodał: – Potrzebna jest dyscyplina. Kropp niezłomnie wierzy w wartość baśni; mówi, że są najwierniejszym odbiciem ludzkiej natury. Jeśli usunie się z baśni czarne charaktery, przestają być zabawne. Zauważyłeś to? Nikomu nie podobałaby się historyjka o samych dobrych.

– Tworzył je celowo dla tych chłopców. Były to jednak baśnie, których bohaterowie są wyłącznie źli.

– Tak, i wymyślił taką również dla mnie: baśń o niewidzialnym człowieku… Chodziło o człowieka, którego nikt nie dostrzega, ponieważ jest taki sam jak wielu innych, nie ma w nim nic szczególnego. A on chciałby być zauważany, pragnie, żeby wszyscy oglądali się za nim, nie godzi się z tym, że jest kimś nic nieznaczącym. Kupuje przepiękne ubrania, poprawia swój wygląd, ale nie osiąga żadnego rezultatu. Więc wiesz, co wtedy robi? Pojmuje, że nie musi sobie niczego dodawać, a przeciwnie, powinien coś ująć.

Marcus pomyślał z przestrachem, że potrafi wyobrazić sobie resztę tej historii.

– Więc pozbawia się jednej ręki – ciągnął Fernando. – A potem uczy się robić wszystko tą, która mu pozostała. I wiesz, co się dzieje? Wszyscy na niego patrzą, wszyscy mu współczują, ale nie wiedzą, że kryje się w nim ogromna siła. Jaki człowiek byłby w stanie zrobić coś takiego? I oto osiągnął swój cel: teraz wie, że jest silniejszy od wszystkich pozostałych. To tylko sprawa dyscypliny.

Marcus był przerażony.

– I teraz chciałbyś zdradzić człowieka, który nauczył cię tego wszystkiego?

– Nie zdradzam Kroppa – odparł porywczo Fernando. – Ale ideały kosztują mnóstwo wysiłku, a ja poświęciłem już wiele dla tej sprawy.

Sprawy? Marcus zadał sobie pytanie, co to za sprawa, jeśli staje się ideałem grupy ochraniającej złoczyńców.

– Daleko jeszcze?

– Jesteśmy prawie na miejscu.

◆ ◆ ◆

Dotarli do poszerzenia ulicy w pobliżu via dei Giubbonari. Zostawili tu samochód i na piechotę dotarli do Campo de' Fiori. Wydawało się, że jest to plac, jednak różnił się on od wszystkich pozostałych, ponieważ kiedyś znajdowało się tu puste pole. Pałace i budynki otoczyły je później, ograniczając oczywiście jego powierzchnię.

Mimo że nazwa placu kojarzy się z bukolicznym wdziękiem, Campo de' Fiori zapisał się w pamięci Rzymu jako miejsce, w którym stała tak zwana *girella*, narzędzie tortur służące do wyrywania ramion ze stawów za pomocą sznura. Ale płonęły tu również stosy ze skazanymi na śmierć.

Tu został spalony żywcem Giordano Bruno, którego przestępstwem była herezja.

Jak to miał w zwyczaju, przechodząc przez plac, Marcus

spojrzał na posąg z brązu upamiętniający dominikańskiego mnicha o nieruchomym, głębokim spojrzeniu, w czarnym kapturze nasuniętym na głowę. Bruno rzucił wyzwanie inkwizycji i wolał ponieść śmierć w płomieniach, niż wyrzec się swoich poglądów. Marcus miał z nim wiele wspólnego: obaj wierzyli w potęgę rozumu.

Fernando podążał przed nim, stawiając koślawe kroki i wymachując jedynym ramieniem, jakby maszerował. Miał na sobie tak obszerną kurtkę, że wyglądał jak klown.

Kierowali się do wystawnego siedemnastowiecznego pałacu, gruntownie przebudowanego w kolejnych stuleciach, który mimo wszystko zachował swój szlachetny charakter.

Rzym jest pełen takich rezydencji. Z zewnątrz wydają się podniszczone, podobnie zresztą jak i zamieszkujące je osoby – hrabiowie, markizowie, książęta, którzy wciąż jeszcze stroją się w tytuły pozbawione wszelkiej wartości, tyle że zakorzenione w historii. Natomiast w swych wnętrzach pałace te kryją freski, historyczne meble i dzieła sztuki, których może pozazdrościć każde muzeum czy prywatny kolekcjoner. Artyści tej miary, co Caravaggio, Mantegna czy Benvenuto Cellini, oddawali swój talent, aby przyozdabiać mieszkania wielkich panów z ich epoki. Obecnie widokiem tych arcydzieł cieszą się spadkobiercy, którzy podobnie jak ich przodkowie spędzają życie na marnotrawieniu majątków będących owocem niesprawiedliwych przywilejów zdobytych w przeszłości.

– Jakim cudem ten Kropp może sobie pozwolić na mieszkanie w takim miejscu? – spytał Marcus.

Fernando odwrócił się i uśmiechnął.

– Wiele jest rzeczy, o których nie wiesz, mój przyjacielu. – Po czym przyspieszył kroku.

Weszli bocznym wejściem. Nacisnął przycisk, oświetlając krótkie schody prowadzące do sufereny z jednym pomieszczeniem. Mieszkanie dozorcy. Na wyższe piętra wchodziło się schodami kuchennymi.

– Witam w moim domu – powiedział Fernando, wskazując pojedyncze łóżko i małą kuchenkę, zajmujące prawie całą przestrzeń. Ubrania wisiały w odkrytej szafie; były tu także półki z jedzeniem zastawione przede wszystkim puszkami. – Zaczekaj tu.

Marcus chwycił go za rękę.

– Nawet o tym nie myśl, idę z tobą.

– Nie zamierzam cię nabrać, przysięgam. Ale jeśli chcesz, to chodź.

Penitencjariusz zapalił małą latarkę i ruszyli razem schodami kuchennymi na górę. Pokonawszy mnóstwo stopni, dotarli na podest. Nie było tu drzwi i wyglądało to na ślepy zakątek.

– To jakiś żart?

– Zaufaj mi. – Fernando wyglądał na rozbawionego jego pytaniem. Nacisnął dłonią jedną ze ścian, która okazała się małymi drzwiami. – Wchodź, ja za tobą.

Marcus położył mu rękę na plecach i popchnął go do wejścia, po czym wszedł również.

Znaleźli się w ogromnym pustym, ale bogato zdobionym salonie. Oprócz starego żeliwnego kaloryfera i dużego okna zasłoniętego żaluzjami znajdowało się tu jedynie wiszące na ścianie wielkie złocone lustro, w którym odbijało się światło latarki i sylwetki ich obu.

Małe drzwi, którymi weszli, były doskonale zamaskowane w malowidle ściennym. Pierwotnie ten system tajemnych przejść miał umożliwić służbie poruszanie się po pałacu tak, żeby nie przeszkadzać właścicielom. Służący pojawiali się i znikali w milczeniu, nie naprzykrzając się w żaden sposób.

– Kto tu teraz mieszka? – spytał półgłosem Marcus.

– Kropp i Olga – odparł Fernando. – Tylko ich dwoje. Zajmują wschodnie skrzydło. Żeby do nich dotrzeć, będziemy musieli...

Nie zdążył dokończyć zdania, ponieważ penitencjariusz zdzielił go pięścią w sam środek twarzy. Fernando upadł na kolana, unosząc rękę do wielkiego nosa, z którego obficie

310

pociekła krew. W tym momencie dostał jeszcze kopniaka w brzuch i rozciągnął się na podłodze.

– Kto jest teraz w tym domu? – spytał ponownie Marcus.

– Powiedziałem ci – odparł tamten płaczliwym tonem.

Penitencjariusz zmusił go, żeby się odwrócił, i wyciągnął kajdanki z tylnej kieszeni jego spodni. Zauważył je, kiedy szli po schodach, a teraz zamachnął się nimi i rąbnął go mocno w twarz.

– Ile kłamstw naopowiadałeś mi do tej pory? Wysłuchałem cię, ale myślę, że nie byłeś wobec mnie zbyt szczery.

– Dlaczego tak mówisz? – spytał Fernando i splunął krwią na marmurową podłogę.

– Myślisz, że jestem tak naiwny, żeby uwierzyć, że tak łatwo sprzedałeś mi swojego szefa? Po coś mnie tu przyprowadził?

Tym razem kopniak w bok był tak silny, że Fernando zacharczał, turlając się po posadzce. Zanim Marcus zdążył wymierzyć mu następny cios, podniósł rękę, żeby go powstrzymać.

– Dobrze… Kropp prosił mnie, żeby cię tu przyprowadzić.

Penitencjariusz zadał sobie pytanie, czy może wierzyć jego słowom, a tymczasem Fernando przeczołgał się po posadzce, podpierając się jedyną ręką, i przysiadł pod wielkim złoconym lustrem.

– Czego Kropp ode mnie chce?

– Spotkać się. Ale nie znam powodu, przysięgam.

Marcus znowu ruszył w jego stronę. Fernando uniósł rękę, żeby odeprzeć ewentualny cios, ale penitencjariusz po prostu chwycił go za kołnierz. Podniósł z posadzki kajdanki i podciągnął Fernanda do żeliwnego kaloryfera, żeby go do niego przykuć. Potem odwrócił się do niego plecami i zrobił krok w kierunku drzwi prowadzących do innych pomieszczeń.

– Kroppowi się to nie spodoba – powiedział płaczliwie Fernando za jego plecami.

Marcus chętnie by go uciszył.

– Pomieszczenie bez mebli, tylko ten kaloryfer, do którego mogłeś mnie przykuć kajdankami. Co za wyobraźnia! – Fernando się roześmiał.

Marcus położył dłoń na klamce i nacisnął. Drzwi były otwarte.

– Ja jestem człowiekiem niewidzialnym. Człowiek niewidzialny wie, że jego siłą jest dyscyplina. Jeśli będzie zdyscyplinowany, wszyscy zauważą, ile jest w nim siły – dodał Fernando i roześmiał się znowu.

– Leż cicho – rzucił penitencjariusz. Otworzył drzwi, ale zanim wyszedł, odwrócił się na moment w stronę wielkiego złoconego lustra. Przeleciało mu przez głowę, że ma halucynacje, ponieważ przykuty kajdankami mężczyzna nie był już jednorękim kaleką.

Miał obie ręce. I w lewej coś ściskał.

W lustrze błysnęła przelotnie igła strzykawki, po czym Marcus poczuł, że wbija się w jego udo na wysokości tętnicy udowej.

– Wmówić wszystkim, że się jest kimś, kim się nie jest – powiedział Fernando, podczas gdy narkotyk przeciekał do krwi Marcusa, który chwycił się klamki, żeby nie upaść. – Powtarzać to ćwiczenie przez wszystkie dni twego życia, z wysiłkiem i poświęceniem. Ty też nie umiałeś na mnie patrzeć, ale teraz już mnie widzisz.

Dopiero w tym momencie Marcus zdał sobie sprawę, że wszystko to było przygotowane. Zaczajanie się przed domem opieki, kajdanki, co do których sądził, że zauważył je przez czysty przypadek, pomieszczenie pozbawione mebli, ale z kaloryferem znajdującym się tuż koło drzwi: doskonała pułapka.

Penitencjariusz poczuł, że pada na posadzkę, ale zanim stracił przytomność, usłyszał jeszcze głos Fernanda:

– Dyscyplina, mój przyjacielu. Dyscyplina.

8

Wielki księżyc zaglądał w zaułki centrum miasta.

Moro dotarł pieszo przed pałac z siedemnastego wieku, w którym miał mieszkać jednoręki mężczyzna. Jego mieszkanie znajdowało się na parterze, zajmował je jako dozorca. Zastępca komendanta postanowił nie wchodzić natychmiast, ale rozejrzeć się najpierw, żeby skontrolować sytuację. Nie był pewien, czy gość jest w domu, dlatego przyjrzał się tylko dobrze budynkowi, żeby następnego dnia przeprowadzić rewizję.

Zamierzał już wrócić do samochodu, ale zatrzymało go dziwne poruszenie w zaułku obok pałacu. Ktoś otworzył oba skrzydła ogromnych drzwi z ciemnego drewna. Niedługo potem z pomieszczenia, w którym dawniej znajdowały się stajnie z boksami dla koni i miejsca dla karet, wyjechał samochód kombi.

Gdy przejeżdżał przed nim, Moro zobaczył, że za kierownicą siedzi mężczyzna bez lewej ręki, który miał spuchnięty nos i zakrwawioną watę w nozdrzach. Obok niego siedziała kobieta po pięćdziesiątce o krótkich ciemnorudych włosach.

Zastępca komendanta nie zadał sobie pytania, dokąd mogą się udawać o tak późnej godzinie. To, co zobaczył, wystarczyło, żeby puścił się biegiem w kierunku swojego auta, skracając sobie drogę zaułkami z nadzieją, że zdąży ruszyć w ślad za kombi, zanim wyjedzie ono z labiryntu historycznego centrum.

◆ ◆ ◆

Kombi podskakiwało na kamiennych płytach. Związany i zakneblowany Marcus leżał w bagażniku i odbierał te lekkie podskoki jak uderzenia młotkiem w czaszkę. Był skulony w pozycji embrionalnej, z rękami wykręconymi do tyłu i nogami skrępowanymi w kostkach. Chustka, którą wepchnęli mu do gardła, nie pozwalała swobodnie oddychać również dlatego, że przed załadowaniem go z pomocą Olgi do samochodu Fernando wymierzył mu cios pięścią w nos, żeby przynajmniej częściowo pomścić lanie, jakie Marcus spuścił mu wcześniej.

Penitencjariusz był oszołomiony działaniem narkotyku, który posłał go prościutko na posadzkę, ale ze swojego miejsca mógł wychwytywać fragmenty rozmowy między dwojgiem byłych pielęgniarzy z Ośrodka Hameln.

– No to jak, wykonałem dobrą robotę? – spytał fałszywy kaleka.

– Jasne – odpowiedziała mu kobieta z rudymi włosami. – Profesor słyszał wszystko i jest z ciebie bardzo zadowolony.

Czyżby miała na myśli Kroppa? W takim razie on także był w tym pałacu. Być może Fernando nie okłamał go przynajmniej w tej sprawie.

– Jednak ściąganie go do domu było ryzykowne – dodała Olga.

– Ale dobrze przygotowałem pułapkę – bronił się Fernando. – Poza tym nie miałem wyboru: nie pojechałby ze mną, gdybym zaproponował mu jazdę do jakiegoś odosobnionego miejsca.

– Musiał zadawać ci jakieś pytania. Co mu powiedziałeś? – chciała wiedzieć kobieta.

– Tylko to, co i tak już wiedział. Podsunąłem mu pewne rzeczy, uciekając się do opisu innymi słowami, i on w nie uwierzył, pewnie dlatego, że przede wszystkim szukał potwierdzenia. Bo wiesz, facet jest naprawdę bystry.

– Zatem nie wie nic więcej?

– Nie odniosłem wrażenia, żeby wiedział.

– Dobrze go przeszukałeś? Jesteś pewien, że nie miał żadnych dokumentów?

– Jestem pewien.

– Nawet wizytówki albo kwitu z jakiegoś miejsca, w którym mógł być?

– Nic – zapewnił ją Fernando. – Oprócz małej latarki miał w kieszeni tylko lateksowe rękawiczki, śrubokręt z zagiętym końcem i kilka monet.

Jedyną rzeczą, jaką ten zdeprawowany typ mi zostawił, jest medalik z podobizną świętego Michała Archanioła, który mam na szyi, pomyślał Marcus.

– Poza tym miał zdjęcie, które z pewnością otrzymał od gospodyni Agapowa w domu opieki; jest na nim ojciec z obojgiem bliźniaków.

– Zniszczyłeś je?

– Spaliłem.

Marcus już go nie potrzebował, dobrze je zapamiętał.

– Nie był uzbrojony – dodał Fernando, uzupełniając swoje sprawozdanie.

– To dziwne – zauważyła kobieta. – Nie jest policjantem, i to już wiemy. Z rzeczy, które miał przy sobie, mogłoby wynikać, że jest prywatnym detektywem. Ale w takim razie dla kogo pracuje?

Marcus miał nadzieję, że zanim tych dwoje go zamorduje, będą chcieli mieć pewność, że otrzymali odpowiedź na to pytanie. Dzięki temu mógł zyskać trochę czasu. Narkotyk uniemożliwiał mu jednak wymyślenie czegokolwiek. Marcus był przekonany, że niebawem spotka go koniec.

◆ ◆ ◆

Moro jechał za nimi w odległości około trzystu metrów. Dopóki pozostawali w mieście, miał między nimi i sobą inne pojazdy, dzięki czemu nie mogli go zauważyć w lusterku wstecznym. Teraz jednak, gdy wyjechali na wielką obwodnicę Rzymu z kilkoma pasami ruchu, musiał zachować ostrożność, istniało więc duże ryzyko, że może ich zgubić.

W innych okolicznościach poprosiłby już swoich o wsparcie przez radio zamontowane w jego prywatnym aucie. Ale nie miał dowodu na to, że chodzi o przestępstwo, nie wydawało mu się też, że śledzenie ich może czymś grozić. Po odsunięciu go od dochodzenia w sprawie Potwora z Rzymu czuł potrzebę udowodnienia swojej wartości. Zwłaszcza sobie.

Gdy zdarzała się okazja po temu, potrafił wywęszyć każde przestępstwo. Był w tym świetny. Ponadto, nawet nie wyjaśniając sobie powodów tego przeczucia, był przekonany, że ta jadąca przed nim dwójka ma złe zamiary.

Coś niezgodnego z prawem..

Zobaczył, że wyraźnie zwalniają. Dziwne, bo w tej części obwodnicy nie było znaków zapowiadających zjazd. Może zorientowali się, że ktoś ich śledzi. Zmniejszył szybkość i pozwolił się wyprzedzić tirowi, chowając się natychmiast za nim. Odczekał kilka sekund, a potem wykonał kilka manewrów, żeby móc kontrolować to, co działo się przed wielką ciężarówką.

Kombi zniknęło.

Znowu zmienił pas ruchu, a po chwili powtórzył to jeszcze raz. Nic. Gdzie, u diabła, mogli się podziać? W chwili, gdy zadawał sobie to pytanie, śledzony samochód pojawił się nagle z prawej strony. Stał na poboczu, a on właśnie go mijał.

◆ ◆ ◆

– Może byś przestał, do kurwy nędzy?

Fernando wrzeszczał, ale Marcus nie przestawał uderzać obiema związanymi nogami w karoserię.

– Zatrzymałem się, głupku. Chcesz, żebym zawrócił? Nie wiem, czyby ci się to opłacało.

Olga trzymała na kolanach czarny skórzany futeralik.

– Może trzeba będzie zaaplikować mu już teraz drugą porcję – zaproponowała.

– Najpierw będzie musiał odpowiedzieć na nasze pytania: musimy się dowiedzieć, co wie. Potem wstrzykniemy mu odpowiednią dawkę.

Odpowiednią dawkę, powtórzył w myśli Marcus. Taką, która zakończy wszystko.

– Jeżeli zaraz nie przestaniesz, połamię ci obie nogi lewarkiem.

Groźba wywołała pożądany skutek i po paru dalszych uderzeniach Marcus znieruchomiał.

– Dobrze – powiedział Fernando. – Widzę, że zaczynasz rozumieć, jak się rzeczy mają. Wierz mi, będzie lepiej również dla ciebie, jeżeli załatwimy to jak najprędzej.

Rzekłszy to, ponownie włączył się do ruchu.

◆ ◆ ◆

Moro zwolnił maksymalnie, trzymając się pasa awaryjnego. Nie odrywał wzroku od lusterka wstecznego.

No dalej, jedźcie, pokażcie się. Wróćcie na drogę, do cholery.

Zobaczył w oddali światła i zaczął się modlić w duchu, żeby to było kombi. Było. Ucieszony tym, zaczekał, aż go wyprzedzą, żeby spokojnie włączyć się do ruchu, lecz w tej samej chwili pasem awaryjnym nadjechał tir, którego kierowca zapalił dodatkowe reflektory i nacisnął klakson, zmuszając go do przedwczesnej zmiany pasa. Moro musiał usunąć się z drogi, żeby uniknąć zderzenia.

A niech to diabli, kombi znowu znalazło się za nim. Postanowił zaryzykować i pozwolić, żeby wyprzedzili go ponownie, nie miał innego wyjścia. Modlił się, żeby wcześniej nie skręcili w jakiś zjazd. Ale jego prośby nie zostały wysłuchane: kombi zjechało w kierunku via Salaria, ostatecznie znikając z jego pola widzenia.

– Nie, kurwa, tylko nie to!

Nacisnął pedał gazu, przyspieszając maksymalnie, i zaczął wypatrywać zjazdu, żeby zawrócić.

◆ ◆ ◆

Pomimo tak niewygodnej pozycji Marcus zorientował się, że auto porusza się inną drogą. Wyciągnął ten wniosek nie tylko na podstawie zmniejszenia szybkości, ale również dlatego, że teraz asfalt nie wydawał się już taki gładki. Wstrząsy na nierównościach i dziurach w jezdni znowu zaczęły miotać nim o ścianki bagażnika.

Niebawem usłyszał odgłosy nieomylnie świadczące o tym, że posuwają się drogą gruntową. O podwozie obijały się drobne kamyki, niczym prażona kukurydza na festynie.

Para na przednim siedzeniu zamilkła, pozbawiając go cennej orientacji dotyczącej ich planów. Co zamierzają zrobić po dotarciu na miejsce? Wolałby wiedzieć to wcześniej, dzięki czemu nie musiałby wyobrażać sobie jedynie, co go czeka.

Auto skręciło ostro i zatrzymało się.

Marcus usłyszał, że dwoje byłych pielęgniarzy z Hameln wysiada i zamyka za sobą drzwi. Teraz ich stłumione głosy dobiegały z zewnątrz.

– Pomóż mi otworzyć, wniesiemy go razem do środka.

– Nie mógłbyś choć raz posłużyć się drugą ręką?

– Dyscyplina, Olgo. Dyscyplina – powtórzył pedantyczny Fernando.

Marcus usłyszał odgłos odsuwania drzwi, po czym mężczyzna wsiadł znowu do samochodu i uruchomił silnik.

◆ ◆ ◆

Udało mu się zawrócić trzy kilometry dalej i teraz jechał z powrotem, spoglądając co chwila w lewo w poszukiwaniu jakiegoś śladu po kombi.

Dotarłszy mniej więcej na wysokość zjazdu, przy którym zgubił ich trop, dzięki księżycowi w pełni dostrzegł tylne światła pojazdu. Świeciły na szczycie wzniesienia, na które prowadziła jakaś dróżka.

Patrząc z tej odległości, nie mógł być pewien, że to kombi. Dojrzał jednak, że auto wjeżdża do blaszanego hangaru.

Przyspieszył, rozglądając się za zjazdem z obwodnicy, którym mógłby dotrzeć w tamto miejsce.

◆ ◆ ◆

Ktoś otworzył bagażnik kombi, a potem zaświecił mu w twarz latarką. Marcus cofnął się odruchowo, przymykając oczy.

– Witam – powiedział Fernando. – Teraz pogadamy trochę i w końcu powiesz nam, kim jesteś.

Chwycił za sznur, którym Marcus był obwiązany w pasie, i już zabierał się do wyciągnięcia go z samochodu, ale Olga go powstrzymała.

– Nie ma takiej potrzeby – rzuciła.

Fernando spojrzał na nią ze zdumieniem.

– Jak mam to rozumieć?

– Dotarliśmy już do końca, a profesor kazał nam go zabić.

Na twarzy fałszywego kaleki pojawiła się zawiedziona mina. Do końca czego? – zadał sobie pytanie penitencjariusz.

– Będziemy musieli załatwić też sprawę tej policjantki – dodał Fernando.

Jakiej policjantki? Marcusa przeszedł dreszcz.

– Nią zajmiemy się później – wyjaśniła Olga. – Jeszcze nie wiemy, czy stanowi dla nas problem.

– Ty też widziałaś ją w telewizji, jak robiła znak krzyża. Skąd mogła o nim wiedzieć?

O kim oni rozmawiają? Czy to możliwe, że chodzi o Sandrę?

– Zasięgnąłem informacji, ona jest fotografem policyjnym. Nie odgrywa żadnej roli w śledztwie. Ale ponieważ mam wątpliwości, obmyśliłem już, jak ją załatwić.

Marcus miał teraz pewność, że chodziło o Sandrę. A on nie mógł nic zrobić, żeby jej pomóc.

Ruda otworzyła futeralik i wyjęła z niego mały pistolet automatyczny.

– Również twoja podróż kończy się tutaj, Fernando – powiedziała i podała mu broń.

Kolejny zawód.

– Nie mieliśmy tego zrobić wspólnie?

Olga pokręciła głową.

– Profesor tak zdecydował.

Fernando wziął od niej pistolet i zaczął mu się przyglądać, trzymając go w obu dłoniach. Myśl o samobójstwie zagnieździła się w nim już dawno. Pogodził się z nią i z tym, że umrze. To również należało do dyscypliny, jaką sobie narzucił. W gruncie rzeczy takie wyjście odpowiadało mu bardziej niż to, co spotkało Giovanniego i Astolfiego. Spalić się żywcem albo rzucić się z okna to były bardzo złe sposoby, żeby z sobą skończyć.

– Powiesz profesorowi, że byłem dzielny, prawda?

– Powiem – obiecała kobieta.

– Nawet jeśli cię poproszę, żebyś zrobiła to za mnie?

Olga podeszła i odebrała mu pistolet.

– Powiem Kroppowi, że byłeś bardzo odważny.

Fernando uśmiechnął się, wydawał się zadowolony. Potem oboje przeżegnali się w ten swój pokręcony sposób i Olga odeszła o kilka kroków.

◆ ◆ ◆

Moro zostawił samochód sto metrów od hangaru i ruszył pieszo w górę wzgórza. Dotarł niemal do szczytu, aż do budynku, który wyglądał na porzucony magazyn, kiedy zobaczył światło przeświecające z potłuczonego okna. Podszedł bliżej i wyciągnął pistolet.

Wnętrze hangaru było oświetlone reflektorami samochodu i światłem latarki. Doliczył się trzech osób. Jedna z nich leżała związana i zakneblowana w bagażniku.

O kurwa, pomyślał. Intuicja go nie zawiodła: ci dwoje – jednoręki facet i ruda kobieta – coś kombinowali. Usiłując bezskutecznie dosłyszeć ich rozmowę, zobaczył, że ona ma w ręce pistolet i oddaliwszy się trochę, celuje z niego w mężczyznę bez ręki. Nie mógł czekać dłużej. Kolanem wybił okno i natychmiast wymierzył do kobiety.

– Nie ruszać się!

Trzy obecne w magazynie osoby odwróciły się jednocześnie w jego stronę.

– Rzuć broń! – krzyknął Moro.

Kobieta zawahała się.

– Rzuć, powiedziałem!

Tym razem posłuchała, a potem uniosła ręce. Fernando poszedł za jej przykładem, podnosząc jedną rękę.

– Policja. Co tu się dzieje?

– Dzięki Bogu – jęknął były pielęgniarz. – Ta idiotka zmusiła mnie, żebym związał mojego przyjaciela. – Wskazał Marcusa. – Potem kazała mi usiąść za kierownicą i przyjechać tutaj. Chciała nas obu zamordować.

Penitencjariusz wlepił wzrok w mężczyznę z pistoletem. Rozpoznał zastępcę komendanta Mora i nie spodobała mu się niepewna mina, jaka odmalowała się na jego twarzy po wysłuchaniu kłamstwa Fernanda. Chyba nie miał zamiaru mu uwierzyć?

– Kłamiesz – powiedział zastępca komendanta.

Fałszywy kaleka uświadomił sobie, że jego opowiastka nie została dobrze przyjęta. Musiał wymyślić coś innego.

– Ona ma wspólnika, który kręci się w pobliżu. Może wrócić w każdej chwili.

Marcus domyślił się, o co mu chodzi: Fernando chciał, żeby Moro kazał mu wziąć pistolet Olgi i trzymać ją na muszce, a sam poszedł szukać wspólnika. Na szczęście policjant nie był tak naiwny.

– Nie pozwolę ci dotknąć tej broni – powiedział. – Poza tym nie ma żadnego wspólnika. Widziałem, jak tu jechaliście, oprócz tego w bagażniku byliście tylko wy dwoje.

Fernando nie rezygnował.

– Twierdzisz, że jesteś policjantem, więc masz przy sobie kajdanki. Ja mam drugą parę w tylnej kieszeni spodni. Ta kobieta mogłaby przykuć mnie do samochodu, a ja mógłbym zrobić to samo z nią.

Z powodu oszołomienia narkotykiem Marcus nie potrafił się domyślić jego zamiarów. Na wszelki wypadek zaczął uderzać nogami o ścianki bagażnika.

– Co jest twojemu przyjacielowi? – spytał Moro.

– Nic, ta łajdaczka wstrzyknęła mu narkotyk. – Wskazał czarny skórzany futerał rzucony przez Olgę na ziemię, gdy podnosiła ręce. Wystawała z niego strzykawka. – Kopał w karoserię już wcześniej, zmuszając nas do zatrzymania się na poboczu drogi. Myślę, że to konwulsje, on potrzebuje lekarza.

Marcus miał nadzieję, że Moro nie da się nabrać, i nadal wiercił się i kopał ze wszystkich sił, jakie mu pozostały.

– Dobra, pokaż te twoje kajdanki – rzucił śledczy.

Fernando odwrócił się powoli. I równie powoli uniósł kurtkę, żeby pokazać zawartość tylnej kieszeni spodni.

– Zgoda, wyjmij je. Ale będziesz musiał przykuć się sam, nie chcę, żeby ona podchodziła do ciebie.

Kaleka wydobył kajdanki, a potem przykuł się nimi do zderzaka kombi. Umocował jeden z końców do ucha holowniczego. A potem z pewnym wysiłkiem, pomagając sobie kolanami, zatrzasnął drugi wokół nadgarstka prawej ręki.

Nie, powtarzał w myśli Marcus. Nie rób tego!

Tymczasem stojący obok okna Moro rzucił swoją parę kajdanek w kierunku rudej kobiety.

– Teraz twoja kolej.

Podniosła je i podeszła do drzwi samochodu, żeby się przykuć do klamki. Podczas gdy policjant przyglądał się, czy robi to jak należy, Marcus zobaczył, że z rękawa wyskakuje lewa ręka Fernanda i chwyta leżący na ziemi pistolet.

Wszystko odbyło się w ułamku sekundy. Moro zauważył ten ruch w ostatniej chwili i strzelił, trafiając byłego pielęgniarza w szyję. Nie zabił go jednak na miejscu, a padający do tyłu Fernando zdążył oddać dwa strzały. Jeden z pocisków trafił policjanta w bok, sprawiając, że zakręcił się w miejscu.

Ruda kobieta, która nie zdążyła jeszcze się przykuć, ruszyła biegiem wokół samochodu, a potem przykucnęła po jego drugiej stronie. Zdołała wsiąść od strony kierowcy i uruchomiła silnik. Moro strzelił w jej kierunku, ale nie zdołał jej zatrzymać.

Samochód wyłamał blaszane drzwi, wyrzucając Marcusa z otwartego bagażnika. Upadek na ziemię przyprawił go o przeszywający ból; penitencjariusz stracił na chwilę zmysły. Kiedy ochłonął, zobaczył, że martwy Fernando leży w ciemnej kałuży własnej krwi. Moro żył, siedział na ziemi, trzymając w jednej ręce pistolet, a w drugiej telefon. Wybierał numer, przyciskając rękę z pistoletem do tułowia. Penitencjariusz zobaczył, że wzdłuż jego boku cieknie obficie krew.

Pocisk musiał przeszyć tętnicę, pomyślał. Niedługo umrze.

Moro zdołał wybrać numer alarmowy i podniósł komórkę do ucha.

– Kod dwa-siedem-dwa-cztery – powiedział. – Zastępca komendanta Moro. Doszło do strzelaniny, są ranni. Ustalcie miejsce, z którego dzwonię... – Nie zdążył dokończyć zdania i zasłabł, wypuszczając telefon z dłoni.

Penitencjariusz i policjant leżeli na boku, kilka metrów jeden od drugiego. I wpatrywali się w siebie. Nawet gdyby nie był związany, Marcus nie mógłby nic dla niego zrobić.

Tak więc pozostali na miejscu, patrząc na siebie przez długi czas, podczas gdy podmiejską okolicę brała w posiadanie cisza, mając księżyc za milczącego świadka. Moro gasł, a penitencjariusz starał się dodawać mu odwagi swoim spojrzeniem. Nie znali się, nigdy ze sobą nie rozmawiali, ale byli dwiema istotami ludzkimi, i to wystarczało.

Ruda kobieta zdołała uciec. A myśli Marcusa pobiegły do Sandry. Obawiał się, że jej życie także może być zagrożone.

9

Wielki księżyc wiszący nisko nad horyzontem w każdej chwili mógł zajrzeć do wnętrza Koloseum.

O czwartej rano Sandra przemierzała na piechotę via dei Fori Imperiali, kierując się w stronę monumentalnej budowli, uważanej powszechnie za symbol Rzymu. Jeśli dobrze pamiętała ze szkoły, otwarte w 80 roku nowej ery Koloseum miało długość 188, szerokość 156 i wysokość 48 metrów. Wewnętrzna arena miała wymiary 86 na 54 metry. Sandrę, która znała wymiary z dziecięcej wyliczanki, zdumiewało to, że Koloseum mogło pomieścić aż 70 000 widzów.

Pierwotnie nazwane Amfiteatrem Flawiusza, wzięło swoją obecną nazwę od olbrzymiego brązowego posągu cesarza Nerona, który w dawnych czasach stał przed tą budowlą.

Na arenie umierali ludzie i zwierzęta. Ci pierwsi, gladiatorzy – zwani tak od słowa *gladio*, oznaczającego miecz używany przez nich w walce – zabijali się nawzajem albo walczyli z dzikimi bestiami sprowadzanymi do Rzymu z najdalszych zakątków cesarstwa. Publiczność uwielbiała przemoc i niektórzy gladiatorzy cieszyli się wielką sławą, niczym dzisiejsi mistrzowie sportu. Oczywiście, dopóki nie stracili życia.

Koloseum stało się z czasem symbolem dla wyznawców Chrystusa. Doszło do tego z powodu pozbawionej jakichkolwiek podstaw historycznych legendy, zgodnie z którą poganie mieli tutaj właśnie rzucać chrześcijan na pożarcie lwom. Prawdopodobnie przyczyniła się ona do wzmocnienia pamięci o rzeczywistych prześladowaniach, których chrześcijanie doznawali z powodu wiary. Każdego roku w nocy z czwartku na piątek przed Wielkanocą z Koloseum wyrusza procesja drogi krzyżowej pod przewodnictwem papieża, upamiętniająca męczeństwo Chrystusa.

Sandra nie przestawała jednak myśleć o mającej zupełnie inny sens legendzie, którą opowiedział jej Max przed opuszczeniem mieszkania. Pytanie brzmiało: *Colis Eum?*. A odpowiedzią było: „Wielbię szatana". Ktoś, kto przesłał jej anonimowe SMS-y, żeby ściągnąć ją właśnie tu o tak wczesnej godzinie, musiał mieć szczególne poczucie humoru lub też był straszliwie poważny. Mając w pamięci znak krzyża, jaki Astolfi zrobił w lesie pod Ostią, Sandra skłaniała się ku tej drugiej hipotezie.

Przystanek metra znajdujący się tuż przed budowlą był jeszcze zamknięty, a plac przed wejściem pusty. Żadnych turystów stojących w kolejce ani ludzi przebranych za rzymskich centurionów, którzy kazali sobie płacić za zdjęcie w ich towarzystwie. Tylko kilka grupek pracowników firm porządkowych, którzy trochę dalej sprzątali otoczenie, przygotowując je na przyjęcie nowej hordy gości.

Sandra była pewna, że wobec takiego wyludnienia natychmiast dostrzeże tego, kto ją tu zaprosił. Na wszelki wypadek miała jednak przy sobie służbowy pistolet, którego używała jedynie raz w miesiącu na policyjnej strzelnicy, żeby nie stracić wprawy w strzelaniu.

Odczekała prawie dwadzieścia minut, ale nikt się nie pokazał. Zadała sobie pytanie, czy padła jedynie ofiarą żartu i czy nie powinna zawrócić i odejść, ale oglądając się, zauważyła dziurę w stalowym ogrodzeniu otaczającym amfiteatr. Krata była odsunięta na bok. Dla niej?

To niemożliwe, powiedziała sobie. Nie ma mowy, żebym weszła do środka.

Żałowała, że nie ma tu z nią Marcusa. Jego obecność dodawała jej odwagi. Nie przyszłaś tu po to, żeby się odwrócić i odejść, pomyślała, więc przyj śmiało do przodu.

Wyciągnęła pistolet i trzymając go nisko przy udzie, weszła na teren Koloseum.

♦ ♦ ♦

Znalazła się w korytarzu, którym biegła trasa turystyczna, i poszła nim dalej, orientując się według napisów wskazujących kierunek zwiedzania.

Wsłuchiwała się w ciszę, starając się wyłapać jakiś dźwięk lub odgłos, coś, co by jej powiedziało, że nie jest sama. Już zamierzała wejść na schody z trawertynu prowadzące do wnęki, w której dawniej zasiadała publiczność, gdy usłyszała męski głos:

– Niech się pani nie boi, agentko Vega.

Dochodził z dołu, od strony galeryjek, których plątanina otaczała arenę. Sandra zawahała się. Nie miała odwagi, żeby tam zejść.

Głos rozległ się znowu:

– Niech się pani zastanowi: gdybym chciał zastawić na panią pułapkę, z pewnością nie wybrałbym tego miejsca.

Sandra nie drgnęła. Jednak te słowa nie były całkiem pozbawione sensu.

– W takim razie dlaczego chciał się pan spotkać ze mną tutaj?

– Nie rozumie pani tego? To jest test.

Zaczęła powoli schodzić po stopniach. Stanowiła łatwy cel, ale nie miała wyboru. Starała się przyzwyczaić wzrok do panującego tu mroku. Dotarłszy na dół, rozejrzała się.

– Proszę zostać tam, gdzie pani stoi.

Odwróciła się w stronę, z której dobiegał głos, i zobaczyła niewyraźny cień. Mężczyzna siedział na głowicy kolumny, która zwaliła się w to miejsce nie wiadomo ile wieków temu. Nie mogła dojrzeć jego twarzy, ale zauważyła, że ma na głowie czapkę.

– Czy przeszłam ten test pozytywnie?

– Jeszcze nie wiem... Widziałem w telewizji, że zrobiła pani znak krzyża od prawej do lewej i od dołu do góry. Proszę mi powiedzieć: jest pani jedną z nich?

Znowu to słowo. *Oni*. Zbieżność z tym, co Diana Delgaudio napisała na kartce, sprawiła, że Sandrę przeszedł dreszcz.

– Kto to są ci oni?

– Rozwiązała pani zagadkę z moich SMS-ów. Jak pani to zrobiła?

– Mój znajomy uczy historii, to jego zasługa.

Battista Erriaga był pewien, że jest szczera. Dowiedział się co nieco na temat tej policjantki, starając się zdobyć numer jej telefonu.

– Czy ci „oni" są czcicielami szatana?

– Wierzy pani w diabła, agentko Vega?

– Nie całkiem. A powinnam?

Erriaga nie odpowiedział.

– Co pani wie na ten temat?

– Wiem, że jest ktoś, kto chroni Potwora z Rzymu, chociaż nie potrafię wytłumaczyć sobie powodu.

– Rozmawiała pani o tym ze swoimi zwierzchnikami? I co mówią?

– Nie wierzą w to. Nasz lekarz sądowy, doktor Astolfi, sabotował śledztwo, zanim odebrał sobie życie, ale ich zdaniem zrobił to w przypływie szaleństwa.

Erriaga parsknął śmiechem.

– Obawiam się, że pani zwierzchnicy coś przed panią zataili.

Od jakiegoś czasu Sandra żywiła takie podejrzenie, ale poczuła nagłe poirytowanie, słysząc, że ktoś mówi o tym otwarcie.

– To znaczy? O czym pan mówi?

– O człowieku z wilczą głową... Jestem pewien, że nie wspomniano pani o nim. Chodzi o symbol pojawiający się w różnych postaciach, ale zawsze w powiązaniu ze zbrodniami. Od przeszło dwudziestu lat policja zbiera w wielkim sekrecie takie przypadki. Jak dotąd, doliczyli się dwudziestu trzech, ale zapewniam panią, że jest ich dużo więcej. Faktem jest, że te zbrodnie nie mają ze sobą nic wspólnego oprócz wizerunku człekokształtnej postaci. Kilka dni temu został znaleziony w mieszkaniu Astolfiego.

– Skąd te sekrety? Nie rozumiem.

– Policjanci nie potrafią wytłumaczyć sobie, co i kto kryje się za tymi tajemnymi działaniami. Ale już sama myśl o tym, że mają do czynienia z czymś, co wykracza poza czysto racjonalny poziom, skłania ich do utrzymywania sprawy w sekrecie i do jej niezgłębiania.

– Natomiast pan zna powód, tak?

– Droga pani Sandro, jest pani policjantką, uznaje pani za pewnik, że wszyscy stoją po stronie tych dobrych, i dziwi się pani, kiedy mówią, że jest też ktoś, kto kibicuje złoczyńcom. Nie chcę, żeby zmieniła pani zdanie, ale niektórzy uważają, że ochranianie zła tkwiącego w naturze ludzkiej jest niezbędne dla zachowania naszego gatunku.

– Przysięgam, nadal niczego nie pojmuję.

– Niech się pani rozejrzy wokół siebie i przyjrzy temu, co tu widać. Koloseum było miejscem, w którym umierano śmiercią gwałtowną; ludzie powinni uciekać od tego rodzaju widowisk, a jednak uczestniczyli w nich niczym w jakichś świętach. Czy nasi przodkowie byli potworami? I czy sądzi pani, że w ciągu tych wszystkich wieków coś się w naturze ludzkiej zmieniło? Obecnie ludzie śledzą w telewizji wyczyny Potwora z Rzymu z taką samą chorobliwą ciekawością, jakby to było widowisko cyrkowe.

Sandra musiała przyznać, że to porównanie nie odbiega od rzeczywistości.

– Juliusz Cezar był krwawym zdobywcą, nie gorszym od Hitlera. Ale dziś turyści kupują koszulki z jego podobizną. Czy pewnego dnia, za parę tysięcy lat, będą się zachowywać tak samo w stosunku do nazistowskiego Führera? Prawdą jest, że spoglądamy z wyrozumiałością na dawne grzechy, a rodzice przychodzą z dziećmi do Koloseum, żeby się fotografować z uśmiechem na twarzach w miejscu, w którym rządziły śmierć i okrucieństwo.

– Zgadzam się co do tego, że ludzie są z natury sadystyczni i obojętni, ale dlaczego mielibyśmy ochraniać zło?

– Ponieważ wojny są od zawsze narzędziem postępu: zamienia się wszystko w ruiny po to, żeby odbudowa zniszczeń wniosła coś lepszego. I dokłada się starań, żeby osiągnąć jak najwyższy poziom we wszystkim, co służy wynoszeniu się ponad innych. Żeby ich podbijać. I nie dać się im podbić.

– A co ma z tym wspólnego szatan?

– Nie szatan, ale religia. Każda religia na świecie uważa, że posiadła „prawdę absolutną", chociaż często pozostaje ona w konflikcie z prawdą innych wierzeń. Nikt nie troszczy się o szukanie jakiejś wspólnej prawdy, każdy pozostaje niewzruszenie przekonany o wyższości własnego credo. Nie wydaje się to pani absurdem? A w takim razie dlaczego miałoby być inaczej w przypadku satanistów? Oni nie uważają, że się mylą, nie dopuszczają myśli, że w tym, co robią, mogłoby być coś niewłaściwego. Usprawiedliwiają zabijanie dokładnie tak samo jak ci, którzy wojują w imię wiary. W końcu chrześcijanie prowadzili wojny krzyżowe, a muzułmanie nadal wzywają do świętej wojny.

– Sataniści… A więc to oni?

Erriaga odsłonił drugi poziom tajemnicy. Nie trzeba było nic dodawać. Ci, którzy rozpoznawali się w człekokształtnej postaci z wilczą głową, byli satanistami. Ale sens tego pojęcia był zbyt szeroki i złożony, żeby zwykła kobieta w mundurze mogła go zrozumieć.

To był trzeci poziom tajemnicy, który siłą rzeczy powinien pozostać sekretem.

Dlatego Battista Erriaga potwierdził jej przypuszczenie:

– Tak, to są sataniści.

Sandra była zawiedziona. Zawiedziona tym, że zastępca komendanta Moro i prawdopodobnie również komisarz Crespi nie wtajemniczyli jej w ten wątek sprawy, pomniejszając rolę Astolfiego i jej odkrycie dotyczące lekarza sądowego. Ale czuła się jeszcze bardziej rozczarowana tym, że koniec końców ludzie ochraniający Potwora z Rzymu okazali się banalnymi wielbicielami diabła. Gdyby nie ofiary, zareagowałaby śmiechem na tego rodzaju absurd.

— Czego pan chce ode mnie? Dlaczego chciał pan, żebym tu przyszła?

Dotarli do sedna sprawy.

— Chciałbym pani pomóc w zatrzymaniu Chłopca z soli.

CZĘŚĆ CZWARTA

Dziewczynka ze światła

1

Wypił parę wódek i chciało mu się spać, ale nie zamierzał stąd wyjść i położyć się do łóżka.

Lokal był zatłoczony, lecz tylko on siedział samotnie przy jednym ze stolików. Nadal bawił się kluczami do willi nad morzem. Powierzając mu je, przyjaciel nie pytał o nic. Wystarczyło, że Max zapytał go, czy może z niej korzystać przez kilka dni, dopóki nie znajdzie nowego mieszkania. Skądinąd powód tej prośby był aż nadto oczywisty; miał to wypisane na twarzy.

Był pewien, że między nim a Sandrą wszystko się skończyło.

Miał ciągle w kieszeni pudełeczko z pierścionkiem, który odrzuciła. Nawet nie próbowała zajrzeć do środka, żeby zobaczyć, co zawiera.

– Ja pieprzę – mruknął, a potem wychylił to, co pozostało w kieliszku.

Obdarzył ją miłością, otoczył wszelkimi względami, więc gdzie popełnił błąd? Myślał, że sprawy przedstawiają się lepiej, ale w ich życiu wciąż obecny był przeklęty upiór jej byłego męża. Nie znał go, nie wiedział nawet, jak wyglądał, ale ten gość był ciągle między nimi. Gdyby David nie umarł, gdyby się zwyczajnie rozwiedli, jak miliony par na świecie, być może Sandra poczułaby się wolna i byłaby w stanie go pokochać, jak na to zasługiwał.

Tak, to było sedno sprawy; miał pewność co do tego, że zasługiwał na jej miłość.

Ale choć wszystkie racje były po jego stronie, z niewiadomego powodu postanowił się ukarać. Jego wina polegała na tym, że był zbyt doskonały, i wiedział o tym. Powinien był bardziej udawać i nie wisieć jej ciągle na karku. Być może gdyby ją gorzej traktował, sprawy potoczyłyby się inaczej. W gruncie rzeczy David okazał się egoistą, nie zrezygnował dla niej z pisania reportaży z ognisk konfliktów rozrzuconych po świecie. Nie zrobił tego, chociaż wiedział, że Sandra źle znosi jego podróże i że musi na niego czekać, przez długie okresy nie mając żadnych wiadomości, nie wiedząc, czy nic mu nie jest, a nawet, czy jeszcze żyje.

– Pies z tobą tańcował – rzucił, tym razem mając na myśli upiora Davida. Powinien zachowywać się tak jak on, dzięki czemu być może by jej nie stracił. Tym bardziej zasługiwał na ukaranie się kolejną porcją wódki.

Miał już zamówić całą butelkę, nie zawracając sobie głowy tym, że następnego dnia rano ma lekcje, gdy zauważył kobietę przy kontuarze, która uważnie mu się przyglądała. Popijała koktajl owocowy. Była bardzo ładna, ale nie wyzywająca. Dyskretnie pociągająca, powiedział sobie. Uniósł w jej stronę kieliszek, chociaż był pusty, tak jakby chciał wypić jej zdrowie. Nie był facetem, który robi takie rzeczy, ale niech tam, do diabła z zasadami.

Odpowiedziała mu, unosząc swój koktajl. Potem wstała i ruszyła w stronę jego stolika.

– Czekasz na kogoś? Mogę się przysiąść? – zapytała, wprawiając go w osłupienie.

Max nie wiedział, jak zareagować, ale w końcu odparł:

– Proszę, usiądź.

– Mam na imię Mina. A ty?

– Max.

– Mina i Max. M.M. – powiedziała rozbawiona.

Odniósł wrażenie, że wyczuwa u niej wschodni akcent.

– Nie jesteś Włoszką.

– Jestem Rumunką. Ty też nie wyglądasz na Włocha. Czy się mylę?

– Jestem Anglikiem, ale mieszkam tu od wielu lat.

– Przyglądam ci się przez cały wieczór.

Zdziwił się, bo on zauważył ją dopiero przed chwilą.

– Wyglądasz na zdenerwowanego.

Max nie miał ochoty mówić jej całej prawdy.

– Kobieta, z którą się tu umówiłem, nie przyszła.

– W takim razie dzisiejszy wieczór będzie należał do mnie.

Przyjrzał się jej: modna czarna sukienka z dekoltem, perfekcyjny manicure, na lewym nadgarstku szeroka złota bransoletka, naszyjnik z brylantem, który mógł mieć sporo karatów. Teraz zauważył, że kobieta ma dość mocny makijaż. Ale pachniała z pewnością francuskimi perfumami. Dziewczyna z wyższej półki, powiedział sobie. Nie uważał się za wielkiego podrywacza, ale musiał przyznać, że czasami zdarzało mu się oceniać kobiety według poziomu życia, jakiego oczekiwały od swoich partnerów. Być może dlatego, że zbyt wiele z nich odwróciło się do niego plecami, kiedy się dowiedziały, że jest nauczycielem w liceum. Więc zwykle zastanawiał się, czy pogłębić znajomość, i w razie podejrzenia, że spotka go afront, zrywał z nimi, zanim one zdążyły to zrobić. Teraz również pomyślał, że lepiej nie robić sobie złudzeń: nie mógł sobie na nią pozwolić. Mógłby jej zaproponować drinka, niczego od niej nie oczekując, tylko po to, żeby przez chwilę dotrzymała mu towarzystwa. A potem każde pójdzie w swoją stronę.

– Mogę zamówić ci jeszcze raz to samo? – zapytał, wskazując jej koktajl.

Mina uśmiechnęła się.

– Ile pieniędzy masz w kieszeni?

Nie od razu zrozumiał sens tak bezpośredniego pytania.

– Nie wiem, dlaczego pytasz?

Pochyliła się ku niemu, tak że znalazła się kilka centymetrów od jego twarzy. Poczuł jej przyjemny oddech.

– Naprawdę nie domyślasz się, czym się zajmuję, czy trzymają się ciebie żarty?

Prostytutka? Nie mógł w to uwierzyć.

– Nie, przepraszam… chodzi o to… – niezręcznie próbował się usprawiedliwić.

Rozbawiona kobieta wybuchnęła śmiechem.

Spróbował odzyskać kontrolę nad sytuacją.

– Pięćdziesiąt euro, ale zawsze mogę coś wyjąć z bankomatu. – Max nie wierzył własnym uszom. Opadła go nagle chęć przekroczenia pewnej granicy. Granicy bezsensownego miłosnego układu z Sandrą i sposobu, w jaki zawsze prowadził swoje życie, niewolniczo wierny i być może również trochę nudny.

Tymczasem Mina zdawała się oceniać ofertę i nadal się w niego wpatrywała. Wyglądało to tak, jakby dostrzegła w nim coś więcej niż ktokolwiek inny.

– Hm… jesteś nawet niebrzydki – orzekła. – Udzielę ci rabatu, tak czy owak straciłam już wieczór.

Max był zachwycony jak dziecko.

– Mam tu niedaleko samochód, moglibyśmy pojechać w jakieś ustronne miejsce.

Kobieta pokręciła głową z obrażoną miną.

– Bierzesz mnie za jedną z tych od rozkładanych siedzeń?

Rzeczywiście, to nie miało sensu.

– Poza tym w okolicy grasuje ten maniak…

Miała rację, zupełnie zapomniał o Potworze z Rzymu. Władze zalecały parom, żeby nie wybierały odosobnionych miejsc na uprawianie seksu w samochodzie. Jednak w odwodzie ciągle była willa w Sabaudii. Położona wprawdzie dość daleko, ale mógłby dopłacić dziewczynie, żeby dała się przekonać. I chociaż była zima i mieliby tam trochę chłodno, mogliby rozpalić w kominku.

– Jedziemy, zawiozę cię nad morze.

♦ ♦ ♦

Ogień trzaskał, pokój zaczynał się już nagrzewać, a on nie miał żadnych dylematów. Zamierzał zdradzić Sandrę, ale nie był pewien, czy z technicznego punktu widzenia byłaby to zdrada. Nie powiedziała mu wyraźnie, że go nie kocha, lecz jej słowa miały taki właśnie sens. Nie zadał sobie nawet pytania, co by pomyśleli jego uczniowie, gdyby zobaczyli go teraz: wyciągnięty na łóżku w cudzym domu, czekał, aż dziewczyna z wyższej półki wyjdzie z łazienki, żeby mógł ją przelecieć.

Nie, nawet on sam nie potrafił wyobrazić sobie siebie w takiej sytuacji. Dlatego z miejsca zdusił w sobie ewentualne poczucie winy.

W czasie jazdy do Sabaudii Mina zdrzemnęła się w fotelu. Zerkał na nią przez cały czas, starając się zrozumieć, kim naprawdę jest ta mniej więcej trzydziestopięcioletnia kobieta, która kryła się pod przyciągającą mężczyzn uwodzicielską maską. Albo próbował wyobrazić sobie jej życie, jej marzenia, zastanawiał się, czy była kiedyś zakochana, lub może jest nadal.

Kiedy dojeżdżali, rozglądała się po okolicy. Willa miała godną pozazdroszczenia lokalizację – nad samym morzem. Po lewej znajdował się przylądek Circeo z parkiem narodowym. Tej nocy oświetlał go księżyc w pełni. Max nigdy by nie mógł sobie pozwolić na dom z takimi widokami, ale one od razu podziałały na dziewczynę.

Zapytała go, gdzie jest łazienka. Potem zdjęła szpilki i ruszyła schodami prowadzącymi na piętro. Przyglądał się jej z przyjemnością – wyglądała jak anioł wspinający się do nieba.

Na wielkim małżeńskim łóżku leżały czyste prześcieradła. Max rozebrał się, jak zwykle składając porządnie ubrania, ale tym razem bezwiednie. Przyzwyczajenie podyktowane dobrym wychowaniem, kontrastowało z tym, co zamierzał zrobić, tak obcym jego naturze.

Mina zapowiedziała mu wyraźnie: zbliżenie nie powinno trwać dłużej niż godzinę. I żadnego całowania, dla porządku. Potem podała mu opakowanie prezerwatyw, które miała w torebce, pewna, że będzie wiedział, co z tym zrobić.

Max zgasił światło i czekał wystraszony, aż dziewczyna pokaże się w drzwiach, może nawet mając na sobie tylko bieliznę. Czuł wokół siebie jej zapach, był lekko zakłopotany i podniecony. Byle tylko nie myśleć o bólu, jaki zadała mu Sandra.

Kiedy dostrzegł błysk w ciemności, wydało mu się, że to jakiś figiel wyobraźni. Ale po chwili pojawił się następny błysk. Odruchowo odwrócił się do okna. Ale na dworze niebo było czyste, żadnej burzy na horyzoncie, a do tego ciągle świecił księżyc.

Dopiero po trzecim błysku zorientował się, że to flesz aparatu fotograficznego.

I każdy następny rozświetlał mrok coraz bliżej.

2

Zamknęli go w pokoju bez okien.

Przedtem jednak policjanci zezwolili lekarzowi, żeby go zbadał. Po upewnieniu się co do stanu jego zdrowia zaprowadzili go do tego pokoju. Drzwi się zamknęły i od tej pory Marcus nie miał już żadnych informacji ani nikogo nie zobaczył.

Było tylko krzesło, na którym siedział, i stalowy stolik. Oświetlenie zapewniała świetlówka pod sufitem, a w ścianę wmontowany był wentylator, który wdmuchiwał do środka świeże powietrze i wytwarzał nieprzyjemny bezustanny szum.

Utracił poczucie czasu.

Gdy zapytali go o dane personalne, podał im fałszywe nazwisko, które służyło mu jako przykrywka. A że nie miał przy sobie dokumentów, podyktował im numer telefonu, przygotowany właśnie na takie okazje. Odpowiadała automatyczna sekretarka urzędnika argentyńskiej ambasady w Watykanie. W rzeczywistości wiadomość mógł odebrać Clemente, który niedługo potem powinien pojawić się w komisariacie z fałszywym paszportem dyplomatycznym wystawionym na nazwisko Alfonsa García, nadzwyczajnego wysłannika do spraw kultury, który pracuje dla rządu w Buenos Aires.

Nigdy dotąd nie zdarzyło się, żeby penitencjariusz potrzebował tego skomplikowanego wybiegu. Teoretycznie biorąc, włoska policja powinna go uwolnić na podstawie immunitetu obejmującego dyplomatów. Ale tym razem sprawa była bardzo poważna.

W grę wchodziła śmierć zastępcy komendanta. A Marcus był jedynym świadkiem.

Nie wiedział, czy Clemente podjął już działania, żeby go stąd wyciągnąć. Policjanci mogli go przetrzymać bez ograniczeń, a wystarczyłyby im dwadzieścia cztery godziny na upewnienie się, że nie istnieje żaden Alfonso García pracujący dla argentyńskiego rządu. I w ten sposób mogli obalić jego przykrywkę.

Na razie Marcus nie martwił się jednak o siebie. Bał się o Sandrę.

Gdy usłyszał wymianę zdań między Fernandem i rudą kobietą, zdał sobie sprawę, że Sandra również znajduje się w niebezpieczeństwie. Kto wie, co teraz się z nią dzieje i czy nic jej nie grozi. Nie mógł dopuścić, żeby coś jej się stało. Postanowił więc, że niezależnie od tego, czy Clemente pojawi się, czy nie, opowie wszystko policji, gdy tylko przekroczą znowu próg pomieszczenia. To znaczy poinformuje ich, że prowadzi równoległe śledztwo dotyczące Potwora z Rzymu i że dotarł do grupy osób chroniących mordercę. Powie im też, gdzie mogą znaleźć Kroppa. Dzięki temu mogliby zapewnić ochronę Sandrze.

Nie był pewien, czy mu uwierzą, ale postanowił zadbać o to, żeby nie zignorowali jego słów.

Tak, najpierw Sandra, przed czymkolwiek innym. Przed wszystkim innym.

◆ ◆ ◆

Odkąd wyciągnęli go z łóżka w środku nocy, komisarz Crespi nie pozwolił sobie nawet na minutę oddechu. Jego organizm domagał się potężnej dawki kofeiny, a skronie pulsowały z powodu bólu głowy. Nie miał jednak nawet tyle czasu, żeby wziąć aspirynę.

Komisariat przy piazza Euclide w dzielnicy Parioli był w stanie wrzenia. Ludzie kursowali bezustannie między siedzibą i hangarem, w którym znaleziono martwego Mora. Ale nikt nie sprzedał się jeszcze prasie, zauważył Crespi. Wszyscy żywili zbyt wiele szacunku dla zastępcy komendanta, żeby go zdradzić. Dlatego wiadomość o jego śmierci ciągle pozostawała tajemnicą. Ale na jak długo? Przed południem szef Urzędu Bezpieczeństwa Publicznego miał zwołać konferencję prasową, żeby poinformować media o tym zdarzeniu.

Na odpowiedź czekało jednak zbyt wiele pytań. Co Moro robił w tym opuszczonym miejscu? Do kogo należały zwłoki znalezione kilka metrów od niego? Jak przebiegała strzelanina? Znaleziono ślady opon, więc oprócz auta zastępcy komendanta musiał tam być jeszcze jakiś inny samochód. Czy posłużył komuś do ucieczki? I jaką rolę odegrał w tym wszystkim tajemniczy argentyński dyplomata, którego znaleźli związanego i zakneblowanego?

Zawieźli go do komisariatu na piazza Euclide, ponieważ znajdował się najbliżej, ale także po to, żeby usunąć go sprzed oczu dziennikarzy, którzy na pewno zaraz rzucą się na sprawę. I z tego miejsca kierowano operacjami. Nie wiedzieli, do jakiego stopnia wydarzenie to może mieć związek ze sprawą Potwora z Rzymu, ale postanowili nie dopuścić, żeby zamordowaniem ich kolegi zajęli się karabinierzy.

Innym powodem tej decyzji było to, że od kilku godzin specjalna jednostka operacyjna karabinierów zajęta była innymi kłopotami.

O ile Crespi wiedział, ta noc była dość niespokojna. Krótko po czwartej na numer alarmowy dotarł dziwny telefon. Jakaś dziewczyna z wyraźnym wschodnim akcentem doniosła w przypływie strachu o napadzie, do jakiego doszło w jednym z domów w Sabaudii.

Gdy karabinierzy zjawili się w willi, znaleźli w sypialni zwłoki mężczyzny. Ofiara została trafiona dokładnie w serce, najwyraźniej strzałem z rewolweru Ruger SP101 – takiego samego, jakiego używał Potwór z Rzymu.

Ale karabinierzy nie byli jeszcze pewni, czy nie chodzi o przypadkową zbieżność lub może o kogoś, kto się pod niego podszywa. Dziewczynie udało się uciec, ale po zaalarmowaniu policji zaginęła bez śladu. Poszukiwali jej teraz, a tymczasem starali się znaleźć w willi ewentualne ślady umożliwiające ustalenie DNA sprawcy, żeby porównać je z DNA Potwora, które już posiadali.

W odróżnieniu od zabójstwa Mora, wydarzenie z Sabaudii zostało już upublicznione, chociaż nie podano jeszcze personaliów zmarłego. Crespi wiedział, że jest to główny powód, dla którego prasa nie wywąchała jeszcze nic o śmierci Mora.

Wszyscy zajęci byli ustaleniem nazwiska nowej ofiary Potwora.

Dlatego policja miała jeszcze czas na maglowanie tego Alfonsa Garcíi, zanim jakiś urzędnik z ambasady zjawi się, żeby zażądać jego uwolnienia, powołując się na immunitet dyplomatyczny. Mężczyzna podał im numer telefonu w celu sprawdzenia jego danych osobowych, ale jak dotąd Crespi powstrzymywał się przed dzwonieniem.

Chciał zająć się nim osobiście. Postanowił, że zmusi go do mówienia.

Najpierw jednak musiał pilnie napić się kawy. Dlatego wyszedł w chłodny rzymski ranek i ruszył przez piazza Euklide w kierunku baru o takiej samej nazwie.

– Komisarzu! – usłyszał czyjeś wołanie.

Crespi miał już wejść do lokalu, ale się odwrócił. Zobaczył mężczyznę, który szedł w jego stronę, wymachując ręką. Nie wyglądał na dziennikarza. Miał wyraźne rysy Filipińczyka, toteż Crespi wziął go za służącego którejś z bogatych rodzin zamieszkujących w dzielnicy Parioli.

– Dzień dobry, komisarzu Crespi – powiedział Battista Erriaga, gdy tylko podszedł do niego. Był trochę zdyszany, ponieważ ostatnie metry pokonał biegiem. – Mogę pana prosić o chwilę rozmowy?

– Bardzo mi się spieszy – odparł zniecierpliwiony komisarz.

– Tylko małą chwileczkę, przyrzekam panu. Chciałbym panu zaproponować kawę.

Crespi zamierzał spokojnie wypić espresso, toteż postanowił spławić natręta.

– Niech pan posłucha, nie chcę być nieuprzejmy, bo nie wiem nawet, z kim mam przyjemność ani skąd pan zna moje nazwisko, ale jak powiedziałem, nie mam czasu.

– Amanda.

– Słucham?

– Pan jej nie zna, ale to inteligentna dziewczynka. Ma czternaście lat i uczy się w liceum. Jak wszystkie w jej wieku, ma w głowie tysiąc marzeń i pomysłów. Bardzo lubi zwierzęta, a od pewnego czasu podobają się jej również chłopcy. Jeden z nich już za nią chodzi, ona się w tym zorientowała i chciałaby, żeby się zdeklarował. Być może tego lata przeżyje w końcu swój pierwszy pocałunek.

– O kim pan mówi? Nie znam żadnej Amandy.

Erriaga klepnął się dłonią w czoło.

– Jasne, co za głupek ze mnie! Pan jej nie zna, ponieważ tak naprawdę nie jest znana nikomu. W rzeczywistości Amanda powinna była urodzić się czternaście lat temu, ale jej matkę rozjechał na przejściu dla pieszych w dzielnicy na przedmieściach pirat drogowy, który uciekł z miejsca wypadku i nigdy nie został odnaleziony.

Crespi zaniemówił.

Erriaga wlepił w niego twarde spojrzenie.

– Amanda to imię, jakie ta kobieta wybrała dla swojej córki. Nie wiedział pan o tym? Chyba nie.

Komisarz oddychał z trudem, wpatrując się w faceta, którego miał przed sobą, ale ciągle nie mógł dobyć słowa.

– Wiem, że jest pan bardzo religijnym człowiekiem: co niedziela chodzi pan na mszę i przystępuje do komunii. Ale nie jestem tu po to, żeby pana osądzać. Przeciwnie, mam w nosie, czy ma pan lekki sen, czy też myśli pan co noc o tym, co pan zrobił, a może nawet pragnie oddać się w ręce swoich kolegów. Jest mi pan potrzebny, panie komisarzu.

– Potrzebny? Do czego?

Erriaga pchnął oszklone drzwi do baru.

– Proszę dać się zaprosić na tę przeklętą kawę, a wszystko panu wytłumaczę – powiedział z fałszywą uprzejmością.

◆ ◆ ◆

Niebawem usiedli w małej salce na piętrze lokalu. Oprócz kilku stolików jej umeblowanie składało się z dwóch kanap z pluszowym obiciem. Panowały tu dwa kolory – szary i czarny. Jedyny odmienny akcent prezentował ogromny plakat pokrywający ścianę; przedstawiał widzów z kina, być może z lat pięćdziesiątych, w okularach 3D.

Erriaga podjął swoje wywody przed tą tkwiącą w bezruchu, milczącą publicznością.

– Mężczyzna, którego znaleźliście tej nocy związanego i zakneblowanego w miejscu, w którym zginął zastępca komendanta Moro...

Crespiego zatkało. Zadał sobie pytanie, skąd ten gość się o tym dowiedział.

– Tak?

– Będzie go pan musiał zwolnić z aresztu.

– Co takiego?

– Dobrze pan zrozumiał. Wróci pan teraz do komisariatu i pod pretekstem, który sam pan wymyśli, puści go pan wolno.

– Ja... Ja nie mogę tego zrobić.

– Ależ może pan. Nie będzie trzeba zmuszać go do ucieczki, wystarczy wskazać mu drzwi wyjściowe. Zapewniam pana, że więcej go nie zobaczycie. Wszystko potoczy się tak, jakby nigdy nie znalazł się na miejscu zbrodni.

– Istnieją ślady, które dowodzą czegoś przeciwnego.

Erriaga pomyślał również i o tym: kiedy Leopoldo Strini, technik z policyjnego laboratorium, zbudził go rano wiadomością o śmierci Mora i opowiedział mu o sprawie, „zanim dowie się o niej ktokolwiek inny", Battista poinstruował go, żeby zniszczył wszelkie dowody zamieszania w sprawę jedynego człowieka, który przeżył strzelaninę. „Niech się pan o nic nie martwi. Ponieważ nie będzie żadnych następstw, zapewniam pana".

Crespi przybrał twardy wyraz twarzy. Ze sposobu, w jaki zacisnął pięści, Erriaga domyślił się, że tkwiący w nim uczciwy policjant odmawia poddania się podobnemu szantażowi.

– A gdybym postanowił wrócić do komisariatu i złożyć zeznanie o tym, co zrobiłem czternaście lat temu? Gdybym aresztował teraz pana za próbę zastraszenia urzędnika publicznego za pomocą szantażu?

Erriaga uniósł ręce.

– Może pan to zrobić, w każdej chwili. A ja nie próbowałbym panu w tym przeszkodzić – zapewnił bez cienia strachu, a potem się roześmiał. – Pan naprawdę uważa, że ja tu przyszedłem, nie licząc się z tego rodzaju ryzykiem? Nie jestem taki głupi. I myśli pan na serio, że jest pan pierwszą osobą, którą przekonuję w ten sposób? Będzie pan zadawał sobie pytanie, jak się dowiedziałem o sprawie, o której pańskim zdaniem wiedział tylko pan... No cóż, rzecz dotyczy również innych. Zapewniam przy tym, że nie są to osoby tak uczciwe jak pan: zrobiłyby wszystko, żeby zabezpieczyć swoje sekrety. A gdybym poprosił je o jakieś przysługi, niełatwo by im przyszło odmówić.

– Jakiego rodzaju przysługi? – Crespi zaczynał się domyślać, w czym rzecz, i popadł w niezdecydowanie.

– Ma pan piękną rodzinę, komisarzu. Jeśli postanowi pan posłuchać głosu sumienia, nie tylko pan za to zapłaci.

Crespi rozluźnił pięści i pokonany spuścił głowę.

– A więc od dzisiaj będę już zawsze oglądał się za siebie w strachu, że pana zobaczę, ponieważ być może zjawi się pan, żeby poprosić o inne przysługi.

– Wiem, wygląda to niemiło. Ale niech pan spróbuje spojrzeć na sprawę w inny sposób: lepiej będzie ułożyć sobie życie z czymś niewygodnym, co może, ale nie musi, się zdarzyć, niż spędzić jego resztę we wstydzie, a przede wszystkim, w więzieniu za spowodowanie śmierci człowieka i nieudzielenie mu pomocy.

3

Sandry nie było w domu.

Zadzwonił do komendy, myśląc, że już rozpoczęła dyżur, ale odpowiedziano mu, że wzięła dzień wolny. Marcus wychodził z siebie, koniecznie chciał ją znaleźć i upewnić się, że nic jej nie jest.

W połowie ranka zdołał skontaktować się z Clemente. Przyjaciel poinformował go za pomocą tej samej co zawsze skrzynki głosowej, że prawdopodobnie Potwór z Rzymu zaatakował tej nocy znowu, tym razem w Sabaudii. Że jakiś mężczyzna, którego nazwiska nie podano, zginął, ale towarzysząca mu kobieta zdołała uciec i podniosła alarm, potem jednak znikła i nikt nie wie, kto to może być. Żeby przedyskutować to wydarzenie, umówili się na spotkanie w jednym z mieszkań kontaktowych w dzielnicy Prati.

Marcus zjawił się pierwszy. Nie wiedział, dlaczego policja pozwoliła mu tak łatwo wyjść na wolność. W pewnym momencie drzwi pokoju, w którym go zamknięto, otworzyły się i wszedł komisarz Crespi z paroma formularzami. Dał mu je do podpisania z roztargnioną miną, jakby to, co robił, wcale go nie interesowało. Potem zakomunikował mu, że jest wolny i może wrócić do domu, ma jedynie obowiązek pozostać w kontakcie z policją i stawić się, w przypadku gdyby zaszła potrzeba ponownego złożenia zeznań.

Marcusowi, który podał fałszywy numer telefonu i adres, ta procedura wydała się niezwykła i o wiele za szybka. Tym bardziej że był świadkiem śmierci zastępcy komendanta. Nikt z policji nie podwiózł go do miejsca zamieszkania, żeby się upewnić, że powiedział prawdę. Nikt nie doradził mu, żeby znalazł sobie adwokata. A przede wszystkim jego wersji nie wysłuchał prokurator.

Z początku penitencjariusz podejrzewał zasadzkę. Potem jednak doszedł do wniosku, że chodzi o coś innego. O czyjeś mocne wstawiennictwo. Z pewnością tym kimś nie mógł być Clemente.

Marcus był już zmęczony uciekaniem się do forteli i tym, że musiał ciągle oglądać się za siebie i sprawdzać, czy ktoś go nie śledzi. Szczególnie drażniło go to, że nigdy nie znał motywacji leżących u podstaw jego różnych misji. Tak więc, gdy tylko przyjaciel przekroczył próg, zaatakował go.

– Co przede mną ukrywasz?

– Co masz na myśli? – żachnął się Clemente.

– Całą tę sprawę.

– Bądź tak dobry i uspokój się, bardzo proszę. Spróbujemy zastanowić się razem, jestem przekonany, że popełniasz jakiś błąd.

– Oni odbierają sobie życie – odparł zapalczywie Marcus. – Rozumiesz, co powiedziałem? Naśladowcy Kroppa, ci, co osłaniają Potwora, są tak śmiali, tak pewni swoich przekonań, że poświęcają życie, żeby osiągnąć cel. Sądziłem, że lekarz sądowy, który rzuca się z okna, albo staruszek gotów spłonąć żywcem w pożarze, który sam wywołał, to tylko skutki uboczne, nieprzewidziane, ale konieczne konsekwencje. Mówiłem sobie: znaleźli się pod ścianą i wybrali śmierć. Ale nie! Oni chcieli umrzeć. Wybrali męczeńską śmierć.

– Jak możesz wygadywać coś takiego? – spytał przejęty grozą przyjaciel.

– Widziałem na własne oczy, jak oni to robili – odparł Marcus, mając na myśli Fernanda i Olgę, która podała mu pistolet i poinformowała go, że postanowieniem Kroppa ma z sobą skończyć. – Na początku miałem wątpliwości. Myślę o słowach, które Potwór nagrał w konfesjonale bazyliki Świętego Apolinarego, a także o tobie, bo żeby mnie przekonać do podjęcia śledztwa, mówiłeś mi o „poważnym zagrożeniu wiszącym nad Rzymem"... Zagrożeniu dla kogo?

– Wiesz przecież.

– Nie, już tego nie wiem. Mam wrażenie, że od samego początku moje zadanie wcale nie polegało na tym, że mam zatrzymać tę bestię.

Clemente próbował wymigać się od tej rozmowy i ruszył do kuchni.

– Zaparzę kawę.

Marcus zatrzymał przyjaciela, chwytając go za ramię.

– Odpowiedzią jest człowiek z wilczą głową. To jest sekta uprawiająca jakiś kult, a moim prawdziwym zadaniem było powstrzymanie jej członków.

Starszy z mężczyzn spojrzał na rękę, która ściskała go za ramię. Był zdumiony i zawiedziony.

– Postaraj się zapanować nad sobą.

Marcus ani myślał się uspokoić.

– Moi zwierzchnicy, którzy od trzech lat wydają mi polecenia za twoim pośrednictwem, a których twarzy nigdy nie widziałem, w rzeczywistości nie są zainteresowani losem par, które zginęły, ani tych, które prawdopodobnie wkrótce spotka to samo. Leży im na sercu tylko to, żeby się przeciwstawić tej jakiejś odmianie religii zła. I wykorzystali mnie ponownie. – Czuł się tak jak wtedy, gdy w ogrodach watykańskich znaleziono poćwiartowaną zakonnicę. Wtedy napotkał przed sobą ścianę wrogości. I nie potrafił tego zapomnieć.

Hic est diabolus. Klasztorna współtowarzyszka zakonnicy miała rację. Do Watykanu zakradł się diabeł, ale być może stało się to już wcześniej, jeszcze przed śmiercią siostry.

– Dzieje się to samo co w przypadku mężczyzny z szarą torbą. A ty jesteś ich wspólnikiem – oskarżył przyjaciela.

– Jesteś niesprawiedliwy.

– Naprawdę? Więc udowodnij mi, że popełniam błąd: umów mnie na rozmowę z człowiekiem, który tym kieruje.

– Wiesz przecież, że to niemożliwe.

– No tak. *Nie jest nam dane pytać. Nie jest nam dane wiedzieć. Musimy tylko być posłuszni* – zacytował słowa, które powtarzał mu stale Clemente. – Tym razem zadam jednak pytania i chcę usłyszeć odpowiedzi. – Chwycił za kołnierz Clemente, choć zawsze uważał go za przyjaciela, człowieka, który zjawił się, kiedy leżał w szpitalnym łóżku pozbawiony pamięci, żeby przywrócić mu wspomnienia i dać imię, osobę, do której zawsze miał zaufanie. Pchnął go na ścianę. Ten gest zaskoczył również jego samego. Marcus nie sądził, że jest zdolny zrobić coś takiego, ale przekroczył pewną granicę i już nie mógł się cofnąć. – W ciągu tych lat, badając ludzkie grzechy zebrane w archiwum penitencjariuszy, dowiedziałem się, czym jest zło, ale zrozumiałem też, że wszyscy mamy na sumieniu jakiś grzech i nie wystarcza wiedzieć o nim, żeby uzyskać przebaczenie. Prędzej czy później pojawi się rachunek do zapłacenia. A ja nie chcę pokutować za grzechy innych. Kim są ci, którzy decydują za mnie, ci wysoko usytuowani prałaci kontrolujący moje życie, sam czubek piramidy? Chcę to wiedzieć!

– Proszę cię, puść mnie.

– Złożyłem moje życie w ich ręce, mam do tego prawo!

– Proszę cię…

– Ja nie istnieję, pogodziłem się z tym, że będę niewidzialny, zrezygnowałem ze wszystkiego. Musisz mi w tej chwili powiedzieć, kim…

– Nie wiem!

Marcus wyrzucił z siebie ten potok słów jednym tchem, słychać w nich było rozdrażnienie, ale również poczucie zawodu. A teraz wlepił wzrok w Clemente. Oczy przyjaciela błyszczały; był szczery. Bolesne wyznanie, to „nie wiem", wypowiedziane w reakcji na gwałtowne pytania, otworzyło przepaść między nimi. Marcus mógł się spodziewać wszystkiego, nawet tego, że polecenia dla niego wydaje osobiście papież. Ale nie takiej odpowiedzi.

– Polecenia są mi przekazywane za pośrednictwem skrzynki głosowej, dokładnie tak, jak ja komunikuję się z tobą. Słyszę zawsze ten sam głos, ale nie wiem nic więcej.

Marcus puścił go w osłupieniu.

– Jak to możliwe? Ty nauczyłeś mnie wszystkiego, co wiem; opowiedziałeś mi o sekretach penitencjariuszy, zapoznawałeś mnie z tajemnicami mojej misji. Sądziłem, że masz bogate doświadczenie...

Clemente usiadł przy stole i objął głowę rękami.

– Byłem wiejskim księdzem w Portugalii. Pewnego dnia przyszedł list. Był opatrzony pieczęcią Watykanu; chodziło o wykonanie zadania, od którego nie mogłem się uchylić. W środku znajdowały się instrukcje, jak mam odnaleźć człowieka leżącego w szpitalu w Pradze; utracił pamięć, a ja miałem mu wręczyć dwie koperty. W jednej był paszport wystawiony na fałszywe nazwisko i pieniądze na rozpoczęcie życia od zera, w drugiej bilet na pociąg do Rzymu. Gdyby wybrał tę drugą, miałem otrzymać następne instrukcje...

– Za każdym razem, gdy uczyłeś mnie czegoś nowego...

– ...było to coś, o czym sam dowiedziałem się dopiero co. – Clemente westchnął. – Nigdy nie mogłem pojąć, dlaczego wybrali właśnie mnie. Nie miałem wyjątkowych zalet, nigdy nie przejawiłem chęci, żeby zrobić karierę. Byłem szczęśliwy w mojej parafii, wśród swoich wiernych. Organizowałem wycieczki dla starszych osób, zajmowałem się katechizacją dzieci. Chrzciłem, udzielałem ślubów, odprawiałem codziennie mszę. I musiałem porzucić to wszystko – powiedział, podnosząc wzrok na Marcusa. – Brakuje mi tego, co tam zostawiłem. Dlatego ja też czuję się osamotniony.

Marcus nie był w stanie w to uwierzyć.

– Przez cały ten czas...

– Wiem, czujesz się zdradzony. Ale ja nie mogłem się uchylić. Być posłusznym i milczeć to jest nasz obowiązek. Jesteśmy sługami Kościoła. Jesteśmy kapłanami.

Marcus zsunął z szyi medalik z podobizną świętego Michała Archanioła i rzucił nim w Clemente.

– Możesz im powiedzieć, że nie będę więcej słuchał na ślepo ich poleceń i nie będę im służył. Będą musieli poszukać kogoś innego.

Clemente wydawał się zmartwiony, ale się nie odezwał. Schylił się tylko, żeby podnieść święty medalik. A potem odprowadził wzrokiem Marcusa, który ruszył do drzwi i wyszedł, zamykając je za sobą.

4

Wszedł do pokoju na poddaszu przy via dei Serpenti i zobaczył, że ona tu jest.

Nie zapytał, skąd się dowiedziała, gdzie mieszka ani o to, jak tu weszła. Sandra podniosła się ze składanego łóżka, na którym siedziała, czekając na niego. Odruchowo ruszył w jej kierunku. A ona, równie odruchowo, go uścisnęła.

Przez długą chwilę stali, obejmując się bez słowa. Marcus nie widział jej twarzy, wdychał tylko zapach jej włosów i chłonął ciepło jej ciała. Sandra oparła głowę na jego piersi, wsłuchując się w bicie jego serca. Poczuł wielki spokój, tak jakby znalazł swoje miejsce w świecie. A ona uświadomiła sobie, że chciała tego od pierwszej chwili, choć aż dotąd nie była skłonna tego przyznać.

Objęli się jeszcze mocniej, być może mając świadomość, że nie mogą posunąć się dalej.

Pierwsza odezwała się Sandra. Ale tylko dlatego, że mieli wspólne zadanie do wykonania.

– Muszę z tobą porozmawiać, mamy mało czasu.

Marcus nie opierał się, ale przez chwilę nie był w stanie patrzeć jej w oczy. Zorientował się jednak, że ona wpatruje się w zdjęcie umocowane do ściany, na którym widać było człowieka z szarą torbą. Mordercę zakonnicy w ogrodach watykańskich. Zanim zdążyła zapytać go o cokolwiek, uprzedził ją pytaniem.

– Jak mnie znalazłaś?

– Spotkałam się dziś w nocy z pewnym człowiekiem. Wie wszystko o tobie, to on mnie tu przysłał. – Sandra oderwała wzrok od fotografii i zaczęła opowiadać, co się wydarzyło w Koloseum.

Trudno mu było uwierzyć w jej słowa. Ktoś wiedział o wszystkim. Nie tylko znał jego adres, ale i cel jego misji.

– Wie o tym, że się znamy – powiedziała Sandra. – I że trzy lata temu pomogłeś mi ustalić, co przydarzyło się mojemu mężowi.

Jak on to robi, że jest tak dobrze poinformowany?

Ów człowiek potwierdził, że Chłopca z soli ochrania pewna sekta. Sandra długo rozwodziła się nad szczegółami jego wyjaśnień, chociaż była przekonana, że nieznajomy ukrył coś przed nią.

– Wygląda na to, że wyjawił mi tylko część tajemnicy, żeby uniknąć informowania mnie o wszystkim. Tak jakby zmuszały go do tego okoliczności...

Tymczasem sprawa była oczywista. Kimkolwiek był, wiedział o wielu rzeczach i potrafił posłużyć się tą wiedzą. Marcus odniósł wrażenie, że odegrał on również jakąś rolę w zwolnieniu go z aresztu.

– Na koniec powiedział, że pomoże mi zatrzymać Potwora z Rzymu.

– W jaki sposób?

– Przysłał mnie do ciebie.

Czyżbym to ja był odpowiedzią? Ja mam być rozwiązaniem problemu? Marcus nie był w stanie w to uwierzyć.

– Powiedział, że tylko ty jesteś w stanie zrozumieć opowieść mordercy.

– Użył właśnie tego słowa? Opowieść?

– Tak. A co?

Morderca opowiadacz, przypomniał sobie Marcus. A więc to prawda: Victor stara się opowiedzieć im pewną historię. Kto wie, do jakiego punktu dotarł. Pomyślał znowu o zdjęciu otrzymanym w domu opieki od gospodyni Agapowów, na którym widać było ojca i bliźniaki. Anatolij Agapow trzymał za rękę syna, a nie Hanę.

– Powiedział, że jeśli połączysz to, co zdołał ustalić Moro, z twoimi odkryciami, dotrzesz do prawdy – ciągnęła tymczasem Sandra.

Do prawdy. Nieznajomy ją znał. Więc dlaczego jej nie wyjawił, żeby zamknąć sprawę? Poza tym skąd mógł wiedzieć, co odkryła policja? A przede wszystkim, jak się dowiedział o jego własnych ustaleniach?

W tym momencie Marcus domyślił się, że Sandra nie wie, jaki los spotkał jej przełożonego. I poczuł się zmuszony przekazać jej tę złą wiadomość.

– Nie – zareagowała z niedowierzaniem. – To niemożliwe. – Usiadła znowu na łóżku i zaczęła wpatrywać się martwym wzrokiem przed siebie. Ceniła zastępcę komendanta; jego śmierć była ogromną stratą dla całej policji. Tacy policjanci jak on pozostawiali ślad swoich działań i byli powołani do tego, aby zmieniać świat.

Marcus nie śmiał jej przeszkadzać. Wreszcie sama go poprosiła, żeby podjął wyjaśnienia.

– Mów dalej – powiedziała tylko.

Nadszedł czas, aby przedstawił jej swoje najnowsze odkrycia. Opowiedział o Hameln, o Kroppie i jego zwolennikach, o człowieku z wilczą głową i o inteligentnym psychopacie. Poinformował ją również, że Potwór z Rzymu nazywa się Victor Agapow, a gdy był małym chłopcem, zabił siostrę bliźniaczkę, Hanę.

– Dlatego nie popełnia teraz zabójstw na tle seksualnym – sprecyzował. – Wybiera pary, ponieważ tylko w ten sposób może przeżyć na nowo tamto doświadczenie z dzieciństwa. Utrzymuje, że nie jest winien śmierci Hany i wyrządza kobietom to, co chciałby zrobić jej.

– Popycha go uraza.

– Owszem, ofiary płci męskiej traktuje inaczej: żadnych cierpień, tylko śmiertelny strzał.

Sandra miała ostatnie informacje o tym, co się tej nocy wydarzyło w Sabaudii – w mieście nie rozmawiano o niczym innym.

– À propos ofiar płci męskiej – powiedziała. – Kiedy czekałam na ciebie, zadzwoniłam do dawnego znajomego karabiniera; w tym momencie nie ma żadnych przecieków z ich jednostki specjalnej. Utrzymują w sekrecie tożsamość ofiary z Sabaudii, a o dziewczynie, która podniosła alarm, nie wiedzą jeszcze nic prócz tego, że mówi ze wschodnim akcentem. W każdym razie mają chyba pewność, że w willi nad morzem był Potwór z Rzymu; w domu znaleziono ślady zgodne z jego DNA.

Marcus zastanawiał się przez chwilę nad tym, co usłyszał.

– Dziewczynie udało się uciec, dlatego morderca nie mógł urządzić swojej inscenizacji. Ale mimo to zależało mu na poinformowaniu, że to jego robota.

– Myślisz, że zostawił te ślady celowo?

– Tak, on się już nie zabezpiecza; to jego podpis.

Sandra zgadzała się z jego rozumowaniem.

– Od wielu dni pobieramy próbki genetyczne od podejrzanych i ludzi, którzy mają na swoim koncie przestępstwa seksualne. Być może on się już domyślił, że mamy jego DNA. Dlatego ma to w nosie.

– Nieznajomy powiedział ci w Koloseum, żebyś poinformowała mnie o wszystkich elementach, jakie miał w ręce Moro.

– Tak – potwierdziła Sandra. Potem rozejrzała się po niemal zupełnie pustym poddaszu. – Masz coś do pisania?

◆ ◆ ◆

Marcus podał jej flamaster. Ten sam, którego używał trzy lata wcześniej, gdy w jego snach odżywały fragmenty utraconej pamięci i zapisywał je na ścianie obok polówki. Te urywkowe wspomnienia składające się z pospiesznych i powykrzywianych napisów pozostawały na ścianie przez długi czas. Potem je usunął, mając nadzieję, że o nich zapomni. Ale tak się nie stało. Miały go nękać przez resztę życia.

Z tego powodu, gdy Sandra zaczęła wypisywać na ścianie poszlaki i dowody, jakie znajdowały się na tablicy w centrum operacyjnym grupy specjalnej, penitencjariusz doznał nieprzyjemnego odczucia, że już gdzieś je widział.

Zabójstwo w lasku koło Ostii

*Przedmioty: plecak, lina wspinaczkowa,
nóż myśliwski, rewolwer Ruger SP101.*

*Odciski palców chłopaka na linie i nożu
pozostawionym w ciele dziewczyny: zabójca kazał mu
przywiązać ją i zadać cios nożem, jeżeli chce uratować
życie.*

Zabija chłopaka, strzelając mu w tył głowy.

*Potem szminkuje dziewczynie usta (żeby ją
sfotografować?).*

Zostawia obok ofiar jakiś przedmiot z soli (laleczkę?).

Zabójstwo agentów Rimonti i Carboniego

Przedmioty: nóż myśliwski, rewolwer Ruger SP101.

*Zabija Stefana Carboniego strzałem
w klatkę piersiową.*

*Strzela do Pii Rimonti, raniąc ją w brzuch.
Potem rozbiera ją do naga. Przykuwa do drzewa
kajdankami, torturuje i morduje nożem myśliwskim.
Nakłada jej makijaż (żeby ją sfotografować?).*

Zabójstwo autostopowiczów

Przedmioty: nóż myśliwski, rewolwer Ruger SP101.

Zabija Bernharda Jägera strzałem z rewolweru w skroń.

Zabija Anabel Meyer kilkoma ciosami noża w brzuch.

Anabel Meyer była w ciąży.

Zakopuje ciała i plecaki ofiar.

Następnie Sandra napisała nieliczne informacje dotyczące ostatniego morderstwa.

Zabójstwo w Sabaudii

Przedmioty: rewolwer Ruger SP101.

Zabija mężczyznę (nazwisko?) strzałem w serce.

*Dziewczyna, która z nim była, zdołała uciec
i podnieść alarm. Nie można jej odnaleźć. Dlaczego?
(Ma wschodni akcent).*

*Morderca świadomie pozostawia swoje biologiczne
ślady na miejscu zbrodni: chce, żeby wiedziano, że to
jego robota.*

Marcus podszedł do listy, oparł ręce na biodrach i zaczął ją analizować. Praktycznie biorąc, wszystko to wiedział. Wielu tych informacji dowiedział się z prasy, do innych doszedł samodzielnie.

– Potwór zaatakował cztery razy, ale elementy obecne w pierwszej napaści wydają się ważniejsze od pozostałych.

Dlatego posłużymy się tylko nimi, żeby spróbować się domyślić, co nas jeszcze czeka.

Właśnie wśród nich znajdowało się coś, o czym penitencjariusz nie wiedział.

– Pod koniec listy dotyczącej napaści pod Ostią napisałaś: „Po zabiciu obojga zmienia ubranie". Co to znaczy?

– W ten właśnie sposób ustaliliśmy jego DNA – odparła Sandra z odcieniem dumy. Była to jej zasługa.

Opowiedziała Marcusowi o matce Giorgia Montefioriego, pierwszej ofiary. Kobieta uparcie żądała zwrotu osobistych rzeczy syna. Gdy je otrzymała, wróciła do komendy, twierdząc, że koszula, którą jej wydano, nie należy do Giorgia, ponieważ nie ma na niej jego wyhaftowanych inicjałów. Nikt nie chciał jej wysłuchać, zrobiła to z litości tylko Sandra. I okazało się, że kobieta miała rację.

– Dzięki temu łatwo było się domyślić, co się tam wydarzyło: morderca najpierw zmusił Giorgia, żeby zasztyletował Dianę Delgaudio, potem zabił go strzałem w tył głowy, a wreszcie zmienił ubranie. Żeby się przebrać, położył swoje ciuchy na tylnym siedzeniu samochodu, gdzie leżały już ubrania obojga młodych, którzy rozebrali się przed stosunkiem. Odchodząc stamtąd, pomylił koszule i pozostawił swoją w samochodzie.

Marcus zaczął się zastanawiać nad przebiegiem wypadków. Chodziło mu po głowie, że coś tu się nie zgadza.

– Dlaczego to zrobił? W jakim celu miałby się przebierać?

– Być może podejrzewał, że ubrudził się krwią tych dwojga młodych, i nie chciał obudzić podejrzeń, w przypadku gdyby ktoś go zatrzymał na drodze, na przykład jakiś patrol w celu rutynowego sprawdzenia dokumentów. Jeśli dopiero co zamordowałeś dwie osoby, to lepiej nie ryzykować, prawda?

Marcus nie mógł pozbyć się wątpliwości.

– Zmusza chłopca do zasztyletowania partnerki, potem rezerwuje dla niego coś w rodzaju egzekucji, stając za jego plecami, żeby mu strzelić w tył głowy; stara się stale pozostawać w pewnej odległości od krwi... W takim razie po co miałby się przebierać?

– Zapominasz, że później zabawiał się we wnętrzu samochodu nakładaniem makijażu na twarz Diany. Mam na myśli szminkę, nie pamiętasz? Żeby pomalować jej usta, za bardzo zbliżył się do rany w jej mostku.

Sandra mogła mieć słuszność, być może zmiana ubrania była tylko środkiem zachowania ostrożności, choćby nawet lekko przesadnym.

– W każdym razie w zabójstwie pod Ostią brakuje jednego szczegółu – powiedział Marcus. – Mam na myśli to, że gdy Diana wyszła na krótko ze śpiączki, napisała: *Oni*.

– Lekarze powiedzieli, że chodziło tu o coś w rodzaju odruchu bezwarunkowego i że słowo to wydostało się przypadkowo z jej pamięci jednocześnie z wykonaniem gestu pisania. Poza tym wiemy na pewno, że zabójcą jest Victor Agapow. Naprawdę myślisz, że to słowo ma jakieś znaczenie?

Z początku Marcus uważał, że nie.

– Wiemy, że w tę historię zamieszana jest sekta. A jeśli pokazał się tam któryś z jej członków? Może nawet ktoś, kto potajemnie śledził Potwora?

Nie bardzo wierzył słowom Fernanda: fałszywy kaleka powiedział mu, że gdy Victor wyszedł z Ośrodka Hameln, kontakt z nim urwał się całkowicie.

– W takim razie po jakie licho Astolfi miałby już następnego dnia usuwać figurkę z soli z miejsca zbrodni? Jeśli rzeczywiście tamtej nocy był tam ktoś z sekty, on by to zrobił.

To także było prawdą. Ale zarówno zmiana ubrania, jak i słowo *Oni*, przypominały fałszywe nuty wmieszane w harmonijną resztę.

◆ ◆ ◆

– I co teraz robimy? – spytała Sandra.

Marcus odwrócił się do niej. Wciąż jeszcze czuł zapach jej

włosów. Przeszedł go dreszcz, ale nie dał tego po sobie poznać. Jakby nigdy nic wrócił do śledztwa.

– Będziesz musiała znaleźć dziewczynę z Sabaudii, zanim zrobią to karabinierzy i policja. Jest nam potrzebna.

– Jak mam to zrobić? Nie widzę żadnego sposobu.

– Ma wschodni akcent i jest nieuchwytna… Dlaczego?

– Potwór już mógł ją dopaść i zabić, nie wiemy tego. Ale co ma do rzeczy jej akcent?

– Przyjmijmy, że dziewczyna żyje i zwyczajnie boi się sił porządkowych; może ma coś na sumieniu.

– Przestępczyni?

– Tak naprawdę miałem na myśli to, że może być prostytutką. – Marcus zamilkł na chwilę. – Wejdź w jej położenie: udało jej się uniknąć śmierci, podniosła alarm, więc jest zdania, że spełniła swój obowiązek. Ma odłożone pieniądze i jest cudzoziemką; w każdej chwili może wyjechać, nic nie przemawia za tym, żeby pozostała we Włoszech.

– Głównym powodem może być fakt, że widziała z bliska twarz Potwora, a on wie, że w okolicy jest ktoś, kto może go rozpoznać – zgodziła się Sandra.

– Albo ona o niczym nie wie, nic nie widziała i po prostu ukrywa się w oczekiwaniu, że sprawa trochę przycichnie.

– Tak. Tyle że karabinierzy i policjanci też dojdą do podobnych wniosków – zauważyła.

– Ale oni będą jej szukać, inwigilując jej środowisko z zewnątrz. My mamy kogoś w środku…

– Kogo?

– Cosma Barditiego. – Za sprawą książeczki z baśnią ten facet podsunął mu trop Chłopca z soli. Ale przede wszystkim Cosmo prowadził lokal SX z widowiskami o charakterze sadomasochistycznym.

– Jak może nam pomóc ktoś, kto nie żyje? – spytała Sandra.

– Jego żona – rzucił Marcus, mając na myśli kobietę, której dał pieniądze, żeby natychmiast wyjechała z Rzymu razem ze swoją dwuletnią córeczką. Teraz miał nadzieję, że nie skorzystała z jego rady. – Będziesz musiała udać się do niej, powiedzieć, że przysyła cię znajomy Cosma, ten sam, który powiedział jej, żeby zniknęła. Tylko ja i ona znamy tę sprawę, więc ci uwierzy.

– Dlaczego nie chcesz pojechać do niej razem ze mną?

– Mamy dwa problemy, którymi powinniśmy się zająć. Jeden dotyczy tajemniczego gościa z Koloseum; powinniśmy się domyślić, kto to jest i dlaczego postanowił nam pomóc. Obawiam się, że on nie robi tego bezinteresownie.

– A drugi problem?

– Żeby go rozwiązać, będę musiał złożyć pewną wizytę, którą aż dotąd odkładałem.

5

Brama siedemnastowiecznego pałacu była tylko przymknięta.

Marcus popchnął jej skrzydło i znalazł się w sporym atrium z ukrytym ogrodem. Były tu drzewa i fontanny z kamiennymi posągami nimf zrywających kwiaty. Wokół otwartej przestrzeni wznosił się okazały budynek, z miejscem widokowym otoczonym doryckimi kolumnami.

Był równie urokliwy jak inne rzymskie pałace, z pewnością sławniejsze i bardziej wystawne, na przykład pałac Ruspoli czy Doria Pamphilj przy via del Corso.

Po lewej stronie znajdowały się ogromne marmurowe schody prowadzące na wyższe piętra. Marcus ruszył na górę.

Przekroczył próg salonu z freskami na ścianach. Wnętrze zapełniały historyczne meble i arrasy. Unosił się w nim lekki zapach starego domu, wysuszonego drewna, obrazów olejnych i kadzidła. Był to zapach przyjemny, przywodzący na myśl historię i przeszłość.

Penitencjariusz ruszył dalej; przechodził przez pokoje podobne do pierwszego, połączone ze sobą bez żadnego korytarza, który by je oddzielał. Wydawało mu się, że ciągle wchodzi do tego samego pomieszczenia.

Przyglądały mu się postacie z obrazów na ścianach, osoby, których imion nikt już nie pamiętał – damy, arystokraci, rycerze. Miał wrażenie, że ich pozornie nieruchome oczy podążają za nim.

Gdzie oni są teraz, zadał sobie pytanie. Co po nich pozostało? Być może tylko te obrazy, te oblicza, którym usłużni artyści przydali wdzięku, rozmijając się nieco z prawdą. Sądzili, że dzięki tym obrazom pamięć o nich przetrwa długie lata, a w rzeczywistości zamienili się w przedmioty należące do wyposażenia, niczym pierwszy lepszy bibelot.

Podczas gdy snuł te rozważania, usłyszał dźwięk, który zdawał się zwracać wprost do niego. Był niski i przeciągły. Ciągle ten sam odgłos, powtarzany w nieskończoność. Niczym zakodowana wiadomość. Albo zaproszenie. Tak jakby proponował, że będzie jego przewodnikiem.

Marcus ruszył dalej, kierując się jego brzmieniem.

W miarę posuwania się do przodu odnosił wrażenie, że dźwięk staje się coraz wyraźniejszy, znak, że przybliżał się do jego źródła. Dotarł do półprzymkniętych drzwi. Dźwięk dochodził spoza nich. Marcus przekroczył próg.

◆ ◆ ◆

Zobaczył przestronny pokój z wielkim łożem pod baldachimem. Otaczające je aksamitne zasłony były zaciągnięte i nie pozwalały dojrzeć, kto w nim leży. Ale rozstawione wokół nowoczesne urządzenia pozwalały domyślić się wielu rzeczy.

Znajdowała się tu aparatura służąca kontroli pracy serca, i to ona wytwarzała ów dźwięk, który posłużył mu za przewodnika. Monitor funkcji życiowych. Była też butla z tlenem, od której szła rurka ginąca pod zasłoną łóżka.

Marcus podszedł powoli i dopiero w tym momencie zauważył postać rozwaloną niedbale w fotelu stojącym w rogu pokoju. Poczuł się niepewnie, rozpoznając w niej rudowłosą Olgę. Siedziała jednak bez ruchu, z zamkniętymi oczami.

Dopiero gdy do niej podszedł, zdał sobie sprawę, że kobieta nie śpi. Miała ręce złożone na kolanach i ciągle trzymała w nich strzykawkę, z której najprawdopodobniej coś sobie wstrzyknęła. Ślad po igle znajdował się dokładnie u podstawy szyi.

Marcus uniósł jej powieki, żeby sprawdzić, czy rzeczywiście nie żyje. Dopiero gdy się upewnił co do tego, odwrócił się w stronę łóżka.

Podszedłszy bliżej, uchylił jedną z aksamitnych zasłon, pewien, że znajdzie tam następnego trupa.

Zobaczył jednak mężczyznę o bladej cerze i bardzo rzadkich, zmierzwionych jasnych włosach. Miał wielkie oczy, a połowę twarzy zakrywała maska tlenowa. Pod nakryciem unosiła się i opadała powoli klatka piersiowa. Jego ciało wydawało się skarlałe, jakby za sprawą złośliwego uroku, niczym w jakiejś baśni.

Profesor Kropp zwrócił w jego stronę zmęczone oczy. I uśmiechnął się. A potem uniósł z trudem kościstą rękę i zdjął maskę z twarzy.

– W ostatniej chwili – szepnął.

Marcus nie odczuwał cienia litości dla tego skrajnie wycieńczonego człowieka.

– Gdzie jest Victor? – spytał ostrym tonem.

Kropp poruszył lekko głową.

– Nie znajdziesz go. Nawet ja nie wiem, gdzie jest. A jeżeli mi nie wierzysz, to musisz mieć świadomość, że w stanie, w jakim się znajduję, tortury i groźby nie mają już żadnego zastosowania.

Marcus poczuł, że znalazł się w ślepym zaułku.

– Nie zrozumiałeś Victora, nikt go nie zrozumiał – ciągnął starzec, wymawiając bardzo powoli kolejne słowa. – Zazwyczaj to nie my zajmujemy się osobiście zabijaniem zwierząt, które jemy, prawda? Ale gdyby popchnął nas do tego głód, zaczniemy to robić. Będziemy też gotowi żywić się ludzkimi zwłokami, jeśli będzie od tego zależało, czy przeżyjemy. W ekstremalnych warunkach robimy rzeczy, których inaczej byśmy nie robili. Tak więc niektórzy zabijają nie dlatego, że dokonali takiego wyboru, lecz dlatego, że muszą to robić.

Mają w sobie coś, co pcha ich do popełniania takich czynów. Jedynym sposobem, jakim dysponują, żeby się uwolnić od tego nieznośnego nakazu, jest poddanie się mu.

– Próbujesz usprawiedliwić mordercę.

– Usprawiedliwić? Co to słowo znaczy? Ślepy od urodzenia nie wie, co to znaczy widzieć, dlatego w rzeczywistości nie zdaje sobie nawet sprawy, że jest ślepy. Podobnie człowiek nieznający dobra nie wie, że jest złoczyńcą.

Marcus pochylił się nad nim, żeby mówić mu wprost do ucha.

– Oszczędź mi tego ostatniego kazania, niebawem twój demon zabierze cię do piekła.

Staruszek przekręcił się na poduszce i spojrzał na niego ostro.

– Tak tylko mówisz, ale w gruncie rzeczy myślisz całkiem inaczej.

Marcus cofnął się.

– Nie wierzysz w diabła ani w piekło, prawda? – dodał Kropp.

Penitencjariusz musiał z przykrością przyznać, że istotnie, ten człowiek się nie myli.

– Jakim sposobem możesz pozwolić sobie na dokończenie życia w takim miejscu jak to? W całym tym zbytku?

– Jesteś całkiem jak ci biedni głupcy, którzy przez całe życie zadają sobie niewłaściwe pytania. I oczekują odpowiedzi, które właśnie dlatego nigdy nie nadejdą.

– Wytłumacz to jaśniej, jestem ciekaw... – zachęcił go Marcus.

– Uważasz, że to, co robimy, jest dziełem tylko paru osób. Że stoję za tym tylko ja, Astolfi, Olga, która siedzi tam na fotelu, Fernando i Giovanni. Tymczasem my stanowimy tylko część całości. Dostarczyliśmy tylko przykładu. Po naszej stronie stoją inni, choć pozostają w cieniu, ponieważ nikt by ich nie zrozumiał, ale żyją, inspirując się naszym przykładem. Podtrzymują nas i modlą się za nas.

Wzmianka o bluźnierczych modlitwach przeraziła penitencjariusza.

– Arystokraci, którzy mieszkali w tym pałacu, byli po naszej stronie już w czasach starożytnych.

– Jakich znowu starożytnych?

– Uważasz, że wszystko sprowadza się do teraźniejszości? W ostatnich latach naznaczyliśmy naszym symbolem najbardziej krwawe wydarzenia, żeby ludzie zrozumieli i ocknęli się z odrętwienia.

– Mówisz o człowieku z wilczą głową. – Marcus przypomniał sobie przypadki, o których nieznajomy z Koloseum opowiadał Sandrze: opiekunkę do dzieci, pedofila, ojca rodziny, który wymordował swoich najbliższych...

– Nawracanie ludzi nie wystarcza. Trzeba wysyłać sygnały, które wszyscy mogą zrozumieć. Jak w baśniach: w nich jest zawsze potrzebna obecność kogoś niegodziwego.

– I to był powód istnienia Ośrodka Hameln: wychowywać dzieci, które jako osoby dorosłe zamienią się w ludzkie bestie.

– Kiedy zjawił się Victor, pojąłem, że on jest tym właściwym. Obdarzyłem go całym moim zaufaniem i mnie nie zawiódł. Gdy dokończy już opowiadać swoją historię, ty także zrozumiesz i zaniemówisz z wrażenia.

Słuchając tych majaczeń, Marcus poczuł nagłe przygnębienie. *Zrozumiesz i zaniemówisz z wrażenia.* Wydało mu się, że brzmi to jak proroctwo.

– Kim jesteś? – spytał starzec.

– Kiedyś byłem księdzem, teraz sam już nie wiem – odparł szczerze Marcus. Nie należy mieć sekretów przed umierającym.

Kropp zaczął się śmiać, ale jego śmiech prędko zamienił się w napad kaszlu. Po chwili doszedł do siebie.

– Chciałbym ci coś przekazać...

– Niczego od ciebie nie chcę.

Kropp zignorował jego słowa i z wysiłkiem, który wydawał się nie do zniesienia, wyciągnął rękę w kierunku szafki nocnej. Wziął w palce złożoną kartkę i podał ją Marcusowi.

– Zrozumiesz i zaniemówisz z wrażenia – powtórzył.

Marcus przyjął ją z ociąganiem i rozłożył.

Była to mapka.

Mały plan Rzymu z zaznaczonym na czerwono szlakiem, który rozpoczynał się od via del Mancino i dochodził aż do piazza di Spagna, do podnóża słynnych schodów prowadzących do kościoła Trinità dei Monti.

– Co to jest?

– Finał twojej baśni o chłopcu bez imienia. – Kropp nasunął sobie na usta maskę tlenową i zamknął oczy.

Jeszcze przez chwilę Marcus przyglądał się jego piersi, która podnosiła się i opadała w rytm oddychania. Wreszcie doszedł do wniosku, że ma tego dość.

Ten starzec wkrótce powinien umrzeć. Sam, jak na to zasługiwał. Nikt nie był w stanie go uratować, nawet on sam za sprawą najszczerszej skruchy. A penitencjariusz z pewnością nie miał najmniejszej ochoty, żeby przebaczyć mu jego grzechy i udzielić ostatniego błogosławieństwa.

Odszedł więc od tego łoża śmierci z zamiarem porzucenia na zawsze tego domu. W jego głowie tkwiła ciągle scena ze starej pożółkłej fotografii.

Ojciec ze swoimi dziećmi bliźniętami. Anatolij Agapow, który trzymał za rękę nie Hanę, ale Victora.

Dlaczego, skoro gospodyni twierdziła, że ten człowiek bardziej kochał córkę?

Nadszedł moment, żeby udać się tam, gdzie to wszystko się zaczęło. Czekała na niego willa Agapowów.

6

Od co najmniej dwóch godzin wpatrywała się w telefon na stole.

Robiła to często jako nastolatka, modląc się, żeby zadzwonił do niej chłopak, który jej się podobał. Koncentrowała się ze wszystkich sił, ufając w moc swego spojrzenia i mając nadzieję, że to telepatyczne wezwanie skłoni przedmiot jej miłości do podniesienia słuchawki i wybrania jej numeru.

Ale to nie działało. Sandra nadal w to jednak wierzyła, choć obecnie z innego powodu.

– Zadzwoń, no, rusz się, zadzwoń…

Siedziała w biurze Cosma Barditiego w SX. Postąpiła według instrukcji penitencjariusza i udała się do mieszkania żony tego człowieka. Kobieta szykowała się do wyjazdu, właśnie miała wyruszyć z córeczką na lotnisko. Sandra złapała ją w ostatniej chwili.

Nie powiedziała jej, że jest policjantką, ale przedstawiła się tak, jak sugerował Marcus. Z początku żona Barditiego nie miała ochoty na rozmowę, chciała na zawsze skończyć z tą sprawą. Można też było wyczuć, że boi się o córkę. Gdy jednak Sandra powiedziała jej, że inna kobieta, być może prostytutka, jest w niebezpieczeństwie, odniosła się do sprawy bardziej przychylnie.

Sandra domyśliła się czegoś, czego prawdopodobnie nie

369

uchwycił penitencjariusz: również żona Barditiego musiała mieć trudną przeszłość. Być może prowadziła życie, z którego nie była dumna i które pozostawiła za sobą, ale mimo to nie zapomniała, co znaczy odczuwać potrzebę pomocy i nie móc znaleźć nikogo, kto byłby gotów jej udzielić. Tak więc sięgnęła po notes męża i zaczęła dzwonić do wszystkich jego kontaktów. Za każdym razem mówiła rozmówcom to samo: jeśli ktoś zna dziewczynę, cudzoziemkę zamieszaną w zabójstwo w Sabaudii, niech oddzwoni i prześle prostą wiadomość.

Jest parę osób, które szukają dziewczyny i mogą jej pomóc w sposób absolutnie nienaruszający prawa.

Kobieta nie mogła zrobić dla Sandry nic więcej. Zaraz potem przeniosły się do SX, ponieważ podały numer telefonu tego miejsca, które nadawało się doskonale nawet na ewentualne spotkanie.

Teraz Sandra czekała przed milczącym telefonem.

Oczywiście żona Barditiego chciała jej tam towarzyszyć i powierzyła córeczkę sąsiadce. Po śmierci męża nie postawiła więcej nogi w tym lokalu, który od tamtej pory pozostawał zamknięty.

Gdy tylko weszły do biura Barditiego, powitał je zatęchły zapach i kobieta zauważyła z przerażeniem, że na stole i podłodze widać ciągle ogromne ciemne plamy, już zaschnięte: krew i strzępy ciała mężczyzny, które rozprysnęły się po strzale z pistoletu w głowę. Jego śmierć natychmiast uznano za samobójstwo, toteż policyjni technicy wykonali tylko rutynowe czynności i widać było ciągle pozostałości chemicznych odczynników. Ciało zostało zabrane, ale nikt tu nie posprzątał. Istniały wprawdzie firmy wyspecjalizowane w tego rodzaju pracach, które za pomocą specjalnych środków usuwały wszelkie ślady mogące przypominać, że w tym miejscu wydarzyło się coś krwawego. Sandra była zawsze zdania, że krewni zmarłego powinni być informowani o możliwości powierzenia tego zadania osobom trzecim, ponieważ nie są w stanie pomyśleć o tym sami. Po pierwsze, dlatego, że znajdują się w szoku, a po drugie, w takich przypadkach przyjmuje się zawsze za pewnik, że ktoś inny spełni ten niewdzięczny obowiązek.

Podczas gdy Sandra siedziała, wpatrując się w telefon, żona zamordowanego postanowiła wyczyścić wszystko, używając wody, szmaty i najzwyklejszego detergentu do podłóg. Sandra zwróciła jej uwagę, że tego rodzaju plamy nie znikną tak łatwo i że trzeba użyć czegoś dużo mocniejszego. Kobieta odpowiedziała jej, że tak czy owak spróbuje. Zszokowana zabrała się do wycierania plam, i robiła to bez wytchnienia.

Jest za młoda, żeby zostać wdową, powiedziała sobie Sandra. I natychmiast pomyślała o sobie, o tym, że w dwudziestym szóstym roku życia musiała pogodzić się ze śmiercią Davida. W obliczu tego rodzaju straty każdy ma prawo do własnej dozy szaleństwa. Na przykład ona postanowiła zatrzymać czas. Nie przestawiła niczego w domu i wręcz otoczyła się rzeczami męża, którymi najbardziej pogardzała, gdy był przy życiu. Takimi jak papierosy z anyżem i najtańszy płyn po goleniu. Bała się, że zapomni tych zapachów. Nie mogła znieść myśli, że z jej życia zniknie wszelki ślad mężczyzny, którego kochała, choćby nawet były to najmniej znaczące szczegóły, kojarzące się z najbardziej nieznośnymi z jego przyzwyczajeń.

A teraz współczuła tej dziewczynie. Gdyby nie przedstawiła się jej tak, jak jej nakazał Marcus, gdyby nie wykonała co do joty instrukcji otrzymanych od penitencjariusza, nie przyszłyby tutaj, do tego biura. A ta kobieta o tej porze byłaby na lotnisku, gotowa wyjechać i rozpocząć wszystko od nowa. Nie pochylałaby się nad podłogą, żeby usunąć z niej to, co pozostało z człowieka, którego kochała.

W tym momencie zadzwonił telefon.

Kobieta przerwała czyszczenie i spojrzała na Sandrę, a ta natychmiast podniosła słuchawkę.

– Kim jesteś, do kurwy nędzy? – rozległ się żeński głos, nim zdążyła coś powiedzieć.

To była ona. Prostytutka, której szukała, rozpoznała ją po wschodnim akcencie.

– Chcę ci pomóc.

– Chcesz mi pomóc i stawiasz na nogi wszystkie burdele i alfonsów, żeby mnie znaleźć? Chyba się domyślasz, idiotko, przed kim staram się ukryć?

Udaje, że jest twarda, ale umiera ze strachu, zauważyła Sandra.

– Uspokój się, posłuchaj mnie i staraj się zachować rozsądek. – Musiała okazać się silniejsza; był to jedyny sposób, żeby zdobyć jej zaufanie. – Jeżeli mnie wystarczyły dwie godziny i parę telefonów, żeby cię znaleźć, to jak myślisz, ile będzie potrzebował zabójca? Chcę ci powiedzieć jedną rzecz, o której być może nie pomyślałaś: to jest zbrodniarz, ma z pewnością kontakty w środowisku, dlatego nie można wykluczyć, że ktoś już mu pomaga, nie znając nawet jego zamiarów.

Przez chwilę dziewczyna się nie odzywała. Dobry znak, pomyślała Sandra.

– Jesteś kobietą, chyba mogę uwierzyć w to, co mi mówisz... – Brzmiało to jak konstatacja, ale również jak prośba.

Sandra zrozumiała, dlaczego Marcus jej powierzył to zadanie: Potwór z Rzymu był mężczyzną i to przede wszystkim osoby płci męskiej zdolne są do popełniania okrutnych i bestialskich czynów. Dlatego łatwiej zaufać kobiecie.

– Tak, możesz mi wierzyć – zapewniła ją.

Po drugiej stronie znowu zapadło milczenie, trochę dłuższe.

– Dobrze – powiedziała w końcu dziewczyna. – Gdzie się spotkamy?

◆ ◆ ◆

Dotarła do lokalu godzinę później. Na ramionach miała plecak ze swoimi rzeczami. Ubrana była w czerwone adidasy, luźne szare spodnie od dresu i niebieską bluzę z kapturem, a na niej skórzaną męską kurtkę lotniczą. Specjalnie włożyła te rzeczy, pomyślała Sandra. Była piękną młodą kobietą w wieku około trzydziestu pięciu lat, może nawet trochę starszą, z tych, które nie pozostają niezauważone. Ale nie chciała zwracać na siebie uwagi, ubrała się w przypadkowe rzeczy. Mimo to nie zrezygnowała z makijażu, tak jakby jej kobiecość przeważyła przynajmniej w tej sprawie.

Usiadły w jednej z wnęk przestronnego salonu SX. Żona Barditiego wyszła i zostawiła je same. Nie chciała mieć więcej do czynienia z tą sprawą i Sandra jej za to nie potępiała.

– To było okropne. – Dziewczyna opowiadała, co wydarzyło się poprzedniej nocy, a jednocześnie obgryzała paznokcie, nie zwracając uwagi na to, że niszczy pokrywający je czerwony lakier. – Nawet nie wiem, jak mi się udało ujść z tego z życiem.

– Z kim się tam spotkałaś? – spytała Sandra, ponieważ tożsamość ofiary była ciągle utajniona i żaden dziennik telewizyjny nie wymieniał nazwiska mężczyzny.

Dziewczyna wbiła w nią twarde spojrzenie.

– Czy to ważne? Nie pamiętam jego imienia, a gdybym nawet pamiętała, nie byłabym pewna, czy jest prawdziwe. Myślisz, że mężczyźni są szczerzy w stosunku do takich jak ja? Szczególnie żonaci lub ci, którzy mają jakąś kobietę, a on wywarł na mnie takie właśnie wrażenie.

Rzeczywiście, w tej chwili imię nie miało najmniejszego znaczenia.

– Dobra, mów dalej.

– Kiedy zawiózł mnie do tej willi, spytałam, czy mogę iść do łazienki, żeby się przygotować. Zawsze to robię, to takie przyzwyczajenie, ale myślę, że dzięki temu się uratowałam. Kiedy się tam zamknęłam, zdarzyło się coś dziwnego... Zobaczyłam w szparze pod drzwiami jakieś błyski. Domyśliłam się z miejsca, że to aparat fotograficzny, ale przyszło mi do głowy, że mój klient wymyślił jakiś żarcik. Zdarzają mi się tego rodzaju faceci, ale jestem w stanie zaakceptować taką perwersję jak robienie zdjęć.

Sandra pomyślała o Potworze i o tym, że fotografuje swoje ofiary.

– Oczywiście poprosiłabym go o dodatkową zapłatę. Nie miałam nic przeciwko temu i już zamierzałam wyjść z łazienki, kiedy usłyszałam strzał.

Młoda kobieta nie była w stanie kontynuować opowiadania, wspomnienie tego przeżycia ciągle ją przerażało.

– I co było dalej? – zachęciła ją Sandra.

– Zgasiłam światło i skuliłam się koło drzwi, mając nadzieję, że się nie zorientuje, że tam jestem. Usłyszałam, że chodzi po mieszkaniu: szukał mnie. Prędzej czy później by mnie znalazł, więc musiałam szybko coś wymyślić. W łazience było okno, ale małe, nie mogłam się przez nie przecisnąć. Poza tym nie miałabym odwagi skoczyć, mogłam złamać sobie nogę albo w nim po prostu utknąć. Więc gdyby mnie dopadł... – Urwała na chwilę i spuściła wzrok. – Nie wiem, jak znalazłam w sobie tyle odwagi. Zebrałam moje rzeczy, bo gdybym uciekła nago, nie dotarłabym daleko przy tej temperaturze na dworze. – Znowu zamilkła i dodała po chwili: – To nie do wiary, jak działa mózg, kiedy człowiek jest w niebezpieczeństwie.

Odbiegała od tematu, ale Sandra nie chciała jej przerywać.

– Otworzyłam drzwi łazienki, w mieszkaniu było ciemno. Zaczęłam chodzić po domu, starając się przypomnieć sobie, jak rozłożone są pomieszczenia. W głębi korytarza zobaczyłam światło latarki, które omiatało jeden z pokojów. On był w środku. Gdyby wyszedł, na pewno by mnie zobaczył. Miałam kilka sekund na dotarcie do schodów, które znajdowały się w połowie drogi między mną i nim. Ale nie mogłam się zdecydować, wydawało mi się, że każdy mój ruch wywołuje mnóstwo hałasu, który on mógłby usłyszeć. – Umilkła znowu. – W końcu podeszłam jednak do schodów i ruszyłam powoli po stopniach w dół, podczas gdy z piętra dochodziły głośne dźwięki; nie mógł mnie znaleźć i musiało go to mocno zdenerwować.

– Nic nie mówił? Szukając cię, nie wrzeszczał ani nie przeklinał?

Dziewczyna pokręciła głową.

– Milczał przez cały czas i to napełniało mnie jeszcze większym strachem. Potem zobaczyłam drzwi wejściowe, zamknięte od wewnątrz, a w zamku nie było klucza. Chciało mi się płakać, już miałam się poddać. Na szczęście znalazłam dość siły, żeby poszukać innego wyjścia... Tymczasem on schodził na dół, słyszałam jego kroki. Otworzyłam jakieś okno i wyskoczyłam, nie wiedząc, co mnie czeka na dole. Ale nic tam nie było i wylądowałam na czymś miękkim. Okazało się, że to piasek. Potem zaczęłam się ześlizgiwać po zboczu, nie mogąc się zatrzymać, aż do plaży. Upadłam na plecy i poczułam ostry ból, nie byłam w stanie złapać oddechu. Kiedy otworzyłam oczy, zobaczyłam księżyc w pełni. Zapomniałam o bólu. Było tak jasno, że stałam się łatwym celem. Spojrzałam w okno, przez które uciekłam, i zobaczyłam cień... – Dziewczyna skuliła się, unosząc ramiona. – Nie mogłam dostrzec jego twarzy, ale on mnie widział. Wpatrywał się we mnie. Bez najmniejszego poruszenia. A potem strzelił.

– Strzelił? – spytała Sandra.

– Tak, tylko że spudłował o metr, może mniej. Zerwałam się na nogi i puściłam się biegiem. Zapadałam się w piasku, coraz bardziej zdesperowana. Byłam pewna, że mnie trafi, że w każdej chwili poczuję w plecach piekące ukłucie, nie wiem dlaczego, ale tak to sobie wyobraziłam.

– A on strzelał nadal?

– Doliczyłam się jeszcze trzech strzałów, a potem już nic. Pewnie zszedł na dół, żeby rozejrzeć się za mną, ale ja wdrapałam się po zboczu i dotarłam do drogi. Schowałam się za kontenerem na śmieci i zaczekałam, aż się rozwidni. Były to najgorsze godziny mojego życia.

Sandra pokiwała ze zrozumieniem głową.

– I co się stało potem?

– Zatrzymałam jakąś ciężarówkę i poprosiłam kierowcę o podwiezienie. Później zadzwoniłam ze stacji benzynowej pod numer alarmowy, żeby zawiadomić policję o tym, co się wydarzyło. W końcu wróciłam do domu, mając nadzieję, że ten sukinsyn nie wie, gdzie mieszkam. Bo i jak mógł się dowiedzieć? Torebkę z dokumentami miałam przez cały czas przy sobie; faceta, który chciał się ze mną przespać, widziałam po raz pierwszy w życiu, no i nigdy nie byłam w tamtym domu.

Sandra próbowała ocenić jej opowieść. Dziewczyna miała szczęście, pomyślała.

– Nie powiedziałaś mi, jak masz na imię.

– Wolę ci go nie podawać. To jakiś problem?

– Powiedz mi przynajmniej, jak mam się do ciebie zwracać.

– Mina, możesz mi mówić Mina.

Być może używała tego imienia w kontaktach ze swoimi klientami.

– Ja wolę ci jednak powiedzieć, kim jestem: nazywam się Sandra Vega i jestem policjantką.

Usłyszawszy to, dziewczyna skoczyła na równe nogi.

– Idź do diabła! Powiedziałaś mi przez telefon, że nie będzie żadnej policji!

– Wiem, uspokój się. Nie jestem tu służbowo.

Chwyciła swój plecaczek, gotowa do wyjścia.

– Nabierasz mnie? Co to ma za znaczenie, czy jesteś służbowo, czy nie! Jesteś gliną, kropka.

– Tak, ale jestem z tobą szczera, mogłam ci przecież nic nie mówić. Posłuchaj mnie. Pracuję z kimś, kto nie jest policjantem i z kim powinnaś porozmawiać.

– Co to za jeden? – spytała z podejrzliwą i wściekłą miną.

– Zna ważnych ludzi w Watykanie, mógłby ci pomóc zniknąć na jakiś czas, ale będziesz musiała nam pomóc.

Mina wyglądała, jakby ją zatkało. W gruncie rzeczy nie miała wyboru, była przestraszona i nie wiedziała, dokąd się udać. Usiadła z powrotem. W całym tym podnieceniu uniósł się rękaw jej skórzanej kurtki, razem z rękawem bluzy.

Sandra zauważyła, że na lewym nadgarstku ma bliznę, która mogła świadczyć o tym, że w przeszłości próbowała samobójstwa.

Tamta zauważyła jej spojrzenie i naciągnęła oba rękawy.

– Zazwyczaj zakrywam ją bransoletką, dzięki czemu klienci jej nie zauważają – usprawiedliwiła się. Ton jej głosu posmutniał. – Miałam zbyt wiele przejść w życiu... Powiedziałaś, że możesz mi pomóc, dlatego proszę cię, pozwól mi wyjść z tego koszmaru.

– Zgoda. A teraz idziemy. Zawiozę cię do mojego mieszkania, tam będziesz bezpieczniejsza – powiedziała Sandra, biorąc od niej plecak.

7

Dom Agapowów stał w odizolowanym miejscu, w którym nic się nie zmieniło od stuleci.

Otaczające go wiejskie tereny musiały wyglądać tak samo pod koniec osiemnastego wieku, w epoce, w której wzniesiono willę, kiedy to w okolicznych lasach czyhały różne niebezpieczeństwa. Mniej przezorni podróżni wpadali w pułapki rozbójników, którzy ich okradali, a potem mordowali bez litości, żeby nie pozostawiać świadków. Ciała grzebano w zbiorowych mogiłach, by po obrabowanych zaginął wszelki ślad. Legendy głosiły, że w tamtych czasach przy pełni księżyca można było dostrzec w oddali ognie zapalane przez wiedźmy, których nigdy nie brakowało w Rzymie i wokół niego. A w mrocznych czasach średniowiecza palono je na tym samym ogniu, przy którym oddawały cześć swoim demonom.

Dotarcie na miejsce zajęło Marcusowi przeszło godzinę. Było parę minut po siódmej wieczorem, ale księżyc, z pewnością ciut mniejszy niż poprzedniej nocy, rozpoczął już wędrówkę w kierunku najwyższego miejsca na rozgwieżdżonym niebie.

Oglądany z zewnątrz, dom wydawał się ogromny, tak jak mu go opisała gospodyni, która pracowała w nim przez sześć lat. Mimo wszystko staruszka z domu opieki nie przygotowała go na to, co wywierało największe wrażenie.

Oglądany z daleka, dom wyglądał jak kościół.

Marcusowi przyszło na myśl, że w długim okresie jego istnienia wielu ludzi mogło go pomylić z sakralną budowlą. Być może z woli zleceniodawcy lub za sprawą ekscentrycznego projektanta, fasada utrzymana była w stylu gotyckim i wyróżniała się małymi wieżyczkami, które zdawały się wznosić do nieba. Szary kamień, jakim obłożono dom, odbijał księżycowe światło, tworząc upiorne cienie pod sinawymi gzymsami i odblaskami na szybach, zdobnych niczym w katedrze.

Na głównej bramie wisiał dobrze widoczny wielki afisz agencji nieruchomości z napisem „Na sprzedaż". Pod nim można było jednak zauważyć ślady pozostawione przez wcześniejsze ogłoszenia, które mimo upływu czasu nie zdołały przyciągnąć żadnego nabywcy.

Dom był opuszczony.

Otaczał go gaj palmowy – kolejna zwracająca uwagę ekstrawagancja. Drzewa okrywała jednak gruba warstwa kory tworząca się wtedy, gdy długo nie są pielęgnowane

Penitencjariusz przedostał się przez kraty i ruszył aleją w kierunku wielkich zewnętrznych schodów prowadzących na werandę i do wejścia. Przypominał sobie słowa staruszki z domu opieki, że kiedy mieszkali tam Agapowowie, ona kierowała służbą złożoną z ośmiu osób. Ale żadna z nich nie miała prawa pozostawać tam po zmierzchu. Pod koniec dnia wszyscy musieli opuścić willę, aby powrócić następnego ranka. Marcus pomyślał, że gdyby Anatolij Agapow jeszcze żył, nie zaakceptowałby jego wizyty o tej godzinie.

Co działo się w tym domu nocą?

Marcus zabrał ze sobą z samochodu latarkę i łom. Posłużył się tym drugim, żeby otworzyć wielkie drzwi wejściowe z jasnego drewna, które być może oddzielały go od odpowiedzi na to pytanie.

◆ ◆ ◆

Światło księżyca śmignęło mu między nogami jak kot, wpadając przed nim przez próg. Przywitało go ponure skrzypienie godne opowieści o duchach. Ale w gruncie rzeczy Marcus przyszedł tu właśnie w tym celu – żeby obudzić ducha małej dziewczynki, Hany.

Pomyślał o podjętej przez Kroppa dramatycznej próbie odciągnięcia go od tego zamiaru. Mapka, którą mu wręczył, z pewnością miała na celu wprowadzenie go po raz kolejny w błąd.

Finał twojej baśni o chłopcu bez imienia. Ale penitencjariusz nie dał się nabrać.

Teraz był tutaj. Miał nadzieję, że jest tu także historia, której szukał.

Jeszcze raz słowa gospodyni miały posłużyć mu za przewodnika. Gdy zapytał ją, jakiego rodzaju człowiekiem był Anatolij Agapow, odpowiedziała:

Był człowiekiem surowym, sztywnym w obejściu. Myślę, że pobyt w Rzymie nie sprawiał mu przyjemności. Pracował w rosyjskiej ambasadzie, ale dużo czasu spędzał w domu, zamknięty w swoim gabinecie.

Gabinet. Pierwsze miejsce, które należało znaleźć.

♦ ♦ ♦

Trafił na nie, pokręciwszy się przez jakiś czas po domu. Niełatwo było rozróżnić pokoje, również dlatego, że meble poprzykrywane były białymi płachtami chroniącymi je przed kurzem. Unosząc pokrowce w poszukiwaniu jakiejś wskazówki, Marcus stwierdził, że przedmioty codziennego użytku, ozdoby i meble pozostały na swoim miejscu. Ktoś, kto któregoś dnia kupiłby ten dom – oczywiście, gdyby do tego doszło – odziedziczyłby wszystkie rzeczy, które należały do Agapowa, ale nic o nich nie wiedząc, nie byłby świadom dramatu, jaki się wśród nich rozegrał.

W gabinecie znajdowała się wielka biblioteka. Przed nią stał dębowy stół. Szybkimi ruchami Marcus uwolnił wszystkie meble od przykrywających je płacht. Usiadł za biurkiem w fotelu, tym samym, z którego Anatolij Agapow z pewnością kierował całym gospodarstwem. Zaczął grzebać po szufladach. Druga po prawej zacięła się jednak. Marcus ujął obiema rękami za uchwyt i pociągnął. Otworzyła się gwałtownie i upadła na podłogę z hałasem, który odezwał się echem w całym domu.

Znajdująca się w niej ramka spadła na podłogę. Marcus odwrócił ją i zobaczył oprawione zdjęcie, które już znał: powierzyła mu je gospodyni, a potem spalił je Fernando.

To było dokładną kopią tamtego.

Fotografia o barwach wyblakłych z powodu upływu czasu, pochodząca z lat osiemdziesiątych. Być może zrobiona aparatem z samowyzwalaczem. Pośrodku stał Anatolij Agapow – niezbyt wysoki, mocno zbudowany mężczyzna około pięćdziesiątki, w ciemnym garniturze z kamizelką i krawatem, włosy zaczesane do tyłu i czarna szpicbródka. Na prawo od niego Hana – sukieneczka z czerwonego aksamitu, niezbyt długie, ale również niezbyt krótkie włosy odgarnięte z czoła i przytrzymywane opaską. Tylko ona się uśmiechała. Po lewej Victor – garnitur z krawatem, włosy przycięte na pazia z grzywką, która opadała mu na oczy, mina raczej smutna.

Ojciec i jego dzieci, niemal identyczne bliźniaki.

Na zdjęciu można było dostrzec szczegół, który od początku niepokoił penitencjariusza. Anatolij Agapow trzymał za rękę Victora, a nie Hanę.

Marcus długo zastanawiał się nad tym, ponieważ według słów gospodyni ulubienicą ojca miała być mała dziewczynka.

Zauważyłam, że uśmiechał się tylko wtedy, gdy był z Haną.

Zadał sobie znowu pytanie, czy gest Agapowa widoczny na fotografii wyraża miłość, czy jest sposobem na narzucenie własnej woli. I czy ręka ojca nie jest smyczą, na której trzymał Victora. Na razie nie potrafił znaleźć odpowiedzi, toteż włożył zdjęcie do kieszeni i postanowił kontynuować przeszukiwanie domu.

◆ ◆ ◆

W miarę jak przechodził przez kolejne pokoje, w jego pamięci odżywały inne słowa staruszki, odnoszące się do bliźniaków.

Widywaliśmy przede wszystkim Hanę. Wymykała się spod kontroli ojca i odwiedzała nas w kuchni albo przy pracach domowych. Była dziewczynką promieniejącą światłem.

Marcusowi podobało się określenie „dziewczynka promieniejąca światłem". Wymykała się spod kontroli ojca? Co to mogło oznaczać? Zadawał już sobie to pytanie i teraz je ponowił.

Dzieci nie chodziły do szkoły i nie miały nawet prywatnego nauczyciela; ich wykształceniem zajmował się osobiście pan Agapow. Nie miały też kolegów ani koleżanek.

Gdy Marcus zapytał o Victora, gospodyni oświadczyła:

Uwierzy mi pan, jeśli powiem, że w ciągu sześciu lat widziałam go w sumie może osiem, dziewięć razy? A po chwili dodała: Victor się nie odzywał. Milczał i tylko się przyglądał. Parę razy przyłapałam go na tym, że patrzył na mnie, ukryty w swoim pokoju.

Podczas omiatania pokoi światłem latarki Marcusowi wydawało się, że dostrzega obecność Victora w każdym kącie, za kanapą albo za zasłoną. Był teraz tylko ulotnym cieniem, produktem jego wyobraźni lub może samego domu, przesiąkniętego nadal dzieciństwem tego smutnego dziecka.

◆ ◆ ◆

Na piętrze znalazł pokoje dzieci.

Znajdowały się obok siebie, bardzo do siebie podobne. Łóżeczka z wezgłowiami z intarsjowanego i malowanego drewna, stolik do nauki z ławką. W pokoju dziewczynki przeważał kolor różowy, u Victora brązowy. W pokoju Hany znajdował się domek dla lalek, doskonale umeblowany. U Victora małe pianino przy ścianie.

Ciągle przebywał w swoim pokoju. Co jakiś czas słyszeliśmy, jak gra na pianinie. Miał ogromny talent. Był geniuszem matematycznym Jedna ze służących, porządkując jego rzeczy, znalazła mnóstwo kartek z obliczeniami.

Rzeczywiście, były tutaj. Marcus zobaczył je ułożone w stos w biblioteczce, razem z książkami do algebry i geometrii oraz starymi liczydłami. Za to w pokoju Hany stała wielka szafa pełna dziewczęcych ubranek. Barwne wstążki, błyszczące buciki ustawione parami na półkach, kapelusiki. Prezenty kochającego ojca dla ulubionej córeczki. Victor źle znosił rywalizację z siostrą. Doskonały motyw, żeby ją zamordować.

A jak układały się relacje między dziećmi? Czy Victor i Hana żyli w zgodzie?

Co jakiś czas słyszałam, że dzieci się sprzeczają, ale spędzały sporo czasu razem; bardzo lubiły bawić się w chowanego.

Zabawa w chowanego, powtórzył w myśli Marcus. Ulubiona zabawa duchów.

W jaki sposób umarła Hana? – zapytał staruszkę.

Och, ojcze! Pewnego ranka dotarłam do willi z pozostałą służbą i zobaczyliśmy, że pan Agapow siedzi na zewnętrznych schodach. Trzymał się rękami za głowę i rozpaczliwie płakał. Mówił, że jego Hana nie żyje, że zabrał ją nagły napad gorączki.

I uwierzyliście?

Tylko do chwili, gdy znaleźliśmy w łóżku dziewczynki krew i nóż.

Nóż, ulubione narzędzie zbrodni Potwora z Rzymu, obok rewolweru Ruger, powtórzył w duchu Marcus. Kto wie, może Victor mógł zostać powstrzymany już wtedy. Nikt jednak nie złożył zawiadomienia w tej sprawie.

Pan Agapow był bardzo wpływowym człowiekiem. Co mogliśmy zrobić? Kazał natychmiast odesłać trumnę z ciałem do Rosji, żeby Hana została pochowana obok swojej matki. Potem zwolnił wszystkich.

Anatolij Agapow posłużył się immunitetem dyplomatycznym, żeby zatuszować sprawę. Umieścił Victora w Ośrodku Hameln i nigdy więcej nie wyszedł z tego domu, aż do śmierci.

Mężczyzna był wdowcem, ale dopiero teraz Marcus uświadomił sobie, że w trakcie myszkowania po domu nie znalazł niczego, co by przywoływało pamięć przedwcześnie zmarłej matki i żony.

Żadnego zdjęcia, żadnej pamiątki. Nic.

◆ ◆ ◆

Obchód domu zakończył się na poddaszu, pośród starych mebli i różnych drobiazgów. Ale było tam również coś innego.

Zamknięte drzwi.

Oprócz zamka opatrzone były trzema kłódkami różnych rozmiarów, broniącymi wejścia. Marcus nie zadał sobie nawet pytania o powody tylu zabezpieczeń; bez wahania chwycił stare krzesło i zaczął walić nim w drzwi. Raz, drugi, nie rezygnując. Dopóki nie ustąpiły.

Uniósł światło latarki i w jednej chwili domyślił się powodu, dla którego w tym domu nie było śladu po pani Agapow.

8

Pościeliła jej na kanapie, żeby mogła przespać się w jej mieszkaniu przy Trastevere.

Potem, kiedy Mina brała prysznic, zabrała się do przygotowania kolacji. Kusiło ją, żeby przeszukać jej plecak, być może znalazłaby w nim dokument z prawdziwym nazwiskiem. Ale zrezygnowała. Dziewczyna zaczynała jej ufać. Sandra była przekonana, że zdoła ją zachęcić, żeby otworzyła się jeszcze bardziej.

Mimo że Sandra była o kilka lat od niej młodsza, z miejsca poczuła instynktowną potrzebę odgrywania roli starszej siostry. Współczuła Minie z powodu tego, co przeszła, i życia, jakie musiała prowadzić. Zadawała sobie pytanie, czy przynajmniej czasami, w obliczu różnorodnych możliwości, jakie los podsuwa każdemu, miała wpływ na to, jaką wybrać drogę.

Nakryła do stołu i włączyła telewizor. Właśnie leciał dziennik. Oczywiście, mówiono tylko o ostatniej zbrodni Potwora z Rzymu, tej w Sabaudii. Dziennikarze oceniali ją jako częściową porażkę mordercy, ponieważ tym razem potencjalna ofiara płci żeńskiej zdołała uciec. Tożsamość zamordowanego mężczyzny nadal pozostawała nieznana.

Sandrze przyszło na myśl, że karabinierzy ze specjalnej jednostki operacyjnej potrafią lepiej zachowywać sekrety niż policjanci z Centralnego Biura Śledczego. Potem zadała sobie pytanie, czy, jak stwierdziła Mina, zamordowany mężczyzna miał żonę albo towarzyszkę życia i czy o jego śmierci zawiadomiono przynajmniej ją. Mimo że nie znała tej kobiety, współczuła jej. W tym momencie zauważyła, że Mina stoi na progu kuchni w szlafroku Maxa, który jej dała. Wpatrywała się z widocznym przejęciem w ekran telewizora. Sandra sięgnęła po pilota i wyłączyła odbiornik, żeby nie narażać jej na zbyt silne przeżycia.

– Jesteś głodna? – spytała. – Siadaj, jedzenie gotowe.

Jadły, niemal się nie odzywając, ponieważ Mina nagle przestała być rozmowna. Być może odżyły w niej emocje, jakich doznała tam, w Sabaudii, a przede wszystkim zaczęła uzmysławiać sobie w pełni, jakiego losu zdołała uniknąć. Aż do tej chwili adrenalina tłumiła wszelkie reakcje, ale teraz Mina mogła znaleźć się w stanie szoku.

Sandra zauważyła, że podczas jedzenia Mina trzyma lewą rękę pod stołem. Być może nie chciała, żeby się jej przydarzyło to, co w lokalu SX, kiedy niechcący odsłoniła bliznę na nadgarstku. Wstydziła się jej.

– Kiedyś byłam mężatką – powiedziała Sandra, starając się obudzić w niej zaciekawienie. – Był dobrym człowiekiem, miał na imię David. Nie żyje.

Zaskoczona Mina podniosła wzrok.

– To długa historia – dodała Sandra.

– Jeżeli nie masz ochoty jej opowiadać, to dlaczego mi o tym wspomniałaś?

Sandra odłożyła widelec na talerz i spojrzała na dziewczynę.

– Ponieważ nie tylko tobie wpadło do głowy zrobić coś skrajnie głupiego, ale również przerażająco skutecznego, żeby przepędzić ból.

Mina chwyciła drugą ręką za nadgarstek.

– Mówią, że jeżeli nie udało ci się za pierwszym razem, to za drugim jest łatwiej. Ale to nieprawda. Mimo wszystko nie tracę nadziei, że któregoś dnia to zrobię.

– Ale kiedy ten człowiek strzelał do ciebie dziś w nocy, nie tkwiłaś bez ruchu, żeby wystawić się na kule.

Mina nie odzywała się przez chwilę, jakby poczuła potrzebę zastanowienia się nad sprawą. Ale potem wybuchnęła śmiechem.

– Masz rację.

Sandra roześmiała się również.

Po chwili Mina spoważniała.

– Dlaczego robisz to dla mnie?

– Ponieważ pomaganie innym sprawia, że czuję się lepiej. Ale teraz dokończmy kolację, jeżeli nie masz nic przeciwko temu. Powinnaś się porządnie wyspać.

Mina nie zareagowała.

– O co chodzi? – spytała ją Sandra, łapiąc się na tym, że czegoś nie rozumie.

– Okłamałam cię.

Sandra nie była tym zaskoczona, choć nie wiedziała, na czym to kłamstwo może polegać.

– Nie przejmuj się, takie rzeczy są do naprawienia.

Mina zagryzła usta.

– To nieprawda, że nie widziałam go z bliska.

Sandra nie poruszyła się, zdumienie ją sparaliżowało.

– Chcesz powiedzieć, że byłabyś w stanie go rozpoznać?

Tamta kiwnęła głową.

– Myślę, że tak.

– W takim razie musimy natychmiast pojechać na policję – powiedziała Sandra, podnosząc się od stołu.

– Nie! – wrzasnęła Mina, wyciągając rękę, żeby ją powstrzymać. – Proszę cię, nie rób tego – dodała cicho.

– Trzeba natychmiast sporządzić portret pamięciowy.

– Wierz mi, nie zapomnę go do śmierci.

– Nieprawda: pamięć zawodzi już po kilku godzinach.

– Jeżeli zgłoszę się na policję, to będzie mój koniec.

Co ona może mieć na myśli? Skąd tyle strachu przed organami porządku? Sandra nie potrafiła tego pojąć, ale tak czy owak musiała coś zrobić.

– Potrafisz opisać to, co widziałaś?

– Tak, a co?

– Bo widzisz, ja nie najgorzej rysuję.

◆ ◆ ◆

W sekretnym pokoju na poddaszu willi stał statyw, do którego umocowany był profesjonalny aparat fotograficzny skierowany w stronę czegoś w rodzaju dekoracji z barwnym tłem, pozwalającym na wprowadzanie urozmaiceń. Było też kilka sprzętów, które dało się umieścić na tej prowizorycznej scenie – stołek, mała kanapa, leżanka. Oraz krzesło stojące przed stolikiem z lustrem: na jego blacie leżały wszelkiego rodzaju rzeczy potrzebne do nakładania makijażu. Cienie w różnych kolorach, pudry, pędzelki, szminki.

Uwagę Marcusa zwróciło jednak od razu mnóstwo kobiecych strojów rozwieszonych na wieszakach. Oświetlił je latarką, a potem przeciągnął po nich ręką. Były różnobarwne, eleganckie, wieczorowe, jedwabne, satynowe... Penitencjariusz natychmiast zauważył szczegół, który nim wstrząsnął.

Te stroje nie miały kobiecych rozmiarów. Były przeznaczone dla małej dziewczynki.

Obawiał się jednak, że prawdziwa niespodzianka może się kryć za zasłoną w rogu pomieszczenia. I rzeczywiście, zgodnie ze swymi przewidywaniami, po jej uchyleniu zobaczył ciemnię fotograficzną, w której Anatolij Agapow wywoływał zdjęcia. Znajdowały się tu kuwety, kwasy i odczynniki, koreks i powiększalnik, a także lampka z żarówką emitującą czerwone światło.

W kącie stołu roboczego leżał bezładny stos zdjęć. Być może nieudanych. Marcus wyciągnął po nie rękę. Położył latarkę, żeby mieć wolne ręce i je przejrzeć.

Były to ujęcia niewyraźne, rozmazane i nieostre. Wszystkie przedstawiały dziewczynkę, Hanę. Miała na sobie stroje, które widział na wieszakach.

Dziewczynka uśmiechała się i wydawała się zadowolona,

pozując przed obiektywem aparatu. Mimo to Marcus dostrzegał na jej twarzy głębokie skrępowanie.

Pozornie nie było w tym nic złego, jej płeć nie miała znaczenia. Wydawało się, że ją to bawi. Ale przyjrzawszy się uważniej tym ujęciom, można było w nich znaleźć coś chorobliwego. Chorobę człowieka, który zastąpił zmarłą żonę córką i podsycał swoje szaleństwo bezwstydnym wystawianiem jej na pokaz.

To dlatego każdego dnia przed zmierzchem odsyłał z domu służbę. Chciał zostać sam, żeby oddawać się temu zajęciu. A Victor odziedziczył tę perwersję po ojcu? I dlatego fotografował kobiece ofiary, nałożywszy im przedtem makijaż?

W trakcie mechanicznego przeglądania tych zdjęć Marcus czuł się coraz bardziej rozzłoszczony. W pewnej chwili natrafił na jeszcze jedną rodzinną fotografię. Była bardzo podobna do tej, którą dała mu staruszka w domu opieki, a której odbitkę potem odnalazł w szufladzie biurka w gabinecie Anatolija Agapowa. Ojciec razem ze swoimi dziećmi bliźniakami. Zdjęcie zrobione aparatem z samowyzwalaczem, na którym Hana się uśmiechała, a Anatolij trzymał za rękę tylko Victora.

Tylko że na zdjęciu, na które patrzył teraz, dziewczynki nie było.

Obecni byli tylko ojciec i syn. To samo tło, ta sama postawa. Identyczne oświetlenie. Jak to możliwe? Marcusowi przyszło na myśl, żeby skonfrontować fotografię ze zdjęciem, które miał w kieszeni.

Były identyczne, oprócz tego jednego widocznego szczegółu. Pierwotnym zdjęciem było to, które przedstawiało tylko ojca trzymającego za rękę Victora.

– O Boże – wyrwało się penitencjariuszowi.

Zdjęcie we trójkę było fotomontażem.

Hana nie istniała.

9

Dziewczynka promieniejąca światłem istniała tylko na zdjęciach.

Chodziło o złudzenie optyczne. Wynik nałożenia na siebie obrazów z dwóch błon fotograficznych. Rezultat tej operacji nie odzwierciedlał rzeczywistości.

Dziewięcioletni Victor mówił prawdę na wideo nakręconym w Ośrodku Hameln: nie zabił siostry z tego prostego powodu, że Hana nie istniała. Ale Kropp i jego ludzie mu nie uwierzyli. Nikt mu nie uwierzył.

Hana była owocem chorej wyobraźni jego ojca.

Czy Victor i Hana żyli w zgodzie?

Co jakiś czas słyszałam, że dzieci się sprzeczają, ale spędzały sporo czasu razem; bardzo lubiły bawić się w chowanego.

W chowanego, powtórzył w duchu Marcus. Tak właśnie wyraziła się gospodyni.

Nikt nigdy nie widział obojga bliźniaków razem.

Anatolij Agapow wymyślił tę dziewczynkę, żeby zaspokoić jakąś perwersję, lub może tylko dlatego, że był człowiekiem szalonym. I zmuszał synka, żeby spełniał te jego wariackie wymagania, każąc mu wkładać dziewczęce ubrania.

Z czasem Victor uświadomił sobie, że ojciec bardziej kocha córeczkę istniejącą jedynie w jego wyobraźni, zaczął więc dochodzić do wniosku, że aby zdobyć miłość ojca, musi się w nią zamienić.

Wtedy doznał rozdwojenia osobowości.

Jej męski element nie uległ jednak kompletnemu zduszeniu, co jakiś czas chłopiec stawał się znowu Victorem i zaczynał cierpieć, ponieważ w ten sposób pozbawiał się ojcowskiej czułości.

Kto wie, jak długo mogła trwać ta sytuacja i ile chłopiec się nacierpiał. Aż w końcu pewnego dnia nie wytrzymał i postanowił „zabić" Hanę, żeby ukarać ojca.

Marcus zapamiętał, co mu powiedziała gosposia. Anatolij Agapow był zrozpaczony, odesłał do swego kraju szczątki córeczki i zatuszował to, co się wydarzyło, wykorzystując przysługujący mu immunitet dyplomatyczny.

Ale w trumnie nie było ciała, Marcus był już tego całkowicie pewny.

„Zabijając" Hanę, Victor osiągnął cel, odzyskał wolność. Ale nie mógł przewidzieć tego, że trwający w swym szaleństwie ojciec postanowi powierzyć go opiece Kroppa i jego ludzi, umieszczając go w Ośrodku Hameln, razem z chłopcami, którzy rzeczywiście popełnili okrutne zbrodnie.

Marcus nie potrafił wyobrazić sobie gorszego losu. Victor uwolnił się od jednych męczarni, ale zaczął cierpieć inne, choć nie zrobił nic złego.

To z biegiem lat sprawiło, że zamienił się w potwora.

Zabija młode pary, ponieważ widzi w nich samego siebie i siostrę. Robi to z powodu niesprawiedliwości, jaka go dotknęła, powtórzył sobie w duchu penitencjariusz.

Istniało jednak jeszcze coś.

Ale o tym musiał porozmawiać z Sandrą. Zatrzymał się na jednej ze stacji benzynowych, żeby do niej zadzwonić.

◆ ◆ ◆

Szkolenie fotografów kryminalnych obejmowało również kurs sporządzania portretów pamięciowych.

Uczestnicy kursów wymieniali się w rolach świadka i rysującego. Powód tego był prosty: trzeba było nauczyć się obserwować, opisywać i odtwarzać zapamiętane szczegóły. W przeciwnym razie zawsze zrzucaliby wszystko na aparat fotograficzny. Natomiast ich zadaniem w przyszłości miało być prowadzenie obiektywu w taki sposób, jakby nim „rysowali".

Sandra bez żadnych trudności odtworzyła twarz mordercy na podstawie szczegółów dostarczonych przez Minę. Na koniec zademonstrowała jej wynik swojej pracy.

– Do przyjęcia?

Młoda kobieta przyjrzała się uważnie.

– Tak, to on – zapewniła stanowczo.

W tym momencie Sandra obrzuciła to oblicze uważniejszym spojrzeniem. I, jak było do przewidzenia, zdumiała się, że wygląda ono tak zwyczajnie.

Potwór z Rzymu był zwyczajnym człowiekiem, jak wielu innych.

Małe piwne oczy, szerokie czoło, nos odrobinę większy od normalnego, cienkie wargi, brak brody i wąsów. Twarze na portretach pamięciowych miały zawsze obojętną minę. Nie było w nich nienawiści ani urazy. To dlatego nie budziły strachu.

– Dobrze, doskonała robota – powiedziała z uśmiechem do Miny.

– Dziękuję. Już od dawna nikt nie mówił mi komplementów. – I w końcu Mina się uśmiechnęła, przyjmując bardziej pogodny wyraz twarzy.

– Idź do łóżka, pewnie jesteś zmęczona – poradziła jej Sandra, starając się nadal odgrywać wobec niej rolę starszej siostry. Potem poszła do sąsiedniego pokoju i zeskanowała rysunek, żeby go wysłać komisarzowi Crespiemu i karabinierom z jednostki specjalnej.

Ku pamięci zastępcy komendanta Moro, powiedziała do siebie.

Nim jednak dokończyła wysyłanie, odezwała się jej komórka. Numer nieznany. Mimo to odebrała.

– To ja – powiedział penitencjariusz.

Sandra odniosła wrażenie, że jest czymś wzburzony.

– Mamy portret pamięciowy mordercy – oznajmiła triumfującym tonem. – Zrobiłam, jak mi powiedziałeś, i znalazłam tę prostytutkę z Sabaudii. To ona dostarczyła mi opisu. Teraz jest u mnie i właśnie miałam zamiar wys...

– Nie rób tego – powiedział trochę zbyt pospiesznie Marcus. – Ona widziała Victora, ale my musimy szukać Hany.

– Jak to?

Poinformował ją szybko o swojej wizycie w willi i o dziewczynce promieniejącej światłem.

– Miałem rację, wszystkie odpowiedzi można znaleźć na pierwszym miejscu zbrodni, w lesie pod Ostią. Zabójca to opowiadacz, koniec jego historii zbiega się z początkiem. Ale najważniejsze wskazówki to te, które wydawały się najmniej ważne: słowo „Oni" napisane przez Dianę Delgaudio oraz fakt, że morderca się przebrał.

– Wyjaśnij mi to bliżej... – zachęciła go Sandra.

– Kiedy Diana przebudziła się na chwilę ze śpiączki, chciała przekazać nam informację, że na miejscu zbrodni byli obecni oboje, Hana i Victor. To są ci „Oni".

– Jak to możliwe? Ona nie istnieje.

– Morderca zmienia ubranie i w tym kryje się sedno sprawy! Z upływem czasu Victor całkowicie zmienił się w Hanę. Gdy jako mały chłopak wcielał się w siostrę, przestawał być zamkniętym w sobie, milczącym chłopczykiem i stawał się sympatyczną dziewczynką, która podobała się wszystkim i którą wszyscy kochali. Dorastając, dokonał wyboru i wybrał Hanę, żeby ludzie go akceptowali.

– Ale gdy bierze się do zabijania, zamienia się znowu w Victora. Dlatego się przebiera.

– Dokładnie tak. A po dokonaniu zabójstwa staje się znowu Haną. I rzeczywiście, w samochodzie tej pary spod Ostii znaleźliście męską koszulę pozostawioną przez pomyłkę w miejsce koszuli należącej do Giorgia Montefioriego.

– A więc będziemy musieli szukać kobiety – wywniosko-
wała Sandra.

– Macie jego DNA, pamiętasz? Ale on gwiżdże na to. Wie,
że jest doskonale zamaskowany, ponieważ oni szukają mężczyzny.

– Ale on jest mężczyzną – zauważyła Sandra.

– Genetyczne ślady pozostawione w willi w Sabaudii nie
były jego podpisem, ale wyzwaniem. Jakby chciał powiedzieć:
tak czy owak nigdy mnie nie znajdziecie.

– Dlaczego?

– Myślę, że czuje się bezpiecznie w tym swoim przebraniu,
ponieważ z biegiem lat zmienił płeć – zapewnił ją Marcus. –
Hana chciała wymazać Victora, ale on co jakiś czas wyłania
się znowu. Hana wie, że Victor mógłby zrobić jej krzywdę, jak
wtedy, gdy jako chłopiec próbował ją zamordować. Więc każe
mu mordować te młode pary, żeby umożliwić mu przeżycie na
nowo tamtego doświadczenia, w którym on odnosi nad nią
zwycięstwo. To jest jej sposób na to, żeby utrzymać go w ryzach. On nie spogląda na swoje ofiary jak na kochanków, lecz
jak na brata i siostrę, rozumiesz?

– O czym ty mówisz? Nie nadążam za tobą: powiedziałeś,
że Victor jako mały chłopiec próbował zabić Hanę?

– Tak. Myślę, że gdy Victor był chłopcem, podjął jakąś próbę samookaleczenia, na przykład przeciął sobie żyły.

O zmierzchu służba opuszczała dom.

Victor przyglądał się im z okna swojego pokoju. Obserwował ich, jak pokonują długą aleję dojazdową aż do wielkiej bramy. I za każdym razem odczuwał to samo pragnienie: wyjść stąd razem z nimi.

Ale nie mógł. Nigdy nie znalazł się za bramą willi.

Porzucało go również słońce, które prędko znikało za linią widnokręgu. I zaczynał się strach. Co wieczór. Chciał, żeby zjawił się ktoś, kto by go stąd zabrał. Czy nie zdarzało się tak w filmach i powieściach? Kiedy bohaterowi groziło niebezpieczeństwo, zawsze nadbiegał ktoś z pomocą i go ratował. Victor zamykał oczy i modlił się całym sobą, żeby to samo przydarzyło się jemu. Czasami starał się przekonać siebie, że naprawdę do tego dojdzie. Jednak nikt się nie zjawiał, żeby go uwolnić.

Na szczęście, nie wszystkie wieczory były jednakowe. Czasami minuty płynęły monotonnie, a on mógł poświęcić się liczbom – ostatniej ucieczce, jaka mu pozostała. Częściej jednak panującą w domu ciszę przerywał głos ojca:

– Gdzie jesteś? Gdzie się schowała moja mała kukiełka, moja laleczka? – powtarzał przymilnym tonem.

Łagodność ojca służyła wywabieniu go z kryjówki. Zdarzały się dni, gdy Victor próbował mu się wymknąć. Istniały tu miejsca, *w których nikt by go nie znalazł – szukał ich razem z Haną, kiedy bawili się w wielkim domu w chowanego. Ale nie można było pozostawać w ukryciu na zawsze.*

Tak więc z biegiem czasu Victor nauczył się nie stawiać oporu. Szedł do pokoju siostry, wybierał z szafy sukienkę i ją wkładał. Stawał się Haną. A potem siadał na łóżku i czekał.

– Oto moja wspaniała lala – mawiał z uśmiechem ojciec, rozkładając ramiona.

Potem brał go za rękę i razem szli na poddasze.

– Piękne laleczki muszą pokazać, że są godne swojej piękności.

Victor siadał na stołku i przyglądał się, jak ojciec przygotowuje aparat fotograficzny i ustawia światła. Robił to z dokładnością perfekcjonisty. Po czym zabierał się do uważnego przeglądania ubranek przechowywanych w sekretnym pokoju, podawał mu jedno z nich i wyjaśniał, co ma zrobić. Najpierw jednak osobiście zajmował się makijażem. Szczególnie lubił szminkę.

Czasami Hana próbowała mu się sprzeciwić. Wtedy ojciec wpadał we wściekłość.

– To twój brat cię do tego namówił, tak? Ciągle on, ten mały, zepsuty nicpoń.

Hana zdawała sobie sprawę, że ojciec mógłby naprawdę dobrać się do Victora – pokazał jej kiedyś rewolwer, który ukrywał w szufladzie.

– Ukarzę Victora tak, jak ukarałem tę jego beznadziejną matkę – groził.

Więc Hana ustępowała – ustępowała zawsze.

– Moja śliczna laleczka, tym razem nie trzeba będzie używać dyscypliny.

♦ ♦ ♦

Victor sądził, że gdyby żyła mama, być może sprawy toczyłyby się inaczej. Pozostało mu po niej niewiele wspomnień. Na przykład zapach jej rąk. I ciepło jej piersi, kiedy przytulała go do siebie i śpiewała, żeby go uśpić. Nic więcej. Była obecna tylko w pierwszych pięciu latach jego życia. Wiedział jednak, że była piękna. „Najpiękniejsza ze wszystkich", mawiał ciągle jej mąż, gdy wspomnienie żony nie wprawiało go w zdenerwowanie. Ponieważ teraz nie mógł już wściekać się na nią, nie mógł wykrzyczeć jej swojej pogardy.

Victor miał świadomość, że w sytuacji, gdy Anatolij Agapow nie może już wyżywać się na jego mamie, teraz on sam stał się przedmiotem jego nienawiści.

Po śmierci mamy, jeszcze w Moskwie, ojciec wykreślił ją z ich życia. Wyrzucił wszystkie przedmioty, które mogły ją przypominać. Kosmetyki, dzięki którym stawała się piękna, ubrania, przedmioty codziennego użytku, bibeloty, którymi z biegiem lat przyozdabiała ich mieszkanie.

A także zdjęcia.

Spalił je wszystkie w kominku. Zostało po nich mnóstwo pustych ramek. Przypominały małe czarne dziury połykające wszystko, co znalazło się w ich pobliżu. Ojciec i syn próbowali nie zwracać na nie uwagi, ale było to trudne i często im się nie udawało. Wtedy mogło się zdarzyć, że siedzieli przy stole, a ich spojrzenia gubiły się w którymś z pustych miejsc znajdujących się w pokoju.

Victor nauczył się z nimi żyć, ale stawały się natrętną obsesją jego taty.

Wreszcie pewnego dnia ojciec wszedł do jego pokoju, niosąc wieszak z sukienką, żółtą w czerwone kwiaty. Bez słowa wyjaśnienia kazał mu ją włożyć.

Victor nadal wyraźnie pamiętał wrażenie, jakie odniósł, stojąc boso na zimnej podłodze. Anatolij Agapow przyglądał mu się z poważną miną. Sukienka była o kilka numerów za duża i Victor czuł się w niej śmiesznie. Ale ojciec miał zupełnie inny pogląd na tę sprawę.

– Będziemy musieli zapuścić ci włosy, żeby były trochę dłuższe – zawyrokował w końcu, wyrywając się z zamyślenia.

Potem kupił aparat fotograficzny, a także cały potrzebny sprzęt. Stopniowo nabierał doświadczenia. I nie mylił się już w doborze rozmiarów sukienek, stawał się ekspertem również pod tym względem.

Tak więc Victor zaczął mu pozować, traktując to z początku jako coś w rodzaju zabawy. Ale także później, mimo że dziwiła go ta sytuacja, posłusznie wypełniał wolę ojca. Nigdy nie zadawał sobie pytania, czy to jest coś dobrego, czy nie, ponieważ dzieci dobrze wiedzą, że rodzice mają zawsze rację.

W tamtym okresie nie widział w tym niczego złego, a zresztą od zawsze bał się sprzeciwić ojcu, gdy ten mówił mu, żeby czegoś nie robił. W pewnym momencie jednak powiedział sobie: jeżeli podczas zabawy zaczynasz się bać, to być może nie jest to tylko zabawa.

Potwierdzenie tego przeczucia nastąpiło w dniu, w którym ojciec, zamiast nazywać go Victorem, użył wobec niego innego imienia. Zabrzmiało ono w sposób całkowicie naturalny, bo wypowiedział je w zdaniu takim, jak wiele innych.

– Mogłabyś się teraz ustawić profilem, Hano?

Skąd się wzięło to imię wypowiedziane z wielką łagodnością? Z początku Victor myślał, że ojciec się pomylił. Ale potem ta dziwna sytuacja zaczęła się powtarzać, a w końcu zamieniła się w zwyczaj. Kiedy próbował zapytać ojca, kto to jest ta Hana, odpowiedział po prostu:

– Hana jest twoją siostrą.

◆ ◆ ◆

Po zakończeniu robienia zdjęć Anatolij zamykał się w ciemni, żeby wywoływać swoje dzieła. Wtedy Hana uświadamiała sobie, że jej rola się skończyła. Mogła zejść na dół i znowu zamienić się w Victora.

Czasami jednak Victor wkładał stroje Hany również wtedy, gdy ojciec go o to nie prosił. I odwiedzał służących. Zauważył, że są dobrze nastawieni do siostry. Uśmiechali się do niej szeroko, próbowali z nią rozmawiać, interesowali się nią. Victor odkrył, że jest mu dużo łatwiej nawiązywać kontakty z obcymi, gdy ma na sobie jej ubrania. Nie zachowywali się wrogo i z dystansem, nie obrzucali go już spojrzeniem, którego nienawidził bardziej niż cokolwiek innego. „Spojrzeniem współczującym", jak je nazywał.

Widział je na twarzy matki w dniu, w którym umarła. Jej trup wpatrywał się w niego i wyglądało to tak, jakby mówiła: „Mój biedny Victor".

Ojciec nie zawsze traktował go źle. Były chwile, w których coś się zmieniało na lepsze, i Victor miał wówczas nadzieję, że tak już będzie zawsze. Jak wtedy, gdy ojciec chciał, żeby pozowali razem do zdjęcia z użyciem samowyzwalacza. Tym razem bez Hany, tylko ojciec i syn. Victor znalazł wówczas w sobie dość odwagi, żeby go nawet ująć za rękę. Czymś naprawdę niewiarygodnym było to, że ojciec nie odsunął swojej. Postąpił bardzo ładnie.

Ale żadna z tych zmian jego nastawienia nie trwała długo. Później wszystko wracało do poprzedniego stanu. I Hana znowu stawała się jego ulubienicą. Jednak wtedy, po zrobieniu samowyzwalaczem zdjęcia z ojcem, w Victorze coś się załamało, doznany zawód był raną, której nie mógł już nie dostrzegać.

Poza tym był zmęczony tym, że coraz bardziej się boi.

♦ ♦ ♦

Pewnego dnia siedział w swoim pokoju – za oknem lało, a on nie lubił deszczu. Leżał na brzuchu na dywanie i rozwiązywał równania, żeby zająć czymś myśli. I natrafił na równanie kwadratowe.

$$ax^2 + bx + c = 0$$

Aby znaleźć wartość x, suma wyrazów po lewej stronie równania musiała równać się zeru. Musiały się znosić. Jego matematyczny umysł prędko znalazł rozwiązanie. Po lewej stronie równania znajdował się on i Hana. Aby stać się równymi zeru, musieli się nawzajem znieść.

I tak zaświtała mu w głowie pewna myśl.

Zero wydało mu się piękną liczbą. Przedstawiało stan spokoju, sytuację, której nie można niczym zakłócić. Pomyślał, że ludzie nie znają prawdziwej wartości zera. Dla nich zero równało się śmierci, ale dla niego mogło oznaczać wyzwolenie. Wtedy także

Victor uświadomił sobie, że nie zjawi się nikt, żeby go stąd zabrać. Bez sensu było pokładać w tym nadzieję. Mogła go uratować tylko matematyka.

Poszedł do pokoju Hany, włożył najładniejszą sukienkę i położył się do jej łóżka. Jakiś czas wcześniej ukradł stary nóż myśliwski ojca. Najpierw dotknął nim swojej skóry, tylko po to, żeby go wypróbować. Był zimny. Potem zamknął oczy i zacisnął zęby, starając się nie słyszeć głosu siostry, która w jego wnętrzu błagała go, żeby tego nie robił. Uniósł nóż i przyłożył go do lewego nadgarstka, a potem przeciągnął po nim ostrzem. Poczuł, że stal zagłębia się w jego ciele. Ból stał się nie do zniesienia. Po palcach spłynęła mu ciepła i kleista ciecz. Potem powoli zaczął tracić przytomność.

Nie będzie Victora. Nie będzie Hany.

Zero.

◆ ◆ ◆

Kiedy ponownie otworzył oczy, znajdował się w ramionach ojca, który owijał mu nadgarstek ręcznikiem, żeby zatamować krwawienie. Rozpaczliwie płakał i go kołysał. Potem z jego ust wypłynęły słowa, których w pierwszej chwili Victor nie zrozumiał.

– Nie ma już mojej Hany. Coś ty zrobił, Victorze? Coś ty zrobił?

Dopiero po latach Victor miał zrozumieć, że ta skromna blizna na nadgarstku jest defektem, którego widoku Anatolij Nikołajewicz Agapow nigdy by nie zniósł. Nie na niewinnej rączce jego laleczki. Od tego dnia postanowił już jej nie fotografować. Tego dnia Hana umarła.

Jednak tylko ona. Dla Victora była to wielka niespodzianka, przyjął ją jako niewiarygodną nowość. Pomimo osłabienia poczuł się szczęśliwy jak nigdy przedtem.

Natomiast ojciec nie przestał płakać nawet w obecności służących. Niektórzy z nich byli prawdziwie poruszeni. Potem Anatolij zwolnił ich wszystkich bez wyjątku.

Nowe życie bez strachu trwało tylko miesiąc. Czas na wysłanie trumny do Moskwy i na zasklepienie się blizny. Pewnego wieczoru, zanim Victor zdążył zasnąć, drzwi jego pokoju otworzyły się, wpuszczając z korytarza światło, które wdarło się niczym srebrzysta klinga. W stojącym na progu mężczyźnie rozpoznał sylwetkę ojca. Twarz Anatolija znajdowała się w cieniu i Victor nie mógł dostrzec jej wyrazu. Przez chwilę wyobrażał sobie, że ojciec się uśmiecha.

Mężczyzna stał bez ruchu. A potem odezwał się obojętnym, lodowatym tonem:

– Nie możesz tu zostać dłużej.

W tym momencie krew ścięła się w sercu Victora.

– Jest pewne miejsce, w którym zamyka się złe dzieci, takie jak ty. Zamieszkasz tam od jutra, będzie to twój nowy dom. I nigdy więcej tu nie wrócisz.

10

Myślę, że gdy Victor był chłopcem, podjął jakąś próbę samookaleczenia, na przykład przeciął sobie żyły.

Ostatnie słowa Marcusa zatkały Sandrze dech w piersi.

– O Boże, on tu jest, jest u mnie.

– Słucham?

Przełknęła z trudem ślinę.

– To ona, ta prostytutka, to Hana. Zadzwoń na policję. – Po czym prędko się rozłączyła, ponieważ nie pozostało jej dużo czasu. Zadała sobie pytanie, gdzie może być jej pistolet. W sypialni. Za daleko, nigdy nie zdoła do niego dotrzeć. Musiała jednak spróbować.

Przestąpiła próg i już zamierzała ruszyć korytarzem, gdy instynkt kazał jej się zatrzymać. Zobaczyła młodą kobietę odwróconą do niej plecami. Zdążyła się przebrać.

Teraz miała na sobie męskie ubranie. Ciemne spodnie i białą koszulę.

Victor odwrócił się; trzymał w ręce lustrzankę Sandry.

– Wiesz, ja również lubię fotografować.

Sandra nie poruszyła się, zauważyła jednak, że otworzył swój mały plecak i położył na kanapie obok siebie dwa przedmioty: aparat fotograficzny i stary nóż myśliwski.

Dostrzegł jej spojrzenie.

– Och, tak – powiedział. – Rewolwer byłby bez sensu, użyłem go już wczoraj w nocy.

Sandra cofała się, dopóki nie oparła się plecami o ścianę.

– Słyszałem twoją rozmowę. – Odłożył lustrzankę. – Myślisz może, że tego nie przewidziałem? Wszystko zostało obliczone: jestem świetnym matematykiem.

Każde słowo zamienione z psychopatą mogło wyzwolić nieprzewidzianą reakcję. Dlatego Sandra postanowiła milczeć.

– Dlaczego nie rozmawiasz już ze mną? Obraziłaś się? – spytał z nadąsaną miną. – Wczoraj w nocy w Sabaudii nie pomyliłem się, a tylko oddzieliłem od siebie wyrazy w równaniu.

Co on wygaduje? Co ma na myśli?

– Wyrazy znoszą się nawzajem. Wynik równa się zeru.

Sandra poczuła, że wstrząsa nią potworny dreszcz.

– Max – wyrwało się jej cicho z ust.

Victor potwierdził skinieniem głowy.

Oczy Sandry wypełniły się łzami.

– Dlaczego wybrałeś właśnie nas?

– Widziałem cię któregoś wieczoru w telewizji, jak żegnałaś się z prawej do lewej i z dołu do góry, stojąc za plecami policjanta, który mówił do mikrofonu. Co ten znak oznacza? Widziałem kilka razy, że robiono go w Hameln, tam, gdzie mnie zamknęli, gdy byłem dzieckiem, ale nigdy nie mogłem go pojąć.

Sandra milczała.

Victor wzruszył ramionami, jakby w gruncie rzeczy nie miało to dla niego żadnego znaczenia.

– Śledzę bezustannie, co o mnie mówią w gazetach i telewizji. Ale ty zwróciłaś moją uwagę również dlatego, że kiedy cię zobaczyłem, byłaś zajęta ustawianiem aparatu fotograficznego. A jak ci powiedziałem, ja też lubię robić zdjęcia. Nadawałaś się doskonale do mojej zabawy. – Zasępił się nagle. – Tak właśnie mój ojciec mówił zawsze do Hany, kiedy chciał ją przekonać, żeby mu pozowała. „Nie bój się, laleczko, to tylko zabawa".

Sandra zaczęła cofać stopy, aż trafiła obcasami na listwę przyścienną. Kierując się dotykiem, zaczęła sunąć powoli w prawo, opierając się o ścianę.

– To dziwne, jak ludzie różnie zachowują się przed śmiercią. Zwróciłaś na to uwagę? Dziewczyna z Ostii krzyczała i prosiła swojego chłopaka, żeby jej nie wbijał tego noża. Ale powiedziałem mu, żeby to zrobił, i on mnie posłuchał. Moim zdaniem, wcale jej nie kochał… Za to ta policjantka, Pia Rimonti, podziękowała mi na koniec. Tak, powiedziała mi wręcz dziękuję, kiedy znudziło mnie torturowanie jej i poinformowałem ją, że za chwilę ją zabiję.

Zagotowała się z wściekłości, ponieważ dokładnie tak wyobrażała sobie tę scenę.

– Prawie nie pamiętam tej niemieckiej autostopowiczki. Błagała mnie o coś, ale nie rozumiałem ani słowa w jej języku. Dopiero później odkryłem, że starała się powiedzieć mi o dziecku, które miała w brzuchu. A Max…

Sandra nie była pewna, czy chce wiedzieć, jak on umierał. Po twarzy spłynęła jej łza. Victor ją zauważył.

– Jak możesz po nim płakać? Chciał cię zdradzić z prostytutką.

Powiedział to tonem, który poirytował Sandrę.

– Podobało ci się moje opowiadanie o ucieczce z willi w Sabaudii? Hana ma bujną wyobraźnię. Przez wszystkie te lata wcielała się w wiele różnych kobiet, oszukując napotykanych mężczyzn. Czuje się najlepiej, gdy udaje Minę. Bo ona lubi zadawać się z mężczyznami i ciągnęłaby to dalej, gdybym ja nie wrócił.

Tymczasem Sandra zdołała przesunąć się o metr.

– Po zmianie płci myślała, że pozbyła się mnie na dobre. Ale ja co jakiś czas pojawiałem się znowu. Początkowo byłem tylko myślą, głosem w jej głowie. Pewnej nocy zjawiłem się, gdy była z klientem. Kiedy zobaczyłem, co się dzieje, zacząłem krzyczeć i zwymiotowałem na jego fiuta. – Roześmiał się. – Powinnaś zobaczyć minę tego gościa, jak się wymykał z obrzydzeniem. Chciał mnie uderzyć, ale niechby tylko spróbował, udusiłbym go własnymi rękami. Nigdy się nie dowie, ile miał szczęścia.

Sandra nie była już pewna, jak długo jeszcze Victor będzie miał ochotę z nią rozmawiać. Musiała coś zrobić, minuty upływały szybko, a ciągle nie zjawiał się nikt, żeby udzielić jej pomocy.

Drzwi wejściowe znajdowały się już tylko kilka kroków dalej. Gdyby zdołała wyskoczyć na schody, on z pewnością by ją dopędził, ale mogłaby przynajmniej krzyczeć, żeby przyciągnąć czyjąś uwagę.

– Tak naprawdę wolałbym cię nie zabijać, ale muszę. Ponieważ za każdym razem, kiedy to robię, Hana bardzo się boi i potem zostawia mi więcej miejsca. Jestem pewny, że z czasem stanę się znowu tylko sobą, Victorem... Wiem, że wszyscy wolą moją siostrę, ale odkryłem, że jest coś innego, co zwraca uwagę ludzi... Strach. To też jest uczucie, prawda?

Sandra rzuciła się do wyjścia. Zaskoczyła Victora, ale udało mu się zabiec jej drogę i ją zatrzymać. Przewróciła go na podłogę, ale chwycił ją mocno za rękę. Pociągnęła go za sobą korytarzem, podczas gdy on walił ją raz po raz pięścią w plecy.

– Nie uciekniesz, laleczko, nikomu nie uda się stąd wyjść!

Otworzyła drzwi wejściowe i przekroczyła próg. Chciała krzyczeć, lecz zabrakło jej powietrza w płucach. Pochłonął je paniczny strach, a nie wysiłek.

Victor szarpnął nią tak, że rąbnęła tyłem głowy o posadzkę, niemal tracąc przytomność. Zamglonymi oczami zobaczyła, że napastnik znika. Gdzie on poszedł? Próbowała dźwignąć się na rękach, ale upadła znowu, uderzając się w skroń. Jej oczy wypełniły się łzami. Przez tę mleczną zasłonę zobaczyła, że wraca do niej z miną wykrzywioną wściekłością.

W ręce trzymał nóż.

Sandra zamknęła oczy, przygotowując się do odebrania pierwszego ciosu. Ale zamiast poczuć ból, usłyszała piskliwy kobiecy krzyk. Uniosła powieki i dostrzegła Victora leżącego na posadzce. Nad nim stał mężczyzna odwrócony do niej plecami. Przytrzymywał go mocno. Potwór z Rzymu wykręcał się na wszystkie strony, wrzeszcząc rozpaczliwie, ale nieznajomy nie puszczał.

Kobiecy wrzask zamienił się w męski, a potem znowu w kobiecy. Był tak przeraźliwy, że mroził krew w żyłach.

Nieznajomy odwrócił się do Sandry.

– Nic pani nie jest?

Próbowała pokręcić głową, lecz nie była pewna, czy jej się udało.

– Jestem penitencjariuszem – uspokoił ją Clemente.

Nie widziała go nigdy przedtem, nie znała jego imienia, ale mu uwierzyła. Zdzielony pięścią Victor w końcu zamilkł.

– Niech pan stąd odejdzie – próbowała powiedzieć nieznajomemu ledwie słyszalnym głosem. – Policja… wasza tajemnica…

Clemente uśmiechnął się tylko.

Dopiero w tym momencie Sandra dostrzegła nóż, którego rękojeść wystawała mu z brzucha.

11

Gdy Marcus dotarł na Trastevere, nie zdołał się przedrzeć przez policyjny kordon.

Zatrzymał się na skraju zabezpieczonej strefy, wśród ciekawskich i reporterów, którzy zdążyli już przybyć na miejsce.

Nikt nie wiedział, co się dzieje, ale pojawiały się coraz to nowe plotki.

Ktoś mówił o mężczyźnie, którego niedawno policja zabrała stąd w kajdankach, i wspomniał, że agenci z jednostki specjalnej mieli wielce zadowolone miny, kiedy umieszczali go w samochodzie, który ruszył w orszaku innych aut z migającymi kogutami i przy dźwiękach syren.

Dostrzegł jednak Sandrę zmierzającą na własnych nogach w kierunku karetki, w towarzystwie dwóch sanitariuszy. Domyślił się, że musiała ucierpieć, ale jej życiu nic nie zagrażało.

Odetchnął z ulgą, ale tylko na krótką chwilę.

Ze schodów budynku zeszli ludzie z noszami. Leżał na nich mężczyzna z twarzą ukrytą pod maską tlenową. Rozpoznał w nim Clemente. Skąd on wiedział o Sandrze? Nigdy mu o niej nie wspominał... Umieścili go w drugiej karetce, która jednak nie odjechała.

Dlaczego nie ruszacie? Jak długo będziecie tu sterczeć?

Pojazd stał bez ruchu z zamkniętymi drzwiami. W środku widać było poruszenie. Po dłuższej chwili ruszył, ale bez syren.

Marcus domyślił się, że przyjaciel nie żyje.

Miał ochotę płakać i złorzeczyć sobie za to, w jaki sposób rozstali się przy ostatnim spotkaniu. Ale ku swemu wielkiemu zdumieniu, zaczął się modlić przyciszonym głosem.

Robił to, stojąc w tłumie, lecz nikt tego nie zauważył. Wszyscy zajęci byli czym innym. W gruncie rzeczy przebiegało to zawsze w taki sposób.

Jestem niewidzialny, powtórzył sobie. Nie istnieję.

Na piątą lekcję szkolenia Clemente przyszedł do jego mieszkania w środku nocy, bez uprzedzenia.

– Musimy się udać w pewne miejsce – oświadczył, nie dodając nic więcej.

Marcus ubrał się pospiesznie i razem opuścili poddasze przy via dei Serpenti. Szli pieszo krętymi uliczkami centrum opustoszałego Rzymu, dopóki nie znaleźli się przed wejściem do jednego z zabytkowych pałaców.

Clemente wyjął z kieszeni bardzo stary i ciężki żelazny klucz i otworzył nim bramę, a potem dał Marcusowi znak, żeby wszedł pierwszy.

W środku było przestronnie i cicho jak w wielkim kościele. Rząd świec wskazywał, że należy iść po schodach z różowego marmuru.

– Chodź – mruknął do niego. – Inni są już na miejscu.

Inni? Jacy znowu inni? – zadał sobie pytanie Marcus.

Weszli po wielkich schodach i ruszyli szerokim korytarzem zdobionym freskami, których z początku nie potrafił zinterpretować. Potem uświadomił sobie, że przedstawiają słynne sceny z Ewangelii. Jezus wskrzeszający Łazarza, wesele w Kanie, chrzest Jezusa...

Clemente dostrzegł jego niepewne spojrzenia rzucane na malowidła.

– Przypomina to Kaplicę Sykstyńską – pospieszył ze szczegółowym wyjaśnieniem. – Tam freski Michała Anioła przedstawiające

Sąd Ostateczny służą upominaniu i instruowaniu kardynałów ze-
branych na konklawe w celu wybrania nowego papieża, przypo-
minając im o powadze czekającego ich zadania. Tu ewangeliczne
sceny mają taki sam cel: przypominają idącemu tędy, że misja,
jaką ma właśnie do wypełnienia, powinna być inspirowana wy-
łącznie wolą Ducha Świętego.

– Jaka misja?

– Sam zobaczysz.

Po chwili dotarli do marmurowej balustrady ozdobionej ko-
lumnami, która ciągnęła się wokół wielkiej okrągłej sali. Nim
jednak stanęli przed nią, Clemente przyciągnął do siebie Marcusa
i powiedział:

– Musimy pozostać w cieniu.

Stanęli za jedną z kolumn i w końcu Marcus mógł spojrzeć do
środka.

W rozciągającej się niżej sali stało dwanaście konfesjonałów
rozstawionych wokół podwyższenia, na którym umieszczono wiel-
ki złocony kandelabr z dwunastoma zapalonymi świecami.

Powtarzająca się liczba dwanaście musi się odnosić do liczby
apostołów, zauważył natychmiast Marcus.

Niedługo potem do sali zaczęły wchodzić tajemnicze osoby
w ciemnych kardynalskich płaszczach z kapturami, które nie po-
zwalały dojrzeć ich twarzy. Przechodząc obok wielkiego świecz-
nika, każda z nich gasiła dwoma palcami płomień jednej świecy.
Następnie ruszały dalej, żeby zająć miejsce w którymś z konfe-
sjonałów.

Procedura powtarzała się, dopóki nie pozostała tylko jedna
paląca się świeca i jeden pusty konfesjonał. Nikt nie zgasi świecy
Judasza, powiedział sobie w duchu Marcus. Nikt nie zajmie jego
miejsca.

Salę oświetlał już tylko płomyczek tej jednej świecy.

– Ciemna Jutrznia – wyjaśnił cichym głosem Clemente. – Tak
nazywa się rytuał, któremu się przyglądasz.

Gdy wszyscy usadowili się na swoich miejscach, do środka
wszedł inny uczestnik ceremonii w płaszczu z czerwonej satyny.

410

Niósł wielką płonącą świecę, rzucającą bardzo jasne światło, które na nowo rozświetliło salę. Umieścił ją na szczycie świecznika. Ta woskowa świeca symbolizowała Chrystusa. W tym momencie Marcus domyślił się, gdzie się znajdują.

W Trybunale Dusz.

Opowiadając mu o archiwum grzechów przechowywanym przez penitencjariuszy, Clemente wyjaśnił, że dla tych najcięższych – grzechów śmiertelnych – konieczne jest zebranie odpowiedniego organu sądzącego, złożonego z wysokich dostojników, ale także ze zwykłych księży, wszystkich wybranych na chybił trafił, którzy wspólnie postanawiają, czy powinni, czy też nie powinni udzielić grzesznikowi przebaczenia.

To właśnie miało się rozegrać teraz na jego oczach.

Człowiek w czerwonym płaszczu miał za zadanie najpierw odczytać tekst z opisem grzechu, a potem wygłosić surowe oskarżenie grzesznika, który pozostawał nieznany. Prałat powołany do pełnienia tej niewdzięcznej, ale najważniejszej funkcji oskarżyciela, zwany był Adwokatem Diabła.

Do jego obowiązków należało też prowadzenie spraw dotyczących beatyfikacji i uświęcenia ludzi, którzy za życia okazali cechy boskie. Jego zadaniem było wykazać coś przeciwnego. W ceremoniale Trybunału Dusz Adwokat Diabła stawał po stronie księcia ciemności, gdyż zgodnie z Pismem Świętym temu drugiemu nie sprawiłoby z pewnością przyjemności, gdyby jakiemuś grzesznikowi wybaczono grzechy. Oznaczałoby to, że stracił duszę, która miała trafić do piekła.

Niezależnie od nieaktualnych już archaicznych wartości oraz symboli, które miały wyraźnie średniowieczny rodowód, Trybunał Dusz zachował potężny pierwotny wymiar, na tyle, że przypominał narzędzie Przeznaczenia.

Sąd ten nie zajmował się grzechem jako takim, ale duszą grzesznika. Wydawało się, że w tym miejscu podejmuje się decyzję o tym, czy jest on nadal godzien pozostawać członkiem ludzkiej społeczności.

Po wystąpieniu Adwokata Diabła rozpoczynała się dyskusja

między członkami Trybunału zamkniętymi w konfesjonałach. Ostateczny werdykt wydawany był w jednoznacznej formie. Sędziowie podnosili się ze swoich miejsc i wychodzili z sali, zapalając po drodze świecę, którą każdy z nich gasił, wchodząc, bądź jej nie zapalając. Sięgali do stojącej tam czarki po patyczek i zapalali go od płomienia świecy symbolizującej Chrystusa.

O udzieleniu grzesznikowi przebaczenia lub o potępieniu decydowała ostatecznie liczba świec, które zostały zapalone od Chrystusowego płomienia. Oczywiście decydowała większość. Gdy liczba zapalonych i zgaszonych świec była równa, oznaczało to, że wydano przychylny werdykt.

Za chwilę miało się rozpocząć posiedzenie Trybunału.

Człowiek w czerwonym płaszczu uniósł kartkę i zaczął odczytywać donośnym głosem opis osądzanego tej nocy grzechu ciężkiego, culpa gravis, popełnionego przez kobietę, która odebrała życie dwuletniemu synkowi, gdyż, jak twierdziła, miała ciężką depresję.

Dokończywszy odczytywanie, człowiek w czerwonym płaszczu zaczął się szykować do wygłoszenia mowy oskarżycielskiej. Najpierw jednak odrzucił na plecy czerwony kaptur, ponieważ jako jedyny miał prawo wystąpić z odsłoniętą twarzą.

Adwokat Diabła miał rysy wskazujące na orientalne pochodzenie.

12

Kardynał Battista Erriaga ponownie włożył biskupi pierścień.

Środkowy palec jego prawej dłoni zbyt długo pozostawał bez świątobliwego klejnotu. W końcu mógł też wynieść się z pokoju w dwugwiazdkowym hotelu, gdzie spędził kilka ostatnich nocy, i wrócić do swego wspaniałego mieszkania na poddaszu z widokiem na Fori Imperiali, kilka kroków od Koloseum.

Wraz z zatrzymaniem Chłopca z soli właściwie jego rola się skończyła. Rzym mógł się też dowiedzieć, że Adwokat Diabła wrócił do miasta.

Upiór jego przyjaciela Mina, który tak bardzo go dręczył w tych dniach, nie zniknął jeszcze. Niczym milczący świadek, zaszył się w jego sumieniu. Nie przeszkadzał mu jednak, gdyż to właśnie dzięki temu dobrotliwemu olbrzymowi Erriaga dotarł aż do szczytów hierarchii Kościoła.

W młodym wieku splamił się popełnieniem morderstwa. Brutalnie zabił Mina, który raz z niego zakpił. I za ten czyn Erriagę wtrącono do więzienia. Nie pogodził się z wyrokiem, uważając go za niesprawiedliwy i buntując się przeciwko wszelkim postaciom władzy w trakcie całego okresu uwięzienia. W ten sposób objawiała się jednak tylko zewnętrzna natura niespokojnego młodzieńca, który miotał się i gadał, ale w głębi duszy cierpiał z powodu czynu, który popełnił.

Aż pewnego dnia napotkał księdza i z tą chwilą wszystko się zmieniło.

Kapłan zaczął mówić mu o Ewangeliach i Piśmie. Stopniowo i cierpliwie nakłonił Erriagę do uwolnienia się od ciążącego mu brzemienia. Gdy jednak ten wyspowiadał mu się ze swego grzechu, ksiądz nie udzielił od razu rozgrzeszenia. Wyjaśnił natomiast, że należy sporządzić opis jego *culpa gravis* i przesłać go do właściwego trybunału, który znajduje się w Rzymie. Tak też zrobił i nastały długie dni, w których Erriaga obawiał się, że jego wina nie zostanie mu nigdy wybaczona i nie dostąpi zbawienia. W końcu jednak wyrok nadszedł.

Jego dusza została uratowana.

Wtedy Erriaga dostrzegł możliwość całkowitej odmiany swego życia. Dojrzał w Trybunale Dusz nadzwyczajne narzędzie, dzięki któremu mógł uwolnić się od marnej egzystencji i oszczędzić sobie nędznego losu, jaki nieuchronnie go czekał. Cóż za władza kryła się w sądzeniu ludzkich dusz! Skończyłby z życiem nic nieznaczącego, bezużytecznego potomka alkoholika, syna wytresowanej małpy.

Przekonał księdza, żeby wytyczył mu drogę do złożenia ślubów zakonnych. Nigdy nie odczuwał szczerego powołania, popychała go do tego wyłącznie ambicja.

W następnych latach realizował ten cel z zapałem i poświęceniem. Zaczął od zatarcia wszelkich śladów swej przeszłości, żeby nigdy nikomu nie postało w głowie wiązać go z zabójstwem, do którego doszło w zapadłej wiosce na Filipinach. Potem starał się zasłużyć na kolejne szczeble hierarchicznej drabiny, po której się wspinał. Od zwykłego księdza do biskupa, od prałata do kardynała. A w końcu powierzono mu zadanie, do którego przygotowywał się przez całe życie. Biorąc pod uwagę jego kompetencje, było rzeczą niemal pewną, że zostanie wybrany właśnie on.

Od przeszło dwudziestu lat odprawiał Ciemną Jutrznię w łonie Trybunału. Formułował oskarżenia obciążające penitentów, a jednocześnie starał się poznać ich najbardziej skrywane sekrety. Byli wprawdzie anonimowi, ale Battista Erriaga był w stanie ustalić ich tożsamość na podstawie drobnych szczegółów zawartych w opisach spowiedzi.

Stał się prawdziwym ekspertem w tej działalności.

Z czasem nauczył się posługiwać tym, czego się o nich dowiedział, żeby nakłaniać ich do wyświadczania mu różnych uprzejmości. Nie lubił nazywać tych działań szantażem, choć w istocie mogło się wydawać, że polegają właśnie na tym. Wykorzystując swą ogromną władzę, za każdym razem robił to wyłącznie dla dobra Kościoła. A że przy okazji odnosił również osobiste korzyści, było to całkowicie marginalnym aspektem sprawy.

Traktował skruszonych grzeszników bez cienia litości. Ci ludzie spowiadali się przecież tylko po to, żeby bez przeszkód prowadzić nadal swoje życie. Postępując tak, dowodzili tylko swej nikczemności, gdyż w ten sposób unikali otwartego zmierzenia się z prawem. Ponadto wielu z nich otrzymywało rozgrzeszenie, mogli więc wracać do robienia dokładnie tego samego co wcześniej.

Erriaga był zdania, że sakrament spowiedzi jest jednym z błędów katolicyzmu. Co jakiś czas dokonuje się porządnego obmycia sumienia, i sztuczka się udała!

Z tego powodu nie cofał się przed wykorzystywaniem tego rodzaju grzeszników, aby zużytkować ich ułomności na rzecz dobra. Za każdym razem, gdy przychodził do któregoś z nich, ten wpadał w osłupienie, słuchając opowieści o własnych sekretach. Fakt, że nie domyślali się od razu, jak zdobył tę wiedzę, dowodził tego, że zapomnieli o tym, że kiedyś wyspowiadali się ze swego grzechu. Oto, jak mało liczyło się w ich oczach przebaczenie!

Przeglądając się w lustrze w jednym ze swoich ciemnych garniturów od świetnego krawca, ale z białą koloratką księdza w miejsce krawata, Erriaga włożył na szyję łańcuch z wielkim złotym krzyżem wysadzanym rubinami i wyrecytował cicho modlitwę za duszę Mina.

W młodości splamił się straszliwym grzechem, ale przynajmniej nie był człowiekiem na tyle bezczelnym, żeby go sobie wybaczyć.

Pomodliwszy się, postanowił wyjść z domu, ponieważ aby zakończyć misję, musiał jeszcze wykonać jedną rzecz.

Tajemnica składała się z trzech elementów. Pierwszym był Chłopiec z soli. Drugim człowiek z wilczą głową. Oba zostały już ujawnione.

Trzeci musiał jednak pozostać tajemnicą. Gdyż w przeciwnym razie Kościół zapłaciłby ogromną cenę. A on wraz z nim.

13

Marcus długo się nad tym zastanawiał.

Bez sensu było tkwić przed szpitalem, do którego ją zawieziono wyłącznie dlatego, żeby zapewnić jej bezpieczeństwo. Czekały tu już tłumy fotografów i dziennikarzy, którzy liczyli na to, że uda się im pstryknąć jakieś zdjęcie bądź wysłuchać oświadczenia.

Sandra stała się bohaterką dnia. Oczywiście, razem z Victorem Agapowem.

Potwora z Rzymu umieszczono w areszcie, ale według nielicznych informacji, jakie dotarły do prasy, uporczywie odmawiał odpowiedzi na pytania prokuratorów. Uwaga wszystkich koncentrowała się więc na młodej policjantce, ofierze i zarazem bohaterce epilogu całej sprawy.

Marcus miał nadzieję, że się z nią zobaczy i będą mogli porozmawiać, ale nie mógł się zdecydować na bardziej stanowczy krok. Dręczył go ból z powodu śmierci Clemente, paraliżując jego poczynania. Po utracie jedynego przyjaciela poczuł się całkowicie osamotniony i doszedł do wniosku, że jedynym antidotum na ten stan jest Sandra.

Aż do tej chwili zawsze uważał, że tylko on jest człowiekiem samotnym. Wydawało mu się, że Clemente oprócz ich wzajemnych kontaktów ma własne życie i komunikuje się z innymi ludźmi, z którymi może się śmiać albo się im zwierzać. Clemente miał nad nim przewagę wynikającą już choćby z tego, że znał ich zwierzchników. Tymczasem znajdował się w dokładnie takim samym położeniu jak on, nie miał nikogo. Różnica polegała tylko na tym, że on nigdy się nie użalał, ta sytuacja nie ciążyła mu tak bardzo jak jemu.

Byłem wiejskim księdzem w Portugalii. Pewnego dnia przyszedł list. Był opatrzony pieczęcią Watykanu: chodziło o wykonanie zadania, od którego nie mogłem się uchylić. W środku znajdowały się instrukcje, jak mam odnaleźć człowieka leżącego w szpitalu w Pradze... Nigdy nie mogłem pojąć, dlaczego wybrali właśnie mnie. Nie miałem wyjątkowych zalet, nigdy nie przejawiłem chęci, żeby zrobić karierę. Byłem szczęśliwy w mojej parafii, wśród swoich wiernych... Nie jest nam dane pytać, nie jest nam dane wiedzieć. Musimy tylko być posłuszni...

Tej nocy Clemente uratował Sandrę, poświęcając swoje życie. Głównym powodem, dla którego Marcus chciał się z nią zobaczyć, było to, że pragnął powiedzieć jej prawdę o swoim przyjacielu.

Udał się w jedyne miejsce, w którym mogliby się spotkać z dala od tłumu ciekawskich. Z dala od wszystkich. Nie był pewien, czy Sandra domyśli się, że czeka na nią właśnie tu, ale miał taką nadzieję. Ponieważ było to pierwsze miejsce, w którym spotkali się trzy lata wcześniej. Zakrystia kościoła Świętego Ludwika Francuzów.

◆ ◆ ◆

– Jestem tutaj – powiedziała, zanim zdążył otworzyć usta, tak jakby naprawdę umówili się na to spotkanie i chciała się usprawiedliwić, dlaczego się spóźniła.

Ruszył w jej stronę, ale się zatrzymał. Objęli się podczas ostatniego spotkania, teraz nie było miejsca na taki odruch. Sandra miała zapadnięte policzki i oczy spuchnięte od płaczu.

– Jestem głupia. To moja wina, że Max nie żyje.

– Nie sądzę, żeby to zależało od ciebie.

– Ależ tak. Gdybym nie zrobiła tego znaku krzyża w momencie, gdy znajdowałam się w zasięgu kamer telewizyjnych, on by nas nie wybrał.

Marcus nie wiedział o tym wątku sprawy. A zadawał sobie pytanie, dlaczego właśnie Sandra i dlaczego Max. Ale jak dotąd nie potrafił znaleźć odpowiedzi. Dowiedziawszy się, jak to wyglądało, postanowił milczeć.

– Jego uczniowie są wstrząśnięci, nie są w stanie się uspokoić. Przygotowali wspomnienie o nim, niebawem odbędzie się krótka ceremonia w szkolnej sali gimnastycznej. – Spojrzała na zegarek jak ktoś, komu się spieszy. – Prokurator zgodził się na przewiezienie zwłok do Anglii. – Po czym dodała: – Ja też pojadę.

Marcus patrzył na nią, nie mogąc wydusić z siebie słowa. Stali w odległości około dwóch metrów od siebie, ale żadne z nich nie potrafiło zdobyć się na to, żeby podejść bliżej. Wyglądało to tak, jakby dzieliła ich przepaść.

– Koniecznie muszę z nim pojechać, porozmawiam z jego matką, ojcem i braćmi, poznam starych przyjaciół, z którymi nie zdążył mnie poznać, i po raz pierwszy zobaczę miejsce jego urodzenia, a oni będą na mnie patrzeć i myśleć, że kochałam go do samego końca, i to nie będzie prawdą, bo...

Nie dokończyła i jej ostatnie słowo zawisło nad dzielącym ich urwiskiem.

– Co chciałaś powiedzieć? – spytał Marcus.

Sandra nie odpowiedziała.

– Dlaczego tu przyszłaś?

– Ponieważ coś przyrzekłam.

Marcus był zawiedziony jej odpowiedzią. Chciałby usłyszeć, że zrobiła to dla niego.

– Twój przyjaciel miał na imię Clemente, prawda? I był penitencjariuszem.

A więc wiedziała, kto ją uratował... Clemente złamał zasadę regulującą zachowanie penitencjariuszy. *...nikt nie będzie mógł się dowiedzieć o twoim istnieniu. Nigdy. Będziesz mógł powiedzieć, kim jesteś, tylko w czasie, jaki oddziela błyskawicę od grzmotu...*

Sandra włożyła rękę do kieszeni, wyjęła z niej coś i podała mu, nie podchodząc bliżej.

– Przed śmiercią prosił mnie, żebym ci to dała.

Marcus zrobił krok do przodu i zobaczył przedmiot, który miała w dłoni. Medalik z podobizną świętego Michała Archanioła trzymającego ognisty miecz.

– Powiedział, że to ważne. I że ty to zrozumiesz.

Przypomniał sobie chwilę wściekłości, w której cisnął w niego tym medalikiem. Czy rzeczywiście tak wyglądało ich pożegnanie? I to wprawiło go w jeszcze bardziej mroczną desperację.

– Muszę już iść – powiedziała Sandra.

Podeszła i włożyła mu do rąk medalik. Potem uniosła się trochę na czubkach palców i pocałowała go w usta. Trwało to bardzo długo.

– W innym życiu – powiedziała na koniec.

– W innym życiu – obiecał Marcus.

♦ ♦ ♦

Późnym wieczorem wrócił na poddasze przy via dei Serpenti. Zamknął drzwi i odczekał chwilę, nim zapalił światło. Przez okno wpadały mdłe odblaski dochodzące od bezkresnej przestrzeni dachów Rzymu.

Dopiero teraz poczuł się naprawdę samotny. Ostatecznie sam.

Było mu smutno. Gdyby jednak Sandra przedłużyła ten pocałunek, sprawiając, że ich pożegnanie zamieniłoby się w coś innego, być może w prośbę, żeby ją pokochał, jak by się zachował? Wiele lat temu złożył przysięgę, śluby czystości i posłuszeństwa. Czy naprawdę byłby gotów je złamać? Żeby zamienić się w kogo?

Był łowcą cieni. Nie chodziło o zawód, to była jego natura.

Zło nie jest po prostu zachowaniem, z którego wynikają negatywne skutki i wrażenia. Zło jest pewnym wymiarem. Penitencjariusz był w stanie je dostrzec, widząc to, czego inni nie mogą zobaczyć.

Jednak w obrazie, jaki miał teraz przed oczami, ciągle czegoś brakowało.

Kim był człowiek, z którym Sandra spotkała się w Koloseum? Jak on to robił, że znał szczegóły policyjnego śledztwa? A przede wszystkim, jak to możliwe, że znał Marcusa i innych penitencjariuszy?

Musiał jeszcze znaleźć odpowiedzi na te pytania. Jako łowca cieni nie miał wyboru. Postanowił jednak, że zacznie działać od jutra, teraz był zbyt zmęczony.

Zapalił małą lampkę koło łóżka polowego. Pierwszą rzeczą, jaką zobaczył, było zdjęcie mężczyzny z szarą torbą przewieszoną przez ramię. Mordercy zakonnicy z klauzury. Nie mógł nie pomyśleć o tym, że starcie z Clemente zaczęło się właśnie od sprawy poćwiartowanych zwłok w ogrodach watykańskich, a przede wszystkim, od jego uporczywych nalegań, żeby przyjaciel skontaktował go z ich zwierzchnikami. Okazał się wobec niego niesprawiedliwy. W głowie rozbrzmiewały mu ciągle rozpaczliwe słowa przyjaciela: *Nie wiem.*

Przypomniał mu się medalik ze świętym Michałem Archaniołem, opiekunem penitencjariuszy, który Clemente pragnął mu zwrócić przed śmiercią. Przyszedł moment, żeby włożyć go znowu. Zaczął szukać go w kieszeni, ale razem z nim wyjął również złożoną kartkę. Dopiero po chwili przypomniał sobie, że jest to mapka, którą dał mu Kropp. Oba te przedmioty pochodziły od ludzi, którzy mieli niebawem umrzeć. Marcus miał się już pozbyć tego drugiego, ponieważ nie mógł znieść podobnego zestawienia. Nim jednak podarł kartkę, zmusił się, żeby jej się przyjrzeć po raz ostatni.

Centrum Rzymu, szlak wiodący od via del Mancino aż po piazza di Spagna, do stóp schodów prowadzących do kościoła Trinità dei Monti. Trochę więcej niż kilometr drogi na piechotę.

…zrozumiesz i zaniemówisz z wrażenia, powiedział mu umierający starzec.

Ale co mogło się znajdować w jednym z najsławniejszych

i najczęściej odwiedzanych miejsc Rzymu? Jaka tajemnica mogła się kryć przed oczami wszystkich?

Aż do tej chwili Marcus podejrzewał w tym zasadzkę, sposób na odciągnięcie go od głównego celu: znalezienia Victora. Teraz jednak spojrzał na sprawę inaczej: gdyby Kropp chciał go tylko oszukać, wysłałby go do najbardziej oddalonego i nieznanego zakątka miasta. Tylko że to, co zrobił, pozbawione było sensu.

Finał twojej baśni o chłopcu bez imienia.

Dopiero przyjrzawszy się bliżej mapce, Marcus zauważył pewien szczegół. A nawet anomalię. Nie cała trasa zaznaczona na czerwono ciągnęła się ulicami miasta. Kilka razy zdawała się przenikać przez budynki.

Ona nie prowadzi po powierzchni, powiedział sobie Marcus, lecz pod nią.

Szlak wiódł przez podziemia miasta.

14

W Rzymie panowało dziwne poruszenie.

Ludzie zapełniali ulice, rezygnując ze snu. Miasto celebrowało koniec koszmaru wywołanego przez Potwora. Najbardziej niezwykłym przejawem tej radości były nocne czuwania organizowane spontanicznie we wszystkich dzielnicach. Ktoś wybierał przypadkowe miejsce, żeby położyć w nim kwiaty albo zapalić świeczkę w intencji ofiar, i niebawem pojawiały się w nim inne świadectwa pamięci – pluszowe misie, zdjęcia, kartki z wyrazami współczucia. Ludzie przystawali obok nich, brali się za ręce, wielu się modliło.

Kościoły były otwarte. Te, które zazwyczaj odwiedzali tylko turyści, teraz pełne były wiernych. Nikt nie odczuwał już zakłopotania, że tak otwarcie dziękuje Bogu.

Wiara bezwstydna i radosna. Tak odbierał to Marcus. On sam nie mógł się jednak włączyć do tego karnawału, jeszcze nie teraz.

Via del Mancino znajduje się w pobliżu piazza Venezia.

Penitencjariusz odczekał, aż ulica opustoszeje choćby na chwilę, i dopiero wtedy zanurkował w studzience wodociągu kapitolińskiego, w miejscu odpowiadającym początkowi trasy wskazanej na mapce Kroppa. Odstawiwszy żeliwną pokrywę, odkrył drabinkę prowadzącą kilka metrów pod ziemię. Dopiero gdy dotarł do najniższych szczebli, zapalił latarkę.

Oświetlił wąski tunel, którym niegdyś biegł wodociąg. W jego ścianach widać było osady z różnych epok. Warstwy zbrojonego betonu, zwykłej ziemi, ale także tufu i trawertynu. Jedną z nich stanowiła mieszanina skorup glinianych amfor. W czasach starożytnego Rzymu nieużywane naczynia wykorzystywano często jako materiał budowlany.

Marcus podążył we wskazanym kierunku, omiatając światłem latarki na przemian zniszczoną posadzkę i mapkę, którą miał w ręce. Po drodze napotkał kilka rozgałęzień i wiele razy z trudem znajdował właściwą drogę. W pewnym momencie natrafił na tunel, który nie miał nic wspólnego z akweduktem, gdyż prawdopodobnie wydrążono go wiele wieków wcześniej.

Wszedł do niego i po kilku metrach zauważył, że ściany pokryte są napisami w grece, po łacinie i aramejsku. Niektóre uległy uszkodzeniu pod wpływem czasu i wilgoci.

Katakumby, pomyślał.

Były to chrześcijańskie lub żydowskie miejsca pochówków, rozrzucone po różnych dzielnicach Rzymu. Najstarsze pochodziły z drugiego wieku naszej ery, kiedy to wydano zakaz chowania zmarłych w granicach murów miasta.

Marcusowi wydało się rzeczą dziwną, że jedno z tych cmentarzysk znajduje się o dwa kroki od piazza di Spagna.

Zwykle te chrześcijańskie katakumby poświęcano jakiemuś świętemu. Najsławniejsze z nich, położone kilka metrów pod symbolem katolicyzmu, Bazylika Świętego Piotra, mieściły jego grób. Marcus zwiedził je kiedyś razem z Clemente, który opowiedział mu wówczas historię odnalezienia szczątków apostoła w roku 1939.

Posuwając się do przodu, Marcus starał się dokładnie oświetlać ściany latarką, mając nadzieję, że odkryje coś, co mu podpowie, gdzie się znajduje.

Jego uwagę przyciągnął rysunek widoczny u podstawy jednej ze ścian. Miał wysokość kilku centymetrów. Nie rozpoznał go od razu, ponieważ z początku wydało mu się, że jest to tylko przedstawione z profilu oblicze maszerującego człowieczka.

Potem dostrzegł wilczą głowę.

Postawa figurki zdawała się wskazywać kierunek. Marcus ruszył dalej zgodnie z tą sugestią. W miarę posuwania się wielokrotnie odnajdywał ten symbol, umieszczany coraz wyżej i coraz większych rozmiarów. Znak, że ten, kto wykonał te bardzo stare freski, obiecywał odkrycie czegoś ważnego u celu wędrówki.

Gdy człowiek z wilczą głową dorównał mu wysokością, Marcusowi wydało się, że figura idzie obok niego. Ogarnęło go niemiłe uczucie. Wiele metrów nad jego głową ludzie spacerowali, mając serca wypełnione nowo odnalezioną wiarą. On zaś tu, na dole, maszerował, mając tuż obok siebie diabła.

Dotarł do okrągłego pomieszczenia, czegoś w rodzaju studni bez wyjścia. Miała nisko zawieszone sklepienie, ale zorientował się, że nie musi pochylać głowy. Na ścianach widać było powtarzaną wręcz obsesyjnie człekokształtną sylwetkę z wilczą głową. Marcus oświetlił po kolei latarką wszystkie te bliźniaczo podobne do siebie istoty. Dopiero gdy zobaczył ostatnią z nich, popadł w prawdziwą konsternację.

Ta postać przedstawiona była inaczej. Nie miała wilczej głowy. Odsunięto ją na bok, jak zwykłą maskę, spod której wyłoniło się ludzkie oblicze. Twarz dobrze Marcusowi znana, gdyż oglądał ją tysiące razy.

Człowiekiem bez maski był Jezus Chrystus.

◆ ◆ ◆

– Tak, chodzi o chrześcijan – odezwał się męski głos za jego plecami.

Marcus odwrócił się błyskawicznie, świecąc latarką przed siebie. Stojący przed nim mężczyzna uniósł dłoń do twarzy, ale tylko dlatego, że oślepiało go światło.

– Mógłbyś opuścić tę latarkę z łaski swojej?

Penitencjariusz spełnił jego życzenie i mężczyzna opuścił rękę. Marcus uświadomił sobie, że widział go pewnej nocy w zupełnie innych okolicznościach, w Trybunale Dusz.

Adwokat Diabła.

Natomiast Battista Erriaga ujrzał go po raz pierwszy.

– Miałem nadzieję, że nie dotrzesz aż tutaj – powiedział, mając na myśli trzeci stopień tajemnicy, teraz już odsłonięty.

– Jak mam rozumieć to, że „chodzi o chrześcijan"? – spytał Marcus ubranego na czarno mężczyznę z kardynalskim krzyżem i pierścieniem.

– Że wierzą oni w Boga i w Chrystusa tak samo jak ja i ty. A nawet, być może, ich wiara jest silniejsza i bardziej płodna niż nasza, Marcusie.

Mężczyzna znał jego imię.

– W takim razie dlaczego ochraniają zło?

– Robią to w dobrym celu – odparł Erriaga, zdając sobie sprawę, że ta idea może zabrzmieć jak dysonans w uszach kogoś niewtajemniczonego. – Widzisz, Marcusie, we wszystkich wielkich monoteistycznych religiach Bóg jest zarówno dobry jak i zły, dobroczynny i mściwy, współczujący i nielitościwy. Tak jest u żydów i muzułmanów. Natomiast chrześcijanie, w pewnym momencie swojej historii, odróżnili Boga od diabła... W ich oczach Bóg mógł być tylko dobry. I do dzisiejszego dnia płacimy cenę za ten wybór, za ten błąd. Ukryliśmy diabła przed ludzkością, jak się ukrywa brud pod dywanem. Żeby osiągnąć co? Uwolniliśmy Boga od jego grzechów, żeby rozgrzeszyć siebie samych. Nie uważasz, że to jest bardzo egoistyczna postawa?

– W takim razie Kropp i jego stronnicy udawali tylko, że są satanistami.

– Jeśli prawdziwy Bóg jest zarówno dobry, jak i zły, to czym jest w istocie satanizm, jeśli nie innym sposobem oddawania mu czci? W wigilię roku tysiącznego, w roku dziewięćset dziewięćdziesiątym dziewiątym, pewna grupa chrześcijan założyła Konfraternię Judasza. Oparli się na czymś, co w oczywisty sposób wynikało z Pisma Świętego, to znaczy, że gdyby zabrakło apostoła zdrajcy, nie byłoby męczeństwa Chrystusa, a bez Jego męczeństwa nie mielibyśmy chrześcijaństwa. Judasz, czyli zło, odegrał w tym podstawową rolę. Ci ludzie pojęli, że diabeł jest potrzebny, żeby podsycić wiarę w sercach ludzi. I w ten sposób wymyślili symbole, które wstrząsnęły sumieniami: bo czym jest liczba sześćset sześćdziesiąt sześć, jeśli nie odwróconym dziewięćset dziewięćdziesiąt dziewięć? A pomimo odwrócenia do góry nogami, krzyże pozostają nadal krzyżami! Tego właśnie ludzie nie widzą i nie rozumieją.

– Konfraternia Judasza – powtórzył Marcus, mając na myśli sektę Kroppa. – Zło podsyca wiarę – skonkludował, przejęty grozą.

– Ty również widziałeś, co się dzieje dzisiejszej nocy tam, nad naszymi głowami. Przyjrzałeś się dobrze tym modlącym się mężczyznom i kobietom? Zajrzałeś im w oczy? Są szczęśliwi. Ile dusz zdołało się uratować dzięki Victorowi? Jeśli będziesz im mówił o dobru, zignorują cię. Ale pokaż im zło, a natychmiast wysłuchają cię z uwagą.

– A co z tymi, którzy stracili życie?

– Jeśli jesteśmy stworzeni na obraz i podobieństwo Boga, to musimy przyjąć, że on również może popełniać zło. Aby usprawiedliwić istnienie wojska, potrzebna jest wojna. Gdyby nie było zła, ludzie nie potrzebowaliby Kościoła. A koniec końców, każda wojna pociąga za sobą ofiary.

– A więc Diana i Giorgio, dwoje policjantów, autostopowicze, Max, Cosmo Barditi… wszyscy oni są tylko nieuchronnym skutkiem ubocznym?

– Jesteś niesprawiedliwy. Chociaż mi nie uwierzysz, ja również starałem się powstrzymać tę rzeź, dokładnie tak jak ty. Ale robiłem to na swój sposób, mając na uwadze wyższe względy.

– Jakie? – spytał wyzywającym tonem Marcus.

Erriaga spojrzał ostro na swego rozmówcę, ponieważ nie lubił być prowokowany.

– Jak sądzisz, kto dał Clemente polecenie, żeby powierzył ci śledztwo w sprawie zabójcy po tym, jak znaleźliśmy wiadomość nagraną w konfesjonale bazyliki Świętego Apolinarego?

Marcus był zdezorientowany.

– Zawsze chciałeś poznać oblicza twoich zwierzchników. – Erriaga rozłożył ręce, a potem wycelował nimi w swoją pierś. – W końcu masz mnie przed sobą. Jestem kardynałem i nazywam się Battista Erriaga. Przez cały ten czas działałeś zawsze dla mnie.

Marcus nie wiedział, co powiedzieć. Złość i rozgoryczenie brały w nim górę nad chłodnym rozumowaniem.

– Od samego początku wiedziałeś, kim jest Chłopiec z soli, i nie dałeś mi możliwości zatrzymania go.

– To nie było takie proste; najpierw należało powstrzymać Kroppa i jego ludzi.

Teraz już wszystko wydało się Marcusowi jasne.

– Z pewnością. Ponieważ twoim jedynym zmartwieniem było to, żeby nie wyszło na jaw, że Kościół wie o istnieniu tego bractwa Judasza. O ludziach wierzących w tego samego Boga co my. Byłby to zbyt wielki wstyd, gdyby sprawa została ujawniona.

Erriaga doszedł do wniosku, że stojący przed nim człowiek – ten sam, którego odkrył w Pradze, pozbawionego pamięci, w szpitalnym łóżku i z pociskiem w czole, ten sam, którego kazał wyszkolić – ma bardzo twardy charakter, i to go ucieszyło. Dokonał trafnego wyboru.

– Od czasów Innocentego Trzeciego papieży określa się mianem „władcy potworów". Tkwi w tym jasne przesłanie: Kościół nie boi się konfrontacji z własną historią ani z grzechem, czyli tym, co jest najgorsze i godne potępienia w ludzkiej naturze. Gdy nasi wrogowie chcą w nas uderzyć, wytykają nam bogactwo i życie tak odległe od przykazań Chrystusa, który chciał, żebyśmy byli ubodzy i szczodrzy wobec bliźnich. Twierdzą wtedy, że do Watykanu zakradł się diabeł...

Hic est diabolus, przypomniał sobie Marcus.

– I mają rację – oświadczył niespodziewanie Erriaga. – Ponieważ tylko my możemy utrzymać zło w ryzach. Zapamiętaj to sobie.

– Wiedząc to wszystko, nie jestem już pewien, czy chciałbym w tym nadal uczestniczyć... – Marcus ruszył w kierunku tunelu prowadzącego do wyjścia.

– Jesteś niewdzięcznikiem. To ja wysłałem Clemente do mieszkania Sandry Vegi, gdy tylko dowiedziałem się z moich źródeł, że ofiara z Sabaudii była jej partnerem. To ja zrozumiałem, na jakie zagrożenie się naraża, i podjąłem odpowiednie kroki. Twoja kobieta mnie zawdzięcza to, że żyje!

Penitencjariusz nie zareagował na prowokację kardynała i przeszedł obok niego. Po kilku krokach zatrzymał się, żeby jeszcze raz odwrócić się do niego.

– *Dobro jest wyjątkiem. Zło jest regułą*. Ty mnie tego nauczyłeś.

Battista Erriaga wybuchnął szaleńczym śmiechem, który odbił się echem w skalnym korytarzu.

– Nigdy nie będziesz żył tak, jak to robią inni. Nie staniesz się kimś, kim nie jesteś. Wynika to z twojej natury.

Po czym dorzucił coś, co przejęło Marcusa dreszczem:

– Wrócisz.

EPILOG

Władca potworów

– Jesteś prawie gotowy – oświadczył mu Clemente pewnego marcowego ranka. – Do końca twojego szkolenia brakuje tylko jednej lekcji.

– Nie jestem pewien, czy wygląda to rzeczywiście tak, jak mówisz – odparł Marcus, który miał jeszcze mnóstwo wątpliwości. – Nadal prześladują mnie bóle głowy, miewam też ciągle te same koszmary.

Clemente zaczął szukać po kieszeniach. Wyjął metalowy medalik, jeden z tych, które można kupić za parę groszy w sklepach z pamiątkami przy placu Świętego Piotra, i zademonstrował mu go tak, jakby miał niewiarygodną wartość.

– To jest święty Michał Archanioł – powiedział, wskazując anioła z ognistym mieczem. – Przepędził z raju Lucyfera i wtrącił go do piekieł. – Potem Clemente ujął jego dłoń i włożył w nią medalik. – On jest protektorem penitencjariuszy. Włóż medalik na szyję i noś go zawsze, będzie ci pomagał.

Marcus przyjął podarunek z nadzieją, że naprawdę znajdzie w nim podporę.

– A kiedy odbędzie się moja ostatnia lekcja?

– We właściwym momencie – odparł z uśmiechem Clemente.

Marcus nie zrozumiał sensu słów przyjaciela. Był jednak pewien, że któregoś dnia wszystko się wyjaśni.

Pod koniec lutego w Lagos termometr wskazywał czterdzieści stopni przy wilgotności powietrza wynoszącej osiemdziesiąt procent.

W drugim co do wielkości po Kairze afrykańskim mieście mieszkało blisko dwadzieścia milionów ludzi, a ich liczba powiększała się każdego dnia o dwa tysiące osób. Zjawisko to można było dostrzec gołym okiem: odkąd Marcus się tu znalazł, zauważył powiększenie się skupiska baraków, które rozciągało się za jego oknem.

Wybrał mieszkanie na peryferiach, nad warsztatem, gdzie naprawiano stare ciężarówki. Nie było zbyt duże i chociaż przyzwyczaił się już do chaosu panującego w metropolii, gorące nocne powietrze nie pozwalało mu się dobrze wyspać. W mieszkanku znajdowała się szafa wnękowa, w której upchał swoje rzeczy, lodówka z lat siedemdziesiątych oraz mały kącik kuchenny, gdzie przygotowywał sobie posiłki. Wentylator pod sufitem wydawał rytmiczne brzęczenie przypominające szum skrzydeł szerszenia.

Pomimo niewygody Marcus czuł się wolny.

Przebywał w Nigerii od około ośmiu miesięcy, a ostatnie dwa lata spędził na wędrówce z jednego miejsca na drugie. Paragwaj, Boliwia, Pakistan, potem Kambodża. Polując na anomalie, zdołał rozpędzić siatkę pedofilów, w Gujranwala unieszkodliwił Szweda, który wybierał najbiedniejsze kraje, żeby mordować i dawać ujście swej potrzebie zabijania, nie narażając się na aresztowanie; w Phnom Penh odkrył szpital, gdzie potrzebujący pieniędzy wieśniacy sprzedawali za kilkaset dolarów własne organy nabywcom z Zachodu. Teraz był na tropie gangu zajmującego się handlem ludźmi: w ciągu kilku lat zniknęło prawie sto kobiet, mężczyzn i dzieci.

Zaczął nawiązywać kontakty i relacje z ludźmi. Pragnął tego już od dłuższego czasu. Nie zapomniał wymuszonego odizolowania w Rzymie. Ale również teraz niespodziewanie brała w nim górę natura samotnika. Tak więc, zanim dochodziło do powstania trwałych więzów, pakował manatki i wyjeżdżał.

Bał się głębszego zaangażowania. Ponieważ jedyna uczuciowa więź, jaką zdołał nawiązać po odzyskaniu pamięci, zakończyła się nieszczęśliwie. Wciąż myślał o Sandrze, ale coraz rzadziej. Co jakiś czas zadawał sobie pytanie, gdzie może być i czy jest szczęśliwa. Ale nigdy nie pozwalał sobie na zastanawianie się, czy ma kogoś lub myśli o zmianie swojego życia. Byłoby to daremne i zarazem zbyt bolesne.

Natomiast często zdarzało mu się rozmawiać z Clemente. Robił to w myślach i był to dialog intensywny i konstruktywny. Mówił przyjacielowi o wszystkim, o czym nie wiedział lub nie chciał mu powiedzieć, gdy ten był jeszcze przy życiu. Czuł ucisk w żołądku tylko wtedy, gdy wracał myślą do ostatniej lekcji swego szkolenia, tej, której nie dane im było odbyć razem.

Dwa lata temu postanowił wystąpić ze stanu duchownego. Ale niedługo po tym odkrył, że to nie działa tak, jak sobie wyobrażał. Można było zrezygnować ze wszystkiego, ale nie z części samego siebie. Erriaga miał rację: cokolwiek by zrobił, dokądkolwiek by pojechał, zawsze odzywała się jego natura. Pomimo dręczących go wątpliwości nie mógł nic na to poradzić. Tak więc od czasu do czasu, gdy napotykał jakiś opuszczony kościół, wchodził i odprawiał mszę. Czasami zdarzało się coś, czego nie potrafił sobie wyjaśnić. W czasie mszy ktoś pojawiał się nieoczekiwanie i zaczynał jej słuchać. Nie był pewien, czy Bóg rzeczywiście istnieje, ale jego potrzeba zbliżała ludzi do siebie.

◆ ◆ ◆

Od tygodnia śledził go wysoki czarnoskóry mężczyzna.

Marcus zauważył go ponownie, gdy kręcił się po hałaśliwym i barwnym bazarze w Balogun. Tamten trzymał się zawsze około dziesięciu metrów z tyłu. Miejsce to przypominało prawdziwy labirynt, w którym handlowano wszystkim i łatwo było wmieszać się w tłum. Ale Marcus spostrzegł go prawie natychmiast. Ze sposobu, w jaki mężczyzna go śledził, można było wywnioskować, że nie jest zbyt doświadczony w tego rodzaju działalności, ale nigdy nie można było mieć co do tego pewności. Mogła dowiedzieć się o nim organizacja przestępcza, która była przedmiotem jego dochodzenia, i teraz wysłała kogoś, kto miał za zadanie deptać mu po piętach.

Zatrzymał się koło budki sprzedawcy wody. Odpiął kołnierzyk białej lnianej koszuli i poprosił o szklankę płynu. Pijąc, przeciągnął chusteczką po szyi, żeby otrzeć pot, i skorzystał z tego, żeby rozejrzeć się wokół siebie. Tamten także przystanął i udawał właśnie, że ogląda kolorowe tkaniny na innym straganie. Miał na sobie coś w rodzaju jasnej tuniki i nosił płócienną torbę.

Marcus doszedł do wniosku, że coś powinien zrobić.

Zaczekał, aż głos muezzina zacznie wzywać wiernych do modlitwy. Część obecnych na targowisku znieruchomiała, jako że połowa mieszkańców Lagos była muzułmanami. Wykorzystał ten moment, żeby przyspieszyć kroku w plątaninie alejek. Mężczyzna podążył za nim. Był dwa razy większy, Marcus nie spodziewał się więc, że go pokona w bezpośrednim starciu, a do tego nie wiedział nawet, czy tamten nie jest uzbrojony; obawiał się, że tak. Musiał zastosować jakiś sprytny manewr. Wszedł w pustą alejkę i ukrył się za jednym z namiotów. Zaczekał, aż mężczyzna go minie, a potem skoczył mu na plecy i przewrócił na ziemię. Następnie przygniótł go swoim ciężarem i zacisnął obie ręce na jego szyi.

– Dlaczego za mną chodzisz?

– Puść mnie, pozwól mi mówić. – Olbrzym nie próbował reagować, a tylko starał się rozluźnić chwyt Marcusa, żeby się nie udusić.

– To oni cię wysłali?

– Nie wiem, o czym mówisz – zaprotestował nieznajomy łamaną francuszczyzną.

Marcus przycisnął go jeszcze mocniej.

– Jak mnie znalazłeś?

– Jesteś księdzem, prawda?

Słysząc to, zwolnił trochę chwyt.

– Powiedzieli mi, że jest taki jeden, który dopytuje się o zaginione osoby... – Mężczyzna dwoma palcami wydobył spod kołnierzyka tuniki skórzany rzemyk, na którym zawieszony był drewniany krzyżyk. – Możesz mi zaufać, jestem misjonarzem.

Marcus nie był pewien, czy to prawda, ale tak czy owak puścił go. Mężczyzna odwrócił się z pewnym wysiłkiem i usiadł. Potem uniósł rękę do szyi i zakasłał, próbując odzyskać dech.

– Jak masz na imię?

– Emile, jestem księdzem.

Marcus podał mu rękę i pomógł wstać.

– Dlaczego mnie śledziłeś? Dlaczego po prostu nie podszedłeś do mnie?

– Bo chciałem się najpierw upewnić, że to, co o tobie mówią, to prawda.

Jego słowa uderzyły Marcusa.

– A co mówią?

– Że jesteś księdzem, a więc właściwym człowiekiem.

Właściwym do czego? Nie pojmował, co tamten ma na myśli.

– Jak się o tym dowiedziałeś?

– Widziano cię, jak odprawiałeś mszę w opuszczonym kościele... A więc to prawda? Jesteś księdzem?

– Jestem – potwierdził Marcus i pozwolił tamtemu ciągnąć opowieść.

– Moja wieś nazywa się Kivuli. Od dziesiątków lat toczy się u nas wojna, a wszyscy udają, że o niej nie wiedzą. Poza tym mamy okresowe problemy z wodą i zdarzają się przypadki zachorowań na cholerę. Z powodu wojny do Kivuli nie docierają lekarze, a działacze organizacji humanitarnych padają często ofiarą wojujących stron, ponieważ zostają uznani za szpiegów wysłanych przez przeciwnika. Dlatego przyjechałem do Lagos, żeby zdobyć lekarstwa potrzebne nam do zahamowania epidemii... Znalazłszy się tu, usłyszałem o tobie i postanowiłem cię odszukać.

Marcusowi nigdy nawet nie postało w głowie, że tak łatwo można go znaleźć. Być może ostatnio trochę za bardzo uśpił czujność.

– Nie wiem, kto ci naopowiadał pewnych rzeczy, ale nie jest prawdą, że mógłbym ci pomóc. Przykro mi. – Odwrócił się plecami, gotów odejść.

– Złożyłem przysięgę.

Mężczyzna powiedział to błagalnym tonem, ale Marcus udał, że go nie słyszy.

Ojciec Emile nie zrezygnował jednak.

– Przyrzekłem to księdzu, mojemu przyjacielowi, zanim zabrała go cholera. To on nauczył mnie wszystkiego, był moim mistrzem.

Słysząc to, Marcus pomyślał o Clemente i zatrzymał się.

– Ojciec Abel kierował misją w Kivuli przez czterdzieści pięć lat – ciągnął mężczyzna, nie tracąc nadziei, że zdoła przekonać swego rozmówcę.

Marcus odwrócił się do niego.

– Przed śmiercią zwrócił się do mnie ze słowami: „Tylko nie zapomnijcie o ogrodzie zmarłych".

Zdanie to uderzyło Marcusa. Nie podobało mu się jednak użycie liczby mnogiej w wyrazie „zmarłych".

– Około dwudziestu lat temu doszło w naszej wiosce do

zabójstw. Ich ofiarą padły trzy młode kobiety. Mnie nie było jeszcze wtedy w Kivuli, ale wiem, że znaleziono je w lesie zmasakrowane. Po tym wydarzeniu ojciec Abel już nie odzyskał spokoju. Przez resztę życia chciał tylko tego, żeby sprawca poniósł karę.

Marcus odniósł się nieufnie do informacji.

– Dwadzieścia lat to za dużo czasu. Ślady uległy już zatarciu. A jeśli nie było dalszych zabójstw, to może się okazać, że sprawca nie żyje.

Jego słowa nie uspokoiły mężczyzny.

– Ojciec Abel napisał też list do Watykanu, żeby donieść o tym wydarzeniu. Nigdy nie otrzymał odpowiedzi.

Zadziwiło to Marcusa.

– Dlaczego właśnie do Watykanu?

– Ponieważ zdaniem ojca Abla sprawca był księdzem.

Informacja wstrząsnęła Marcusem.

– Znasz może jego nazwisko?

– Cornelius van Buren, był Holendrem.

– Ale ojciec Abel nie był pewien, że to on, prawda?

– Nie, miał jednak co do tego bardzo mocne podejrzenia. Również dlatego, że ojciec van Buren niespodziewanie zniknął i z tą chwilą ustały też zabójstwa.

Zniknął, powiedział sobie Marcus. W tej starej historii było coś, co go skłaniało, żeby się nią zająć. Być może dlatego, że winny był księdzem. Albo dlatego, że pomimo związku ze sprawą Watykan kompletnie ją zignorował.

– Gdzie znajduje się twoja wioska?

– To będzie długa podróż – odparł mężczyzna. – Kivuli jest w Kongu.

Dotarcie na miejsce zajęło im prawie trzy tygodnie.

Dwa z nich spędzili na oczekiwaniu w małej miejscowości trzysta kilometrów od miasta Goma, ponieważ od prawie dwóch miesięcy w okolicach Kivuli szalały krwawe walki.

Po jednej stronie walczyły oddziały milicji CNDP.

– *Congrès National pour la Défense du Peuple* – sprecyzował ojciec Emile. – Chodzi o członków plemienia Tutsi sprzyjających Rwandyjczykom. Ich nazwa każe myśleć, że to rewolucjoniści, ale praktycznie biorąc, są tylko złaknionymi krwi gwałcicielami. – Po drugiej stronie znajdowało się regularne wojsko Demokratycznej Republiki Konga, które stopniowo odzyskiwało tereny pozostające w rękach buntowników.

Przez osiemnaście dni nasłuchiwali radia i czekali, aż sytuacja uspokoi się na tyle, żeby mogli pokonać ostatni odcinek drogi. Marcus zdołał nawet przekupić pewną sumą pilota helikoptera, żeby ich tam zawiózł. O północy dziewiętnastego dnia nadeszła wreszcie wiadomość o nastaniu kruchego rozejmu.

Postanowili niezwłocznie wykorzystać kilkugodzinną przerwę w walkach.

Helikopter leciał tuż nad ziemią nocą i bez świateł, żeby

nie narazić się na zestrzelenie przez artylerię którejś ze stron. Okolicę nawiedziła potężna burza, która mogła być jednocześnie wybawieniem lub zagrożeniem – deszcz tłumił szum wirników, ale błyskawice rozświetlały niebo i mógł ich zlokalizować jakiś naziemny obserwator.

Podczas lotu Marcus spoglądał w dół, zadając sobie pytanie, czego może się spodziewać w tej puszczy i czy wyprawa z powodu czegoś, co się wydarzyło tak dawno temu, nie jest zbyt ryzykowna. Ale zobowiązał się wobec ojca Emile'a i nie mógł się już wycofać. Wydawało się zresztą, że temu człowiekowi bardzo zależy, żeby Marcus zobaczył to, co miał mu do pokazania.

Penitencjariusz ścisnął w dłoni medalik ze świętym Michałem Archaniołem, modląc się, żeby sprawa okazała się naprawdę warta ich trudu.

◆ ◆ ◆

Wylądowali na błotnistym placyku otoczonym bujną roślinnością.

Pilot powiedział coś głośno łamaną francuszczyzną, starając się przekrzyczeć hałas silnika. Zrozumieli tylko tyle, że mają się spieszyć, ponieważ on nie będzie długo czekał.

Puścili się biegiem w kierunku ściany zarośli. Zanurzyli się w gąszczu i od tej pory ojciec Emile podążał kilka kroków przed Marcusem, który przez cały czas się zastanawiał, skąd Afrykanin wie, że idą we właściwym kierunku. Było ciemno, a ulewny deszcz zlewał im głowy, bębniąc z ogłuszającym hałasem po gęstym listowiu. W pewnym momencie ojciec Emile odchylił ostatnią gałąź i nagle znaleźli się w środku wioski złożonej z glinianych i blaszanych chat.

Przed ich oczami rozgrywała się chaotyczna scena.

Zobaczyli ludzi biegających tam i z powrotem w nieustającej ulewie, obładowanych niebieskimi plastikowymi workami, które zawierały nędzny dobytek całych rodzin. Mężczyźni usiłowali spędzić nieliczne bydło, żeby umieścić je pod osłoną. Dzieci płakały, trzymając się nóg matek, które niosły na plecach noworodki poowijane barwnymi płótnami. Marcus odniósł z miejsca wrażenie, że nikt z nich nie wie, dokąd się udać.

Ojciec Emile wyczuł jego myśli i zwolnił kroku, żeby udzielić mu wyjaśnień.

– Aż do wczoraj byli tu buntownicy, a jutro z rana do wioski wejdzie wojsko i zajmie ich miejsce. Ale nie przybędą jako wyzwoliciele; spalą domy i zapasy, żeby w razie powrotu ich przeciwnicy niczego tu nie znaleźli. I pozabijają wszystkich pod zmyślonym pretekstem, że udzielili pomocy wrogowi. Posłuży to za ostrzeżenie dla pobliskich wiosek.

Rozglądając się na wszystkie strony, Marcus uniósł głowę, tak jakby nasłuchiwał odgłosów. I rzeczywiście, poprzez szum ulewnego deszczu i podnieconych głosów słychać było śpiewy. Dochodziły z dużego drewnianego budynku. Z jego wnętrza przeświecało bladożółte światło.

Kościół.

– Nie wszyscy opuszczą to miejsce dzisiejszej nocy – wyjaśnił ojciec Emile. – Starzy i chorzy zostaną tutaj.

Ci, którym nie uda się uciec, pozostaną, powtórzył sobie w duchu Marcus. Narażając się na nie wiadomo jak przerażające zagrożenie.

Ojciec Emile potrząsnął jego ramieniem.

– Nie słyszałeś, co powiedział pilot? Niedługo odleci, musimy się pospieszyć.

◆ ◆ ◆

Znowu znaleźli się poza obrębem wioski, ale po jej drugiej stronie. Ojciec Emile zwerbował po drodze paru mężczyzn, żeby im pomogli. Nieśli ze sobą rydle i prowizoryczne latarki.

Dotarli do małej dolinki, którą prawdopodobnie dawniej płynęła rzeka. W jej najwyższej części znajdowały się groby.

Mały cmentarzyk z trzema krzyżami.

Ojciec Emile powiedział coś w dialekcie przypominającym suahili i mężczyźni zaczęli kopać. Potem podał rydel Marcusowi i obaj przyłączyli się do kopiących.

– W naszym języku słowo Kivuli oznacza „cień" – oświadczył kapłan. – Wioska wzięła swą nazwę od cieku wodnego, który co jakiś czas płynie tą małą dolinką. Na wiosnę rzeka pojawia się o zmierzchu i znika następnego ranka, dokładnie jak cień.

Marcus domyślił się, że zjawisko to jest w jakiś sposób powiązane z charakterem tego miejsca.

– Dwadzieścia lat temu ojciec Abel chciał, żeby te mogiły znalazły się z dala od wioskowego cmentarza, właśnie w tym miejscu, które latem jest wolne od roślinności, choć on sam nazywał je „ogrodem umarłych".

Krasowa rzeźba terenu sprzyjała zachowaniu ciał, chroniąc je przed zawilgotnieniem i działaniem czasu. Była to naturalna kostnica.

– Po morderstwie tych trzech dziewcząt nie było sposobu, żeby przeprowadzić jakiekolwiek dochodzenie. Ale ojciec Abel wiedział, że pewnego dnia zjawi się ktoś, kto zada pewne pytania. Bez względu na to, kto to będzie, na pewno zapragnie zobaczyć ciała.

Ten moment rzeczywiście nadszedł.

Kopiący odsłonili pierwsze zwłoki. Marcus odłożył łopatę i podszedł do dołu. Wypełniała go woda lejąca się z nieba, ale ciało było owinięte plastikową płachtą. Marcus ukłęknął w błocie i zerwał ją rękami. Ojciec Emile podał mu latarkę.

Oświetliwszy odsłonięte szczątki, Marcus stwierdził, że zachowały się dobrze w tej wapiennej kołysce. Przeszły coś w rodzaju mumifikacji. Z tego powodu jeszcze po dwudziestu latach kości były ciągle całe i pokryte strzępami tkanek przypominających ciemny pergamin.

– Miały szesnaście, osiemnaście i dwadzieścia dwa lata – powiedział ojciec Emile, mając na myśli ofiary. – Ona była najmłodsza i zginęła jako pierwsza.

443

Marcus nie potrafił jednak ustalić, w jaki sposób umarła. Pochylił się więc, poszukując śladu rany lub jakiegoś zarysowania na kościach. Dostrzegł coś, co z miejsca go uderzyło, ale w tym samym momencie deszcz zgasił płomień latarki.

To niemożliwe, szepnął do siebie. Kazał sobie podać natychmiast inną latarkę. Ujrzawszy to, cofnął się szybko od dołu, przewracając się do tyłu.

Leżał osłupiały z rękami i plecami zanurzonymi w błocie. Ojciec Emile potwierdził jego domysły.

– Głowa została odcięta, podobnie jak ręce i nogi. W całości pozostał tylko tułów. Szczątki rozrzucone były w promieniu kilku metrów, a dziewczyna została obdarta z ubrań, które leżały w strzępach.

Marcus nie mógł złapać oddechu, podczas gdy zlewały go strumienie deszczu, nie pozwalając mu zebrać myśli. Już widział trupa takiego jak ten.

Hic est diabolus.

Młodą zakonnicę z klauzury poćwiartowaną w ogrodach watykańskich.

Diabeł musiał odwiedzić również to miejsce, pomyślał. Człowiek z przewieszoną przez ramię szarą torbą z ujęcia kamery ochrony, na którego bezskutecznie polował w Rzymie, przebywał w Kivuli siedemnaście lat przed zbrodnią w Watykanie, od której minęły już trzy lata.

– Cornelius van Buren – powiedział, przypomniawszy sobie imię i nazwisko holenderskiego misjonarza, który prawdopodobnie popełnił te zbrodnie. – Czy w wiosce jest jeszcze ktoś, kto go znał?

– Minęło dużo czasu, a średnio biorąc, w tych stronach ludzie żyją bardzo krótko – odparł ojciec Emile, lecz potem zaczął się zastanawiać. – Ale żyje pewna staruszka. Jedna z zamordowanych dziewcząt była jej siostrzenicą.

– Muszę z nią porozmawiać.

Ojciec Emile spojrzał na niego z zakłopotaniem.

– Helikopter – przypomniał mu.

– Zaryzykuję, zaprowadź mnie do niej.

♦ ♦ ♦

Dotarli do kościoła i ojciec Emile wszedł pierwszy. W środku leżeli wzdłuż ścian chorzy na cholerę. Porzucili ich uciekający krewni i teraz zajmowali się nimi najstarsi. Z zastawionego świecami ołtarza spoglądał na wszystkich wielki drewniany krucyfiks.

Starzy śpiewali, modląc się za młodszych. Ich śpiew był pełen słodyczy i melancholii; wydawało się, że wszyscy pogodzili się ze swoim losem.

Ojciec Emile zaczął się rozglądać za staruszką i znalazł ją w głębi nawy. Zajmowała się chłopcem; robiła mu chłodne okłady na czoło, żeby obniżyć gorączkę. Kapłan dał znak Marcusowi, żeby podszedł bliżej, i obaj przycupnęli obok niej. Potem powiedział coś do kobiety w miejscowym języku. Staruszka podniosła wzrok na cudzoziemca, przyglądając mu się ogromnymi i bardzo czystymi, piwnymi oczami.

– Porozmawia z tobą – poinformował go ojciec Emile. – O co chcesz ją zapytać?

– O to, czy pamięta coś na temat van Burena.

Afrykanin przetłumaczył pytanie. Kobieta zastanawiała się przez chwilę, a potem odpowiedziała stanowczym tonem. Marcus zaczekał, aż skończy, mając nadzieję, że dowie się od niej czegoś ważnego.

– Mówi, że ten ksiądz różnił się od innych, wydawał się lepszy, ale taki nie był. Było też coś w sposobie, w jaki patrzył na ludzi. I to coś jej się nie podobało.

Kobieta zaczęła mówić znowu.

– Powiedziała, że w ciągu tych lat starała się na zawsze zatrzeć w pamięci jego twarz i to jej się udało. Przeprasza cię, ale nie chce przypominać jej sobie. Jest pewna, że to on zabił jej siostrzenicę, ale już się z tym pogodziła, a niebawem spotkają się w zaświatach.

Marcusowi to nie wystarczało.

– Poproś, żeby ci opowiedziała coś o dniu, w którym van Buren zniknął.

Ojciec Emile przełożył jego prośbę.

– Mówi, że pewnej nocy przyszły po niego duchy z lasu, żeby go zabrać do piekła.

Duchy z lasu... Marcus miał nadzieję, że usłyszy inną odpowiedź.

Ojciec Emile rozumiał jego zniechęcenie.

– Musisz pamiętać, że tutaj przesądy i religia współżyją ze sobą. Ci ludzie są katolikami, ale nadal wierzą w rzeczy związane z dawnymi kultami. Tak jest od zawsze.

Marcus podziękował kobiecie skinieniem głowy i już miał się podnieść, gdy ona wskazała coś palcem. W pierwszej chwili nie wiedział, o co jej chodzi. Po chwili zorientował się, że zainteresował ją medalik na jego szyi.

Ze świętym Michałem Archaniołem, opiekunem penitencjariuszy.

Zdjął go z szyi, wziął ją za rękę i położył medalik na pomarszczonej dłoni. A potem zamknął ją tak, jakby była to szkatułka.

– Niech ten anioł ochrania cię tej nocy.

Kobieta przyjęła podarunek z leciutkim uśmiechem. Jeszcze przez chwilę spoglądali na siebie, jakby na pożegnanie, wreszcie Marcus się podniósł.

◆ ◆ ◆

Ruszyli w drogę powrotną do helikoptera. Pilot uruchomił już silnik i śmigła wirnika obracały się w powietrzu. Marcus dotarł do drzwi i odwrócił się. Nie zobaczył ojca Emile'a, który zatrzymał się dużo wcześniej. Wrócił więc do niego, nie zwracając uwagi na ponaglające wołania pilota.

– Chodź, na co czekasz?! – zawołał.

Misjonarz pokręcił w milczeniu głową. Marcus domyślił się, że on nie poszuka nawet schronienia w dżungli, jak inni mieszkańcy wioski. Że wróci do kościoła i będzie czekał na śmierć razem ze swoimi wiernymi, którzy nie byli w stanie uciec.

– Dzięki misjom w Kivuli i innych takich miejscach Kościół dokonał wielkich rzeczy. Nie wolno nam pozwolić, żeby jakiś potwór zniszczył to dobro – zapewnił ojciec Emile.

Marcus kiwnął głową, a potem uścisnął rosłego Afrykanina. Chwilę później był już na pokładzie helikoptera, który w parę sekund wzbił się w powietrze w szarej zasłonie deszczu. Stojący na ziemi misjonarz podniósł rękę na pożegnanie. Marcus odpowiedział takim samym gestem, ale nie czuł się podniesiony na duchu. Chciałby mieć odwagę tego człowieka. Pewnego dnia, powiedział sobie. Być może.

Była to noc pełna niespodzianek. Zdobył imię i nazwisko mordercy, który aż do tej chwili pozostawał nikomu nieznanym demonem. Minęło prawie dwadzieścia lat, ale być może był jeszcze czas na odkrycie prawdy.

W tym celu Marcus musiał jednak wrócić do Rzymu.

Cornelius van Buren popełnił jeszcze inne zabójstwa.

Marcusowi udało się odnaleźć jego ślady w różnych miejscach świata. W Indonezji, w Peru, w innych zakątkach Afryki. Ten diabeł wcielony korzystał ze statusu misjonarza, żeby poruszać się bez przeszkód po całym świecie. Wszędzie, gdzie się pokazał, zostawiał ślad swojego przejścia. Koniec końców Marcus doliczył się czterdziestu sześciu kobiecych zwłok.

Wszystkie te zabójstwa zostały popełnione wcześniej niż zbrodnia w Kivuli.

Wioska w Kongu była ostatnim znanym miejscem jego pobytu. Potem zniknął bez śladu.

…*pewnej nocy przyszły po niego duchy z lasu, żeby go zabrać do piekła* – powiedział ojciec Emile, tłumacząc słowa staruszki.

Marcus z pewnością nie mógł całkowicie wykluczyć, że po opuszczeniu Kivuli van Buren popełnił kolejne zabójstwa gdzie indziej, a on po prostu nie był w stanie odnaleźć śladów tych morderstw. Z reguły dochodziło do nich w miejscach oddalonych od cywilizacji, głęboko zanurzonych w miejscowych tradycjach.

W każdym razie siedemnaście lat po Kivuli van Buren ujawnił się ponownie, porzucając okaleczone zwłoki w ogrodach Watykanu. Po czym znowu zniknął.

Dlaczego postanowił ujawnić się w taki przelotny sposób? I gdzie spędził następne trzy lata po zamordowaniu zakonnicy? Marcus obliczył, że ten człowiek powinien mieć mniej więcej sześćdziesiąt pięć lat. Czy było prawdopodobne, że w tym okresie pożegnał się z życiem?

Natychmiast uderzyła go pewna okoliczność. Van Buren troskliwie wybierał swoje ofiary.

Były młode, niewinne i bardzo ładne.

Czy można było przypuszczać, że znudził się swoją rozrywką?

♦ ♦ ♦

Kardynał Erriaga przepowiedział, że do tego dojdzie.

Wrócisz – zapewnił ze śmiechem.

I rzeczywiście, o dziewiętnastej trzydzieści we wtorkowe popołudnie penitencjariusz zwlekał z opuszczeniem Kaplicy Sykstyńskiej do chwili, aż pozostanie w niej ostatnia grupa turystów. Podczas gdy wszyscy podziwiali freski, on uważnie obserwował ruchy osób wyznaczonych do ochrony.

Gdy strażnicy poprosili obecnych, żeby kierowali się do wyjścia, ponieważ muzea watykańskie zamykają podwoje, Marcus wymknął się z kolejki osób stojących przed drzwiami i wszedł w głąb bocznego korytarza. Służbowymi schodami zszedł na Dziedziniec Szyszki. W poprzednich dniach był tu parokrotnie tylko po to, aby zorientować się, gdzie umieszczone są kamery ochrony obserwujące wewnętrzne tereny Watykanu.

Znalazł luki w systemie ochrony. Dzięki temu zdołał teraz bez przeszkód dotrzeć aż do ogrodów.

Wiosenne słońce zachodziło powoli, ale niebawem miał zapaść mrok. Ukrył się więc w bukszpanowym żywopłocie i czekał. Przypomniał sobie chwilę, gdy był tu razem z Clemente; obszar został wtedy objęty czymś w rodzaju kwarantanny, żeby umożliwić im obu przejście bez przeszkód przez park.

Kto zorganizował wtedy to pozornie niemożliwe przedsięwzięcie? Oczywiście Erriaga. Ale dlaczego później nikt z wyższych hierarchów kościelnych nie ruszył palcem, żeby pomóc Marcusowi doprowadzić do końca śledztwo dotyczące śmierci zakonnicy?

To nie miało sensu.

Kardynał mógł wówczas zataić całą sprawę, a jednak chciał, żeby Marcus zobaczył ofiarę, a przede wszystkim, żeby dowiedział się o zbrodni.

♦ ♦ ♦

Kiedy zapadł zmierzch, Marcus opuścił kryjówkę i ruszył w kierunku jedynej części ogrodów, w której roślinność mogła się krzewić swobodnie.

Do dwuhektarowego zagajnika, gdzie służba udawała się tylko po to, żeby usuwać suche gałęzie.

Dotarłszy na miejsce, zapalił latarkę, starając się przypomnieć sobie, gdzie leżały zwłoki zakonnicy. Znalazł teren, który trzy lata wcześniej żandarmeria watykańska otoczyła żółtą taśmą. Zło ma pewen konkretny wymiar, przypomniał sobie w duchu, ponieważ dokładnie wiedział, co musi zrobić.

Rozejrzeć się za anomaliami.

Aby zrealizować ten cel, trzeba było odświeżyć pamięć o tym, co się wydarzyło tamtego dnia w obecności Clemente.

Leżał tu ludzki tułów.

Był nagi. Wówczas natychmiast pomyślał o Torsie Belwederskim, ogromnym posągu Herkulesa bez rąk, przechowywanym w muzeach watykańskich. Ktoś bestialsko potraktował zakonnicę, odcinając jej głowę, nogi i ramiona. Leżały parę metrów dalej, porzucone razem z ciemnym ubraniem w strzępach.

Nie, nie „ktoś".

Cornelius van Buren. Teraz Marcus mógł już w końcu wypowiedzieć imię i nazwisko sprawcy.

Morderstwo było brutalne. Ale stała za nim pewna logika, pewien plan. Diabeł wiedział, jak się poruszać pośrodku tych murów. Zbadał poszczególne miejsca, procedury kontrolne, obszedł środki bezpieczeństwa dokładnie tak, jak to niedawno zrobił on sam.

Kimkolwiek był sprawca, wszedł tu z zewnątrz – powiedział wtedy Clemente.

Skąd masz tę pewność?

Znamy jego twarz. Ciało znajduje się tu co najmniej od ośmiu, dziewięciu godzin. We wczesnych godzinach porannych kamery ochrony zarejestrowały podejrzanego mężczyznę, który kręcił się w okolicy ogrodów. Był ubrany jak posługacz, ale okazuje się, że skradziono ubranie robocze.

Dlaczego właśnie on?

Sam popatrz.

Clemente pokazał mu ujęcie z kamer ochrony. Na nieruchomym obrazie widać było mężczyznę w ubraniu ogrodnika, z twarzą częściowo zasłoniętą przez daszek czapki. Biały, w nieokreślonym wieku, ale z pewnością po pięćdziesiątce. Miał szarą torbę przewieszoną przez ramię. Można było dostrzec na niej ciemniejszą plamę.

Żandarmi są przekonani, że miał w niej mały toporek lub podobny przedmiot. Musiał go użyć niedawno, a plama, którą widzisz, prawdopodobnie pochodzi od krwi.

Dlaczego właśnie toporek?

Ponieważ to jedyne narzędzie, jakie mógł tu znaleźć. Wykluczone, żeby udało mu się wnieść coś z zewnątrz, przejść przez bramki kontrolne, stanowiska strażników i wykrywacze metali.

A jednak zabrał je z miejsca zbrodni, na wypadek gdyby żandarmi zwrócili się do włoskiej policji.

Przy wyjściu sprawy wyglądają dużo prościej, bo nie ma żadnych kontroli. Poza tym, żeby wyjść, nie zwracając na siebie uwagi, wystarczy wmieszać się w tłum pielgrzymów albo turystów.

Zastanawiając się nad tą rozmową, Marcus natychmiast znalazł błąd.

Po Kivuli van Buren przestaje zabijać na siedemnaście lat i znika. Być może wcale nie zrezygnował z mordowania, pomyślał. Stał się po prostu bardziej czujny i nauczył się lepiej zacierać ślady swoich zbrodni.

Ale w takim razie dlaczego miałby narażać się na ogromne ryzyko, popełniając morderstwo właśnie w Watykanie?

Marcus uświadomił sobie, że źle ocenił sposób, w jaki van Buren uniknął kontroli. Musiał to przyznać: wtedy ta sprawa go wręcz zafascynowała. Teraz jednak, w tym pustym zagajniku, zrewidował swój pogląd. Drapieżnik w rodzaju van Burena nie naraziłby się świadomie na ewentualność, że zostanie schwytany.

Ponieważ zabijanie sprawiało mu zbyt wiele przyjemności.

W takim razie jak to się mogło potoczyć?

Zarówno on, jak i Clemente przyjęli za pewnik, że morderca wszedł do Watykanu z zewnątrz i z niego wyszedł.

A jeśli przebywał przez cały czas w jego murach?

To by wyjaśniało jego doskonałą znajomość systemu ochrony. Ale Marcus oddalił tę hipotezę, ponieważ w trakcie swego bezskutecznego śledztwa przyjrzał się życiu osób świeckich i księży, którzy działali wewnątrz małego państwa i mieli coś wspólnego z człowiekiem z ujęcia kamery – białym po pięćdziesiątce.

Zjawa, powiedział do siebie. Duch umiejący zjawiać się i znikać, kiedy mu się podoba.

Przeciągnął snopem światła latarki po drzewach. Ten diabeł wybrał doskonałe miejsce na popełnienie zbrodni. Z dala od spojrzeń. Troskliwie wybrał też ofiarę.

Jej tożsamość jest tajemnicą – powiedział Clemente, mając na myśli młodą zakonnicę z klauzury. – *To jedna z norm zakonu, do którego należała.*

Pojawiając się publicznie, zakonnice zakrywały sobie twarz welonem. Marcus widział te zasłony na twarzach innych sióstr, kiedy przyszły zabrać zwłoki tamtej biedaczki.

Hic est diabolus.

Tak powiedziała mu jedna z nich, podchodząc w chwili, gdy Clemente odciągał go stamtąd.

Tu przebywa diabeł.

Marcus zadał sobie pytanie, dlaczego morderca wybrał właśnie jedną z nich.

Czasami zakonnice spacerują po tym lasku – powiedział wtedy Clemente. – *Tu prawie nigdy nikt nie przychodzi, więc mogą się modlić bez przeszkód.*

Jego słowa powinny nasunąć mu przypuszczenie, że zabójca wybrał ją przypadkiem. Kobietę, która postanowiła wyłączyć się z życia wśród ludzi, a ponadto znajdowała się w jedynym odizolowanym miejscu Watykanu, w tym zagajniku. Właściwa osoba we właściwym miejscu. Zabójca troszczył się o to, żeby jego ofiary były młode, niewinne i bardzo ładne.

Marcus przypomniał sobie chwilę, gdy pochylił się nad nią, żeby lepiej się przyjrzeć. Biała cera, małe piersi, bezwstydnie odsłonięte krocze. Jasne i bardzo krótkie włosy na odciętej głowie. Niebieskie oczy uniesione do nieba jakby w błaganiu.

Ona także musiała być młoda, niewinna i bardzo ładna. Ale jeśli zakrywała sobie twarz kawałkiem płótna, skąd morderca mógł o tym wiedzieć?

– Znał ją.

Powiedział to głośno, nawet sobie tego nie uświadamiając. Nagle fragmenty układanki zaczęły pasować do siebie. Układały się przed jego oczami w całość jak na starym obrazie Caravaggia, takim jak ten z kościoła Świętego Ludwika Francuzów, gdzie rozpoczął swoje szkolenie.

W tej scenie obecni byli wszyscy. Cornelius van Buren, siostra zakonna z klasztoru, która szepnęła mu na ucho *Hic est diabolus*, Battista Erriaga, święty Michał Archanioł, stara kobieta z Kivuli, nawet Clemente.

Szukaj anomalii, Marcusie – mawiał jego mentor. I Marcus właśnie ją znalazł.

Tym razem anomalią był on sam.

Po drugiej stronie zagajnika jest mały klasztor klauzurowy – powiedział mu wtedy Clemente. Marcus ruszył w jego kierunku.

Niebawem roślinność zaczęła rzednąć i jego oczom ukazał się szary niski budynek o surowym wyglądzie. Za oknami można było dostrzec żółtawe światło, jak od świec. I cienie, które poruszały się powoli, ale w pewnym porządku.

Marcus podszedł do wejścia i zapukał. Niedługo potem ktoś odsunął rygle i otworzył drzwi. Zakonnica miała twarz ukrytą za czarnym welonem. Spojrzała na niego, a potem cofnęła się natychmiast, żeby mógł wejść, jakby na niego czekała.

Marcus stanął w środku i zobaczył przed sobą gromadkę zakonnic. Natychmiast uświadomił sobie, że się nie pomylił. Świece. Siostry postanowiły odizolować się od reszty świata, rezygnując z jakichkolwiek zdobyczy cywilizacji poprawiających komfort codziennego życia. To ciche miejsce, znajdujące się poza czasem, położone było w samym środku małego terytorium Watykanu, w centrum tak ogromnej, pogrążonej w chaosie metropolii jak Rzym.

Trudno pojąć wybór dokonany przez te zakonnice, wiele osób uważa, że mogłyby czynić dobro między ludźmi, zamiast zamykać się w klasztornych murach – mówił mu Clemente. – *Ale*

moja babcia mawiała zawsze: „Nie masz pojęcia, ile razy te sio-
strzyczki uratowały świat swoimi modlitwami.

Teraz już wiedział. Była to prawda.

Żadna nie wskazała Marcusowi, dokąd ma iść. Ale gdy tylko się poruszył, zakonnice zaczęły usuwać się po kolei na bok,
żeby naprowadzić go na właściwy kierunek. W ten sposób dotarł do podstawy schodów. Spojrzał najpierw w górę, a potem
zaczął po nich wchodzić. W jego głowie kłębiły się najróżniej-
sze myśli, ale teraz wszystkie one miały sens.

Śmiech Erriagi... *Nigdy nie będziesz żył tak, jak to robią*
inni. Nie staniesz się kimś, kim nie jesteś. Wynika to z twojej
natury. Kardynał był pewien, że Marcus nadal będzie dostrzegał anomalie, znaki zła. To był jego talent i jego przekleństwo. I nigdy nie miał zapomnieć poćwiartowanego ciała
zakonnicy. Van Buren rozsiał zbyt wiele trupów po całym
świecie, aby Marcus nie natknął się na niego ponownie. Poza
tym to była jego natura, nie potrafił robić nic innego. *Wró-*
cisz. I rzeczywiście, wrócił.

A kiedy odbędzie się moja ostatnia lekcja?

Gdy zadał to pytanie, Clemente tylko się uśmiechnął.

We właściwym momencie.

I właśnie nadszedł czas na ostatnią lekcję jego szkolenia.
To dlatego trzy lata temu Erriaga chciał, żeby udał się do tego
zagajnika i zobaczył pocięte zwłoki. Nie trzeba było niczego
odkrywać, kardynał już wtedy znał całą prawdę.

Pewnej nocy przyszły po niego duchy z lasu, żeby go zabrać
do piekła. Tak właśnie ojciec Emile przetłumaczył słowa staruszki. Potem kobieta wskazała medalik, który Marcus miał
na szyi, i on jej go podarował.

Święty Michał Archanioł, opiekun penitencjariuszy.

Ale ta kobieta nie wskazała medalika dlatego, że chciała go
mieć: tak naprawdę mówiła mu po prostu, że widziała identyczne medaliki tamtej nocy, gdy van Buren zniknął z Kivuli.

Łowcy cieni, czyli owe duchy z lasu, byli już na tropie misjonarza. Wyśledzili go i zabrali stamtąd.

Dotarłszy na szczyt schodów, Marcus zauważył, że w głębi korytarza po lewej stronie znajduje się jedyny pokój, z którego wydostawały się słabe odblaski. Podszedł bez pośpiechu i dotarł do ciężkich polerowanych żelaznych sztab.

Drzwi celi.

Zdobył dowód, dlaczego w ciągu siedemnastu lat od opuszczenia Kivuli Cornelius van Buren nikogo nie zabił.

Starzec siedział na krześle z ciemnego drewna. Zgarbiony, okryty podartym czarnym swetrem. Przy ścianie stało składane łóżko. W celi znajdował się też pojedynczy regał pełen książek. Również teraz van Buren coś czytał.

Przebywał tu przez cały czas, powiedział sobie w duchu Marcus. Ten diabeł nigdy nie ruszył się na krok z Watykanu.

Hic est diabolus. Tak powiedziała mu zakonnica, kiedy opuszczał zagajnik. Wystarczyłoby lepiej zastanowić się nad jej słowami. Chciała go o tym powiadomić. Być może była przejęta zgrozą po tym, co spotkało jedną z jej klasztornych siostrzyczek. I postanowiła złamać ślub milczenia.

Tu przebywa diabeł

Pewnego dnia Cornelius przypadkiem dojrzał twarz jednej z sióstr, które się nim opiekowały i go pilnowały. Była niewinna, młoda i piękna. Więc znalazł sposób, żeby się wymknąć i zaatakować ją w zagajniku, gdy była sama. Ale jego ucieczka nie mogła trwać długo. Zaraz potem ktoś z pewnością zaprowadził go z powrotem do jego więzienia. Marcus rozpoznał w jednym z kątów pokoju szarą torbę z paskiem; w jej dolnej części wciąż jeszcze można było zauważyć ciemną plamę zaschniętej krwi.

Mężczyzna podniósł wzrok znad książki i odwrócił się do niego. Jego zapadniętą twarz okrywała zmierzwiona i miejscami siwa broda. Wlepił w niego uprzejme spojrzenie. Ale nie zmyliło to Marcusa.

– One mnie uprzedziły, że przyjdziesz.

Jego słowa wstrząsnęły penitencjariuszem. Ale potwierdzały tylko to, co już wiedział.

– Czego chcesz ode mnie?

Stary ksiądz wyszczerzył pożółkłe zęby w uśmiechu.

– Nie bój się, to tylko nowa lekcja twojego szkolenia – dodał.

– Ty miałbyś być tą lekcją? – zapytał z pogardą Marcus.

– Nie – odparł stary. – Ja ci jej udzielę.

Rozmowa z autorem

Pierwsze pytanie, jakie przychodzi na myśl każdemu czytelnikowi twoich powieści, a zwłaszcza *Trybunału Dusz*, a teraz także *Łowcy cieni*, brzmi: ile z tego wszystkiego jest prawdą? Czy możesz nam to wyjawić?

Zaraz po ukazaniu się *Trybunału Dusz*, pierwszej powieści z tej serii, czytelnicy prześladowali mnie pytaniem:

„Czy naprawdę istnieje archiwum grzechów?"

Odpowiadałem na nie zawsze tak samo: „Istnieje, a penitencjariusze mają nawet swoją stronę internetową: www.penitenzieria.va".

Myślę, że nikomu nie wydawało się możliwe, aby wydarzenia opisane w powieści były oparte na rzeczywistych faktach. Oczywiście pozwoliłem sobie na pewną swobodę w ich wykorzystaniu, żeby osnuć na nich moją opowieść. Ale nie czułem się uprawniony do potępiania tych, którzy zwątpili w wiarygodność sytuacji i bohaterów. Zdumienie osób, które nigdy nie słyszały o istnieniu *Paenitentiaria Apostolica*, najstarszej kongregacji watykańskiej, było podobne do tego, w jakie popadłem ja sam, gdy opowiedziano mi o niej po raz pierwszy. Nigdy nie zapomnę tego, co wtedy przeleciało mi przez głowę. Natychmiast zrodziło się we mnie pytanie: Czy to możliwe, żeby żaden pisarz nie opowiedział dotąd o penitencjariuszach? I konstatacja, że przecież jest to wspaniały materiał na powieść!

W jaki sposób wpadłeś na pomysł napisania tej historii, która wydaje się równie niewiarygodna, jak i prawdziwa?

Każdy pisarz ma nadzieję, że przyjdzie mu do głowy coś oryginalnego, jest to Święty Graal, którego poszukują wszyscy autorzy. Z tego powodu będę zawsze dłużnikiem pewnej osoby.

Gdy po raz pierwszy spotkałem się z ojcem Jonathanem, nie byłem w stanie uwierzyć, że mam przed sobą kogoś w rodzaju policjanta, tak bardzo przypominającego bohaterów moich ulubionych powieści kryminalnych z lat siedemdziesiątych, ani że na dodatek ten człowiek jest księdzem! Ponadto w jego opowieściach było coś „gotyckiego", jakby naprawdę działał na granicy jakiegoś mrocznego wymiaru. Ojciec Jonathan do dzisiaj oferuje swoje wsparcie siłom porządku, gdy pojawiają się przypadki, w których trudno jest rozszyfrować zło. Czasami doświadczenie zdobyte w badaniu archiwum ma podstawowe znaczenie dla częściowego przynajmniej zrozumienia tego, co wydaje się całkowicie niezrozumiałe.

Czy ten przebyty przez ciebie szlak pomógł ci lepiej zrozumieć ludzką naturę? Innymi słowy, czego się nauczyłeś w odniesieniu do pojęć dobra i zła?

Prawdą jest, że nikt nie chce słuchać i że w trakcie dziejów dobro ewoluowało razem z ludzkością, podczas gdy zło pozostawało ciągle w niezmienionej postaci.

Jeśli wyłączyć przestępstwa związane z postępem technologicznym, to zbrodnie, zwłaszcza te najbardziej okrutne, pozostały mimo upływu wieków identyczne. W czasach starożytnych Rzymian zdarzali się dokładnie tacy sami seryjni mordercy jak obecnie. Mimo że mieliśmy całe tysiąclecia na badanie i poznawanie zła, jeszcze dziś nie potrafimy wyjaśnić, co popycha naszego bliźniego do popełnienia nieludzkiego czynu dla samej przyjemności jego popełnienia. W historycznej części archiwum grzechów, tej, którą można badać, znajdują się tego skrupulatne świadectwa. Na przykład, w roku 1997 ukończyłem studia uniwersyteckie, pisząc pracę dyplomową na temat słynnego włoskiego „potwora", mordercy dzieci. Dotknięty narcystycznym zaburzeniem osobowości zabójca nie skąpił makabrycznych szczegółów swoich morderstw, niemal szczycąc się własnymi „dokonaniami". Nieprzypadkowo, kiedy policjanci jeszcze na niego polowali, zostawił im w budce telefonicznej wiadomość opatrzoną podpisem: „potwór". Natomiast w archiwum przechowywana jest spowiedź pewnego młodzieńca, który popełnił zbrodnie tego samego rodzaju. Słowa, jakich użył, żeby opisać to, co działo się w jego umyśle w trakcie zabijania niewinnych ofiar, były bardzo podobne do tych, po jakie sięga mój „potwór". Tylko że tamten młody grzesznik żył w pierwszej połowie szesnastego wieku!

Masz wykształcenie prawnicze i kryminologiczne, jesteś świetnym znawcą najbardziej mrocznych zakamarków ludzkiego umysłu. Czy na tym polu jest jeszcze coś, co cię zaskakuje lub na co nie jesteś przygotowany?

Ojciec Jonathan ostrzegł mnie, że wiele rzeczy, o których mi opowiadał, mogę uznać za niewiarygodne. Czasami było mi bardzo trudno przyznać się przed sobą, że nie jestem przygotowany na pewne przejawy zła. Uważnie wybrałem historie, które chciałem przedstawić w powieści, starając się nie ulec pokusie ujawnienia zbyt wielu szczegółów dotyczących spraw, które badałem w celu podparcia się dokumentacją. Istnieje dziwny składnik naszej natury, podatny na niebezpieczne przyciąganie tego co złe. Jest to ten sam składnik, który, na przykład, skłania nas do otwartego potępienia mordercy dzieci, ale także do chorobliwego śledzenia jego czynów w mediach. Zwróćmy uwagę na fakt, że wszyscy pamiętają zawsze lepiej nazwiska sprawców niż ich ofiar...

W tej powieści jest wiele prawdziwych, historycznych szczegółów, nie tylko *Paenitentiaria Apostolica*. Mógłbyś powiedzieć nam na przykład coś więcej na temat Konfraterni Judasza?

W średniowieczu niektórzy chrześcijanie doszli do przekonania, że należy przechować zło w historii, ponieważ ich zdaniem tylko dzięki niemu ludzie mieli nadal odczuwać potrzebę Boga, a przede wszystkim Kościoła.

Ale jak pogodzić zło z wiarą?

Rozwiązanie polegało na nawróceniu złoczyńców w taki sposób, żeby oni sami o tym nie wiedzieli. Mieli nadal działać na rzecz zła, ale tak, żeby w końcu ich czyny obróciły się na rzecz dobra. Aby to osiągnąć, ci ludzie werbowali nowych adeptów spośród kryminalistów, zwodząc ich obietnicą, że będą czcić diabła. W ich świątyni znajdował się człekokształtny posąg człowieka z wilczą głową. Jednak tylko prawdziwi członkowie bractwa wiedzieli, że pod wilczą maską ukryta jest twarz Chrystusa. Pozostali modlili się do owej postaci, którą uważali za uosobienie zła, a w rzeczywistości kierowali swoje modlitwy do Syna Bożego.

Herezja Konfraterni Judasza była surowo karana przez inkwizycję.

Ile czasu poświęciłeś na napisanie tej powieści, wliczając w to badania i samo pisanie?

Napisałem tę powieść w ciągu jednego roku, ale jej geneza sięga dawniejszego okresu. Historie dotyczące miejsc, które opisałem, są owocem badań i lektur, ale przede wszystkim są prezentami od wielu rzymskich przyjaciół, które otrzymywałem przez lata. Zawdzięczam im odkrycie pewnych legend i tajemnic; dzięki nim odwiedzałem też sekretne i nieznane zakątki. Wyobraźcie sobie na przykład, co poczułem, gdy dowiedziałem się o istnieniu prawdziwego dwuhektarowego lasku na terenie Watykanu!

Co sądzisz o Rzymie?

Kto nie urodził się w Rzymie i nie spędził tu znacznej części życia, nie może wiedzieć, co tak naprawdę kryje w sobie to najniezwyklejsze miasto świata. Mieszkam tu już od wielu lat. Dlatego mogę zapewnić, że nie ma na świecie drugiego takiego miejsca. Nie przypadkiem każdy, kto tu przyjeżdża, czuje się tak, jakby od zawsze był częścią tego miejsca, i natychmiast pojmuje, że zasługuje ono w pełni na miano Wiecznego Miasta.

Podziękowania

Wśród osób, którym pragnę wyrazić podziękowania, są:

Stefano Mauri, mój wydawca. Fabrizio Cocco, mój redaktor. Giuseppe Strazzeri, dyrektor wydawnicta Longanesi. Raffaella Roncato, Cristina Foschini, Elena Pavanetto, Giuseppe Somenzi, Graziella Cerutti.

Mój agent Luigi Bernabò.

Michele, Ottavio i Vito – moi informatorzy. Achille.

Antonio i Fiettina – moi rodzice.

Chiara – moja siostra.